pavillons lointains

2

| M. M. KAYE | *ŒUVRES* |
|---|---|
| PAVILLONS LOINTAINS - 1 | *J'ai Lu 1307\*\*\*\** |
| PAVILLONS LOINTAINS - 2 | *J'ai Lu 1308\*\*\*\** |
| ZANZIBAR | |

# M.M. KAYE

# pavillons lointains

# 2

traduit de l'anglais par Maurice-Bernard Endrèbe

Éditions J'ai Lu

*Ce roman a paru sous le titre original :*

THE FAR PAVILIONS

# LIVRE SIXIÈME

## ANJULI

### 36

Ce fut une bonne chose que Mahdoo soit parti à ce moment-là car, deux jours plus tard, son inquiétude au sujet de son maître eût été considérablement accrue par l'arrivée d'un visiteur inattendu.

En rentrant d'exercice, une heure après le coucher du soleil, Ash vit une tonga de louage arrêtée devant le bungalow et Gul Baz l'attendait sur la galerie pour l'avertir qu'il avait un visiteur.

– C'est le Hakim de Karidkote, le Rao-Sahib Gobind Dass.

C'était bien Gobind mais la brusque frayeur que Ash avait ressentie à l'énoncé de son nom, se dissipa dès qu'il vit le visage du médecin. Il n'était sûrement pas porteur de mauvaises nouvelles, il ne venait pas lui apprendre avec ménagement que Juli était malade, mourante ou morte, ni même que son mari la maltraitait. Elégant et calme comme à son ordinaire, Gobind expliqua qu'il se rendait à Bhitor sur les instances de Shushila-Rani préoccupée par la santé de son mari, car elle n'avait aucune confiance dans le médecin du Rana, âgé de soixante-dix-huit ans et dont les méthodes, disait-elle, avaient plusieurs siècles de retard.

– Comme elle attend un enfant, il importe de lui éviter toute inquiétude supplémentaire. Aussi mon maître le Rao-Sahib a-t-il jugé bon d'accéder à sa requête. J'ignore toutefois ce que je vais pouvoir faire là-bas, car je doute que les hakims du Rana voient d'un bon œil un étranger venir le soigner.

– Il est gravement malade? s'enquit Ash avec une flambée d'espoir.

Gobind haussa les épaules en écartant les bras :

– Qui peut le dire? Vous savez bien comment est Shushila-Rani. Elle se fait une montagne du moindre malaise, et c'est probablement le cas. Quoi qu'il en soit, je suis envoyé à Bhitor pour agir au mieux et je dois y rester aussi longtemps qu'on me le demandera.

Accompagné d'un seul serviteur, un rustaud à l'air ébaubi nommé Manilal, Gobind avait fait un crochet par Ahmadabad à la demande de Kara-ji :

– Le Rao-Sahib m'a dit que ses nièces seraient très heureuses de savoir ce que vous devenez, et que vous-même auriez plaisir à recevoir des nouvelles de Karidkote. Tenez, voici des lettres... Le Rao-Sahib n'a pas confiance dans le *dâk* et m'a bien recommandé de vous remettre ce courrier en main propre.

Il y avait trois lettres car Jhoti et Mulraj avaient aussi écrit, mais brièvement, disant que Gobind lui donnerait toutes les nouvelles de vive voix. Jhoti parlait surtout de chasse et de chevaux, terminant par un portrait ironique du Résident britannique qu'il semblait avoir pris en grippe, pour l'unique raison que celui-ci le regardait par-dessus le pince-nez que sa vue l'obligeait à porter. Mulraj se bornait à envoyer ses meilleures pensées en exprimant l'espoir que Ash vienne les voir à sa prochaine permission.

La lettre de Kara-ji était beaucoup plus intéressante. A sa lecture, Ash comprit pourquoi il avait tenu à la lui envoyer par l'entremise de Gobind.

Expliquant d'abord pour quelle raison Gobind se rendait à Bhitor, Kara-ji demandait ensuite à Ash de fournir au médecin chevaux, guide, et tout ce dont il aurait besoin pour aller jusqu'à Bhitor, Gobind étant amplement pourvu d'argent à cet effet.

Après quoi, Kara-ji ne cachait pas être très inquiet au sujet de ses nièces et que c'était pour cette raison surtout qu'il avait immédiatement accepté d'envoyer Gobind à Bhitor.

« Elles n'ont là-bas personne à qui se fier, et nous sommes sans courrier d'elles. Shushila ne sait pas écrire, mais de la part de Juli, cela nous étonne. Nous avons tout lieu de penser que l'eunuque chargé d'écrire sous leur dictée n'est pas un homme de confiance, car elles nous disent toujours être heureuses et en bonne santé, sans grand-chose de plus. Or, nous avons appris que la *dai* Geeta, ainsi que deux des suivantes venues de Karidkote avec elles, toutes les trois très dévouées et attachées à mes nièces, étaient mortes sans que leur décès ait jamais été mentionné dans ces lettres. Nous n'en aurions sans doute rien su si un marchand, de passage à Bhitor, n'avait appris la chose et n'en avait parlé à un ami chez qui il s'était arrêté à Ajmer, lequel ami se trouvait avoir un cousin à Karidkote. Les familles des trois femmes ont aussitôt supplié Jhoti de demander à son beau-frère le Rana si c'était vrai. Après un très long délai, une réponse était arrivée, disant que les deux suivantes avaient succombé à une mauvaise fièvre, tandis que la *dai* s'était tuée en tombant dans un escalier.

» Le Rana se déclarait très étonné qu'aucune des Ranis n'ait mentionné la chose lorsqu'elles écrivaient à leur cher frère. Sans doute avaient-elles jugé la nouvelle de trop peu d'importance pour être portée à sa connaissance, ce qui était bien l'avis du Rana.

» Mais vous savez tout comme moi, poursuivit

Kara-ji, que si elles avaient été entièrement libres, elles n'auraient pas manqué de parler de ces événements. Je suis donc convaincu que la Rani n'écrit que sous la dictée du Rana ou de ses favoris. C'est pourquoi je suis heureux que les dieux nous fournissent l'occasion que je souhaitais. Le Rana s'est souvenu que Gobind avait réussi à le guérir de furoncles dont ses propres médecins n'arrivaient pas à le débarrasser, et il doit certainement se sentir assez mal pour avoir permis que Shushila-Bai demande à Gobind de venir d'urgence à Bhitor.

» J'ai dit à Gobind de s'arranger pour vous faire tenir les nouvelles car, étant hors du Rajasthan, vous pourrez ensuite les acheminer sans risque jusqu'à Karidkote. Je ne vous aurais pas dérangé si je n'avais toute raison de penser que vous partagerez notre inquiétude. Si tout va bien, tant mieux; dans le cas contraire, Jhoti et ses conseillers décideront ce qu'il convient de faire. »

Etant donné l'énorme distance séparant Karidkote de Bhitor, pensa Ash, et à supposer même que le Gouvernement des Indes le permette, chose peu probable, il ne pouvait être question d'une intervention armée. Donc, tout ce que Jhoti serait en mesure de faire, c'était de demander au Résident britannique – lequel transmettrait la requête par la voie hiérarchique – que le Délégué du Gouverneur général chargé du Rajputana veuille bien se rendre à Bhitor et faire un rapport.

Se souvenant de ce qui lui était arrivé lors du voyage à Bhitor, Ash avait peu d'espoir que cela donne un résultat, vu qu'il n'était pas question que le Délégué puisse voir l'une ou l'autre des Ranis. Au grand maximum, il serait autorisé à s'entretenir avec une femme dissimulée par un rideau, et en présence de gens à la solde du Rana qui ne perdraient pas un mot de l'entretien.

Dans ces conditions, il ne risquait pas de s'entendre dire la vérité, à supposer même que son invisible interlocutrice fût bien l'une des Ranis.

Levant les yeux, Ash rencontra le tranquille regard de Gobind.

– Savez-vous ce que m'écrit le Rao-Sahib? demanda-t-il.

Le médecin acquiesça :

– Le Rao-Sahib m'a fait l'honneur de me lire cette lettre avant de la cacheter, afin que je sois bien conscient de son importance et de la nécessité de vous la remettre en main propre.

Ash brûla aussitôt la missive et en écrasa les cendres sous son talon en disant :

– Voilà un souci de moins pour le Rao-Sahib... Quant au reste, il se peut que ses craintes soient fondées. C'est grand dommage qu'il n'ait pas déchiré les contrats de mariage quand il en avait le prétexte. Maintenant le mal est fait, car le Rana a pour lui les lois et les coutumes de son pays... ainsi que le Conseiller politique, comme nous sommes bien placés pour le savoir.

– C'est possible, oui, mais vous êtes injuste envers le Rao-Sahib, répondit calmement Gobind. Si vous aviez connu le défunt Maharajah, vous auriez compris que le Rao-Sahib n'avait pas la possibilité d'agir autrement qu'il l'a fait.

– Oui... Vous avez raison et je n'aurais pas dû parler ainsi. De toute façon, c'est fait et l'on ne peut rien changer à ce qui est passé.

– Non, pas même les dieux, opina Gobind. Mais l'espoir du Rao-Sahib – espoir que je partage – c'est que vous et moi, Sahib, puissions influer un peu sur l'avenir.

La conversation ne se poursuivit pas plus avant ce soir-là, car Gobind était recru de fatigue. Lui et son serviteur dormaient encore lorsque Ash s'en fut au rassemblement le lendemain matin. Mais le jeune homme avait envoyé son chefsyce, Kulu Ram, choisir et acheter des chevaux pour le médecin. Il fit aussi tenir un message à Sarji, lui demandant s'il connaissait quelqu'un pouvant servir de guide à deux voyageurs qui souhaitaient partir pour Bhitor dès le lendemain.

A son retour au bungalow, Ash trouva les chevaux et la réponse de Sarji. Ce dernier annonçait qu'il lui envoyait son propre *shikari,* Bukta, (un chasseur connaissant tous les sentiers, pistes et raccourcis des collines) pour guider les voyageurs jusqu'à Bhitor. Quant aux chevaux achetés par Kulu Ram, c'étaient des bêtes vigoureuses et sûres, capables de couvrir un maximum de *koss* par jour.

Il ne restait plus qu'une question à régler, la plus importante de toutes : comment établir un moyen de communication entre Gobind à Bhitor et Ash à Ahmadabad, sans éveiller les soupçons du Rana.

Les deux hommes imaginèrent d'abord un code très simple, facile à se rappeler et n'offrant pas matière à suspicion si jamais le message était intercepté. Encore fallait-il pouvoir transmettre ce message. Or, s'il avait quelque chose à cacher, le Rana ferait certainement surveiller Gobind de très près. Il convenait donc d'élaborer un certain nombre de plans parmi lesquels, lorsqu'il serait à Bhitor, le médecin verrait celui qui se révélait le plus praticable.

– Mon serviteur Manilal, dit Gobind, du fait de son physique et de sa façon de parler a l'air un peu simplet... ce qu'il est très loin d'être. Je pense qu'il pourra nous être fort utile.

A minuit, les deux hommes avaient discuté d'une bonne douzaine de plans, dont un qui, dès le lendemain matin à 9 heures, fit que le médecin se mit en quête d'une certaine officine.

– A supposer le pire, avait expliqué Gobind, je pourrai toujours déclarer être dans l'obligation de me rendre à Ahmadabad pour me procurer d'autres remèdes indispensables au traitement de Son Altesse. Y a-t-il ici une bonne *dewai dukan* (pharmacie), étrangère de préférence?

– Il y a celle de Jobbling et Fils chez qui les Européens vont acheter leurs pâtes dentifrices et leurs lotions, ainsi que les médicaments en provenance de *Belait*. Mais le Rana ne vous laissera jamais revenir chercher quoi que ce soit vous-même!

– Peut-être que non, en effet... Toutefois, quiconque sera envoyé ici aura nécessairement une ordonnance sur laquelle j'aurai inscrit les médicaments dont j'ai besoin. Demain matin, je vais donc aller chez ce pharmacien, m'informer des spécialités qu'il est en mesure de me procurer et voir également si je peux m'entendre avec lui.

Tout se passa pour le mieux à cet égard et Gobind s'entendit parfaitement avec M. Pereiras, le gérant eurasien de la pharmacie. Sur ses conseils, lorsqu'il partit peu après midi, il emportait un assortiment de pilules et de potions susceptibles de lui être utiles à Bhitor. Ash était rentré à temps pour avoir un bref entretien avec Gobind, avant que ce dernier et Manilal ne se mettent en route avec Bukta, le *shikari* de Sarji, qui devait les conduire à destination en passant par Palanpore et les contreforts du mont Abu.

A mesure que la chaleur augmentait, Ash se levait de plus en plus tôt afin de sortir Dagobaz pendant une heure ou deux. Il consacrait ses soirées au polo, car ce sport – tout nouveau à la Frontière lorsque Ash avait rejoint les Guides – connaissait un succès foudroyant, au point que même les régiments de cavalerie du sud commençaient à s'y adonner. Et comme il y était très entraîné, on sollicitait son concours de tous côtés.

Le jeune homme avait donc des journées bien remplies, ce qui était une bénédiction pour lui, bien qu'il n'en fût probablement pas convenu. D'être ainsi accaparé l'empêchait de trop penser à Juli, et quand il se couchait, il était exténué au point de s'endormir dès que sa tête touchait l'oreiller.

Par la plume d'un écrivain public, Mahdoo lui fit savoir qu'il était arrivé à bon port et heureux de se retrouver à Mansera. Il était en bonne santé et espérait qu'il en allait de même pour Ash, en souhaitant que Gul Baz s'occupe bien de lui. Toute sa famille se joignait à lui pour envoyer des vœux de santé, bonheur et prospérité.

Ash lui répondit, mais sans faire allusion à la visite de Gobind. Et, chose curieuse, Gul Baz fit de même quand il envoya, comme promis au vieil homme, les dernières nouvelles de Pelham-Sahib et de la maison-née. Ni Gobind ni Ash ne lui ayant fait aucune recommandation à cet égard, cette abstention lui fut dictée par son seul instinct. Mais lui aussi s'inquiétait beaucoup.

Tout comme Mahdoo, Gul Baz avait conçu une sainte horreur de Bhitor et ne souhaitait pas voir le Sahib mêlé à quoi que ce fût concernant ce sinistre Etat ou son souverain sans scrupule. Or, il craignait bien que cela fût sur le point de se produire par l'entremise du Hakim venu de Karidkote. Mais pour quelle raison, c'est ce que Gul Baz ignorait, car il en savait beaucoup moins sur Ash que le vieux Mahdoo, lequel avait eu la sagesse de garder pour lui tout ce qu'il soupçonnait.

Gul Baz n'aimait donc pas ce qui semblait se manigancer, mais il n'y pouvait rien et il n'avait personne avec qui en discuter. Il en était donc réduit à souhaiter désespérément qu'un ordre arrive bientôt de

Mardan, appelant le Sahib à rejoindre les Guides et la Frontière du Nord-Ouest, car lui aussi aspirait maintenant à se retrouver parmi les siens.

En revanche, Ash, qui jusqu'à ces derniers jours ne désirait rien tant que quitter le Gujerat, avait soudain peur de devoir s'en aller, parce que, s'il était rappelé à Mardan avant que Gobind eût réussi à lui envoyer des nouvelles de Bhitor, il ne saurait rien de ce qui se passait là-bas et ne pourrait donc en informer Kara-ji, ni faire quoi que ce soit d'utile.

Il se voyait mal écrivant à Wally et Wigram Battye de s'employer à retarder son rappel, alors qu'il leur avait précédemment demandé le contraire. Ils le croiraient malade ou fou, car la vérité ne pouvait être dite, pas même à Wally.

Bientôt le jeune homme se trouva déchiré entre deux sentiments opposés : autant la lettre de Kara-ji lui faisait souhaiter de rester à Ahmadabad, autant la dernière missive reçue de Wally lui donnait la nostalgie des Guides.

Wally lui écrivait en effet que les Guides étaient de nouveau au combat et que Zarin avait été blessé, mais pas grièvement. La lettre contenait tous les détails concernant l'échauffourée où ils avaient combattu une bande de la tribu d'Utman Khel qui, deux ans auparavant, avait assassiné nombre de coolies travaillant à canaliser la rivière Swat. Wally chantait les louanges d'un certain capitaine Cavagnari, adjoint au Commissaire du Gouvernement. Ayant su que le chef et plusieurs membres de la bande vivaient dans un village appelé Sapri, à cinq milles en amont de Fort Abazai, Cavagnari avait envoyé au chef du village un message réclamant les coupables, ainsi qu'une forte somme destinée à assurer une pension aux familles des victimes.

Croyant leur village imprenable, les habitants de

Sapri avaient répondu de façon insolente à ce message, à la suite de quoi Cavagnari avait décidé de les avoir par surprise. Sous le commandement de Wigram Battye, trois officiers des Guides, deux cent soixante-quatre *sowars* de la cavalerie, et une douzaine de cipayes d'infanterie – ces derniers montés sur des mulets – partirent de nuit pour Sapri, accompagnés par Cavagnari qui avait réussi à tenir l'opération secrète, deux des officiers en cause ayant joué au tennis presque jusqu'au dernier moment.

« Nous n'avons eu que sept blessés, écrivait Wally. Wigram a proposé Jaggat Singh et le Daffadar Tura Baz pour la Médaille du Mérite. Vous voyez donc que nous sommes loin d'avoir mené une existence oisive. Et vous, que faites-vous? Dans vos lettres, vous n'arrêtez pas de me parler de ce cheval absolument sans égal que vous avez acheté, mais ne me dites pas grand-chose d'autre. Serait-ce qu'il ne se passe rien à Ahmadabad? Wigram vous envoie ses salaams et Zarin dito. Avez-vous su la dernière de ce jeune imbécile de Rikki Smith, du 75e N.I.? Vous aurez peine à le croire, mais... »

Le reste de la lettre n'était que potins de garnison. Ash replia la feuille en soupirant. C'était bon d'avoir des nouvelles du régiment, mais c'eût été encore meilleur de les entendre là-bas de vive voix après avoir regagné Mardan... à condition que ce ne fût pas trop tôt, pas avant que Gobind eût réussi à communiquer avec lui...

Mais les jours s'ajoutaient aux jours sans que rien n'arrivât de Bhitor. Que faisait donc Gobind?

Ash s'en fut à la phamarcie Jobbling où il acheta un flacon de liniment pour le traitement d'une foulure imaginaire, et passa un long moment avec M. Pereiras, si bavard qu'il n'eût pas manqué de mentionner une commande de médicaments émanant d'un prince régnant, s'il en avait reçu une. Mais ce même soir, en rentrant tard au bungalow, Ash y trouva un Manilal exténué, venu enfin lui apporter des nouvelles de Bhitor.

Ces nouvelles n'étaient ni bonnes ni mauvaises, ce que concrétisait le fait que Manilal ait été autorisé à se rendre à Ahmadabad sans que Gobind osât néanmoins lui confier de lettre, par crainte d'une fouille.

– Fouille qui a effectivement eu lieu, dit Manilal avec un sourire, et qui a été très minutieuse!

Le message était donc verbal. Gobind faisait savoir que le Rana souffrait de furonculose, de troubles digestifs et de maux de tête, le tout dû pour une large part à une constipation chronique. Sa condition physique n'était pas brillante – ce qui n'avait rien d'étonnant vu son mode de vie – mais elle s'améliorait, car les remèdes étrangers se révélaient très efficaces. Quant aux Ranis, tout ce qu'il en avait entendu dire, c'est qu'elles se portaient bien.

Shushila attendait, paraît-il, avec impatience la naissance de son enfant, dont les devins, astrologues et sages-femmes s'accordaient à prédire que ce serait un garçon. Des préparatifs avaient déjà lieu pour fêter splendidement cet événement. Gobind avait été quelque peu inquiet néanmoins d'apprendre que ça n'était pas la première, mais la troisième grossesse de la Senior Rani. Il ne s'expliquait pas que Karidkote n'en eût jamais rien su, car on s'empresse toujours d'annoncer une naissance prochaine. Il était sûr en tout cas que Shushila avait fait deux fausses couches durant les premiers mois de son mariage. Cela pouvait être dû au choc et au chagrin, la première ayant coïncidé avec le décès de ses deux suivantes, et la seconde avec la chute mortelle de la fidèle *dai*, Geeta. De toute évidence, il devait y avoir quelque chose de louche dans ces morts, mais Gobind avait la certitude que la Senior Rani n'était ni malheureuse, ni mal traitée.

15

Car, chose extraordinaire, ce mariage qui avait si mal commencé pour Shushila se révélait une réussite : la petite Rani était tombée follement amoureuse de son peu séduisant mari, cependant que le Rana trouvait si agréable de se voir adorer par une jeune et belle épouse, qu'il en délaissait ses favorites. Et, pour complaire à Shushila, il avait chassé deux beaux garçons qui partageaient aussi sa couche!

La Junior Rani, elle, avait moins de chance. A la différence de sa sœur, elle n'avait pas trouvé grâce aux yeux de son mari, lequel s'était même refusé à consommer le mariage, déclarant ouvertement ne pas vouloir risquer de procréer avec une épouse qui n'était pas de sa caste. Juli avait été reléguée dans une aile d'un petit palais situé hors de la ville mais, après un mois, elle était revenue au Rung Mahal sur les instances de la Senior Rani. Plus tard, elle avait quitté de nouveau le Zenana pour s'en aller cette fois au Palais de la Perle, d'où elle avait été rappelée après quelques mois. Depuis lors, elle demeurait au Rung Mahal, où elle vivait à l'écart dans ses appartements.

L'opinion de Gobind était que le Rana avait probablement l'intention de la répudier et la renvoyer à Karidkote dès que sa sœur, la Senior Rani, tiendrait moins à sa présence, ce qui serait sans doute le cas lorsque Shushila-Bai aurait des enfants pour l'occuper. Mais ce n'était qu'une conjecture car le Sahib devait comprendre qu'il était presque impossible – et extrêmement dangereux – pour quelqu'un dans la situation de Gobind de poser des questions indiscrètes concernant les Ranis de Bhitor, leur santé et leurs rapports avec le Rana. Il avait donc très bien pu se tromper sur ce point. En tout cas, si elle n'était épouse que de nom, la Junior Rani paraissait du moins être en bonne santé et ne courir aucun danger pour sa vie, ce que Gobind souhaitait pouvoir bientôt dire aussi de la Senior Rani.

Gobind faisait confiance au Sahib pour écrire aussitôt à Karidkote afin de rassurer le Rao-Sahib. Actuellement, il ne semblait y avoir aucune raison de s'inquiéter. Sans la mort des suivantes et de la *dai,* Gobind aurait même avancé que tout allait bien à Bhitor, du moins en ce qui concernait les deux Ranis. Mais il ne cachait pas que ces décès lui paraissaient extrêmement bizarres. Quelque chose demeurait inexpliqué à cet égard...

– Que veut-il dire par là? questionna Ash.

Manilal eut un haussement d'épaules :

– Il court quantité d'histoires à ce sujet... parmi lesquelles il n'en est pas deux qui concordent, ce qui est étrange. Etant moi aussi un étranger, je n'ai pu poser de questions ni manifester trop de curiosité, me bornant à écouter. Mais il n'est guère difficile d'orienter une conversation sans en avoir l'air, lorsqu'on est avec les serviteurs du palais ou que l'on se promène dans les marchés. De temps à autre, je laissais tomber une petite phrase qui, telle une pierre dans une mare, provoquait des ronds de plus en plus grands. Si ces femmes étaient vraiment mortes d'une mauvaise fièvre, pourquoi continuait-on d'en parler... alors que cela arrivait si souvent? Or, ces trois morts n'ont pas été oubliées et l'on continue d'y faire allusion à voix basse, disant les uns que ces femmes sont mortes de ceci, les autres de cela... personne ne sachant apparemment à quoi s'en tenir.

– Et que dit-on à propos de la troisième, la *dai* Geeta? s'enquit Ash qui se souvenait de la vieille femme avec reconnaissance.

– On raconte qu'elle est morte accidentellement en tombant dans un escalier, ou bien d'une fenêtre, ou encore d'une terrasse du Palais de la Reine... Là encore les histoires diffèrent complètement. Certains chuchotent qu'elle a été poussée, d'autres qu'elle avait été étranglée, empoisonnée, assommée... Bref, qu'elle était déjà morte lorsqu'on l'a jetée dans le vide pour faire croire à un accident. Toutefois personne n'est capable d'imaginer pour quelle raison cela aurait été fait, ni par qui, ni sur ordre de qui. Il ne s'agit donc peut-être que de rumeurs suscitées par des amateurs de scandales ou ces gens qui veulent toujours donner l'impression d'en savoir plus que les autres... Mais il n'en reste pas moins étrange que l'on continue de jaser, alors que les suivantes sont mortes depuis quelque dix-huit mois et la *dai* depuis près d'un an.

Telles étaient donc les nouvelles de Bhitor. A part la mort de la vieille Geeta, elles étaient meilleures que Ash ne s'y attendait. Mais Manilal craignait de n'avoir pas la permission de venir une seconde fois à Ahmadabad...

Les hommes qui l'avaient fouillé au passage, n'avaient trouvé sur lui que deux flacons pharmaceutiques vides et de l'argent. Mais ils l'avaient harcelé de questions touchant les messages dont son maître l'avait chargé. A quoi il avait constamment répondu, tel un perroquet : « Il me faut six flacons comme le grand, et deux comme le petit; l'argent est pour les payer. » Il ajoutait avoir l'intention d'acheter aussi quelques poules pour son compte, car le Rao-Sahib aimait beaucoup les œufs; peut-être aussi des melons et un certain gâteau que l'on ne trouvait pas...

Quand on lui avait tordu les bras en exigeant qu'il dise les autres commissions dont le Hakim l'avait chargé, Manilal s'était mis à pleurer – ce qu'il savait très bien faire – en demandant *quelles* autres commissions? Son maître lui avait dit de porter ces flacons au *dewai dukan* d'Ahmadabad pour qu'on lui en donne cinq comme... ou était-ce *trois?* Oh! voilà qu'ils lui avaient embrouillé les idées avec leurs questions et le Hakim ne serait pas content...

A la fin, ils l'avaient laissé partir, convaincus qu'il était trop bête pour se rappeler plus d'une chose à la fois.

– Comme le Hakim a bien soigné le Rana, je crois que celui-ci ne se méfie plus de lui. Quand mon maître a dit avoir besoin de m'envoyer chercher une nouvelle provision d'un certain *Angrezi dewai,* le Rana voulait que j'en rapporte cinquante bouteilles, mais mon maître a dit que le médicament s'abîmait si on le gardait trop longtemps. Même huit flacons, ça risque de durer un bon moment. Alors mon maître a fait ce que le Sahib lui avait suggéré et il m'a chargé d'acheter à l'ami du Sahib deux pigeons que je ramènerai avec moi.

Il s'agissait d'un des nombreux plans élaborés lors de la brève visite de Gobind. Sarji possédait des pigeons voyageurs et Ash avait conseillé à Gobind de lui en demander un ou deux pour emmener à Bhitor.

Gobind s'y était refusé, disant que c'eût été courir un trop gros risque. Mais il avait retenu l'idée, décidant que, à Bhitor, il manifesterait beaucoup d'intérêt pour les oiseaux et en aurait tout un assortiment, y compris des pigeons, lesquels sont toujours nombreux dans n'importe quelle ville indienne.

Lorsque les gens de Bhitor seraient habitués à voir le Hakim nourrir des perroquets, mettre des colombes à couver, etc., Gobind s'arrangerait pour se procurer clandestinement deux des pigeons voyageurs de Sarji. Il ne restait donc qu'à les acheter. La chose ne paraissait plus tellement nécessaire à Ash, mais puisque Gobind le lui demandait, il s'en fut discrètement acheter les deux pigeons qu'il ramena dans une petite cage. Il avait demandé à Sarji de garder la transaction secrète, tout en s'arrangeant pour ne pas lui dire la vérité. Manilal repartit le lendemain matin avec une demi-douzaine de flacons de l'Elixir Potter pour la digestion et deux d'huile de ricin, un assortiment de fruits et de confiserie, ainsi qu'une grande panière d'osier qui, à l'inspection, se révélerait contenir trois poules et un coq. Qu'il s'y trouvât aussi deux pigeons demeurerait ignoré, grâce à un double fond astucieusement ménagé et la bruyante présence des volailles.

## 37

Juli était en bonne santé et « n'avait pas trouvé grâce aux yeux de son mari ».

Ces quelques paroles avaient procuré un immense soulagement à Ash, dissipant d'un coup toutes les horreurs qu'il imaginait. Et peut-être que Gobind avait raison : lorsque l'enfant serait né, Shushila s'accrocherait moins à sa sœur, ce qui permettrait au Rana de renvoyer celle-ci à Karidkote après l'avoir répudiée. Juli serait alors libre... libre de se remarier...

A présent, Ash sentait qu'il pourrait attendre sans impatience, car l'avenir s'emplissait soudain d'espoir, lui donnant de nouveau une raison de vivre.

— Pandy pète le feu depuis quelques jours! disait un lieutenant au major de la garnison, une semaine plus tard, comme il voyait par la fenêtre Ash arriver en sifflotant et se mettre lestement en selle. Lui qui était tellement bonnet de nuit!

— Quelqu'un lui a peut-être légué une fortune, suggéra le major en pliant la *Gazette du Bengale* qu'il était en train de lire.

— Eh bien, non, car je lui ai justement posé la question, avoua ingénument le lieutenant.

— Et qu'a-t-il dit? s'informa l'autre, intéressé.

— Il m'a répondu qu'on lui avait donné beaucoup

mieux qu'une fortune : un avenir. Façon de me dire, je suppose : « Occupez-vous de vos oignons. »

Mais le major manifesta un certain émoi en entendant cela :

– Je n'en suis pas si sûr! J'ai plutôt l'impression qu'il a eu vent de quelque chose, encore que je me demande bien de quelle façon. Voilà seulement une heure que nous en sommes informés, et je sais que le commandant n'en a encore rien dit.

– Rien dit de quoi?

– Ma foi, puisque Pandy est déjà visiblement au courant, je ne vois aucune raison de vous cacher la chose. Il va regagner son régiment. Un ordre à cet effet est arrivé par le *dâk* de ce matin. Mais je suppose que quelqu'un de 'Pindi lui avait annoncé la nouvelle par avance, ce qui explique son changement d'humeur.

Le major se trompait. Si bien que, lorsque Ash l'apprit enfin, tout le mess et bon nombre des sous-officiers connaissaient déjà la nouvelle. Quinze jours auparavant, elle l'eût plongé dans la consternation, mais maintenant il n'avait plus aucune pressante raison de souhaiter rester là. Et que cette nouvelle tant attendue arrivât précisément à ce moment, lui parut de bon augure et un signe que la chance lui souriait de nouveau.

Comme pour confirmer cette impression, l'ordre reçu disait que le lieutenant Pelham-Martyn devait, avant de rejoindre son régiment, prendre les jours de congé lui restant dus. Cela signifiait qu'il pouvait demander une permission d'au moins trois mois si ça lui chantait car, mis à part un week-end ou deux, Ash n'en avait pris aucune depuis l'été 76 où il s'était rendu au Cachemire en compagnie de Wally.

– Quand comptez-vous nous quitter, Pandy? s'informa le major comme Ash ressortait de chez le colonel.

– Dès que ça ne présentera pas d'inconvénient, répondit aussitôt Ash.

– Alors vous pouvez partir quand vous voudrez, lui assura le major, avant d'ajouter : Mais n'en ayez pas l'air si joyeux, de grâce !

– J'ai l'air joyeux ? dit Ash en riant. Ce n'est pas que je me réjouis tellement de partir, car j'ai connu ici de bons moments mais... Enfin, c'est quand même un peu comme si j'avais été exilé pendant quatre ans. Maintenant je m'en vais retrouver mon régiment, mes amis, mon petit monde et, bien sûr, ça me fait grand plaisir. Mais je conserverai un très bon souvenir des chefs et des camarades que j'ai eus ici.

– Oui, je crois que j'éprouverais les mêmes sentiments si j'étais à votre place. C'est drôle comme on finit par s'attacher à son petit monde... Vous ne voudriez pas vendre votre cheval, par hasard ?

– Dagobaz ? Il n'y a pas de risque !

– C'est bien ce que je craignais. Même si nous n'avons pas exactement le cœur brisé de vous voir partir, nous allons regretter ce diable noir, Pandy. Il aurait gagné toutes les courses auxquelles vous auriez participé la saison prochaine, et nous aurions plumé les bookmakers de la région !

Ash avait espéré partir au bout d'un jour ou deux, mais le transport de Dagobaz présentait des complications vu les nombreux changements de trains qu'il devait effectuer, les différentes lignes n'ayant pas le même écartement de rails. Sur les conseils du chef de gare d'Ahmadabad, Ash décida d'attendre que toutes les réservations eussent été faites. Rien ne le pressait, et ce délai d'une semaine au moins lui donnerait plus de temps pour vendre le reste de son écurie.

Ce même soir, Ash écrivit plusieurs lettres avant de se coucher. Une longue à Wally, pleine de suggestions et de détails concernant leur permission; une courte à Zarin, afin qu'il fasse savoir à Koda Dad son espoir d'aller le voir avant longtemps, une autre enfin à Mahdoo pour lui annoncer la bonne nouvelle, tout en lui exliquant qu'il n'aurait pas besoin de rallier Mardan avant deux à trois mois. Gul Baz, qui allait aussi partir en permission, passérait le chercher lorsque le moment serait venu.

Quelques jours plus tard, arriva un télégramme de Wally disant : *Impossible prendre perme avant fin mai suite circonstances imprévues. Pourrais vous rejoindre Lahore le trente.*

Etant donné les difficultés rencontrées pour le transport de Dagobaz, cette nouvelle n'était pas aussi décevante qu'elle aurait pu l'être. Ash allait devoir différer son départ de quelques semaines encore... ou bien alors partir dès que possible pour se rendre directement à Mardan, d'où il pourrait gagner en un jour le village de Koda Dad, auprès de qui il attendrait la fin de mai et la permission de Wally.

C'était assez tentant mais, à la réflexion, Ash ne donna pas suite à ce projet. En effet, étant donné la raison qui lui avait valu ces quatre années d'exil, c'eût été manquer sérieusement de diplomatie que de fêter son retour en commençant par aller passer le début de sa permission du mauvais côté de la Frontière. Et puis cela l'eût obligé à voyager beaucoup plus, vu que Lahore devait être le point de départ de sa grande randonnée en compagnie de Wally.

Sa décision fut donc bien pesée, mais elle devait se révéler beaucoup plus importante qu'il ne l'imaginait, ce dont il ne s'avisa que plus tard, en y repensant. S'il avait choisi de partir dès que possible pour le Pendjab, il n'aurait pas reçu le message de Gobind et, ne l'ayant pas reçu... Mais un des pigeons que Manilal avait emportés à Bhitor revint à Ahmadabad.

23

L'ayant vu regagner le pigeonnier, Sarji envoya aussitôt un serviteur porter au bungalow de Ash une enveloppe cachetée contenant le papier qui était fixé à la patte du pigeon.

Le message était bref : Shushila avait donné naissance à une fille ; la mère et l'enfant se portaient bien. C'était tout. Mais, en relisant ces quelques mots, Ash eut un brusque serrement de cœur. Une fille... une fille au lieu du fils tant désiré... Une fille réussirait-elle à occuper le cœur et l'esprit de Shushila, comme l'eût fait un garçon ? Suffisamment pour qu'elle estime n'avoir plus besoin de Juli et consente à la laisser partir ?

Ash essaya de se rassurer en pensant que, fille ou garçon, le bébé était le premier enfant de Shushila. S'il tenait d'elle, il serait si beau que, surmontant sa déception première de n'avoir pas eu un fils, Shushila ne pourrait s'empêcher de l'aimer tendrement. Mais un petit doute subsista, qui suffit à gâter les jours et les nuits que Ash passa ensuite dans la forêt de Gir.

Après avoir chassé pendant près d'une semaine, Ash avait regagné Ahmadabad et dans la rue il croisa une *ekka,* qui l'avait dépassé, lorsqu'il s'avisa soudain qu'il connaissait un des occupants.

– Bert ! cria-t-il. Commandant Stiggins... Arrêtez !

L'*ekka* s'immobilisa et Ash la rejoignit en courant. Qu'est-ce que le commandant Stiggins faisait donc à Ahmadabad ? Pourquoi ne lui avait-il pas envoyé un mot pour lui annoncer sa venue ?

– Parce que je n'ai su qu'à la toute dernière minute devoir venir ici pour y voir quelqu'un, expliqua Stiggins. Il me faut regagner mon vieux *Morala* car nous embarquons demain un chargement de coton à destination du Kutch.

– Oh ! Bert, restez donc un jour avec moi ! le pressa Ash. Le coton peut sûrement attendre un peu ? S'il y

24

avait du brouillard, ou une tempête, vous ne pourriez pas lever l'ancre? Alors! Bon sang, c'est peut-être la dernière fois que je vous vois!

– C'est possible, mais la vie est ainsi. Non, mon garçon, je ne peux absolument pas m'attarder. Mais j'ai une meilleure idée. Puisque vous êtes en permission, pourquoi ne seriez-vous pas du voyage? Je vous ramène au port mardi prochain, parole de marin!

Ash s'empressa d'accepter et il passa les jours suivants à bord du *Morala* comme invité du commandant, se prélassant sur le pont à l'ombre des voiles, pêchant le requin et le barracuda, ou écoutant Stiggins égrener des souvenirs.

Ce fut un interlude aussi agréable que reposant, et lorsque le commandant annonça que, dans quelques semaines, le *Morala* cinglerait vers la côte du Baluchistan, en suggérant que Ash et Gul Baz viennent à mi-chemin, afin d'embarquer à Kati, Ash fut bien près d'accepter. Mais il lui fallait penser à Wally... et aussi à Dagobaz. Le *Morala* n'était pas aménagé pour transporter un cheval dans sa cale et, sur le pont, il eût suffi d'un peu de houle pour que Dagobaz ait le mal de mer. Ash fut donc obligé de décliner cette amicale proposition et le fit avec d'autant plus de regret qu'il lui paraissait improbable de revoir ce Bert Stiggins qu'il avait eu tant de plaisir à connaître.

– Il me manquera autant que Sarji, pensa le jeune homme.

Mais il aurait Wally qui l'attendrait à Lahore, et Zarin à Mardan avec Koda Dad à une journée de cheval. Le vieux Mahdoo serait aussi arrivé à Mardan avant lui afin de l'y accueillir, heureux de se retrouver dans un environnement familier. C'était une si réjouissante perspective que Ash brûlait maintenant de se mettre en route.

Il ne devait jamais revoir Mahdoo. La lettre qu'il lui

avait écrite pour annoncer son retour à Mardan arriva trop tard, car le vieil homme était mort dans son sommeil moins de vingt-quatre heures avant qu'elle ne parvienne à destination. Et lorsqu'on l'apporta, il était déjà enterré. Sa famille, qui n'entendait rien au télégraphe, annonça le décès dans une lettre adressée au jeune Kadera, si bien que Ash l'apprit par Gul Baz dès son retour au bungalow.

– Grande perte pour nous tous, lui dit Gul Baz, que la disparition de cet homme de bien. Mais il était arrivé au bout de ses ans et sa récompense est certaine, car sa vie a été toute de bonté. Alors, il ne faut pas le pleurer, Sahib.

Mais Ash pleura Mahdoo, cet homme qui avait toujours fait partie de son existence depuis que, tout enfant, il avait été confié aux soins du colonel Anderson. Quand Ala Yar était mort, Mahdoo était demeuré à son poste. A présent, lui aussi s'en était allé, et Ash ne pouvait endurer l'idée qu'il ne reverrait jamais plus ce bon visage ridé. Le coup lui semblait d'autant plus rude qu'il survenait à un moment où l'avenir s'éclairait et juste après ce si paisible voyage à bord du *Morala*.

Ash avait beau se livrer à d'épuisantes chevauchées, il ne réussissait plus à bien dormir; lorsque Gul Baz arrivait le matin pour l'éveiller, avec le plateau du thé, il le trouvait dans la galerie, le regard perdu dans le vague. Et il lui suffisait de voir le visage hagard, aux traits creusés, pour comprendre que le Sahib avait de nouveau passé une nuit blanche.

– Il ne faut pas te rendre malheureux comme cela, lui reprocha Gul Baz, car il est écrit dans le Livre que « tous ceux qui vivent sur la terre sont appelés à mourir ». Alors, avoir du chagrin c'est mettre en doute la sagesse de Dieu qui, dans Sa bonté, a permis que Mahdoo vive paisiblement jusqu'à un âge avancé, avant de le rappeler auprès de Lui. Tu devrais au contraire te réjouir de le savoir maintenant au paradis. Bientôt, tu vas être de nouveau à Mardan, au milieu de tous tes amis. Je vais retourner à la gare pour savoir où ils en sont. Ici, tout est prêt et nous pouvons partir du jour au lendemain.

Finalement Ash décida d'aller lui-même à la gare, où il apprit la bonne nouvelle que toutes les réservations nécessaires avaient été faites, mais pour le jeudi suivant, ce qui l'obligeait à rester encore près d'une semaine à Ahmadabad.

La perspective de s'éterniser ainsi au milieu de tous les bagages ficelés étant fort déprimante, Ash se dit qu'il demanderait à Sarji s'il pouvait passer une partie de son temps avec lui. Or, en regagnant le bungalow, il y trouva précisément son ami l'attendant dans la galerie, confortablement étendu sur l'une des chaises longues en osier.

– J'ai du nouveau pour toi, annonça Sarji en élevant languissamment la main. Un pigeon est arrivé ce matin et, comme j'avais à faire en ville, je t'ai apporté moi-même le message.

Ash déroula vivement le bout de papier qu'il lui tendait. Dès les premières lignes, il eut un afflux de joie : *Le Rana est mortellement malade et n'en a plus que pour quelques jours,* écrivait Gobind.

« Quelques jours! » pensa Ash, qui sourit sans en avoir conscience. « Alors il est peut-être déjà mort. Elle est veuve... elle est libre! » Il n'éprouvait aucune sympathie pour le Rana, non plus que pour Shu-shu qui, à en croire la rumeur publique, était tombée amoureuse de son mari. Il n'avait en tête que Juli et lui-même...

Mais quand il poursuivit sa lecture, l'éclat du soleil se voila brusquement :

*Or, je viens d'apprendre que, à sa mort, ses épouses*

27

*deviendront des satî, en se faisant brûler avec lui selon la tradition, car ici on ne tient aucun compte des lois édictées par le Vice-Roi. Si vous n'intervenez pas la chose aura lieu à coup sûr. Je vais tout mettre en œuvre pour le garder vivant le plus longtemps possible. Mais ça ne saurait nous mener bien loin. Aussi prévenez les autorités afin qu'elles agissent de toute urgence. Manilal va partir sur l'heure pour Ahmadabad. Envoyez-moi d'autres pigeons et...*

Ash ne distinguait plus les lignes et ce fut à tâtons qu'il se laissa tomber sur le plus proche siège en haletant :

– Non... non... C'est impossible... Ils ne feront pas une chose pareille!

L'horreur du ton sur lequel il prononça ces paroles arracha Sarji à sa nonchalance :

– Qu'y a-t-il? Des mauvaises nouvelles? De quoi s'agit-il?

– *Saha-gamana,* balbutia Ash sans tourner la tête. Suttee... Le Rana est mourant et, quand il sera mort, ils veulent que ses femmes soient brûlées avec lui. Il me faut absolument voir le Haut-Commissaire... le colonel... Je...

– Ah, *chut!* fit Sarji avec impatience. Ne te rends pas malade comme ça. Ils ne le feront pas. C'est défendu par la loi.

Ash lui jeta un regard furieux en se mettant debout :

– Tu ne connais ni Bhitor ni le Rana!

Il dévala les marches de la galerie en appelant Kulu Ram pour qu'il lui ramène Dagobaz.

Un moment plus tard, il était de nouveau en selle et galopait en soulevant un nuage de poussière, laissant derrière lui Sarji, Gul Baz et Kulu Ram complètement abasourdis.

– J'ai l'impression que vous avez momentanément perdu l'esprit, dit le colonel Pomfret d'un ton sévère. Il est évident que je ne puis envoyer aucun de mes hommes à Bhitor. Ces choses-là regardent les autorités civiles ou la police, pas l'armée. Mais je vous conseille de ne pas aller les trouver de façon aussi impétueuse, à propos d'une rumeur qu'aucune personne raisonnable ne prendrait au sérieux. Et d'ailleurs, que faites-vous ici? Je vous croyais en permission. N'êtes-vous pas encore arrivé à obtenir vos réservations?

– Si, mon colonel. Je les ai pour jeudi prochain. Mais...

– Mmmm... Je ne vous aurais pas accordé de permission si j'avais su que vous resteriez à traîner ici. Bon... Si vous avez dit tout ce que vous vouliez dire, je vous serai obligé de vous retirer. J'ai à travailler.

Ash s'en fut et, en dépit du conseil donné par le colonel, alla trouver le Haut-Commissaire. Lequel se révéla partager entièrement l'opinion du colonel, particulièrement à l'endroit de jeunes officiers qui, venus le déranger à midi et s'étant entendu dire de revenir plus tard dans la journée ou bien le lendemain, faisaient irruption dans son bureau pour lui demander d'intervenir immédiatement à propos d'une histoire sans queue ni tête.

– Si vous connaissiez ces gens comme je les connais, lieutenant, vous comprendriez que votre ami... Guptar, Gobind ou je ne sais quoi... vous fait marcher, ou bien qu'il est vraiment par trop crédule. Je puis vous assurer que personne désormais n'oserait se prêter à un *suttee*, et il est clair que votre ami est victime d'une mauvaise plaisanterie. Permettez-moi de vous rappeler que nous sommes en 1878; cela fait donc plus de quarante ans que la loi contre le *suttee* est entrée en vigueur. Ce n'est pas aujourd'hui que l'on va se risquer à la transgresser!

– Mais vous ne connaissez pas Bhitor! s'exclama Ash, comme il l'avait fait avec Sarji et le colonel Pomfret. Bhitor n'appartient pas à notre époque. A supposer même qu'ils aient entendu parler d'un vice-roi britannique, ils doivent estimer qu'il n'a rien à voir chez eux.

– Et à supposer même que j'accorde la moindre créance à vos dires, rétorqua le Haut-Commissaire, Bhitor ne relève pas de ma juridiction. Alors, de toute façon, je ne pourrais aucunement vous aider. Votre informateur eût été mieux avisé de prendre contact avec le Conseiller politique qui a la responsabilité de cette partie du Rajputana.

– Mais, monsieur, je vous ai expliqué qu'il ne peut envoyer aucun message de Bhitor, où il n'y a ni poste ni télégraphe. On laisse son serviteur venir pour acheter des médicaments, mais on ne lui permettrait pas d'aller ailleurs. Si vous vouliez seulement envoyer un télégramme au Conseiller poli...

– Pas question! coupa le Haut-Commissaire en se mettant debout pour signifier que l'entretien était terminé. J'ai toujours eu pour principe de ne jamais intervenir dans l'administration d'autres provinces, pas plus que de donner des instructions à ceux qui en ont la charge et qui sont, je vous prie de le croire, très compétents pour régler leurs propres affaires. Sur ce, si vous voulez bien m'excuser...

En partant, Ash eut conscience qu'il venait de perdre près de deux heures, et qu'il aurait mieux fait de commencer par envoyer un télégramme avant de parler à qui que ce fût.

Le bureau du télégraphe était fermé pour le déjeuner

et la sieste, mais Ash dénicha un employé qu'il força à envoyer quatre télégrammes urgents : un à Kara-ji, un autre à Jhoti, le troisième à ce même Conseiller politique qui s'était révélé si peu coopératif dans l'affaire des contrats de mariage, et le dernier enfin – pour le cas où le Conseiller politique ne se serait pas amélioré entre-temps – au Délégué du Gouverneur général pour le Rajputana, à Ajmer... ce qui lui parut sur l'instant une excellente idée, mais devait se révéler désastreux par la suite parce que Ash n'avait pas pris la peine de demander qui était actuellement ce D.G.G.

Alarmé par le contenu des télégrammes, l'employé eurasien avait protesté que les messages de ce genre devaient être expédiés en code ou pas du tout.

– Comprenez donc, monsieur, que les télégrammes n'ont rien de secret ! Ils sont envoyés d'un *tar-khana* à l'autre, où n'importe qui peut en prendre connaissance et faire ensuite des commérages à leur sujet.

– Eh bien, j'en serai ravi ! lui répondit Ash. Plus on en parlera, mieux ce sera.

– Mais, monsieur, pensez au scandale possible ! Imaginez que ce Rana-Sahib ne meure pas ? Vous aurez des tas d'ennuis pour être intervenu de la sorte, et moi aussi pour avoir transmis vos accusations. Je risque d'y perdre ma place !

Il avait fallu un quart d'heure et cinquante roupies pour vaincre les réticences de l'employé. Les télégrammes partis, Ash était allé trouver M. Pettigrew, le surintendant de la police, dans l'espoir – bien faible à présent – que la police se révélerait plus compréhensive que l'administration civile ou militaire.

M. Pettigrew se montra nettement moins sceptique que le Haut-Commissaire ou le colonel Pomfret, mais objecta lui aussi que cela concernait les autorités du Rajputana, lesquelles devaient certainement être beaucoup mieux informées de ces choses que le lieutenant Pelham-Martyn ne semblait le penser. Il promit néanmoins d'envoyer un télégramme personnel à son collègue d'Ajmer, un nommé Carnaby, qui se trouvait être de ses amis.

– Un télégramme n'ayant rien d'officiel, bien entendu, car je ne peux me permettre de courir de tels risques. D'autant, je vous l'avoue, que je ne prends pas très au sérieux ce message expédié par pigeon voyageur. Vous apprendrez probablement qu'il s'agissait d'une rumeur sans fondement. Mais, pour le cas où cela reposerait vraiment sur quelque chose, il n'y a pas de mal à en toucher officieusement deux mots à Carnaby. C'est un homme très sérieux et vous pouvez être certain que si quelque chose doit être fait, il le fera.

Ash remercia M. Pettigrew avec beaucoup de chaleur et s'en alla un peu plus rassuré. C'était réconfortant de voir enfin quelqu'un ne pas tenir pour pure sottise le message de Gobind et se montrer disposé à faire quelque chose, fût-ce à titre officieux.

Mais le nommé Carnaby était parti en congé trois jours avant que le télégramme ne lui fût envoyé. Et comme M. Pettigrew ne voulait absolument pas avoir l'air de se mêler des affaires de son collègue, l'information contenue dans le télégramme était présentée d'une façon tellement amicale et détachée qu'elle ne donnait aucun sentiment d'urgence. Aussi le remplaçant momentané de Carnaby ne jugea-t-il pas nécessaire de le lui faire suivre, et l'envoya rejoindre dans un tiroir le courrier en attente.

Les télégrammes expédiés par Ash n'eurent pas plus d'effet. Avec l'approbation de Kara-ji, Jhoti télégraphia personnellement au Délégué du Gouverneur général pour le Rajputana, lequel, à son tour, télégraphia au Résident britannique, dont la réponse ne se fit pas attendre. Il était connu, disait ce message, que la santé du Rana laissait à désirer, mais c'était la première fois qu'on envisageait son décès; aussi le Résident avait-il tout lieu de penser qu'il s'agissait d'une information tendancieuse. Il convenait de l'accueillir avec d'autant plus de réserve que l'officier en question passait pour avoir non seulement trop d'influence sur le jeune Maharajah, mais aussi une réputation d'excentricité doublée d'indiscipline.

Comme ce télégramme précéda de peu à Ajmer une lettre du Conseiller politique allant dans le même sens, les avertissements de Ash n'avaient plus la moindre chance d'être pris au sérieux. D'autant que, par un malencontreux hasard, le nouveau Délégué du Gouverneur général – il avait pris ses fonctions quelques semaines auparavant – n'était autre que Ambrose Podmore-Smyth – à présent, sir Ambrose – qui, six ans plus tôt, avait épousé Belinda Harlowe. Or tout ce qu'il avait entendu raconter sur Ash par Belinda, son père, et les membres du Peshawar Club, lui avait inspiré à l'égard de l'ancien soupirant de sa femme une antipathie que les ans n'avaient en rien atténuée.

Sir Ambrose fut désagréablement surpris de recevoir d'Ahmadabad un télégramme en clair, contenant de surprenantes allégations et signé Pelham-Martyn.

Il ne put tout d'abord croire que ce fût le même Pelham-Martyn. Toutefois, comme le nom était peu courant, il chargea son secrétaire de vérifier la chose et aussi de faire tenir une copie de ce télégramme au Conseiller politique dans le secteur duquel Bithor se trouvait inclus, en lui demandant son sentiment personnel. Après quoi, conscient d'avoir fait son devoir, il rejoignit sa femme au salon pour y prendre l'apéritif, et mentionna cette similitude de noms.

– Vous voulez parler de *Ashton?* s'exclama Belinda (une Belinda que, hélas! Ash aurait eu peine à reconnaître). Il a donc fini par revenir sain et sauf? Je ne l'aurais jamais cru. Ni moi ni personne, d'ailleurs! Papa disait que c'était un bon débarras. Mais j'ai toujours pensé que Ash n'était pas un mauvais garçon, – en dépit de ses extravagances et de son emportement. Et le voilà qui reparaît après tout ce temps!

– Rien ne prouve qu'il s'agisse du même homme, rétorqua sèchement sir Ambrose. Ça peut très bien n'être qu'un parent... ou, beaucoup plus probablement, un simple cas d'homonymie...

– Allons donc! l'interrompit sa femme. Ce ne peut être que Ashton. Il avait le don de se mêler de choses qui ne le concernaient pas, et il était aussi toujours à frayer avec des indigènes. Alors, c'est sûrement lui. Je me demande ce qu'il peut bien faire là-bas... Pensez-vous qu'il soit encore...

Sans achever sa phrase, se laissant aller contre le dossier de son fauteuil, Belinda considéra d'un œil critique son seigneur et maître.

Ni les ans ni le climat des Indes n'avaient été tendres pour sir Ambrose. De l'homme « enveloppé » et content de soi, ils avaient fait un obèse, chauve et insupportablement pompeux. Détaillant ses favoris gris et son triple menton, Belinda se surprit à se demander si tout cela en avait vraiment valu la peine. Elle était lady Podmore-Smyth, la femme d'un homme assez riche et important, mère de deux enfants (des filles, hélas, mais ça n'était pas sa faute, encore qu'Ambrose parût penser différemment) et cependant elle ne se sentait pas heureuse.

Etre l'épouse d'un Résident s'était révélé beaucoup moins amusant que Belinda ne l'avait imaginé. L'ambiance joyeuse des villes où un régiment britannique était cantonné lui manquait beaucoup et elle trouvait extrêmement désagréable de mettre des enfants au monde. Quant à son mari, il l'ennuyait mortellement.

— Je me demande quel air il a maintenant? dit-elle, comme pensant à voix haute. Il était très beau à l'époque... et follement amoureux de moi!

Elle ne se rendait pas compte que les années écoulées avaient été encore plus cruelles pour elle que pour son mari. Elle n'était plus la fille exquisement mince qui, à Peshawar, traînait tous les cœurs après soi, mais une épaisse matrone d'un blond fade, à l'expression revêche et la langue acérée.

— Bien entendu, c'est pour cela qu'il avait déserté... A cause de moi... Il était parti afin de trouver la mort ou l'oubli... Pauvre Ashton... J'ai souvent pensé que si j'avais été seulement un tout petit peu plus gentille avec lui...

— Allons donc! fit sir Ambrose. Je serais très étonné que vous ayez pensé une seule fois à lui avant aujourd'hui. Quant à dire qu'il était follement amoureux de vous... Non, Belinda, il n'y a pas de quoi en faire une scène... Je regrette de vous avoir parlé de ce garçon... J'aurais dû me douter que... Mais je ne *crie* pas, c'est vous!

Il quitta la pièce en claquant la porte, et ne se sentit pas de meilleure humeur lorsque son secrétaire lui confirma que l'auteur de cet impertinent télégramme était bien le même Ashton Pelham-Martyn qui avait naguère courtisé sa femme. Les choses ne s'améliorèrent pas quand il reçut la réponse du Conseiller politique touchant le contenu du télégramme.

Les messages de Ash avaient un effet de boomerang car le major Spiller, le Conseiller politique, n'avait pas oublié la fameuse lettre que Pelham-Martyn lui avait envoyée de Bhitor deux ans auparavant.

Après avoir commencé par dire qu'il avait reçu un télégramme similaire et ayant la même origine, Spiller déclarait connaître déjà ce lieutenant Pelham-Martyn qui, quelques années plus tôt, par ses inconséquences, aurait provoqué une rupture des relations entre le gouvernement des Indes et l'Etat de Bhitor si lui, Spiller, n'était pas intervenu avec fermeté. Et voilà que, pour des raisons connues de lui seul, ce trublion recommençait. On ne pouvait accorder le moindre crédit à ce qu'il racontait; d'ailleurs, les gens ayant pour mission de se tenir informés de ce qui se passait à Bhitor lui avaient assuré que le Rana souffrait simplement d'un accès de malaria, comme cela lui arrivait périodiquement depuis quelques années, et qu'il ne risquait aucunement d'en mourir. Il serait bon que ses supérieurs donnent une sérieuse admonestation au lieutenant Pelham-Martyn, afin de le décourager de se mêler de choses qui ne le regardent pas. Il était d'autant moins excusable que...

Sir Ambrose ne lut pas plus avant, puisque l'opinion du major rejoignait la sienne. Il jeta toute cette correspondance au panier et dicta une réponse pleine de diplomatie pour Son Altesse le Maharajah de Karidkote, lui assurant qu'il n'y avait pas lieu de s'inquiéter. Après quoi, il adressa au G.Q.G. de l'Armée une lettre glaciale, où il se plaignait des « activités subversives » du lieutenant Pelham-Martyn et suggérait qu'on enquêtât afin de voir s'il n'y avait pas lieu de l'expulser des Indes.

A peu près au même moment, Ash accueillait un voyageur exténué et couvert de poussière, qui arrivait de Bhitor.

Manilal était parti pour Ahmadabad moins de vingt minutes après que Gobind eut lâché le second pigeon. Mais alors que le pigeon avait rallié Ahmadabad en quelques heures, il avait fallu près d'une semaine à Manilal pour arriver à destination, car il avait dû ménager son cheval qui s'était froissé un tendon.

— Quelles sont les nouvelles? lui demanda tout de suite Ash qui l'attendait depuis trois jours, en proie à une inquiétude d'autant plus grande que le surintendant de la police n'avait reçu aucune réponse de son ami d'Ajmer. Quant à ses propres télégrammes, le jeune homme n'avait jamais eu l'optimisme de penser qu'on se donnerait la peine d'y répondre.

– Tout ce que je peux dire, croassa Manilal dont la gorge était desséchée par la poussière, c'est qu'il était encore vivant lorsque je suis parti. Mais depuis lors, qui peut savoir? Le Sahib a-t-il prévenu le Gouvernement et Karidkote?

– Oui, bien sûr. Dans les quelques heures qui ont suivi l'arrivée du pigeon, j'ai fait tout ce qui était en mon pouvoir.

– Alors, le Sahib me permet-il de boire, manger et peut-être aussi me reposer un peu avant que nous poursuivions cette conversation?

Manilal dormit le reste de la journée pour ne réapparaître qu'après le coucher du soleil, les yeux encore lourds de sommeil. Assis dans la galerie avec Ash, il lui raconta tout ce que Gobind n'avait pu confier au pigeon voyageur. Les médecins du palais continuaient à dire que le Rana pouvait se rétablir, qu'il souffrait seulement d'une sévère crise de malaria, ce qui lui arrivait depuis déjà un certain nombre d'années. D'après Gobind, c'était bien plus grave et sans espoir. Tout ce qu'on pouvait faire, c'était calmer la douleur en souhaitant que cela le prolonge suffisamment longtemps pour que le Gouverneur envoie quelqu'un veiller à ce que, au moment du décès, il n'y ait qu'un corps sur le bûcher et non trois.

Gobind, en usant de moyens détournés, avait réussi à entrer en contact avec la Junior Rani par l'intermédiaire d'une servante, dont la famille était sensible à l'argent et qu'on disait très attachée à Kairi-Bai. C'est ainsi que plusieurs messages avaient atteint secrètement le Zenana; à deux ou trois d'entre eux, il avait été répondu, mais de façon très brève. Gobind avait su seulement que la Junior Rani et sa sœur se portaient bien... ce qui lui aurait suffi si quelque chose dans ces messages ne lui avait inspiré de la méfiance... peut-être tout simplement l'excessive prudence dont ils témoignaient. Etait-ce que l'on ne pouvait se fier à Nimi, la servante, et que Kairi-Bai le savait ou s'en doutait? Mais alors cela signifiait qu'il y avait quelque chose à cacher... à moins que Gobind ne se montrât par trop soupçonneux.

Là-dessus le bébé était né, et le lendemain matin Gobind avait reçu une lettre de Kairi-Bai ne répondant à aucun de ses messages. C'était un pathétique appel au secours, non pour elle-même mais pour Shushila-Rani, qui se trouvait dans un état critique et avait besoin d'être soignée d'urgence... si possible par une infirmière européenne du plus proche hôpital *Angrezi.* Gobind devait agir vite et en secret, avant qu'il ne soit trop tard.

Une fleur séchée était jointe au message, ce qui voulait dire « danger ». En la voyant, Gobind avait brusquement craint que, pour n'avoir pas réussi à accoucher d'un fils, la Senior Rani fût empoisonnée... comme l'avait été, s'il fallait en croire la rumeur, celle qui l'avait précédée dans le lit du Rana.

– Mais le Hakim-Sahib était dans l'impossibilité de faire ce que lui demandait Kairi-Bai, poursuivit Manilal avec un haussement d'épaules. Même s'il avait réussi à faire parvenir un message de ce genre jusqu'à un hôpital *Angrezi,* le Rana n'aurait jamais permis qu'une étrangère, médecin ou non, vienne dans le Zenana examiner sa femme. Pour y réussir, il aurait fallu que cette étrangère soit escortée par des soldats armés et des police-Sahibs... ou bien alors qu'on arrive à persuader le Rana de demander lui-même son envoi.

Gobind avait courageusement tenté une démarche

dans ce sens, mais le Rana n'avait rien voulu entendre et s'était scandalisé qu'on osât même lui suggérer une telle chose. Il considérait tous les étrangers comme des barbares et, s'il avait eu les coudées franches, jamais aucun d'eux n'eût pénétré dans son royaume. N'était-il pas le seul à avoir refusé de paraître à l'un ou l'autre des durbars organisés par le Vice-Roi pour annoncer que la Reine d'Angleterre avait été déclarée Kaiser-i-Hind (Impératrice des Indes), sous prétexte que sa mauvaise santé lui interdisait tout déplacement?

Selon le Rana, sa femme n'avait rien dont elle ne pût se remettre avec du repos et des soins. Si le Hakim en doutait, il était libre d'interroger la *dai* qui avait présidé à l'accouchement.

Gobind s'était hâté de profiter de cette proposition inespérée et il avait été favorablement impressionné par la sage-femme. Toutefois, lorsqu'il l'avait questionnée à propos de sa devancière, la vieille Geeta de Karidkote, elle avait déclaré ne rien savoir et avait aussitôt changé de sujet. A cela près, elle lui avait donné bon nombre de précisions sur l'état de la Rani, au point qu'il avait été complètement rassuré, cette femme lui paraissant sincère. Il en avait conclu que Kairi-Bai avait sans doute eu vent des rumeurs courant à propos du décès de la précédente épouse du Rana, et craint le même sort pour sa sœur qui avait aussi accouché d'une fille. Mais cela paraissait d'autant plus improbable que Shushila-Bai était une épouse d'une rare beauté dont le Rana était amoureux, alors que sa devancière était une femme très quelconque à tous égards.

Gobind avait donc envoyé un message rassurant à la Junior Rani, mais n'avait rien reçu en retour et, une semaine plus tard, le bébé était mort.

Le bruit avait couru dans le palais que la *dai* était morte aussi, mais d'autres parlaient seulement d'un renvoi à la suite d'une dispute avec la demi-sœur de la Rani, laquelle lui reprochait de n'avoir pas pris suffisamment soin de l'enfant. On chuchotait aussi que, furieux de cette intervention de la Junior Rani, le Rana avait commandé qu'elle ne sorte plus de ses appartements et n'ait, jusqu'à nouvel ordre, aucun contact avec sa sœur. Si c'était vrai, Gobind craignait que la Senior Rani n'en pâtisse encore davantage que sa sœur.

Tout ce que Gobind avait pu savoir de façon quasi certaine, c'est que personne n'était responsable de la mort du bébé, dont on avait immédiatement vu qu'il avait peu d'espoir de vivre. Comme Shushila-Bai était très affectée par cette mort — car, une fois revenue de sa déception de n'avoir pas accouché d'un fils, elle s'était attachée au bébé — il était probable que le Rana ne tarderait pas à rappeler Kairi-Bai auprès d'elle. A moins qu'il n'ait voulu les punir toutes deux : l'une pour ne pas lui avoir donné un fils, l'autre pour s'être mêlée de ce qui ne la regardait pas.

— Mais cette servante dont tu m'as parlé aurait pu te donner, à toi ou à ton maître, des nouvelles de la Junior Rani ? Et aussi de la *dai ?* fit remarquer Ash.

Manilal secoua la tête. Il expliqua que Nimi avait servi d'intermédiaire pour l'acheminement des messages, mais que le Hakim n'avait de contact qu'avec les parents, lesquels, moyennant paiement, se chargeaient de ses lettres et, éventuellement, de lui transmettre les réponses.

— Ils affirment ne rien savoir de ce qui se passe dans le Zenana, sinon que Nimi est très dévouée à la Junior Rani mais exige de plus en plus d'argent pour les lettres.

— Ce qui peut aussi bien signifier que la fille agit uniquement par dévouement et ignore que ses parents monnayent ainsi les services qu'elle rend.

40

– Espérons-le, répondit gravement Manilal, car on accepte bien des risques par dévouement, alors que celui qui agit par intérêt peut aisément trahir. Or, si l'on venait à savoir que le Hakim-Sahib correspond en secret avec la Junior Rani, nous pourrions craindre pour nos vies : non seulement elle, lui et moi, mais aussi la servante et toute sa famille.

– Quand dois-tu repartir ? s'enquit Ash.

– Dès que j'aurai pu me procurer d'autres pigeons et six bouteilles de médicament chez le *dewai dukan*. Il me faut aussi un cheval, car le mien ne sera pas en état de voyager avant plusieurs jours, et je n'ose trop tarder à rentrer. J'ai déjà perdu beaucoup de temps à cause du cheval... Le Sahib pourra-t-il m'en procurer un autre ?

– Oui, sois tranquille, et je me charge aussi du reste, les pigeons comme le médicament. Donne-moi les flacons vides. Gul Baz ira chez le pharmacien demain matin, dès que les boutiques ouvriront. Toi, va vite te reposer.

Quelques minutes plus tard, Manilal était de nouveau plongé dans un profond et reposant sommeil. Lorsqu'il en émergea, le soleil était déjà haut dans le ciel. Ash était sorti, en lui faisant dire d'acheter tout ce dont il avait besoin et de le rejoindre chez Sarji.

Le message fut transmis d'un ton désapprobateur par Gul Baz, en même temps qu'une demi-douzaine de médicaments provenant de chez Jobbling & Fils. Manilal s'en fut au bazar, où il acheta un grand panier d'osier, quantité de provisions et de fruits frais, ainsi que trois poules. Tout comme précédemment, le panier comportait un double fond. Mais cette fois, il n'en fut pas fait usage, Ash ayant conçu un autre plan, où les pigeons voyageurs n'étaient pas nécessaires.

A la différence de Manilal, Ash était resté éveillé une grande partie de la nuit, l'esprit préoccupé d'un tas de choses, dont il finit par ne retenir qu'une seule, laquelle semblait pourtant d'une importance toute relative : le fait que Manilal eût utilisé cet ancien et peu charitable surnom, *Kairi*. Qui avait eu la méchanceté d'en user au point que quelqu'un comme Manilal, frayant avec les serviteurs du Rung Mahal, finisse par l'employer automatiquement en parlant de Juli ? Ce n'était qu'un détail ; il suffit toutefois d'un fétu de paille pour montrer dans quelle direction souffle le vent, et cela indiquait bien dans quel mépris l'entourage de son mari tenait Juli. Mais, chose plus troublante, seul quelqu'un de Karidkote avait pu ébruiter ce surnom de la Junior Rani.

Une demi-douzaine de leurs femmes étaient restées avec Juli et Shu-shu. Ash souhaita que la responsable fût l'une des trois qui étaient mortes – et il croyait Geeta absolument incapable d'une telle chose –, car sinon il y avait dans l'entourage immédiat des Ranis l'équivalent féminin de Biju Ram. Une suivante que ses jeunes maîtresses n'auraient pas eu l'idée de suspecter parce qu'elle était venue de Karidkote avec elles, cherchait à s'assurer la faveur du Rana en dénigrant la femme qu'il méprisait. C'était non seulement déplaisant mais effrayant, car cela signifiait que, même si le Rana continuait à vivre ou si le Vice-Roi envoyait des troupes pour empêcher que les veuves soient brûlées sur le bûcher, Juli et sa sœur pouvaient se trouver exposées à plus de dangers que ne l'imaginait Gobind.

Ash ne doutait pas que, en cas de décès du Rana, le Gouvernement des Indes veillât à ce qu'il n'y eût pas de suttee. Mais si le Rana continuait à vivre, et avait vent des messages échangés avec Juli, le Gouvernement ne serait pas en mesure de la protéger, non plus que Gobind et Manilal, car il s'agirait alors d'une affaire purement intérieure. Si tous trois venaient à mourir ou simplement disparaître, il était probable que les autorités n'en sauraient jamais rien. Si même elles en étaient informées et posaient des questions, on leur répondrait que le Hakim et son serviteur étaient repartis pour Karidkote. Comment prouver que c'était faux et qu'ils n'étaient pas morts sur le chemin du retour, d'une façon ou d'une autre?

Ash en frémit et pensa :

« Je ne peux rester ainsi, sans rien faire pour Juli... Il faut que j'aille à Bhitor... Puisque Gobind y est arrivé, je trouverai bien alors un moyen de communiquer avec elle. Je lui recommanderai d'être sur ses gardes parce qu'une des femmes de Karidkote trahissait ou trahit toujours sa confiance. Elle ne voulait pas s'enfuir avec moi, mais à présent elle pense peut-être différemment... Auquel cas, j'arriverai sûrement à la faire s'échapper... Et si elle ne veut toujours pas s'enfuir, je pourrai du moins m'arranger pour que, en cas de décès du Rana, la police et le Conseiller politique veillent à ce que ses veuves ne soient pas contraintes de le suivre sur le bûcher. »

Lorsque, à l'aube, Gul Baz apporta le thé, il trouva le Sahib déjà levé et habillé, en train de remplir le petit *bistra* – sac de toile renforcé par du cuir – qu'il emportait fixé derrière sa selle les nuits d'exercice. Mais à la façon dont il le garnissait, Gul Baz comprit que son maître ne s'en allait pas pour vingt-quatre heures. Son absence pouvait durer aussi bien une semaine que tout un mois. Cela n'avait rien d'inhabituel sauf que, d'ordinaire, Gul Baz était chargé de préparer le sac. Or, cette fois, au lieu de tout le linge de rechange que Gul Baz y aurait mis, le *bistra* ne contenait qu'un morceau de savon, un rasoir, une couverture et le revolver d'ordonnance... avec cinq petits cartons dont Gul Baz savait qu'ils étaient chacun de cinquante cartouches.

Mais on ne s'en va pas chasser avec un revolver...

Le cœur de Gul Baz se serra en voyant Ash prendre dans un tiroir de la commode un petit pistolet et une poignée de cartouches qu'il fourra dans sa poche. Remarquant à haute voix que c'était une chance que Haddon-Sahib lui eût payé en espèces les deux chevaux de polo, car cela lui évitait de devoir aller à la banque, Ash se mit à compter des billets ainsi que des pièces d'or et d'argent.

– Alors le Sahib va à Bhitor..., dit soudain Gul Baz.

– Oui, répondit Ash en continuant de compter, mais garde ça pour toi.

– J'en étais sûr! s'exclama Gul Baz avec amertume. C'est ce que Mahdoo-ji redoutait tant, et j'ai compris qu'il avait raison quand j'ai vu arriver ici ce hakim de Karidkote. Ne pars pas, Sahib, je t'en supplie! Si tu te mêles des affaires de ce maudit palais, il n'en résultera rien de bon!

Et comme Ash se bornait à hausser les épaules tout en continuant de compter, Gul Baz dit :

– Si tu dois vraiment partir, alors laisse-moi aller avec toi. Et Kulu Ram aussi.

Ash lui sourit en secouant doucement la tête :

– Je le ferais si je le pouvais. Mais ce ne serait pas prudent... on pourrait te reconnaître.

– Et toi, alors? rétorqua Gul Baz. Penses-tu qu'ils aient pu si vite t'oublier, alors que tu leur as donné tant de raisons de se souvenir de toi?

– Ah! mais, cette fois, ce n'est pas en Sahib que je vais à Bhitor. Je serai déguisé en *boxwallah,* à moins que je ne me fasse passer pour un voyageur se rendant en pèlerinage aux temples du Mont Abu... ou bien peut-être pour un hakim de Bombay... Oui, ce serait encore le mieux, car cela me fournirait un prétexte pour prendre contact avec un confrère médecin,

Gobind Dass. Et je ne serai pas seul, puisque Manilal m'accompagne.

– Ce gros imbécile! s'exclama Gul Baz avec un reniflement méprisant.

– Gros peut-être, dit Ash en riant, mais imbécile sûrement pas, je peux te le garantir. S'il en donne l'air, c'est qu'il a ses raisons; avec lui, crois-moi, je serai en sécurité. Où en étais-je? Sept cents... sept cent quatre-vingts...

Quand il eut fini de compter, Ash fourra une grande partie de l'argent dans ses poches avant de remettre le reste dans la boîte qu'il tendit à Gul Baz.

– Tiens... Ce devrait être plus que suffisant pour payer les gages et les dépenses de la maison jusqu'à mon retour.

– Et si tu ne reviens pas? demanda Gul Baz, buté.

– J'ai laissé deux lettres, que tu trouveras dans le tiroir central de mon bureau. Si dans six semaines je n'étais pas de retour et que tu n'aies aucune nouvelle de moi, donne-les à Pettigrew-Sahib de la police. Il fera ce que je lui dis dans ces lettres, en veillant notamment à ce que toi et les autres n'ayez pas à souffrir trop de ma disparition. Mais ne te fais pas de souci : je reviendrai. Sur ce, quand le serviteur du Hakim se réveillera, dis-lui de se préparer à partir, puis d'aller chez le Sirdar Sarjevan Desai, dont la maison est proche du village de Janapat, où je le rejoindrai. Il n'a qu'à prendre la jument baie à la place de son cheval qui boite. Que Kulu Ram s'en occupe... Non, laisse, je vais le mettre moi-même au courant.

– Ça ne va pas lui faire plaisir, à Kulu Ram!

– Peut-être pas, non, mais c'est nécessaire. Ne nous disputons pas, Gul Baz. Comprends-le : c'est mon devoir d'agir ainsi.

Gul Baz soupira, comme se parlant à lui-même :

– Ce qui est écrit est écrit.

Puis il dit que le thé avait refroidi et qu'il allait en chercher d'autre. Mais quand il apporta ensuite le fusil de tir, Ash secoua la tête :

– Non... Je n'imagine pas un hakim voyageant avec une telle arme.

– Mais alors pourquoi emporter les cartouches ?

– Parce qu'elles sont du même calibre que celles dont se servent les *pultons*. Et, au fil des ans, bien des armes du Gouvernement s'en sont allées dans d'autres mains. Alors je peux en avoir une moi aussi, expliqua Ash en montrant une carabine de cavalerie.

Réflexion faite, il prit également son fusil de chasse et cinquante cartouches.

Gul Baz démonta le fusil pour le faire entrer dans le *bistra*, après quoi il emporta ce sac lourd jusque sous le porche.

Quand Gul Baz regarda Ash monter Dagobaz et s'éloigner dans la limpide clarté de l'aube, il se demanda ce que Mahdoo eût fait s'il avait été là.

Peut-être Mahdoo serait-il parvenu à détourner le Sahib de son projet, mais ça lui paraissait bien improbable. Alors, pour la première fois, Gul Baz se réjouit de la mort du vieil homme, car ainsi il n'aurait pas à lui raconter qu'il avait regardé Pelham-Sahib s'en aller vers une mort certaine, sans rien pouvoir faire pour l'en empêcher.

### 39

La première visite de Ash fut pour le surintendant de la police. Il le trouva en robe de chambre et babouches, prenant le *chota-hazri* sur sa galerie. Le soleil n'avait pas encore émergé à l'horizon, mais M. Pettigrew ne parut pas se formaliser qu'on vînt le voir de si bonne heure. Interrompant du geste les excuses de Ash, il demanda à son domestique une autre tasse et une assiette, ainsi que du café chaud.

– Mais si, mais si, vous avez le temps! Qu'est-ce qui vous presse? Prenez une tranche de papaye... ou préférez-vous une mangue? Non, je n'ai toujours rien de ce vieux Tim. Je n'arrive pas à m'expliquer qu'il ne m'ait pas répondu quelque chose. Sans doute a-t-il trop à faire. Mais soyez sans inquiétude : il n'est pas homme à fourrer mon télégramme dans un tiroir et l'y oublier. Il a même probablement dû se rendre à Bhitor pour veiller au grain. Un peu plus de café?

– Non, merci, il me faut absolument partir. J'ai encore une ou deux choses à régler. (Après une brève hésitation, il ajouta :) Je m'en vais chasser pendant quelques jours.

– Heureux veinard! dit Pettigrew avec envie. Je voudrais bien pouvoir en faire autant. Mais je ne peux prendre mon congé qu'en août. Bonne chasse!

A la poste non plus, il n'y avait aucune nouvelle pour Ash et l'employé lui assura que s'il avait reçu un télégramme, il l'aurait fait porter immédiatement au bungalow.

– Je ne peux que vous répéter ce que je vous ai déjà dit, monsieur Pelham. Je n'ai encore jamais vu un télégramme se perdre ou s'égarer. Mais si vos correspondants ne vous répondent pas, la poste n'y est pour rien.

Ash n'avait pas voulu offenser l'employé, mais il se souvenait qu'un télégramme expédié de Delhi en toute hâte et annonçant que les Cipayes venaient de se révolter, avait été remis au cours d'un dîner officiel à un haut personnage, lequel l'avait escamoté dans sa poche sans le lire et l'y avait oublié jusqu'au lendemain, quand il était trop tard pour faire quoi que ce soit.

N'eût-il reçu qu'un accusé de réception, Ash se serait senti l'esprit plus tranquille. Mais, comme Pettigrew le lui avait fait remarquer, ça ne signifiait pas que le télégramme était resté sans effet. Tout au contraire : le destinataire avait pu préférer agir aussitôt sans perdre du temps à envoyer un message superflu.

La propriété de Sarji se trouvait à une vingtaine de milles au nord d'Ahmadabad, sur la rive ouest du Sabarmati, et la matinée était déjà très avancée lorsque Ash arriva chez son ami. Les domestiques, qui le connaissaient bien, l'informèrent que, debout depuis l'aube parce qu'une précieuse jument poulinière mettait bas, leur maître venait tout juste de rentrer. Si le Sahib voulait bien avoir la bonté d'attendre?

Dagobaz, dont la robe noire était grise de poussière, fut emmené par un des palefreniers, tandis que, après s'être lavé, Ash était poliment conduit dans une pièce où on lui servit à boire et à manger.

Sarji était large d'esprit et, loin de chez lui, il en prenait à son aise avec certains préceptes. Mais chez lui, sous l'œil du prêtre de la famille, pas question de manger avec quelqu'un qui n'était point de sa caste. Quand on eut emporté la vaisselle qui ne devait servir que pour lui seul, Ash alluma une cigarette et regarda pensivement la fumée monter vers le plafond. Il se rappelait quelque chose que lui avait dit Bukta, le *shikari* de Sarji, à propos d'un moyen plus rapide d'atteindre la vallée de Bhitor. Ce chemin permettait d'éviter aussi bien les forts que les postes de la frontière et vous amenait environ à un *koss* de la ville elle-même. Le tracé lui en avait été indiqué bien des années auparavant par un ami, un Bhitori, qui disait l'avoir découvert par hasard et s'en être servi pour se livrer à la contrebande.

« Contrebande de chevaux surtout, avait précisé

Bukta avec un sourire. A Baroda ou Ahmadabad, il est toujours possible d'obtenir un bon prix d'un cheval volé dans le Bhitor, car son propriétaire n'aura jamais l'idée de le chercher hors des frontières de l'Etat. Dans ma jeunesse, j'avais peu de respect pour les lois et j'ai souvent aidé mon ami dans ce trafic. Après sa mort, je me suis rangé. Mais, en dépit des années, je revois clairement le chemin à prendre pour passer la frontière, comme si je l'avais parcouru hier. Si je ne l'ai pas utilisé quand j'ai guidé le Hakim-Sahib, c'est parce qu'il n'aurait pas été bon pour lui d'arriver clandestinement à Bhitor. »

Ash s'était tellement abstrait dans ses pensées, qu'il n'entendit pas cliqueter le rideau de perles lorsque son hôte le rejoignit. Sarji commençait à s'excuser de l'avoir fait attendre quand, voyant le visage de Ash, il s'interrompit pour demander vivement :

– *Kia hohia, bhai?*

Ash sursauta et se mit debout en disant :

– Il n'est rien arrivé... encore. Mais je dois absolument me rendre à Bhitor et je suis venu te demander ton aide, car je ne puis y aller ainsi. Il me faut un déguisement aussi vite que possible. J'ai également besoin d'un guide qui connaisse les chemins secrets à travers la jungle et les collines. Peux-tu me prêter ton *shikari,* Bukta ?

– Bien sûr! répondit aussitôt Sarji. Quand partons-nous ?

– Nous ? Non, Sarji, il ne s'agit pas d'une partie de chasse. C'est très grave.

– Il m'a suffi de voir ton visage pour en être convaincu. Et si tu ne peux aller à Bhitor que sous un déguisement, cela signifie aussi que c'est très dangereux pour toi.

Ash ne répondit pas, se bornant à esquisser un haussement d'épaules impatienté.

– Je ne t'ai jamais posé de questions concernant Bhitor, continua Sarji, parce qu'il me semblait que tu ne désirais pas en parler. Mais depuis que tu m'as demandé d'envoyer Bukta guider un hakim qui souhaitait s'y rendre, en sus de cette histoire de pigeons voyageurs, j'avoue y avoir souvent repensé. Tu n'as pas à me dire des choses que tu préfères me taire, mais si tu dois courir un danger, je le courrai avec toi : deux sabres valent mieux qu'un. Ou bien ne me crois-tu pas capable de tenir ma langue?

– Ne dis pas de sottises, Sarji. Tu sais bien que ce n'est pas ça... Simplement, il s'agit d'une chose ne concernant que moi... et dont je ne souhaite parler à personne. Tu m'as déjà été d'un grand secours et te voilà encore prêt à m'aider sans poser de question. Je t'en ai une immense reconnaissance et il est juste que je te donne des explications...

– Ne me dis rien que tu préfères taire! répéta vivement Sarji. Ça ne fera aucune différence.

– Je me le demande. Peut-être que non, en effet. Mais le contraire est tout aussi possible. Alors je crois préférable que tu saches ce que j'ai décidé de faire, pour que tu puisses accepter ou non de m'aider, car cela concerne une coutume que ton peuple respecte depuis des siècles. Peut-on nous entendre?

Sarji eut un bref haussement de sourcils et répondit en montrant le chemin :

– Pas si nous marchons dans le jardin.

Ce fut au milieu des roses, des jasmins et des balisiers aux fleurs rouges ou jaunes, que Sarji apprit l'histoire des deux princesses de Karidkote qu'un jeune officier britannique avait été chargé d'escorter jusqu'à Bhitor, les tribulations qu'ils avaient connues à leur arrivée dans cet Etat, et le terrible sort qui menaçait à présent les jeunes femmes. Ash s'abstint seulement de mentionner qu'il avait autrefois vécu à Karidkote et se trouvait violemment épris de l'aînée des princesses.

– Si elles sont brûlées vives, Sarji, j'aurai ce poids sur ma conscience jusqu'à ma mort. Mais tu n'as pas les mêmes raisons que moi de te mêler de cette affaire et si, en tant qu'Hindou, tu préfères...

– *Chut!* l'interrompit Sarji. Je ne tiens aucunement à voir renouer avec une coutume cruelle, qu'une loi a interdite bien avant que je naisse. Les temps ont changé, mon ami, et les hommes aussi... même les Hindous. Vous autres, chrétiens de *Belait,* continuez-vous à brûler les sorcières ou les gens qui ne partagent pas votre foi?

– Bien sûr que non, mais...

– Mais tu penses que notre pays n'est pas capable d'évoluer pareillement? Pour ma part, je ne voudrais pas voir une veuve monter sur le bûcher, à moins qu'elle n'y soit poussée par le désir de ne point survivre à un époux qu'elle aimait par-dessus tout. Dans ce cas, j'avoue que je ne m'y opposerais pas car, contrairement à vous autres, je ne me reconnais pas le droit d'empêcher quelqu'un d'en finir avec la vie s'il le souhaite. Cela tient peut-être à ce que la vie nous paraît beaucoup moins importante qu'à vous, chrétiens, qui n'en avez qu'une en ce monde tandis que nous autres ne mourrons que pour revivre des milliers ou des centaines de milliers de fois. Alors, qu'une de ces nombreuses vies soit abrégée ne compte pas à nos yeux.

– Mais le suicide est un crime!

– Pour les gens de ton pays, pas pour les miens. Or, ce pays est encore le mien, tout comme ma vie est à moi. Mais pousser quelqu'un d'autre à la mort est un crime, et parce que j'ai eu l'occasion de m'entretenir avec ce Hakim de Karidkote, je suis prêt à le croire s'il affirme que les Ranis de Bhitor risquent de monter sur le bûcher contre leur volonté. En conséquence, je ferai tout ce que je peux pour vous aider. Tu n'as qu'à parler.

Arrivant vers midi, Manilal fut accueilli par le *shikari* Bukta qui le conduisit au maître de maison, avec lequel se trouvait un autre homme qu'il ne reconnut pas immédiatement. Cela s'expliquait, car Sarji et Bukta avaient mis tous leurs soins à travestir Ash. Le brou de noix bien appliqué constitue une excellente teinture, même si elle ne tient pas très longtemps. Ash avait également rasé sa moustache et il ne serait venu à l'esprit de personne qu'il pût ne pas être un compatriote de Sarji. Un Indien de classe moyenne, comptant probablement dans ses ascendants quelqu'un venu des collines, où les hommes ont le teint plus clair. Il était vêtu comme un *vakil* (avocat) ou un hakim.

Ordinairement imperturbable, Manilal demeura bouche bée, regardant Ash comme s'il n'en croyait pas ses yeux :

— *Ai-yah,* c'est extraordinaire... et pourtant cela tient à peu de choses... Mais pourquoi ce déguisement, Sahib ?

— Ashok, rectifia Ash avec un sourire. Ainsi vêtu, j'ai un autre nom et je ne suis plus un Sahib.

— Et qu'est-ce que le... qu'est-ce que Ashok se propose de faire ?

Ash le lui dit et, quand il se tut, Manilal objecta que les Bhitoris étaient gens peu accueillants, très méfiants, prêts à soupçonner n'importe quel étranger d'être un espion, surtout dans les circonstances actuelles.

— Que leur Rana vienne à mourir et ils n'hésiteraient pas à nous couper la gorge s'ils pensaient que nous voulons faire obstacle à une *tamarsha* dont ils se réjouissent par avance.

— Une *tamarsha !* répéta Ash comme s'il crachait le

mot. Tu veux dire qu'ils considèrent comme une fête de voir deux jeunes et belles femmes de haut rang marcher, dévoilées, jusqu'au bûcher pour y être brûlées vives sous leurs yeux?

– Sans aucun doute, acquiesça calmement Manilal. Voir le visage d'une reine et la regarder mourir, est un événement auquel bien peu d'entre eux auront l'occasion d'assister plus d'une fois dans leur vie. Donc, pour beaucoup ce sera une grande *tamarsha,* mais pour d'autres – peut-être même pour tous – ce sera une cérémonie religieuse conférant des mérites à ceux qui y participeront. Les gens de Bhitor seraient donc doublement furieux que quelqu'un cherche à les priver d'une telle occasion de se réjouir, et seule une solide force armée ou la police du Vice-Roi parviendrait alors à les mater. Mais un homme, ou deux, ou trois, ne peuvent rien, sinon y laisser inutilement leur vie.

– Je le sais, acquiesça Ash. J'ai beaucoup réfléchi et si je pars, c'est parce que je le dois. Mais il n'y a aucune raison pour que quelqu'un m'accompagne, et mon ami le Sirdar le sait très bien

– Il sait aussi, intervint Sarji, qu'un homme montant un cheval comme Dagobaz ne voyagerait pas seul, sans un serviteur ou un syce. Je peux jouer le rôle de l'un ou de l'autre.

– Tu comprends, Manilal? dit Ash en riant. Le Sirdar vient de sa propre volonté et je ne peux l'en empêcher, pas plus que tu ne peux m'empêcher de partir. Quant à Bukta, il vient seulement pour nous guider jusqu'à Bhitor par des raccourcis connus de lui seul, afin que nous ne risquions pas de nous perdre dans les collines ou d'être arrêtés par les gardes si nous empruntions les chemins habituels. Quand nous n'aurons plus la possibilité de nous égarer, il fera demi-tour. Toi, bien sûr, tu dois retourner à Bhitor ouvertement, par la même route que tu en es parti.

Toujours pas convaincu, Manilal demanda :

– Mais que fera Ashok lorsqu'il se trouvera à Bhitor?

– L'avenir est sur les genoux des dieux. Comment savoir ce que je ferai tant que j'ignore quelle est la situation et que je n'ai pas eu un entretien avec le Hakim-Sahib, lequel me dira quelles dispositions a prises le Sirkar?

– S'il en a pris! marmotta Manilal, sceptique.

– Bien sûr... Ça aussi je ne le saurai qu'en arrivant là-bas.

Manilal finit par s'incliner, mais recommanda à Ash d'être extrêmement prudent pour contacter Gobind, car son maître n'avait jamais été *persona grata* au Palais de Bhitor, et l'entourage du Rana lui avait marqué d'emblée son hostilité.

– Certains lui en veulent parce qu'il est de Karidkote, exliqua-t-il, ou parce qu'il connaît mieux qu'eux l'art de guérir et d'autres simplement parce qu'il a l'estime du Rana. Moi, ils me détestent parce que je suis son serviteur. Mais fort heureusement ils me prennent pour un inoffensif simple d'esprit, ce qui signifie que nous aurons la possibilité de nous rencontrer n'importe quand, comme deux étrangers et par hasard, dans la foule du bazar ou de la rue des Chaudronniers.

Ils passèrent le quart d'heure suivant à discuter de leurs plans en détail, puis Manilal partit, mais sur un des chevaux que louait Sarji, car la jument baie avait été jugée trop belle bête pour qu'un domestique de hakim pût l'avoir achetée. Il mettrait plus longtemps à atteindre Bhitor que les deux qui emprunteraient un chemin de contrebandiers à travers les collines, mais il ne pensait pas que la différence puisse excéder trois jours.

En réalité, elle fut de cinq jours, car personne dans

tout le Gujerat ne connaissait aussi bien que Bukta la jungle et les collines.

Lorsqu'il se retrouva enfin à découvert, Ash vit devant lui la vallée où, deux ans auparavant, avait campé le cortège venu de Karidkote.

De cette mer de tentes et de véhicules disparates, ne subsistaient plus que les vestiges des abris à toit de chaume construits à l'époque pour protéger les chevaux et les éléphants de la brûlante ardeur du soleil, mais dont le vent, la pluie et les fourmis blanches avaient quand même fini par avoir raison.

Bukta sourit de la stupeur émerveillée de Ash :

– Ne t'avais-je pas dit que ce chemin était bien caché? Qui aurait l'idée de chercher un passage au milieu de tous ces rochers?

De fait, Ash se rendit compte qu'il avait dû regarder l'endroit une centaine de fois et chevaucher à proximité en de nombreuses occasions, sans imaginer un seul instant qu'on pouvait passer derrière ces amoncellements de rochers pour trouver ensuite une issue dans les replis des collines. Il en étudia les abords avec attention afin de pouvoir s'y repérer en cas de nécessité, notant la triple saillie d'une avancée rocheuse surmontant une plaque de schiste dont la forme évoquait une flèche pointée vers le bas. Beaucoup plus claire que le flanc de la colline, cette tache de schiste devait se voir de loin, et la pointe de la flèche indiquait très précisément l'endroit d'où les trois hommes venaient de déboucher. Autre point remarquable, à une douzaine de mètres sur la droite, se trouvait un gros rocher couvert de déjections d'oiseaux qui donnait l'impression de flotter sur de hautes herbes jaillissant d'une crevasse. Ash grava tout cela dans sa mémoire, afin de pouvoir déterminer par la suite l'emplacement des rochers qui cachaient l'entrée du défilé.

— Le Sahib fait bien d'étudier les lieux, approuva Bukta, car, de ce côté-ci, le chemin n'est pas facile à trouver. Maintenant, tu sais comment gagner Bhitor. Mais tu ferais bien de me laisser ton fusil et cinquante cartouches... Il te vaut mieux n'avoir qu'une seule arme si tu ne veux pas éveiller de soupçons. Je resterai ici jusqu'à ce que vous reveniez.

— Mais ça peut durer beaucoup plus longtemps que tu ne le penses, fit remarquer Ash.

— Aucune importance, lui assura Bukta avec un geste expressif. Il y a ici de l'eau, de l'herbe; avec le fusil du Sahib, plus le beau fusil *Angrezi* que m'a donné mon maître, et aussi le vieux que j'ai toujours, je ne crains ni les attaques ni le manque de vivres. Je peux donc attendre aussi longtemps qu'il le faudra. Comme j'ai le sentiment que vous aurez besoin de vous enfuir en toute hâte, mieux vaut que je sois là car, sans moi, vous risqueriez de vous perdre en voulant regagner le Gujerat.

— Ça, très certainement! convint Sarji avec un rire bref.

La capitale n'était plus qu'à quelques milles et le soleil se trouvait encore bien au-dessus de l'horizon. Les trois hommes retournèrent donc dans le défilé jusqu'à ce que l'ombre commence à s'étendre sur la vallée. Alors, après avoir dit au revoir à Bukta, les deux voyageurs partirent à cheval sur la piste poussiéreuse que Ash avait si souvent parcourue à l'époque des interminables discussions avec le Diwan et les conseillers du Rana.

La vallée n'avait pas changé, non plus que les forts qui la dominaient ni la masse renfrognée de Bhitor qui masquait le grand lac et le large amphithéâtre de plaines se trouvant de l'autre côté de la ville. Non, pensait Ash, rien n'avait changé, sinon lui-même. Extérieurement du moins, il n'avait plus aucune res-

semblance avec le jeune officier britannique de naguère. Il portait alors la tenue d'apparat de son régiment,
sabre au côté, et avait une escorte de vingt hommes
armés. A présent, il chevauchait avec un seul compagnon, pareil à un quelconque bourgeois indien, glabre
et sobrement vêtu. Il avait un bon cheval, comme il
convient à un homme parti pour un long voyage et,
pour se protéger des mauvaises rencontres, une carabine comme celles dont on n'usait officiellement que
dans l'armée, mais que, en y mettant le prix, on
pouvait se procurer presque n'importe où, du cap
Comorin au Khyber.

Ash avait pris grand soin de donner à la carabine
l'aspect trompeur d'une arme mal entretenue. Dagobaz avait subi une transformation du même genre,
Bukta ayant insisté pour lui décolorer le poil à certains
endroits et le foncer à d'autres, afin qu'on ne risque
pas de reconnaître le cheval à défaut du cavalier. En
sus de quoi, la robe naguère lustrée du noir étalon était
maintenant toute rugueuse de poussière, et sa coûteuse
selle anglaise avait été remplacée par une autre qui
appartenait à l'un des domestiques de Sarji. Certes, un
connaisseur ne se fût pas laissé abuser longtemps, mais
aux yeux des autres, Dagobaz passerait pour un cheval
quelconque.

Le soleil était maintenant presque couché et ceux
qui avaient travaillé dans les champs rentraient chez
eux. L'air était plein de poussière et de fumée, on y
sentait l'odeur puissante des troupeaux mêlée à celle
montant des marmites qui chauffaient sur d'innombrables feux.

La lampe de bronze suspendue sous l'arche de la
Porte de l'Eléphant était déjà allumée. Leurs mousquets posés près d'eux, deux des trois gardes jouaient
aux dés, assis sur la marche du poste, tandis que le
troisième discutait avec un charretier. Personne ne

prêta attention aux voyageurs couverts de poussière qui passaient avec le flot des gens pressés de rentrer chez eux.

C'est seulement dans un village que tous les habitants se connaissent de vue. Or, Bhitor était une cité d'environ trente mille âmes, dont le dixième au moins vivait dans l'enceinte du palais.

Ash avait de bonnes raisons de se rappeler les moindres détours des rues menant de la Porte de l'Eléphant au Rung Mahal, mais pour le reste de la ville il n'avait que les renseignements donnés par Manilal. Comme Bhitor se situait à l'écart des grands axes routiers, il n'y existait aucun caravansérail ni auberge. Aussi Ash et Sarji cherchèrent-ils longtemps avant de trouver une chambre à louer chez un marchand de charbon, avec la permission de mettre leurs chevaux dans un appentis branlant qui occupait un angle de la cour.

Vieux et infirme, ce marchand de charbon partageait la méfiance de la plupart des Bhitoris à l'égard des étrangers. Mais il était avare et, si mauvaise fût-elle, sa vue lui permettait encore de distinguer les pièces d'argent. Il ne posa aucune question et, après avoir marchandé, il accepta d'héberger les deux hommes pour une somme qui, vu les circonstances, n'était pas excessive. Il ne vit aucune objection à ce qu'ils prolongent leur séjour aussi longtemps que nécessaire, pourvu que chaque journée lui fût payée d'avance.

Après quoi, il se désintéressa de ses hôtes et, fort heureusement pour ceux-ci, sa famille se montra tout aussi peu curieuse. Il y avait là trois femmes : l'épouse du marchand, sa belle-mère et une vieille servante, humbles et silencieuses. La famille était complétée par un fils unique, qui aidait dans la boutique et devait être muet, car Ash et Sarji ne l'entendirent jamais prononcer une seule parole.

58

– Les dieux sont sûrement avec nous pour nous avoir fait découvrir cette maison, dit Sarji qui s'était attendu à ce qu'on leur pose quantité de questions. Ces gens ne sont pas accueillants, mais le serviteur du Hakim décrivait les Bhitoris sous un jour beaucoup plus sombre. Ceux-ci, à tout le moins, me paraissent inoffensifs.

– Aussi longtemps que nous les paierons, déclara sèchement Ash. Et tous les gens d'ici ne sont pas indifférents comme eux. Alors, sois toujours sur tes gardes lorsque tu sortiras. Nous ne pouvons nous permettre d'attirer l'attention.

Durant quelques jours – à l'exception d'une heure soir et matin où ils faisaient prendre de l'exercice à leurs chevaux – les deux amis passèrent leur temps à se promener dans la ville, aux aguets des moindres informations qu'ils pouvaient glaner dans les bazars ou chez les marchands de vin. A ceux qui leur posaient la question, ils répondaient ce dont ils étaient convenus : ils faisaient partie d'un groupe qui se rendait au mont Abu, mais ils avaient été séparés de leurs compagnons et, en s'efforçant de les rejoindre, ils s'étaient perdus dans les collines. Ils avaient été à deux doigts de mourir de soif, aussi se réjouissaient-ils d'être arrivés dans un endroit aussi salubre et accueillant, où ils comptaient rester quelques jours pour se remettre de leurs émotions et permettre à leurs chevaux de récupérer.

L'histoire devait être plausible, car elle ne soulevait aucun commentaire. Mais tous ceux qui l'entendaient déclaraient que les voyageurs devraient passer plus de quelques jours à Bhitor vu que, depuis une semaine, un édit interdisait à quiconque de quitter la principauté jusqu'à nouvel ordre. Edit promulgué par le Diwan et le Conseil, agissant pour le compte du Rana « momentanément souffrant ».

– Mais pourquoi? avait demandé Ash, alarmé par cette nouvelle. Pour quelle raison?

On lui avait répondu par un haussement d'épaules, en disant qu'il fallait accepter les édits du gouvernement sans chercher à comprendre. Un homme, cependant, se montra plus loquace.

D'après lui, tout le monde savait que le Rana était mourant, et le Diwan ne tenait pas, pour des raisons d'ordre intérieur, à ce que la nouvelle s'ébruite au-dehors.

Ainsi donc, pensa Ash, le Diwan avait pris ses dispositions pour que les nouvelles en provenance de Bhitor fussent seulement celles ayant son assentiment et celui du Conseil, colportées uniquement par des hommes à eux. Dans ces conditions, Manilal allait-il se voir refouler? Si cela se produisait, comment contacter Gobind? Mais ce qui le préoccupait beaucoup plus, c'était qu'il n'y avait pas la moindre trace en ville d'un détachement de police ou de soldats des Indes britanniques, ni rien indiquant que le Gouvernement s'intéressât aux affaires de Bhitor. Etant donné les mesures que M. Pettigrew et lui avaient prises, Ash s'attendait au moins à trouver Spiller, le Conseiller politique, occupant une des résidences du Ram Bagh.

Et maintenant les frontières de la principauté étant fermées, Sarji et lui, tout comme Gobind, s'y trouvaient pris au piège. Il allait donc être très difficile, sinon impossible, de prévenir les autorités britanniques, sauf en empruntant le chemin de Bukta, ce qui représentait un très long détour pour atteindre Ajmer. Or, la saison chaude étant arrivée, si le Rana venait à mourir, il serait incinéré en l'espace de quelques heures... et les Ranis avec lui.

– Je ne comprends pas! marmotta Ash, en arpentant leur chambre comme un fauve en cage. Un télégramme peut à la rigueur s'égarer, mais *quatre!* C'est impossible. Kara-ji ou Jhoti ont sûrement dû faire quelque chose. Ils savent de quoi sont capables les gens d'ici... et Mulraj aussi. Ils ont dû alerter Simla. Je pense même qu'ils auront télégraphié directement au Vice-Roi et aussi au D.G.G. pour le Rajputana. En dépit de quoi, personne ne semble avoir bougé même le petit doigt. C'est inexplicable, absolument inexplicable!

– Calme-toi, voyons, lui dit Sarji. Si ça se trouve, le Sirkar a déjà ici des hommes à lui, venus sous des déguisements.

– A quoi cela nous avancerait-il? riposta Ash en colère. Que crois-tu que puissent faire deux espions, ou trois, ou six, ou douze, contre tout Bhitor? Ce qu'il fallait ici, c'était le Conseiller politique ou quelque important Sahib de la police, avec un solide détachement d'hommes armés, des Sikhs de préférence. Mais si le gouvernement s'est borné à envoyer des espions – et ça n'est même pas sûr! – maintenant que la frontière est fermée, ils sont coincés ici. Et ni toi ni moi ne pouvons rien faire! *Rien!*

– Sinon prier pour que les dieux et ton ami le Hakim prolongent la vie du Rana jusqu'à ce que se manifestent les Burra-Sahibs de Simla ou d'Ajmer.

Laissant Ash marcher de long en large dans la chambre, Sarji descendit s'occuper des chevaux, puis s'en fut quêter des nouvelles par la ville, espérant toujours apercevoir dans la foule un gros garçon à l'air idiot. Mais Manilal demeurait invisible, et Sarji regagna la maison du marchand de charbon convaincu que le serviteur du Hakim avait dû avoir un accident ou se voir interdire l'entrée de la principauté. Auquel cas, Ash voudrait sûrement rencontrer le Hakim, ce qui ne manquerait pas d'attirer sur lui l'attention des ennemis de Gobind.

Cela faisait cinq jours que Sarji était à Bhitor, mais deux avaient suffi pour le convaincre que Ash n'avait pas exagéré en lui parlant du Rana et de son entourage. Ce soir-là, pour la première fois, il eut conscience que cette mascarade, dans laquelle il s'était lancé d'un cœur léger, pouvait se révéler beaucoup plus dangereuse qu'il ne l'imaginait, et que si Manilal n'arrivait pas à regagner Bhitor, lui-même avait bien peu de chances d'en ressortir vivant.

Eveillé dans l'obscurité, entendant leur logeur ronfler dans la boutique au-dessous de lui, Sarji souhaitait de tout cœur pouvoir se retrouver dans sa maison, au milieu des champs et des bananeraies. Il aimait la vie et ne souhaitait aucunement mourir, surtout de la main de barbares comme les Bhitoris. Mais il leur restait un moyen de s'enfuir : la route de Bukta. Demain, si Manilal ne s'était toujours pas manifesté, Sarji ferait comprendre à Ash que, vu les circonstances, il était vain de vouloir rester plus longtemps à Bhitor. Le plus sage était de repartir par où ils étaient venus, puis de se rendre à Ajmer. Certes, cela prendrait du temps mais, une fois là-bas, Ashok pourrait expliquer aux autorités – si elles ne le savaient déjà – que Bhitor s'était coupé du monde extérieur et mué en une véritable forteresse.

Sarji n'avait aucune confiance dans le télégraphe et toutes les inventions nouvelles. Il n'était donc pas étonné que Ash n'ait pas reçu de réponse. Et un face-à-face valait encore mieux qu'une lettre portée par un serviteur de toute confiance.

Mais Manilal était de retour à Bhitor. Il était arrivé ce même soir dans la capitale, juste comme on allait fermer les lourdes portes. Le lendemain matin, il s'en fut faire quelques menus achats au bazar, où il lia conversation avec deux voyageurs : un petit Gujerati et un grand homme au visage mince, venant de Baroda, qui tous deux discutaient avec un marchand de fruits des mérites respectifs des mangues et des papayes.

## 40

Le médecin de Karidkote avait espéré contre tout espoir entendre Manilal lui annoncer qu'on venait à son aide. Au cours de la semaine précédente, il avait guetté à la Porte de l'Eléphant l'arrivée du Conseiller politique ou de quelque police-Sahib suivi d'un fort contingent d'hommes armés. Au lieu de quoi, il apprenait que Pelham-Sahib, après avoir expédié plusieurs télégrammes urgents à aucun desquels il n'avait été répondu, avait voulu à toute force venir lui-même à Bhitor sous un déguisement, accompagné d'un ami gujerati qui se faisait passer pour son serviteur.

Le désarroi de Gobind, devant le manque de réaction des officiels britanniques, s'était mué en colère lorsqu'il avait appris l'arrivée de Ash. Sa venue ne pouvait avoir d'utilité que si elle se faisait au grand jour avec le total appui du Gouvernement. Telle quelle, son entreprise était une folie suicidaire car il serait tué s'il était reconnu.

— Il doit partir sur-le-champ, dit Gobind à Manilal. Sa présence ici nous met tous en danger. Si lui ou son ami étaient démasqués, tout le monde ici serait convaincu que c'est moi qui l'ai fait venir et aucun de nous ne repartirait de Bhitor. Tu aurais dû l'empêcher de se lancer dans une telle aventure!

— Je lui ai dit tout ce que j'ai pu, mais sa décision était prise et il n'a pas voulu m'écouter.

— Moi, il m'écoutera! Amène-le ici demain. Mais sois prudent dans tes allées et venues, afin de ne pas attirer l'attention sur lui ou des soupçons sur nous.

Le lendemain matin, le médecin accueillit Ash d'un air grave, écouta sans faire de commentaire les raisons de sa venue à Bhitor, puis il lui dit :

– J'avais espéré que vous nous feriez envoyer du secours et, quand je n'ai rien vu arriver, j'ai pensé que le dernier pigeon voyageur avait peut-être été tué en route par un faucon, ou que mon serviteur avait été arrêté à la frontière sous un prétexte quelconque, à moins qu'il n'ait été victime d'un accident en chemin. Mais je n'aurais jamais imaginé que des télégrammes urgents envoyés par vous à Ajmer, à son Altesse de Karidkote et à mon maître le Rao-Sahib resteraient sans effet. Cela passe mon entendement!

– Le mien aussi, dit Ash d'un ton amer. Ce qui importe, c'est de savoir ce que nous allons faire maintenant...

– Partir immédiatement pour Ajmer, intervint Sarji, qui avait déjà fait part à Ash de la solution qui lui était apparue durant son insomnie. Et quand nous y serons, nous demanderons à voir le Délégué du Gouverneur général en personne...

– Il est trop tard pour cela, l'interrompit sèchement Gobind.

– Parce que les frontières sont fermées? Nous connaissons un moyen...

– Oui, Manilal m'a dit cela, mais si vous arriviez à quitter ainsi le pays ce serait quand même trop tard, car le Rana mourra cette nuit.

Il vit Ash devenir blanc comme un linge et, en un éclair, il comprit pour quelle raison.

C'était une complication que Gobind n'aurait jamais imaginée. Il en demeura atterré, tout comme l'avait été Kara-ji ou Mahdoo et pour les mêmes raisons. « Un homme sans caste... un étranger... un chrétien! » pensa le médecin, profondément choqué.

Voilà à quoi l'on en arrivait quand on relâchait les règles du *purdah* en permettant à des jeunes filles de s'entretenir librement avec un homme étranger, fût-il un Sahib. Mais ce qu'il y avait de plus alarmant, c'est qu'un homme amoureux était capable de n'importe quelle folie... Il en eut la confirmation quand, reprenant quelque couleur, Ash déclara :

– Il me faut voir le Diwan. C'est notre seule chance.

– Je puis déjà vous dire que ça ne servirait à rien. Si vous pensez le contraire, c'est que vous le connaissez mal, tout comme vous ignorez les sentiments de ses conseillers et même du peuple de cette ville.

– Peut-être... Mais je peux à tout le moins l'avertir que, s'il tolère que les Ranis soient brûlées vives, lui et ses conseillers seront tenus pour responsables. Alors le Vice-Roi enverra d'Ajmer un Sahib avec un régiment pour l'arrêter; après quoi, la principauté sera annexée et fera partie des Indes britanniques.

– A moins d'être un imbécile, rétorqua Sarji, il se doutera bien que si tu as passé la frontière clandestinement et sous un déguisement, c'est que tu n'es aucunement qualifié pour parler au nom du Vice-Roi.

– Bien sûr, opina Gobind. En conséquence, votre intervention ne sauvera par les Ranis mais nous perdra tous, car ma maison est surveillée et vous y êtes venus ouvertement. Même ceux qui vous ont hébergés ne seront pas épargnés, de crainte qu'ils soient incapables de tenir leur langue.

Cette fois, Ash ne trouva rien à objecter. Sacrifier sa vie pour sauver Juli, il l'eût fait de grand cœur et sans une seconde d'hésitation. Mais il n'avait pas le droit de mettre en danger celle de huit autres personnes.

« J'aurais dû aller aussitôt à Ajmer, pensa Ash, au lieu d'envoyer tous ces télégrammes. Là-bas, j'aurais bien su les obliger à m'écouter... Juli... Oh! mon amour, Juli! Pareille chose ne peut t'arriver... Il doit y avoir un moyen, quelque chose que je puis faire... »

– Je ne vais quand même pas rester simplement la regarder mourir!

Il n'eut conscience d'avoir prononcé ces dernières paroles à haute voix qu'en entendant Sarji lui dire :

– *La* regarder mourir? T'imagines-tu qu'elle sera seule à monter sur le bûcher et qu'on laissera vivre l'autre?

Les joues de Ash rougirent et il balbutia :

– Non, bien sûr... certainement pas... Mais nous ne devons pas laisser les choses en arriver là... Nous avons des armes, et cinq hommes résolus comme nous le sommes pourraient profiter que tout le monde soit à proximité de l'agonisant pour se frayer un chemin jusqu'au Zenana... Grâce à Gobind, il doit nous être possible d'entrer au palais sans grande difficulté...

– Non, Sahib, coupa le médecin. J'aurais dû vous le dire plus tôt, mais je n'ai plus la possibilité de retourner au Rung Mahal. Lorsque je l'ai quitté aujourd'hui, c'était pour la dernière fois.

D'après Gobind, les conseillers du Rana pressaient celui-ci d'adopter un héritier depuis que la Senior Rani avait accouché d'une autre fille. Lorsqu'il était tombé malade, leur insistance s'était accrue, mais en vain. Rien ne pouvait persuader le Rana qu'il se trouvait à l'article de la mort. Il allait guérir et aurait d'autres enfants, des fils qui deviendraient des hommes. Aussi se refuserait-il à compromettre les droits de sa descendance en adoptant le fils d'un autre.

Il s'était ancré dans cette idée jusqu'à ce matin. Là, aux petites heures, il avait enfin compris que sa fin était proche et, horrifié à l'idée d'aller dans cet enfer appelé *Pât* réservé aux hommes qui n'ont pas un fils pour mettre le feu à leur bûcher, il avait accepté d'adopter un héritier. Mais pas, comme on l'avait

...rtait à angle droit pour aller vers le lac.
...oute, il était très poussiéreux, mais on n'y
...une trace de roues. Toutefois des cavaliers
... le parcourir récemment dans les deux sens,
...eût suffi d'un souffle de vent pour effacer les
...intes laissées par leurs montures.

— Ils sont venus choisir l'emplacement du bûcher,
... Sarji.

Ash hocha la tête, sans faire de commentaires. Il
réfléchissait que, s'il venait là avec Dagobaz, il devrait
l'attacher quelque part bien en dehors de la foule. En
effet, un homme à cheval attirerait trop l'attention et de
plus Dagobaz, n'ayant pas l'habitude d'une telle bous-
culade, risquait d'avoir une réaction imprévisible.

— Ça ne serait pas possible, dit à mi-voix Sarji dont
les pensées avaient dû suivre le même cours que celles
de Ash. Si cet emplacement avait été situé de l'autre
côté de la ville, il y aurait eu au moins une chance.
Mais ici nous ne réussirions jamais à nous enfuir,
quand bien même nous arriverions à nous tailler un
chemin à travers la foule, car d'un côté il y a le lac, de
l'autre les collines... Nous serions donc contraints de
...venir vers la ville et tout le monde s'en aviserait
...sitôt.

— Ou c'est bien ce que je me suis dit.

— A... que faisons-nous ici? demanda Sarji avec
...

...ux voir de mes yeux cet endroit avant de me
... présente peut-être quelque particularité,
...mation dont nous pourrions tirer profit ou
...gérera une idée. Dans la négative, nous ne
...terons pas plus mal.

...intes laissées par les fers des chevaux
... abords d'un petit bois très dense et l'on
...cavaliers avaient mis pied à terre avant
...e bois. Ash et Sarji suivirent le même

pensé, un garçon de la famille du Diwan ou de l'un de
ses favoris.

Son choix s'était porté sur le plus jeune petit-fils
d'un lointain parent du côté de sa mère. On avait été le
quérir en toute hâte et l'on précipitait les cérémonies
indispensables car, même si chacun dans l'entourage
du Rana était déçu de ne l'avoir pas vu choisir l'un des
siens, tous préféraient encore qu'il s'agisse d'un quelconque enfant de six ans plutôt que du fils d'un rival.
A la vérité, le Rana avait témoigné jusqu'au bout
d'une grande sagacité, mais l'effort avait achevé de
l'épuiser et, l'affaire à peine conclue, il avait sombré
dans le coma.

— Il ne reconnaissait plus personne, pas même moi,
continua Gobind. Alors ses prêtres et ses médecins,
qui avaient toujours profondément ressenti ma présence, ont sauté sur l'occasion pour m'expulser de sa
chambre. Ils ont aussi obtenu du Diwan — lequel n'a
jamais porté Karidkote dans son cœur — qu'il m'inter-
dise de remettre les pieds au palais. Et croyez-moi, ils
y veilleront! Si donc vous pensez pouvoir vous frayer
par la force un chemin jusqu'au Zenana, vous êtes fou.
Maintenant que tout le monde sait le Rana sur le point
d'expirer, le palais sera plein de gens, car les rois n'ont
pas le droit de mourir seuls et en paix. On accourt
pour guetter son dernier soupir.

Ash ne dit rien mais son visage était expressif. Alors
Gobind reprit :

— Sahib, je ne tiens pas à la vie au point d'hésiter à
la risquer si je pensais que votre plan ait la moindre
chance de réussir. C'est parce que je suis convaincu du
contraire, que je veux vous détourner d'une telle folie,
dont d'autres pâtiraient aussi. Et si vous patientez, il
est possible que, même à la onzième heure, le Sirkar
intervienne... Oui, oui, Sahib! Je sais que cela paraît
très improbable, mais qui nous dit qu'ils n'ont pas déjà

arrêté leur plan? L'espoir reste permis et si nous sacrifions inutilement nos vies...

– Il a raison, opina Sarji avec chaleur. S'il ne peut retourner au palais, nous ne réussirons jamais à nous y faire admettre, et vouloir y pénétrer de force serait insensé.

Ash secoua la tête :

– Je n'arrive pas à croire qu'il n'y ait rien que je puisse faire et que je doive me résigner à voir...

Il s'interrompit en frissonnant et redevint un moment silencieux avant de se mettre péniblement debout :

– Si Manilal ou vous aviez l'idée de quelque plan qui ait une chance de succès, je vous serais reconnaissant de me le faire connaître. J'agirai de même. Nous avons encore quelques heures de jour et toute la nuit devant nous... Peut-être plus, qui sait, si le Rana se cramponne à la vie...

– Où vas-tu? demanda vivement Sarji, comme Ash tournait dans la direction opposée au quartier où ils logeaient.

– A la Porte des Satî, voir par où elles sortiront et le chemin qu'elles emprunteront. J'y serais déjà allé si je n'avais été tellement convaincu que le Sirkar prendrait des mesures avant qu'il ne soit trop tard.

La ruelle dans laquelle Ash venait de s'engager contournait le Rung Mahal du côté où se trouvait le Zenana. Les deux amis arrivèrent ainsi devant une porte ménagée dans le mur épais du palais. Tout juste assez large pour que deux personnes y passent de front, elle était décorée d'une étrange guirlande qui, vue de plus près, se révéla faite par l'empreinte menue des mains de reines et de concubines qui, au long des siècles, avaient franchi ce seuil pour s'en aller vers le bûcher et la sanctification.

Ash avait eu l'occasion de la ⸱⸱⸱ dente visite à Bhitor, aussi n'y ⸱⸱⸱ d'œil au passage. Ce n'était pa⸱⸱⸱ sait, mais le chemin que suivr⸱⸱⸱ rendre au bûcher. Le lieu rése⸱⸱⸱ crémation se trouvait à un⸱⸱⸱ ville et, comme les portes ⸱⸱⸱ fermées une heure après le couche⸱⸱⸱ avait pas de temps à perdre. Ash fit se hât⸱⸱⸱ en prenant note de chaque tournant, de chaque ⸱⸱⸱ de traverse entre la Porte des Satî et la Porte Mori⸱⸱⸱

Dix minutes plus tard, ils étaient hors de la ville, marchant sur une route poussiéreuse qui allait droit vers les collines. Il n'y avait là ni maison ni abri d'aucune sorte, mais beaucoup de gens s'en retournaient tous vers la ville et la plupart à pied.

– Sur la droite, il doit y avoir un sentier menant quelque part, dit soudain Ash. Je suis souvent venu faire du cheval par ici, mais je ne suis jamais allé voir les *chattris* ni la place des incinérations, car je ne pensais pas alors...

Laissant sa phrase inachevée, il arrêta un je⸱⸱⸱ berger qui ramenait son troupeau vers la ville e⸱⸱⸱ demanda où avaient lieu les cérémonies funè⸱⸱⸱

– Tu veux parler du Govidan? Vous ête⸱⸱⸱ étrangers pour ne pas savoir où l'on brû⸱⸱⸱ s'étonna le garçon en les regardant. ⸱⸱⸱ apercevez les *chattris* au-dessus d⸱⸱⸱ qui y conduit n'est plus qu'à de⸱⸱⸱ venus en pèlerinage ou bien⸱⸱⸱ pour le bûcher du Rana? ⸱⸱⸱ *tamarsha*, mais il n'est⸱⸱⸱ frappera alors les gong⸱⸱⸱ entendre jusqu'au ⸱⸱⸱

Ash glissa un⸱⸱⸱ quelques instants p⸱⸱⸱

sentier entre les arbres et débouchèrent sur un grand espace découvert, au centre duquel semblait s'élever une ville abandonnée, un enchevêtrement de palais ou de temples.

Partout il y avait des monuments, des *chattris,* grandes tombes vides et symboliques, toutes magnifiquement sculptées, dont certaines avaient trois ou quatre étages si bien que leurs dômes en dentelle de pierre s'étageaient de façon fantastique bien au-dessus de la cime des arbres.

Chacun de ces *chattris* rappelait le souvenir d'un Rana de Bhitor et avait été élevé à l'endroit même où son corps avait brûlé. Mais, l'un après l'autre, ils avaient été édifiés de façon à environner des bassins, afin que ceux qui venaient y prier pussent procéder aux ablutions rituelles. Les visiteurs ne devaient pas être nombreux car l'eau des bassins était stagnante, couverte d'herbes et de mousses verdâtres, cependant que la plupart des *chattris* tombaient en ruine.

L'emplacement du prochain bûcher s'imposait avec évidence et il était d'ailleurs marqué par d'innombrables empreintes de pas, indiquant que beaucoup de gens avaient dû étudier les lieux au cours de la journée précédente. Autour de l'endroit où le Rana serait incinéré et où s'élèverait ensuite son *chattri,* il y avait place pour plusieurs milliers de spectateurs en sus de ceux qui participeraient à la cérémonie... Ce grand espace constituait en outre un excellent champ de tir pour quelqu'un dominant la foule... par exemple, depuis la terrasse d'un *chattri* voisin...

Sarji toucha le bras de son ami et, impressionné par l'environnement, lui parla dans un murmure :

– Regarde... Ils ont accroché là-bas des *chiks*... Pour quoi penses-tu que ce soit?

Le regard de Ash se porta dans la direction que Sarji lui indiquait et vit qu'un étage d'un proche *chattri* était clos par des *chiks* suspendus d'une colonne à l'autre, ce qui transformait la terrasse en une sorte de petite pièce.

– C'est probablement pour des femmes qui observent le purdah et veulent regarder la cérémonie. Peut-être l'épouse et les filles du Diwan... De là-haut, elles ne perdront pas un détail...

Ash se détourna vivement, se sentant au bord de la nausée à l'idée que non seulement les femmes du peuple mais aussi des aristocrates auraient le désir de voir brûler vives deux personnes de leur sexe, et estimeraient s'attirer ainsi des bénédictions du ciel.

Ash fit le tour de la vaste clairière, passant entre les *chattris* et les bassins qui les reflétaient. Quand il rejoignit Sarji, celui-ci lui dit en frissonnant :

– Allons-nous-en d'ici. Le soleil décline et, pour tout le trésor du Rana, je ne voudrais pas être surpris dans cet endroit sinistre par la tombée de la nuit. As-tu vu ce que tu désirais voir?

– Oui... et même plus, répondit Ash. Nous pouvons partir.

Ce soir-là, il y avait en ville beaucoup plus de monde que d'ordinaire, car la nouvelle que le Rana était mourant avait maintenant atteint tous les villages de la principauté, et ses sujets affluaient vers la capitale pour assister à ses obsèques, voir les *satî* et acquérir des mérites en étant témoins de leur sanctification. Dans les rues, on ne parlait que des cérémonies qui allaient avoir lieu, les temples étaient combles et, devant le palais, la place était noire de gens qui regardaient la porte principale du Rung Mahal dans l'attente des nouvelles.

Même le marchand de charbon et sa femme semblaient avoir été gagnés par cette excitation, car ils accueillirent leurs locataires avec une loquacité inhabituelle. Qu'avaient-ils entendu raconter en ville?

Etait-ce vrai qu'ils étaient allés voir le médecin étranger du Rana, un hakim de Karidkote? Que leur avait-il appris de nouveau? Savaient-ils que lorsque un Rana de Bhitor meurt les énormes gongs de bronze suspendus dans une tour du Rung Mahal sont aussitôt frappés pour annoncer la nouvelle de sa mort à tout le peuple? Si cela se produit de nuit, on allume un feu sur les forts jumeaux qui gardent la cité, pour que villages et hameaux soient également avertis du décès. Et l'on ouvre aussitôt les portes de la ville afin que l'esprit du défunt puisse choisir de s'en aller à l'est, à l'ouest, au nord ou au sud.

— Pour ma part, dit le marchand, j'ai l'intention d'attendre près de la Porte des Satî, dans le fossé qui borde le mur. Je vous recommande d'en faire autant car, ainsi, vous regarderez vers le haut, au lieu de devoir être toujours sur la pointe des pieds pour essayer d'apercevoir quelque chose par-dessus la tête des gens. Ça vaut la peine, je vous assure! Ça n'est pas souvent qu'on a la chance de voir une Rani dévoilée, et il paraît que celle-ci est très belle. En revanche, sa sœur, celle qu'ils appellent Kairi-Bai, est plutôt disgraciée à ce que j'ai entendu dire.

— Certes, certes, dit machinalement Ash, l'esprit si visiblement ailleurs que le marchand de charbon s'en offensa et, lui tournant le dos, se mit à crier après le muet.

Arraché à ses pensées par ce bruit, Ash demanda si l'on avait apporté un message pour lui. Non, Gobind ne s'était pas manifesté, et cela signifiait que le Gouvernement n'avait toujours pas réagi.

— Il est encore temps, dit Sarji pour le réconforter en le précédant dans l'étroit escalier menant à leur chambre. Le Rana n'est toujours pas mort et, pour ce que nous en savons, un régiment est peut-être en marche vers Bhitor. Or, si ce vieux fou nous a dit vrai, après que les gongs auront retenti ils trouveront ouvertes les portes de la ville.

– Oui, acquiesça pensivement Ash. Ça facilitera les choses.

Prenant cette remarque pour un sarcasme, Sarji se retourna vers son ami, mais le visage de Ash était empreint de gravité, comme s'il réfléchissait profondément à quelque chose. Ce n'était pas pour rassurer Sarji, lequel se demanda avec effroi quel nouveau plan il mûrissait. Il ne continuait quand même pas à croire que le Sirkar pouvait encore envoyer un régiment? Alors, que venaient faire les portes là-dedans? Qu'est-ce que faciliterait leur ouverture... et pour qui? Sarji mit un moment à introduire la clef dans le cadenas qui fermait leur chambre, tant ses mains tremblaient.

Il faisait dans la pièce une chaleur étouffante et, durant la journée, s'y étaient accumulées toutes les odeurs de cuisine montant du rez-de-chaussée.

– Pouah! fit Sarji en cherchant des allumettes. Ça sent le chou et le beurre rance! Quelle chambre infecte!

– Console-toi, lui dit Ash. Si le Hakim-Sahib a vu juste, c'est la dernière nuit que tu y passes. Demain, à la même heure, tu seras à vingt *koss* d'ici, avec le vieux Bukta pour veiller sur ton sommeil.

– Et toi? demanda Sarji en allumant une deuxième lampe à huile qui éclaira le visage de son compagnon. Que feras-tu, toi?

– Moi? Oh! je dormirai sans doute aussi, répliqua Ash en riant.

Il n'avait pas ri depuis bien des jours et Sarji en fut tout surpris, car ce rire n'avait rien de forcé.

– Je suis heureux que tu puisses encore rire, lui dit-il. Les dieux sont témoins que nous n'avons pourtant guère lieu de nous réjouir.

– Si tu veux vraiment tout savoir, je ris parce que

74

j'ai « jeté l'éponge », comme on dit dans mon pays. Je m'avoue vaincu et c'est un soulagement. Il paraît que se noyer est plutôt agréable une fois qu'on a cessé de se débattre, et c'est ce que je viens de faire. Pour changer de sujet, avons-nous quelque chose à manger ? Je suis affamé !

– Moi aussi ! Nous n'avons pratiquement rien avalé depuis ce matin... Voyons, il doit y avoir un *chuppatti* ou deux et quelques *pekoras*... à condition que les rats nous les aient laissés !

Les rats, oui, mais les fourmis avaient été plus entreprenantes et ce qu'il en restait fut jeté par la fenêtre. Comme il ne fallait pas compter trouver de place dans les restaurants qui regorgeaient de clients, Sarji s'en fut acheter quelques provisions, d'un cœur beaucoup plus léger qu'il ne l'aurait fait une demi-heure auparavant.

Il était extrêmement soulagé que son ami eût enfin compris la vanité de tous les plans échafaudés dans sa tête. Que Ash pût de nouveau rire – et se soucier de manger – était pour Sarji la preuve qu'il avait enfin pris une décision, qu'il n'était plus partagé entre la crainte et l'espoir, torturé par le doute. A présent, ils n'avaient même plus besoin de rester jusqu'au décès du Rana : puisqu'ils ne pouvaient empêcher ce qui suivrait, inutile de s'attarder à Bhitor plus longtemps qu'il n'était strictement nécessaire.

Ils partiraient à l'aube, dès l'ouverture des portes, et Ashok n'aurait pas à se sentir coupable. Il avait fait tout ce qu'il pouvait et ça n'était pas sa faute s'il se heurtait à l'impossible. Ceux qui étaient à blâmer, c'étaient les gens du Gouvernement qui, dûment avertis, avaient refusé d'intervenir. Tout comme le Diwan et ses conseillers qui, d'accord avec les prêtres, avaient rétabli ces coutumes d'une époque révolue. Demain à la même heure, Ashok, lui et Bukta – ainsi peut-être que le Hakim et son serviteur – seraient en sécurité dans les collines. Et maintenant qu'il y avait la lune pour les éclairer s'ils se déplaçaient la nuit, ils pouvaient en deux jours être de nouveau au Gujerat.

« Pour remercier les dieux de m'avoir ramené sain et sauf chez moi, se promit Sarji, j'irai porter au temple le prix en pièces d'argent du plus beau cheval de mon écurie. Et jamais plus je ne remettrai les pieds ici... ni même au Rajasthan si je peux m'en dispenser ! »

Comme Ash l'avait prévu, les rues étaient pleines de monde et il fallait longuement attendre dans les boutiques où l'on vendait des plats préparés. Enfin Sarji s'en retourna, lourdement chargé, et il fredonnait en gravissant l'escalier, en ouvrant toute grande la porte de leur chambre. Mais, à la vue de Ash, la chanson expira sur ses lèvres.

Assis en tailleur devant un bureau de fortune constitué par la selle de Dagobaz, Ash écrivait une lettre... La dernière d'une série apparemment car, près de lui, sur le plancher, il y en avait cinq autres soigneusement pliées. Il avait dû emprunter au marchand de charbon l'encre et le roseau taillé qui lui servait de plume; quant aux feuilles, elles provenaient d'un carnet. Il n'y aurait rien eu là de tellement surprenant, si la lettre que Ash écrivait n'avait été en anglais.

– C'est pour qui? demanda Sarji en jetant un coup d'œil par-dessus l'épaule de son ami. Si c'est pour un Sahib à Ajmer, tu ne trouveras personne pour la lui porter, ni à cette heure-ci, ni au cours des prochains jours. As-tu oublié que nul ne peut sortir de la principauté?

– Non, dit Ash en continuant d'écrire.

Le lettre terminée, il la relut, y apporta une ou deux corrections, puis la signa et tendit le roseau à Sarji :

– Veux-tu apposer ton nom là, au-dessous du mien? Ton nom en entier. C'est pour attester que tu m'as vu écrire cette lettre et que c'est bien là ma signature.

Sarji le regarda un instant en fronçant les sourcils, puis s'exécuta, son écriture stylisée formant un étonnant contraste avec celle de Ash. Il souffla sur la feuille pour sécher l'encre, puis la rendit à son ami en demandant :

– Maintenant, dis-moi de quoi il s'agit?

– Plus tard. Commençons d'abord par manger. Qu'est-ce qui t'a retardé ainsi? Tu as été absent pendant des heures, et mon estomac est aussi vide qu'une gourde sèche!

Dans les minutes qui suivirent, ils furent très occupés à se restaurer et, une fois rassasié, Ash dit :

– Enveloppe bien ce qui reste et mets-le dans une des sacoches de selle. Tu pourras en avoir besoin, car s'il y a demain autant de monde dans les boutiques, tu n'arriveras pas à acheter des vivres avant de partir. Et Bukta, lui, n'aura certainement rien à t'offrir.

Sarji se figea sur place, son regard exprimant la question qu'il n'arrivait pas à formuler et que Ash devina.

– Non, je ne partirai pas avec toi. J'ai quelque chose à faire ici.

– Mais... mais tu m'as dit tout à l'heure...

– Que je m'avouais vaincu, que j'avais abandonné tout espoir d'arriver à la sauver. C'est impossible, je m'en rends compte à présent. Mais je peux au moins lui épargner d'être brûlée vive.

– *La sauver?* répéta Sarji comme chez Gobind lorsque, inconsciemment, Ash avait employé le singulier au lieu du pluriel.

Mais cette fois, la chose avait été faite de propos délibéré : il n'avait désormais plus rien à cacher.

– Oui, confirma doucement Ash. Anjuli-Bai, la Junior Rani.

– *Non...* haleta Sarji, d'une voix à peine audible mais aussi horrifiée que s'il avait hurlé.

Ash ne s'y méprit pas et dit avec un tranquille sourire, où transparaissait une légère amertume :

– Cela te scandalise, n'est-ce pas? Mais en *Belait,* il est un proverbe affirmant que « un chat peut bien regarder un roi ». Alors, même un Anglais sans caste peut bien perdre la tête et tomber follement amoureux d'une princesse des Indes. Je suis désolé, Sarji. Si j'avais pensé que ça finirait ainsi, je te l'aurais dit plus tôt. Mais je n'aurais jamais imaginé pareille chose, et c'est pourquoi je ne t'avais révélé qu'une partie de la vérité. Ce que je ne t'avais pas dit, pas plus à toi qu'à quiconque, c'est que je m'étais épris d'une des fiancées que l'on m'avait chargé de conduire à Bhitor. Elle n'a rien à se reprocher, mais elle ne pouvait m'empêcher de tomber follement amoureux d'elle. Je l'ai vue épouser le Rana... et je suis reparti en lui abandonnant mon cœur. Il y a plus de deux ans de cela, mais mon cœur est encore à elle et le sera toujours. A présent, tu sais pourquoi je suis venu ici et pourquoi aussi je ne puis repartir.

Sarji exhala un long soupir, puis sa main étreignit l'épaule de Ash :

– Pardonne-moi, mon ami. Je ne voulais pas te faire injure, non plus qu'à elle. Je sais bien que les cœurs ne sont pas des domestiques qui font ce qu'on leur ordonne. Les dieux sont témoins que le mien a déjà été pris une douzaine de fois et je leur en ai grande reconnaissance, car mon père, lui, a donné le sien pour toujours à ma mère et quand elle est morte, il n'a plus été que l'ombre de lui-même. Il aurait compris ce que tu ressens. Mais il ne pouvait pas plus empêcher ma mère de mourir que tu ne peux sauver la Rani.

– Je le sais. En revanche, ce que je peux faire et que je ferai, c'est empêcher qu'elle meure brûlée vive, dit résolument Ash.

– Mais comment cela? fit Sarji en resserrant son

étreinte et secouant son ami. Si tu t'imagines pouvoir pénétrer de force dans le palais...

– Non. Mon intention est d'arriver au Govidan avant la foule et de prendre position sur la terrasse de ce *chattri* qui domine l'endroit où sera édifié le bûcher. De là, je verrai par-dessus toutes les têtes. Alors si, lorsque les Ranis atteindront la clairière, le Sirkar n'est toujours pas intervenu, je saurai que la fin est proche et ce qu'il me reste à faire : lui tirer une balle dans le cœur. Je suis trop bon tireur pour la manquer à cette distance et la mort sera instantanée. Au lieu d'endurer le supplice du feu, elle n'aura même pas le temps de se rendre compte...

– Tu es fou! murmura Sarji dont le visage avait pris une teinte grisâtre. Complètement fou! répéta-t-il en lâchant l'épaule de Ash. T'imagines-tu que tes plus proches voisins ne sauront pas qui a tiré ce coup de feu? Ils te mettront en pièces!

– Mon corps, oui, peut-être, mais quelle importance? Il y a six balles dans un revolver et il m'en suffira de deux, la seconde pour moi-même. S'ils me mettent en pièces après que je serai mort, tant mieux : ainsi personne ne pourra dire qui j'étais ni d'où je venais. Mais toi, tu feras bien de partir aussi tôt que possible, avec le Hakim-Sahib et Manilal. J'ai écrit au Hakim que tu les rejoindrais à l'endroit où la route enjambe la rivière et où il y a deux palmiers près d'un petit mausolée. Ils sortiront de la ville comme pour se rendre sur les lieux de la crémation et, lorsqu'ils seront dans la campagne, il leur sera facile de se séparer de la foule sans se faire remarquer. Je vais porter moi-même cette lettre. Il y a tellement de gens sur la place que les sbires chargés de surveiller la maison du Hakim ne peuvent voir tous ceux qui passent devant sa porte.

– Et les autres lettres? questionna Sarji.

– Je souhaite que tu les prennes avec toi pour les

mettre à la poste d'Ahmadabad, dit Ash en les ramassant et les tendant une à une à son ami. Voici celle que tu as signée avec moi; elle est adressée à un notaire, de *Belait*. Celle-ci, écrite aussi en anglais, est pour un capitaine-Sahib de mon régiment, à Mardan. Ces deux-là sont pour un vieil homme, un Pathan, qui a été comme un père pour moi, et pour son fils, un ami de longue date. Cette autre... Non, celle-là aussi je la porterai moi-même au Hakim-Sahib, car elle est destinée à l'oncle des Ranis à Karidkote. Quant à la dernière, elle est pour mon porteur, Gul Baz. Veux-tu veiller à ce qu'il l'ait? Et aussi à ce que lui et les autres serviteurs puissent retourner chez eux?

Sarji acquiesça en silence, et rangea soigneusement les lettres sous sa chemise sans plus chercher à discuter ou supplier.

— Il y a encore une chose que tu peux faire pour moi, lui dit alors Ash. C'est un grand service et je donnerais beaucoup pour n'avoir pas à te le demander; en effet, cela va retarder ton départ et tout retard peut être dangereux. Mais je ne vois aucun moyen de faire autrement, car si je suis pris dans la foule, je risque d'arriver trop tard pour faire ce que j'ai projeté. Afin d'être là-bas avant tout le monde, il me faut y aller à cheval. S'il est exact que les portes seront ouvertes dès que retentiront les gongs, je sellerai aussitôt Dagobaz et me rendrai directement au Govidan. Mais toi, il te vaut mieux sortir plus tard, avec moins de hâte... Si tu me donnes une heure d'avance, je te laisserai Dagobaz du côté du bois le plus éloigné de la ville, derrière le *chattri* en ruine qui a un triple dôme. Les gens n'iront pas jusque-là et tu le trouveras donc sans peine. Veux-tu l'emmener en souvenir de moi, Sarji? Je n'ai pas le cœur de l'abandonner dans un endroit comme ici, voilà pourquoi je te demande cette faveur... Tu veux bien?

– Tu n'as pas même besoin de me le demander, répondit Sarji avec brusquerie.

– Merci. Tu es un véritable ami. Et maintenant, comme nous aurons beaucoup à faire demain, dormons.

– Tu penses y arriver?

– Pourquoi pas? Cela fait bien des nuits que je n'ai pas dormi parce que mon esprit ne parvenait pas à trouver le repos. Mais à présent que tout est réglé, il n'y a plus rien qui puisse me tenir éveillé. Et si Gobind ne s'est pas trompé pour le Rana, il importe que j'aie demain le regard aussi assuré que la main.

Se mettant debout, Ash marcha jusqu'à la fenêtre en s'étirant et bâillant. Regardant le ciel obscur, il se demanda ce que faisait Juli et si elle pensait à lui. Probablement pas, car Shushila devait être à moitié folle de terreur et accaparer complètement sa sœur. Ainsi occupée, Juli ne pouvait avoir aucune pensée pour celui qu'elle aimait, non plus que pour son vieil oncle ou les montagnes et les deodars de Gulkote, ni même pour elle qui allait partager le sort de Shushila. Elle avait toujours été ainsi et le resterait jusqu'à la fin. Chère Juli... chère petite Kairi-Bai, adorable et fidèle. Ash avait peine à se persuader qu'il la reverrait le lendemain ou le jour suivant un très bref instant, et puis que...

Après la détonation, n'y aurait-il plus que les ténèbres et le néant? Ou bien allaient-ils se retrouver ensuite pour demeurer à jamais ensemble? Y avait-il une autre vie après la mort? Il n'en avait jamais été certain, bien que tous ses proches en parussent assurés. Il enviait leur foi, car si leur conception en différait, Wally, Zarin, Mahdoo et Koda Dad, Kara-ji et Sarjevar n'avaient jamais douté qu'il y eût une autre vie. Eh bien, il saurait bientôt s'ils avaient raison...

Wally était croyant. Il croyait en Dieu et en l'immortalité de l'âme, « la résurrection des morts et la vie du monde à venir ». Il croyait aussi en ces déités surannées que sont le devoir, la loyauté, le patriotisme et « le Régiment ». Voilà pourquoi il était impossible encore maintenant de lui écrire la vérité.

Il aurait même mieux valu ne pas lui écrire du tout, pensa Ash. Il eût été plus charitable de quitter Wally sans plus lui donner signe de vie, en le laissant penser ce qu'il voudrait. Mais l'idée que Wally allait l'attendre, en proie à l'anxiété, espérant contre tout espoir voir revenir celui dont il avait fait son ami et son héros, était insupportable... La seule consolation, c'est que Wally était le seul dont on pût être sûr qu'il mettrait tout en œuvre pour élucider la disparition de Ash. En conséquence de quoi, la mort sur le bûcher des veuves du Rana ne resterait pas ignorée comme on l'eût souhaité à Bhitor... Alors d'un mal il sortirait quand même un bien, car ainsi on pouvait espérer qu'il n'y aurait pas d'autres satî à Bhitor.

Mais aux yeux de Wally, chrétien pratiquant et militaire tout entier donné à son régiment, le suicide paraîtrait impardonnable. Un péché non seulement contre Dieu mais contre les Guides; en cette période où il y avait sans cesse des guerres ou des rumeurs de guerre, un suicide était une forme de lâcheté comparable à la « désertion devant l'ennemi ». Car, en cas de conflit avec l'Afghanistan, les Guides auraient besoin de tous leurs officiers et leurs hommes. Aussi Wally penserait-il sans aucun doute que la Reine et la Patrie auraient dû avoir le pas sur n'importe quel attachement purement personnel, si profond fût-il.

Mais Wally n'avait jamais connu Anjuli-Bai, princesse de Karidkote et Rani de Bhitor. Voilà pourquoi Ash ne lui avait écrit qu'une courte lettre, lui permettant de supposer – s'il apprenait sa mort – que son ami avait été tué par la populace alors qu'il tentait de sauver une veuve du bûcher. De la sorte, il pourrait continuer à le considérer comme un héros... et garder ses illusions.

Ils ne seraient donc qu'une toute petite poignée d'amis à connaître la vérité... « Demain, à cette heure-ci, tout sera peut-être fini », pensa Ash, et il fut surpris de pouvoir envisager cette perspective sans plus d'émotion. Il avait toujours tenu pour une sinistre plaisanterie la phrase « le condamné a pris son dernier repas avec appétit », mais il se rendait compte à présent que c'était probablement vrai : lorsqu'on a perdu tout espoir, on connaît une surprenante paix parce qu'on a cessé de lutter et qu'on s'est résigné à l'inévitable. Maintenant que tout était fini, c'était comme si on l'avait enfin libéré d'un fardeau trop lourd pour lui.

Les années avaient passé vite, vite... Mais, dans l'ensemble, ç'avait été une vie dont il gardait beaucoup de bons souvenirs... avant d'aller Dieu sait où. S'il était vrai, comme certains l'assuraient, que l'esprit des morts s'en retourne vers les lieux qu'ils ont le plus aimés de leur vivant, alors lui se réveillerait au milieu des montagnes, peut-être enfin dans la vallée que Sita lui avait si souvent décrite qu'il croyait presque la connaître. La vallée où ils auraient construit une hutte, planté des cerisiers, fait pousser du blé, des piments, élevé une chèvre. Et permis à Kairi-Bai de venir les rejoindre...

Cette pensée lui procura le premier réconfort de cette journée, et quand il se détourna de la fenêtre pour s'étendre tout habillé sur son lit, il souriait.

## 41

Gobind avait vu juste : le Rana ne passa pas la nuit. Il mourut à l'heure la plus sombre, celle qui précède l'aube; peu après, le silence de la nuit fut fracassé par les gongs de bronze qui avaient annoncé la mort de tous les souverains de Bhitor depuis Bika Rae, le premier Rana, fondateur de la cité.

Ce fut comme un roulement de tonnerre déferlant sur le lac et la vallée, que se renvoyèrent tous les échos des collines. En l'entendant, Ash se dressa sur son lit, l'esprit lucide, prêt à l'action.

On étouffait dans la petite pièce, car le vent de la nuit était tombé. La lune aussi avait disparu derrière les collines, laissant la chambre dans une telle obscurité que Ash fut un moment avant de trouver et allumer la lampe. Mais ensuite tout alla très vite et, cinq minutes plus tard, il était dans la cour avec Sarji, en train de seller Dagobaz.

Ils n'avaient pas besoin de faire silence, car la nuit continuait de retentir du vacarme des gongs et des lampes étaient allumées dans toutes les maisons cependant que les gens qui couchaient dans les rues s'agitaient et s'interpellaient.

Dagobaz, qui n'appréciait pas les gongs, soufflait en rabattant ses oreilles, mais il se calma dès que Ash fut près de lui.

– On dirait qu'il se rend compte de la gravité des circonstances, remarqua Sarji.

– Bien sûr qu'il s'en rend compte. Il sent tout... N'est-ce pas, mon garçon?

Dagobaz posa sa tête sur l'épaule de Ash qui le caressa de sa joue en disant :

– Sois bon avec lui, Sarji. Ne le laisse pas...

Il ne put achever, la gorge nouée, et continua le harnachement en silence jusqu'à ce qu'il pût de nouveau parler, d'une voix dépourvue d'émotion :

– Voilà, c'est fait. Je te laisse la carabine, Sarji, je n'en ai aucun besoin alors que toi et les autres n'aurez pas trop d'armes... Nous avons été de bons amis et je suis désolé de t'avoir entraîné dans cette affaire. Je n'aurais jamais dû accepter... Seulement, j'avais espéré que... Enfin, inutile d'épiloguer, mais sois très prudent. Car si jamais il t'arrivait quelque chose...

– Sois sans inquiétude. Je te promets d'être la prudence même. Tiens, prends ma cravache. Elle pourra t'être utile pour te frayer un chemin à travers la foule. Tu as le revolver?

– Oui... Ouvre-moi la porte de la cour, veux-tu? Au revoir, Sarji. Bonne chance... et merci!

Ils s'embrassèrent comme des frères, puis Ash conduisit Dagobaz dans la rue.

– Il va faire bientôt jour, remarqua Sarji en lui tenant l'étrier. Les étoiles commencent à pâlir, l'aube n'est pas loin. Je voudrais tant...

Il s'interrompit et poussa un soupir; se penchant sur sa selle, Ash lui étreignit l'épaule, puis son talon effleura le flanc de Dagobaz et il partit sans se retourner.

La porte de la maison de Gobind était fermée et celui qui devait y monter la garde avait dû être emporté par la foule, comme l'eût été Ash s'il n'était venu à cheval. D'être ainsi surélevé, lui permit de se trouver à la hauteur d'une fenêtre du premier étage, qu'on avait laissée ouverte à cause de la chaleur de la nuit. Il n'y avait aucune lumière dans la maison mais, lorsqu'il frappa contre le montant de la fenêtre, le visage de Manilal apparut dans l'ouverture.

– Qu'est-ce que c'est? Qui est là?

Pour toute réponse, Ash lui jeta les deux lettres, puis

fit opérer une violente volte-face à Dagobaz, afin de rebrousser chemin à contre-courant de la foule. Dix minutes plus tard, il se retrouva enfin dans des rues presque désertes menant à la Porte Mori. Le marchand de charbon n'avait pas menti en disant qu'on ouvrait aussitôt les portes, afin que l'esprit du mort pût sortir par celle qu'il préférait.

La légende disait que l'esprit des défunts Ranas empruntait plus volontiers celle de Thakur, parce qu'elle était proche du temple. Mais jusqu'à maintenant, aucun prêtre ne s'était risqué à prétendre avoir vu passer l'un d'eux. Cette nuit toutefois, ceux qui eurent la chance de se trouver à proximité de la Porte Mori, purent affirmer avoir vu l'esprit du Rana, montant un cheval noir dont les sabots ne faisaient aucun bruit, passer devant eux comme un éclair et disparaître.

C'est le vacarme des gongs qui avait couvert le bruit des sabots et, pour ne pas risquer d'être arrêté, Ash avait franchi la porte au galop. Ignorant qu'il venait de donner corps à une légende que l'on se raconterait aussi longtemps que survivrait cette superstition, Ash piqua des deux sur la route poussiéreuse menant vers le nord.

Ses yeux s'habituant à l'obscurité de la campagne, le jeune homme commençait à distinguer vaguement les contours des collines proches sur le fond du ciel qui s'éclaircissait un peu.

Dagobaz avait toujours aimé galoper au petit matin à travers la campagne et, ces derniers temps, il était demeuré trop souvent à se morfondre dans la cour du marchand de charbon. En sus de quoi, cet inexplicable vacarme — dont il percevait encore le lointain écho — lui avait mis les nerfs à vif. Aussi allait-il comme le vent! A un moment, il s'enleva superbement par-dessus un buisson épineux et Ash, enthousiasmé, lui flatta l'encolure en s'écriant :

– Ah! mon garçon... Tu es vraiment merveilleux!

Ils avaient dépassé la masse sombre du bois du
Govidan et tout autour d'eux les collines s'étageaient
en amphithéâtre sous un ciel couleur de perle. Dagobaz ayant épanché son trop-plein d'énergie, Ash le mit
au pas. Il n'y avait aucune presse puisque le corps du
Rana n'arriverait guère avant midi sur les lieux de la
crémation. Il fallait en effet le temps d'organiser la
procession. Mais les curieux tenaient à s'assurer les
meilleures places et une certaine activité régnait déjà
dans le bois.

Ayant fait demi-tour, Ash vit aller et venir les
prêtres vêtus de jaune; de tous les coins de la plaine de
petits nuages de poussière convergeaient vers le Govidan, trahissant l'approche de charrettes et de palan-
quins, de gens à pied ou à cheval. Il était temps de
gagner la clairière.

Avant de déboucher dans celle-ci, Ash descendit de
cheval sous les arbres et mena Dagobaz vers les ruines
d'un vieux *chattri* que couronnait un triple dôme. Le
socle massif était creusé de couloirs dont certains
menaient au bassin central qui était à ciel ouvert,
tandis que d'autres s'orientaient vers le haut mais ne
contenaient plus que les vestiges d'escaliers permettant
d'accéder à la terrasse. Plus personne ne devait visiter
ce *chattri* délabré; toutefois un des couloirs était
encore dans un bon état relatif, et il constituerait pour
Dagobaz une écurie plus fraîche et confortable que
l'appentis du marchand de charbon.

Ash attacha Dagobaz à une colonne intacte et s'en
fut jusqu'au bassin chercher de l'eau dans un seau de
toile qu'il avait apporté avec lui. Il avait aussi du grain
et un peu de bhoosa dans un sac, car il savait que Sarji
ne viendrait pas chercher le cheval avant une heure ou
deux et que, ensuite, ils ne s'arrêteraient qu'après avoir

rejoint Bukta; aussi importait-il que Dagobaz eût maintenant à boire et à manger.

Dans la clairière, des bruits de voix éclipsaient maintenant les chants d'oiseaux. Derrière les *chattris* qui faisaient directement face à l'emplacement où aurait lieu la crémation, des marchands avaient édifié des comptoirs improvisés où ils vendaient de quoi se restaurer et ils avaient déjà des clients. Mais l'assistance était encore peu nombreuse et, bien qu'il y eût dans la clairière beaucoup de prêtres et de dignitaires ainsi que des gardes du palais en uniforme, personne ne prêta attention à Ash, car ils étaient tous occupés à parler entre eux en surveillant la construction du bûcher.

En plus grand et plus ornementé, le *chattri* le plus proche du bûcher ressemblait à celui, beaucoup plus ancien, où Ash avait laissé Dagobaz. Mais ici les escaliers aménagés dans l'épaisseur des murs étaient en excellent état; Ash gravit l'un d'eux et atteignit sans encombre la large terrasse de pierre. Il y prit une position stratégique entre le parapet et le mur d'un petit pavillon. Celui-ci en flanquait un autre, beaucoup plus important, consistant en trois étages de galeries ajourées, qui allaient en diminuant comme ceux d'une pièce montée et dont le dernier était surmonté de dômes.

Ce *chattri* avait été construit face au soleil levant et aux arbres du bois, mais sa façade ouest était à une trentaine de mètres d'une plate-forme en brique récemment aménagée, sur laquelle une demi-douzaine de prêtres édifiaient un bûcher de bois de cèdre et de santal.

A mesure que le soleil montait dans le ciel, la fraîcheur du matin faisait rapidement place à une chaleur lourde. Le miroir vert que constituait l'eau du bassin reflétait si clairement chaque détail du *chattri* que Ash n'avait pas besoin de lever la tête pour voir les *chiks* qui, au second étage du pavillon central, formaient une sorte de petite pièce où des dames pourraient suivre le spectacle sans manquer au *purdah*...

Il semblait n'y avoir encore personne derrière les rideaux de bambous, mais la clairière s'animait de plus en plus. Aussi des dignitaires de faible importance commençaient-ils à donner des ordres pour que la foule soit contenue et laisse un large passage à la procession funèbre.

Ash avait bien fait de ne pas attendre pour prendre position, car ce fut bientôt toute la ville qui afflua sur les lieux, transformant la vaste clairière, aussi bien que les étroits sentiers entre les arbres, en une véritable mer humaine au-dessus de laquelle s'agglutinaient des hommes tant sur les marches, terrasses et pavillons des *chattris* environnants, que sur les maîtresses branches des arbres s'élevant à l'orée du bois. Le bruit fait par cette multitude évoquait le ronronnement de quelque chat monstrueux.

Ash était insensible à ce bruit comme à la chaleur et à la poussière. S'il s'était mis à pleuvoir ou neiger, il ne l'eût sans doute pas davantage remarqué tant il se concentrait pour être parfaitement calme et détendu. Il était essentiel que sa main fût ferme et son regard assuré, car une seconde chance lui serait certainement déniée. Se rappelant des choses que Kara-ji lui avait dites touchant les bienfaits de la méditation, il gardait son regard fixé sur une fissure du parapet, comptait les battements de son cœur, respirait lentement et s'efforçait de faire le vide dans son esprit.

Il y avait maintenant de plus en plus de gens qui le pressaient sur sa gauche, mais il était adossé au mur du pavillon, et l'espace séparant ses genoux du parapet était trop étroit pour que même un enfant malingre pût s'y glisser. Ce côté de la terrasse demeurait encore dans l'ombre et, contre son dos, la pierre gardait un peu de la fraîcheur nocturne. Ash se sentait étrangement paisible et enclin aussi à la somnolence, ce qui n'avait rien d'étonnant vu qu'il n'avait guère fermé l'œil depuis l'arrivée de Manilal à Ahmadabad, mais semblait un peu ridicule à une heure environ du sommeil éternel!

Ridicule ou non, Ash dut s'assoupir car il fut brusquement réveillé par le choc d'un corps et une vive douleur au pied gauche. Ouvrant les yeux, il vit le soleil au zénith et que tout le monde en bas regardait le *chattri*.

Sur la terrasse même, une demi-douzaine de gardes du palais distribuaient des coups de bâton afin de dégager un chemin en direction de l'escalier menant au second étage, et c'est ainsi que le gros homme se trouvant à la gauche de Ash avait été amené à lui marcher sur le pied en le bousculant. Il balbutia une excuse et parut en grand danger de choir par-dessus le parapet sur les gens d'en bas. Ash le retint par le bras et lui demanda ce qui se passait.

– Ce sont des femmes de la noblesse qui arrivent pour assister à la cérémonie, répondit l'autre en redressant son turban. Très probablement de la famille du Diwan... ou peut-être de l'héritier du Rana. Elles observeront tout de là-haut, derrière ces *chiks*, tandis que le garçon ira en procession mettre le feu au bûcher. On dit que sa mère...

L'homme continua de faire des commentaires et des prévisions émaillés de commérages, mais Ash ne l'écouta bientôt plus, se bornant à hocher la tête de temps à autre.

Il s'inquiétait de l'heure. A en juger par la position du soleil, midi était passé depuis longtemps, si bien que le corps du défunt avait maintenant dû quitter le

Rung Mahal pour entreprendre sa lente traversée de la cité. Derrière lui, il y avait Juli... Juli et Shushila, les Ranis de Bhitor...

On avait dû les revêtir de leurs plus beaux atours : Juli en jaune et or, Shu-shu drapée d'écarlate... Mais, cette fois, le sari ne dissimulerait pas leur visage : il serait rejeté en arrière, pour que tout le monde pût bien les voir. Les *satî*, les saintes...

Ash savait que, dans le passé, on avait administré des drogues à bien des veuves afin qu'elles ne faiblissent point devant le bûcher. Il ne pensait pas toutefois que Juli s'en irait ainsi vers la mort, mais elle avait certainement dû veiller à ce que Shu-shu bénéficiât de cette mesure. Il souhaita que les drogues fussent suffisamment fortes pour couper Shushila de la réalité, tout en lui permettant encore de marcher. Car on s'attendait à ce qu'elles viennent à pied. C'était la coutume.

Ash ne s'était pas aperçu que son voisin avait cessé de parler, ni que l'assourdissant brouhaha déclinait. Il n'en prit conscience que lorsque subsistèrent encore quelques cris d'enfants avant que ne s'instaure un profond silence. Tous ceux qui guettaient avaient donné le signal en apercevant les bouffées de fumée blanche et les éclairs en provenance des forts qui dominaient la ville. A présent que le silence s'était fait, on entendait le bruit lointain du canon. Les forts tiraient afin de signaler l'instant où le défunt Rana quittait sa capitale pour la dernière fois.

Dans la foule, quelqu'un cria d'une voix perçante « Ils arrivent ! » et Ash perçut alors le son incroyablement sinistre émanant des conques dans lesquelles soufflaient les Brahmanes marchant en tête du cortège. Puis lui parvint la grande rumeur faite par des milliers de voix saluant l'apparition des satî en criant : *Khaman Kher ! Khaman Kher !* (Bravo !)

Ce fut comme si une rafale de vent passait sur la foule de la clairière et des terrasses. Son brouhaha reprit, plus atténué mais chargé d'anticipation au point qu'une vibration sembla se communiquer à l'air même de ce brûlant après-midi. Il noya les bruits plus éloignés, si bien qu'il devint impossible de juger dans combien de temps le cortège atteindrait la clairière. Une demi-heure peut-être? Mais même lorsque la procession arriverait là, Ash savait qu'il aurait encore beaucoup de temps devant lui car il avait pris la peine de s'informer de tous les détails de la cérémonie.

La tradition exigeait qu'une satî porte sa robe de mariée et soit parée de ses plus beaux bijoux. Toutefois, il n'était pas nécessaire que ceux-ci finissent dans les flammes : le rituel conservait le sens pratique. Donc, Juli commencerait par se dépouiller de ses bijoux. Après quoi, elle devrait se laver les mains avec de l'eau du Gange et faire trois fois le tour du bûcher avant d'y monter. Donc Ash aurait tout le temps de choisir le bon moment...

Plus qu'une demi-heure... peut-être moins. Et pourtant cela lui semblait une éternité, tant il avait hâte d'en finir!

Et c'est alors que l'inattendu se produisit.

Sentant quelqu'un lui prendre le bras, Ash crut avoir affaire à son voisin bavard et se tourna vers lui avec agacement. Mais il vit que le gros homme avait été délogé de sa place par un des serviteurs du palais, et c'était celui-ci qui venait de lui prendre le bras. En un éclair, Ash pensa que tout avait été découvert et, instinctivement, il essaya de se libérer mais ne put y parvenir. Aussitôt, à travers la mousseline qui voilait le bas de son visage, le garde lui dit :

– C'est moi, Ashok. Viens! Dépêche-toi!
– *Sarji!* Que fais-tu ici? Je t'avais dit...
– Ne parle pas! lui recommanda Sarji à mi-voix en

jetant par-dessus son épaule un regard inquiet. Contente-toi de me suivre.

– Non, rétorqua Ash sur le même ton en essayant de lui faire lâcher prise. Si tu t'imagines pouvoir m'arrêter, tu perds ton temps... Rien ne m'arrêtera plus! J'irai jusqu'au bout de ce que je me suis juré...

– Mais tu ne le peux pas. Elle est ici... *Ici,* avec le Hakim.

– Qui ça? Si c'est une ruse pour que je...

Ash s'interrompit net, car Sarji venait de lui glisser quelque chose dans la main. Quelque chose de petit, mince et dur. Un morceau de nacre gravé à la ressemblance d'un poisson...

Ash le regarda d'un air incrédule et Sarji en profita pour l'entraîner à travers la foule, qui s'écartait devant lui parce qu'il portait la tenue des serviteurs du palais, rouge, orange et jaune.

Derrière la masse des spectateurs, plusieurs soldats veillaient à ce qu'on laissât libre un chemin allant d'un accès latéral à l'escalier montant vers le second étage du pavillon central. Mais eux aussi, reconnaissant les couleurs du palais, laissèrent passer les deux hommes.

Sarji tourna à droite et, sans lâcher le bras de Ash, gagna une volée de marches qui descendaient vers un couloir semblable à celui où Dagobaz avait été attaché. Seuls des spectateurs privilégiés étaient autorisés à emprunter cette voie et il n'y avait personne dans l'escalier : les gardes d'en bas guettaient le cortège et ceux d'en haut s'employaient à contenir la foule. A mi-hauteur de l'escalier, une ouverture étroite perçait le mur et donnait accès à un passage qui devait déboucher près du bassin central. Sarji s'y engagea vivement et, lâchant enfin Ash, il dénoua le pan du turban qui lui voilait le bas du visage, puis se laissa aller contre le mur en haletant comme s'il avait couru.

– *Wah!* fit-il en s'épongeant. Ça a été plus facile que je ne le pensais. Espérons qu'il en ira de même pour le reste. (Il se baissa pour prendre un baluchon qui était par terre :) Tiens... Mets vite ça. Toi aussi, il faut que tu aies l'air d'être un des *nauker-log* du Rung Mahal, et il n'y a pas de temps à perdre.

Tandis que Ash se hâtait d'enfiler le costume qui constituait le baluchon, d'une voix tout juste audible, Sarji lui fit un bref récit de ce qui était arrivé.

Il s'apprêtait à partir lorsque Manilal était survenu chez le marchand de charbon avec des nouvelles qui bouleversaient tous leurs plans. Comprenant qu'elle allait mourir, il semblait que la Senior Rani eût usé du pouvoir et de l'influence qu'elle possédait encore afin d'épargner le même sort à sa demi-sœur, Anjuli-Bai.

Au cours de la nuit précédente, elle s'était arrangée pour que sa sœur quitte en secret le palais et se rende dans une maison située hors de la ville, demandant seulement qu'Anjuli-Bai assiste aux ultimes cérémonies. Un emplacement fermé par des rideaux de bambou lui était réservé et, le jour des funérailles, elle y serait conduite par des gardes et des serviteurs choisis pour leur dévouement à la Senior Rani. La servante qui avait souvent servi d'intermédiaire, était venue annoncer cela au Hakim, lequel avait aussitôt envoyé Manilal chercher le Sahib... qui était déjà parti.

– Nous sommes donc retournés ensemble chez le Hakim, continua Sarji, et c'est lui qui a tout organisé. Il avait même les vêtements déjà prêts car il les gardait en réserve depuis déjà plusieurs lunes pour le cas où, un jour, il serait conduit à s'enfuir de Bhitor. Qui mieux qu'un serviteur du palais peut circuler partout sans qu'on lui pose des questions? Il avait donc fait confectionner ces costumes par Manilal, avec de l'étoffe achetée au bazar. Par la suite, il en avait fait ajouter deux autres pour servir éventuellement aux

Ranis, puis deux encore pour le cas où des femmes de Karidkote les accompagneraient. Ayant mis ces vêtements, nous sommes venus ici sans que personne s'en formalise le moins du monde.. Tu es prêt? Parfait. Veille bien à ce que le pan du turban ne te trahisse pas en se détachant. Maintenant suis-moi.. et prie Dieu que tout continue d'aller bien!

Après la pénombre du passage, l'éclat du soleil était tellement intense que Ash dut fermer à demi les yeux tandis qu'il gagnait derrière Sarji l'étage inférieur du pavillon principal où une demi-douzaine d'hommes, appartenant à la garde personnelle du Rana, avaient été postés pour empêcher le public d'entrer. Mais eux non plus n'accordèrent aucune attention à deux serviteurs du palais. Passant devant eux, Sarji s'engagea dans l'escalier menant à l'étage où des rideaux de bambou masquaient l'intervalle entre les colonnes.

A un pas derrière lui, Ash l'entendait marmotter et il comprit que son ami priait, sans doute pour remercier le ciel. Quand ils arrivèrent en haut des marches, Sarji s'effaça en écartant un épais rideau et lui fit signe d'entrer.

## 42

L'enclos délimité par les rideaux de bambou avait environ cinq mètres carrés et semblait plein de gens, dont certains étaient assis. Mais Ash ne vit qu'une silhouette un peu à l'écart, dont la rigidité évoquait un animal captif immobilisé par la terreur.

*Juli...*

Elle se tenait devant l'un des *chiks*, si bien qu'il la voyait à contre-jour, silhouette sans visage habillée elle aussi comme les serviteurs du palais. A cause de ces vêtements, une personne non prévenue l'eût prise pour un homme et cependant Ash l'avait aussitôt reconnue. Il était convaincu que, même aveugle, il eût été droit vers elle, tant étaient forts les liens qui les unissaient l'un à l'autre.

Il écarta aussitôt le pan de turban qui lui masquait le visage, mais Anjuli n'imita pas son geste et il ne vit d'elle que ses yeux.

Les yeux pailletés d'or qu'il se rappelait si bien n'avaient rien perdu de leur beauté mais, à mesure que son regard s'accoutumait à la lumière tamisée, Ash se rendit compte qu'ils n'exprimaient aucune joie ni bienvenue. L'héroïne du conte d'Andersen, *La Reine des Neiges,* celle dont le cœur avait été transpercé par un éclat de verre, devait avoir un tel regard...

Il fit un pas vers elle, et aussitôt quelqu'un le retint par le bras : Gobind, vêtu lui aussi comme un serviteur, mais dont le visage était découvert.

— Ashok, fit le médecin sans élever la voix mais d'un ton si pressant que Ash s'immobilisa, se rappelant juste à temps que, à l'exception de Juli, seuls parmis les gens présents, Gobind et Sarji étaient au courant des liens existant entre la Rani et lui-même.

La situation comportait déjà suffisamment de dangers, sans qu'il l'aggravât en trahissant ce qui n'eût pas manqué de scandaliser les autres personnes présentes, au point de tout gâcher.

Se forçant à ne plus regarder Anjuli, il tourna les yeux vers Gobind, qui eut alors un petit soupir de soulagement et lui lâcha le bras en disant :

— Je remercie les dieux que vous soyez venu, car il y a beaucoup à faire et il nous faut surveiller ceux qui sont ici. La femme surtout, qui ne manquerait pas de crier si on lui en laissait la possibilité. Or, il y a nombre de gardes à portée d'oreille...

– Quelle femme? demanda Ash, car il n'en existait qu'une à ses yeux.

Gobind esquissa un geste et, alors seulement, Ash se rendit compte que, outre Manilal, ils étaient sept dans l'enclos des stores. Une seule femme dans le nombre, sans doute une suivante de Juli. L'homme obèse aux nombreux mentons et à la peau aussi lisse que celle d'un bébé ne pouvait être qu'un des eunuques. En sus de quoi, il y avait deux serviteurs du palais, deux militaires et un garde du corps du Rana. Tous étaient assis par terre ficelés comme des volailles et bâillonnés, à l'exception du garde du corps, qui, lui, était mort. De son œil gauche, jaillissait encore le manche du stylet dont la lame avait atteint le cerveau.

Ash pensa que c'était Gobind qui avait dû porter un coup d'une aussi mortelle précision au seul endroit vulnérable, l'homme étant protégé par une cotte de mailles et un casque de cuir à l'épaisse jugulaire...

– Oui, dit Gobind en réponse à la question informulée. Nous ne pouvions pas l'assommer d'un coup sur la tête comme nous l'avions fait pour les autres. Il nous fallait donc le tuer, d'autant que lorsqu'il a parlé à l'eunuque à travers le rideau – ignorant que l'autre était en notre pouvoir –, il s'est révélé être de ceux qui voulaient voir Anjuli-Bai punie pour avoir failli à son devoir en se dérobant au bûcher. Non seulement il n'était pas question qu'on la laisse retourner à Karid-kote, mais dès que la Senior Rani n'aurait plus été en vie pour la protéger, ils avaient résolu de lui brûler les yeux avant de la ramener au Zenana.

Ash eut l'impression de recevoir un coup terrible au creux de l'estomac et fut incapable de prononcer une seule parole.

– Oui, continua Gobind, ça ne fait aucun doute. Le brasier est ici même, en attente avec les fers. C'est l'eunuque et cette charogne qui s'en seraient chargés, avec l'aide de la femme et des autres. Quand j'y pense, je regrette de ne pas les avoir tous tués.

– Ça, on peut y remédier! dit, entre ses dents, Ash tremblant de rage.

Mais la voix incisive de Gobind pénétra le brouillard meurtrier qui lui avait soudain envahi la tête et le ramena à la raison.

– Laissez-les, dit-il. Ce ne sont que des instruments. Ceux qui leur ont commandé ce geste ou les ont soudoyés pour qu'ils l'exécutent seront dans le cortège funèbre, à l'abri de notre vengeance. Il n'est pas juste de tuer l'esclave et de laisser impuni le maître qui l'a commandé. D'ailleurs, le temps nous presse trop pour cela. Si nous voulons sortir d'ici en vie, il nous faut les vêtements de cet homme et aussi ceux d'un des serviteurs. Je vais m'en occuper avec Manilal, si votre ami et vous voulez bien vous charger de surveiller les prisonniers.

Sans attendre la réponse, il s'en fut vers le mort et entreprit de lui retirer son casque, lequel n'était pratiquement pas taché, car la blessure n'avait que très peu saigné, Gobind ayant eu soin de ne pas retirer l'arme...

Sortant son revolver, Ash le braqua en direction des captifs tandis que Sarji surveillait l'entrée de la terrasse. Il se rendait toutefois compte que le revolver était inutilisable, car la détonation eût aussitôt fait accourir gardes et serviteurs se trouvant à proximité.

Fort heureusement, les prisonniers ne semblaient pas avoir conscience de cela, comme le montraient bien les regards terrifiés que, au-dessus des bâillons, ils rivaient sur cette arme qui leur était peu familière.

Ayant fini de dépouiller le mort, Gobind et Manilal aidèrent Sarji à retirer sa tenue de serviteur et revêtir ce harnachement.

– C'est une chance que vous soyez de la même taille, dit Gobind en lui passant la cotte de mailles

98

par-dessus la tête, mais ceci a été conçu pour quelqu'un de plus robuste... Enfin, nous n'y pouvons rien et ceux qui sont dehors seront trop intéressés par la cérémonie pour remarquer de tels détails.

– C'est ce que nous espérons, rectifia Sarji avec un rire bref. Mais dans le cas contraire?

– Dans le cas contraire, nous mourrons, répondit Gobind sans la moindre émotion. Mais je pense que tout se passera bien. Maintenant, voyons un peu ceux-ci..., continua-t-il en portant son attention vers les captifs.

La femme et l'eunuque étaient verts de peur. Ils s'attendaient à subir le même sort que leur compagnon, en retour du supplice qu'ils voulaient infliger à la Junior Rani.

Sarji et Ash n'auraient pas hésité à le faire, mais Gobind avait l'habitude de sauver les vies et non de les prendre. Il avait tué le garde parce que c'était nécessaire et n'en éprouvait aucun regret, mais il n'eût pas commis de sang-froid des meurtres qui étaient inutiles aussi longtemps que les captifs se trouvaient dans l'impossibilité d'appeler au secours.

En vérifiant les liens de la femme, Manilal s'aperçut qu'elle avait quelque chose de dur et de volumineux dans un pli de sa robe fixé par la ceinture. Il extirpa de cette cachette un collier d'or massif incrusté de perles et d'émeraudes, magnifique bijou qu'aucune suivante ne pouvait détenir honnêtement.

Manilal le fit passer à Gobind, en disant que cette garce était aussi une voleuse, mais la femme secoua frénétiquement la tête, ce qui amena le médecin à déclarer :

– Non, elle ne l'a pas volé... C'est le prix du sang, qui lui avait été versé d'avance pour ce qu'elle avait accepté de faire. *Pah!*

Il laissa tomber le collier comme s'il se fût agi

d'un serpent venimeux, mais Ash le ramassa aussitôt. Si Gobind pas plus que Manilal n'avait pu reconnaître le fabuleux joyau, Ash avait déjà eu par deux fois l'occasion de le voir : lorsqu'on avait dressé devant lui l'inventaire des bijoux que les fiancées emportaient de Karidkote, la seconde fois, lorsque Anjuli le portait en quittant le Palais de la Perle, après les cérémonies du mariage.

– Deux bracelets complètent la parure, dit-il d'une voix sèche. Regardez si l'eunuque les a.

L'eunuque n'avait pas les bracelets – qui furent ensuite trouvés sur les deux serviteurs du palais, – mais détenait un collier de diamants taillés en table, frangé de perles, que Ash n'eut également aucune peine à reconnaître. Ainsi donc, pensa-t-il, le Rana était à peine mort que les ennemis de Juli s'étaient empressés de faire main basse sur les biens personnels de la veuve, allant même jusqu'à utiliser quelques-uns de ses bijoux pour soudoyer ceux qui la tortureraient. Mais il n'imaginait pas le Diwan témoignant d'une telle prodigalité, alors qu'il lui suffisait d'ordonner le supplice.

Non, cela relevait d'une extraordinaire duplicité : ces bijoux avaient été délibérément choisis afin que le Diwan pût prétendre ignorer l'horrible forfait, et ordonner l'arrestation de ceux qui l'avaient commis. Alors, en découvrant ces bijoux sur eux, on pourrait les accuser d'avoir aveuglé la Rani pour qu'elle ne pût s'apercevoir qu'ils l'avaient volée, et ils seraient aussitôt mis à mort. A la suite de quoi, n'ayant plus rien à craindre, le Diwan s'approprierait les joyaux.

Ash se pencha vers l'eunuque dont les yeux s'exorbitèrent de terreur, mais ce n'était que pour lui arracher un morceau de vêtement, dans lequel il enveloppa les bijoux avant de les escamoter à l'intérieur de sa robe.

100

– Il est temps de partir, dit-il alors. Toutefois, il nous faut d'abord être sûrs que cette vermine ne donne pas l'alarme en se roulant jusqu'aux stores, de l'autre côté desquels ils pourraient émerger à la vue de la foule. Nous allons les attacher tous ensemble, puis les lier à l'un de ces piliers.

Ce qui fut fait avec les turbans des prisonniers, dont les ceintures avaient déjà servi à les bâillonner.

– Là! fit Ash en serrant un dernier nœud. Comme cela, ils ne risquent pas de se libérer tout seuls. Et maintenant, partons vite!

Personne ne bougea.

– Allons, venez! insista Ash dont la sécheresse de la voix trahissait une terrible tension intérieure. Nous ne pouvons nous permettre d'attendre. La tête du cortège arrivera ici d'un instant à l'autre, et cela provoquera suffisamment de brouhaha pour couvrir n'importe quel autre bruit. Plus nous nous attardons, plus sera court le temps qui s'écoulera avant que l'on constate la disparition de la Rani.

Comme ils restaient toujours immobiles, Ash, déconcerté, s'aperçut soudain que ça n'était pas lui qu'ils regardaient mais Anjuli. Suivant la direction de leurs regards, il vit qu'elle continuait de leur tourner le dos et n'avait pas bronché. Pourtant, elle n'avait pu manquer d'entendre ce qu'il disait.

– Qu'est-ce que c'est? Que se passe-t-il?

La question s'adressait à Anjuli plutôt qu'aux trois hommes, mais ce fut Sarji qui répondit:

– La Rani-Sahiba ne veut pas partir! lança-t-il avec exaspération. Nous avions décidé, si notre plan réussissait, que le Hakim-Sahib et Manilal l'emmèneraient dès qu'elle aurait revêtu son déguisement; moi, je devais aller te chercher pour que nous les rejoignions ensuite. C'était la meilleure solution pour tout le monde, et elle avait commencé par s'y rallier. Puis, tout d'un coup, elle a dit vouloir voir sa sœur devenir satî et qu'elle ne partirait pas avant cela. Peut-être réussiras-tu à la convaincre.. Nous, nous avons fait tout notre possible, mais en vain!

La colère s'empara de Ash; sans se soucier des yeux qui l'observaient, il saisit Anjuli par les épaules, la forçant à lui faire face :

— Est-ce vrai?

Et comme elle se taisait, il la secoua en disant d'un ton impérieux :

— *Réponds-moi!*

— Elle... Shushila... Elle ne se rend pas compte... murmura-t-elle, les yeux toujours glacés d'horreur. Elle n'imagine pas ce que ça va être... Quand elle...

— *Shushila!* (Ash parut cracher le nom.) Toujours Shushila! Et, égoïste jusqu'au bout, j'imagine que c'est elle qui t'a fait promettre de rester, hein? Oh! oui, je sais, elle t'a sauvée du bûcher! Mais si elle avait vraiment voulu te rendre tout ce que tu as fait pour elle depuis tant d'années, au lieu de te supplier de venir ici la regarder mourir, elle t'aurait fait quitter clandestinement ce pays, afin d'être sûre que tu échappes aux hommes du Diwan!

— Tu ne comprends pas, murmura Anjuli comme une somnambule.

— Détrompe-toi! Je ne comprends que trop bien. Tu continues d'être hypnotisée par cette petite égoïste hystérique, au point d'être prête à courir le risque d'une atroce mutilation – et aussi de mettre nos vies en péril à Gobind, Sarji, Manilal et moi – juste pour exaucer le dernier vœu de ta chère petite sœur et la regarder se suicider. Eh bien, pas question! Tu vas t'en aller d'ici, même si je dois t'emmener de force!

Il tremblait de rage, mais une partie de son cerveau pensait : « C'est Juli, que j'aime plus que tout au monde, et que j'avais tant peur de ne jamais plus revoir. Elle est enfin de nouveau devant moi... et je ne trouve rien d'autre à faire que m'emporter contre elle. »

C'était insensé... Tout autant que sa menace de l'emmener de force, ce qui n'eût pas manqué d'attirer les regards sur eux. Il fallait qu'elle les suive de son plein gré. Mais si elle s'y refusait?

Le vacarme discordant des cris mêlé au bruit des conques était maintenant tout proche. Le cortège n'allait plus guère tarder à déboucher dans la clairière.

Anjuli s'était détournée à demi, comme par crainte de manquer l'arrivée, dans une sorte de ralenti qui fit comprendre à Ash qu'elle était dans un état de choc, inconsciente de la colère qu'elle provoquait chez lui. Respirant à fond pour se calmer un peu, il se mit à lui parler comme à une enfant : « Comprends donc, ma chérie : du moment que Shushila te croira là, en train de la regarder et de prier pour elle, ce sera comme si tu étais vraiment présente. Ces *chiks* l'empêcheront de voir si tu es ou non sur la terrasse, et même si tu l'appelais au passage, elle ne t'entendrait pas. Alors...

— Oui, je le sais. Mais...

— Juli, si tu restes là, tu garderas de ces instants un souvenir horrifiant qui te hantera pour le reste de ta vie, sans que tu sois pour autant d'aucun secours à Shushila.

— Oui, je le sais, répéta-t-elle. Mais toi, tu peux lui être d'un grand secours.

— Moi? Non, ma chérie. Ni moi ni personne. On ne peut plus rien pour elle maintenant. J'en suis désolé, Juli, mais c'est la vérité et tu dois t'en convaincre.

— Non. Ce n'est pas vrai.

Anjuli lui prit les poignets, et ce mouvement acheva de faire tomber le pan du turban qui s'était à demi détaché quand Ash l'avait secouée par les épaules.

Le changement intervenu dans le cher visage était tel, que ce fut pour Ash comme si on lui enfonçait un glaive dans le cœur. On eût dit qu'elle avait passé ces deux dernières années dans quelque donjon où ne pénétrait jamais la lumière du jour. Émacié à l'extrême, son visage était creusé de rides profondes, et le cerne des yeux n'était pas dû au *kohl* ou à quelque artifice, mais à la peur et aux larmes... à des torrents de larmes... comme celles qui noyaient à présent son regard. Ash aurait donné tout au monde pour la prendre dans ses bras et la consoler en l'embrassant, mais c'était impossible.

— J'étais prête à partir... Je serais partie tout de suite avec tes amis et, s'ils n'étaient pas venus, j'aurais fermé les yeux, bouché mes oreilles, car je me refusais à endurer une telle horreur... Mais le Hakim-Sahib et ton ami m'ont dit pourquoi tu n'étais pas avec eux... ce que tu voulais faire pour que je meure tout de suite, sans souffrir, au lieu d'endurer le supplice des flammes. Et ça, tu le peux aussi pour elle.

Ash esquissa un recul et il eût libéré ses mains si Anjuli ne s'y était cramponnée.

— Je t'en prie, Ashok, je t'en prie! Je te demande seulement de faire pour elle ce que tu aurais fait pour moi. Elle n'a jamais supporté la douleur et lorsque les flammes... Oh! je t'en conjure, Ashok, empêche-la de souffrir et alors je te suivrai avec joie!

Sa voix se brisa sur ce dernier mot et Ash lui dit d'une voix rauque :

— Tu ne sais pas ce que tu demandes... Ce n'est pas si facile... Pour toi, ça n'était pas la même chose parce que... parce que j'étais décidé à mourir avec toi. Sarji Gobind et Manilal auraient pu s'enfuir sans risque, car ils auraient été loin lorsque notre moment serait venu. Mais, à présent, nous serions encore tous là... et si l'on entendait la détonation, si quelqu'un voyait d'où l'on a tiré, nous connaîtrions tous un sort pire que celui de Shushila.

– Avec tout ce bruit, on n'entendra rien! Et qui aurait l'idée de regarder par ici alors que... Personne! Fais-le pour moi... Je t'en supplie à genoux!

Avant qu'il ait pu l'en empêcher, Juli s'était laissé glisser à ses pieds. Il la releva vivement et, derrière lui, Sarji dit :

– Tu n'as pas le choix. Nous ne pouvons l'emmener de force, et elle ne nous suivra que si tu fais ce qu'elle te demande!

– Eh bien, soit, acquiesça Ash. Mais à condition que vous partiez tous les quatre maintenant. Je vous rejoindrai ensuite, dans la vallée.

– *Non!*

La voix d'Anjuli exprimait la panique et elle se précipita vers Gobind, qui détournait les yeux afin de ne pas voir son visage dévoilé.

– Hakim-Sahib, dites-lui qu'il ne peut rester seul... Ce serait de la folie! Il faut que nous soyons là pour surveiller les autres... et intervenir si quelqu'un venait... Dites-lui que nous ne devons pas nous séparer!

Gobind ne parla pas tout de suite, et ce fut avec une visible réticence qu'il finit par dire à Ash :

– Je crains que la Rani-Sahiba n'ait raison. Vous ne pouvez être à guetter entre les *chiks* et surveiller ce qui se passe derrière vous.

Comme Sarji et Manilal opinaient, Ash capitula. Après tout, c'était bien le moins qu'il pût faire pour la pauvre petite Shu-shu, qu'il avait emmenée de chez elle afin de la livrer à un époux dissolu, qui maintenant l'entraînait dans la mort. Certes, c'était à cause de son refus hystérique de se séparer de sa demi-sœur que Juli se trouvait dans cette situation, mais la petite Rani s'était rachetée de son mieux. Sans son intervention,

Juli eût été en train de marcher elle aussi vers la mort, derrière le cercueil de son mari. Alors il aurait été injuste de ne pas lui éviter ces atroces souffrances mais...

Parce qu'il aimait Juli, parce qu'il l'aimait plus que sa propre vie qui, sans elle, n'avait plus de signification, il l'eût abattue sans trembler... Mais tirer une balle dans la tête de Shushila était totalement différent car la pitié, si forte soit-elle, ne peut donner le terrible courage qu'on puise dans l'amour... Et il serait mort aussitôt après Juli, tandis que là, il resterait hanté par le souvenir de son geste...

Sarji fit irruption dans le trouble de ses pensées, en soulignant soudain que Ash allait se trouver plus éloigné que lorsqu'il était sur la terrasse du dessous, et devrait donc tirer de plus haut en visant vers le bas.

— Penses-tu y arriver? demanda-t-il en rejoignant son ami.

— Il le faut. Mais plutôt que de tirer entre deux stores, j'aimerais mieux faire un trou... As-tu un couteau, quelque chose?

— Non, mais voilà qui fera l'affaire, dit Sarji en ramassant le court javelot dont étaient armés tous les gardes du corps.

Avec la pointe, il tailla dans un des stores de bambou une ouverture rectangulaire. Puis, voyant Ash s'essayer à viser avec le revolver d'ordonnance, il dit :

— Je ne me suis jamais encore servi d'une de ces armes. Ça peut tirer aussi loin?

— Oui, mais j'ignore avec quelle précision. Je n'avais jamais imaginé que je devrais...

Ash s'interrompit et se retourna brusquement.

— Non, Sarji, je n'ose courir le risque de tirer d'ici! Il me faut aller plus près... Est-ce que... Oui, c'est ça! Nous allons descendre tous ensemble et, quand nous aurons atteint la terrasse du dessous, vous trois conti-

106

nuerez avec la Rani-Sahiba tandis que j'irai reprendre ma place près du parapet...

— Tu n'y réussiras pas! La foule est trop dense. En dépit de ma livrée, j'ai déjà eu beaucoup de mal, tout à l'heure, pour parvenir jusqu'à toi. Maintenant, ce serait impossible : les voici qui arrivent.

Les conques retentissaient de nouveau, mais à présent les cris montaient des gens massés de chaque côté du court sentier qui traversait le bois. D'ici une minute ou deux, le cortège déboucherait dans la clairière, et il n'était plus temps d'essayer de se frayer de force un chemin à travers la foule à demi hystérique qui, à l'étage inférieur, se pressait vers le parapet de la terrasse.

En tête, venaient ceux qui soufflaient dans les conques, suivis par un détachement bigarré de saints hommes qui chantaient en agitant des clochettes de cuivre, les uns en robes jaunes, orange ou blanches, les autres à demi nus et le corps maculé de cendres; certains arboraient un crâne rasé, alors que d'autres avaient la barbe et les cheveux qui leur descendaient bien au-dessous de la taille. Tels les vautours qui repèrent un mort de très loin, ils arrivaient de tous les points du pays pour assister au suttee. Derrière eux, le cercueil était porté à bout de bras et tanguait comme une embarcation sur une mer houleuse.

Il n'était pas couvert, si bien que Ash voyait le corps tout enveloppé de blanc, sur quoi s'entrecroisaient des guirlandes de fleurs. Le jeune homme demeura stupéfait de sa petitesse. D'ailleurs la foule s'en désintéressait : elle était venue voir non pas un homme mort mais une femme encore vivante... Et voilà que celle-ci arrivait enfin, marchant derrière le cercueil. A sa vue, ce fut un tel déchaînement hystérique que, pourtant solidement construit, le *chatri* en trembla.

Si on lui avait posé la question, Ash eût répondu

sans hésiter que Shu-shu serait incapable de se rendre seule jusqu'au bûcher car, si elle consentait à marcher, ce ne pourrait être que sous l'empire de drogues. Or, la silhouette menue qui suivait le corps de son mari, non seulement n'avait pas besoin d'être soutenue pour avancer, mais elle se tenait très droite, rayonnante de fierté et de dignité.

Ses petits pieds déchaussés, qui n'avaient jamais foulé que des tapis persans ou la fraîcheur du marbre poli, progressaient lentement mais d'un pas résolu dans la poussière, et leur empreinte était aussitôt effacée par les baisers d'une foule en adoration.

Shushila était vêtue d'écarlate et d'or comme Ash l'avait vue à la cérémonie du mariage, parée des mêmes bijoux : des rubis ceignaient son front, sa gorge, ses poignets, ses chevilles, pendant à ses oreilles et chargeant ses doigts. Mais cette fois elle ne portait pas de sari et sa longue chevelure, dénouée comme pour sa nuit de noces, coulait superbement sur ses épaules. Elle semblait absolument inconsciente de cette multitude de gens qui se bousculaient pour l'applaudir, essayer de toucher sa robe ou lui crier de les bénir, tout en regardant avidement son visage dévoilé. Ash vit ses lèvres remuer et devina qu'elle répétait l'invocation séculaire accompagnant le dernier voyage du mort : *Ram, Ram... Ram, Ram...*

– Tu te trompais, dit-il d'un ton incrédule. Elle n'a pas peur.

En dépit de la clameur montant d'en bas, Anjuli l'entendit.

– Pas encore, non. Pour elle, ça n'est en ce moment qu'une sorte de rôle qu'elle joue, quelque chose qui se passe seulement dans sa tête...

– Tu veux dire qu'elle est droguée? Non, visiblement pas!

108

– Pas de la façon que tu penses, mais par l'émotion.. le désespoir, le choc... et peut-être aussi le triomphe...

« *Le triomphe!* » pensa Ash.

Oui, cela ressemblait davantage à une marche triomphale qu'à des obsèques. Une procession en l'honneur d'une déesse qui daignait se montrer pour une unique fois à la foule exultante de ses adorateurs. Shushila, déesse de Bhitor, belle comme l'aurore, toute étincelante d'or et de pierreries. Oui, c'était bien un triomphe, et même si elle ne faisait que jouer un rôle, elle le jouait superbement.

Près de lui, Anjuli répétait la même invocation que Shushila : *Ram, Ram... Ram, Ram...* Ce n'était qu'un souffle dans le tumulte ambiant, mais cela suffisait à distraire l'attention de Ash et il lui intima sèchement de se tenir tranquille, car il était de nouveau en proie au doute déchirant. A suivre la progression majestueuse de cette gracieuse vision d'écarlate et d'or, Ash se disait qu'il n'avait pas le droit d'intervenir. Le geste eût été pardonnable si Shushila était apparue en larmes et terrifiée, ou hébétée par des drogues. Mais il en allait différemment alors qu'elle ne témoignait d'aucun effroi.

Elle ne pouvait ignorer le sort qui l'attendait. Donc, ou bien ce qu'avait entendu raconter Gobind était exact et, follement éprise du défunt, elle préférait mourir en étreignant son corps à continuer de vivre sans lui... ou alors, ayant réussi à se cuirasser contre la peur, elle se faisait une gloire de mourir ainsi en accédant à la sainteté. Dans l'un ou l'autre cas, quel droit avait-il d'intervenir? D'autant que l'agonie serait brève. Ash avait vu édifier le bûcher et les prêtres entasser du coton entre les longues planches, sur lequel ils avaient déversé des huiles. De la sorte, dès qu'on allumerait le feu, la fumée serait telle que Shu-shu mourrait probablement asphyxiée avant même qu'une flamme l'eût atteinte.

« Je ne peux pas faire ça, estima Ash. D'ailleurs, si je le faisais, ça précipiterait sa mort seulement de quelques instants. Juli devrait s'en rendre compte... Oh! Seigneur, que ne vont-ils plus vite, qu'on en finisse! »

Il se sentait déborder de haine envers tous ceux qui étaient là : les prêtres qui présidaient la cérémonie, la foule surexcitée, les membres du cortège, y compris le mort lui-même et Shushila. Shushila encore plus que les autres parce que...

« Non, je suis injuste, pensa le jeune homme, elle ne peut s'empêcher d'être comme Dieu l'a faite. Et, en dépit de son égocentrisme, elle a quand même eu une pensée pour sa sœur, elle lui a permis de fuir au lieu d'insister pour qu'elle l'accompagne jusque dans la mort... »

Nul ne saurait jamais ce qu'il avait pu lui en coûter et Ash ne devait pas se permettre de l'oublier... Le voile rouge de la fureur qui l'avait momentanément aveuglé se dissipait, et il vit que Shushila avait continué d'avancer. A sa place, se tenait une autre silhouette menue et solitaire. Mais cette fois il s'agissait d'un enfant, un garçon de cinq ou six ans qui marchait seul à quelque distance de la veuve. « L'héritier... le nouveau Rana, se dit Ash, heureux de pouvoir ainsi s'occuper d'autre chose. Pauvre gosse! Il a l'air complètement épuisé... »

En effet, l'enfant chancelait de fatigue, visiblement ahuri de sa soudaine accession au trône, concrétisée par le fait qu'il venait aussitôt après la veuve, en avant de plusieurs pas sur la centaine de nobles, conseillers et dignitaires qui fermaient la procession. Bien en vue au milieu d'eux, le Diwan portait une torche qui avait été allumée au feu sacré brûlant dans le temple.

110

— Dans ce bruit, en tout cas, la détonation ne risque pas d'être entendue, fit remarquer Sarji. Combien de temps comptes-tu encore attendre?

Comme Ash ne répondait pas, Sarji dit que le moment était venu de partir s'il leur restait encore un grain de bon sens. Et ce fut tout juste si ses dernières paroles ne retentirent pas avec force, car le silence s'était soudain fait, au point que l'on entendait maintenant le roucoulement de colombes quelque part dans les dômes au-dessus de leurs têtes.

Le cortège avait atteint le bûcher sur lequel le cercueil venait d'être déposé. Et Shushila avait entrepris de se dépouiller de ses bijoux, les ôtant les uns après les autres pour les tendre à l'enfant qui, à son tour, les passait au Diwan. Elle fit cela vite, presque gaiement, comme si ce n'était là que fleurs fanées dont elle avait hâte de se débarrasser.

Quand elle eut retiré tous ses bijoux, à l'exception d'un collier de graines sacrées de *tulsi*, Shushila tendit ses mains nues vers un prêtre, qui fit couler sur elles de l'eau du Gange. Des gouttelettes étincelèrent dans les rayons du soleil déclinant tandis qu'elle secouait ses mains et l'assemblée des prêtres entonna un chœur, aux accents duquel la jeune femme fit trois fois le tour du bûcher tout comme, vêtue de cette même robe, elle avait tourné autour du feu sacré le jour de ses noces, attachée par son voile à cette chose ratatinée qui l'attendait maintenant sur un lit nuptial de cèdre et de santal.

Le chant s'acheva et, de nouveau, on n'entendit plus que le roucoulement des colombes qui, avec le battement des tam-tams et le grincement de la roue des puits, est comme la voix même des Indes. A présent immobile et silencieuse, la foule regarda la satî monter sur le bûcher et s'y asseoir dans la position du lotus. Shushila arrangea autour d'elle les plis de sa robe puis, avec infiniment de douceur, comme s'il était endormi et qu'elle craignît de le réveiller, elle souleva la tête du mort pour la poser sur ses genoux.

– *Vas-y!* souffla Anjuli dans un murmure qui tenait du sanglot. Fais-le maintenant... Vite! Avant qu'elle ne se mette à avoir peur!

– Ne sois pas stupide! Dans ce silence cela retentirait comme un coup de canon, et ils nous tomberaient tous dessus. D'ailleurs...

Il avait été sur le point de dire « Je ne tirerai pas », mais il n'en fit rien. A quoi bon bouleverser Juli encore plus qu'elle ne l'était déjà? La façon dont Shu-shu avait pris cette horrible tête sur ses genoux, avait enfin tranché l'indécision de Ash, et il n'avait plus l'intention de faire feu. Juli oubliait que sa demi-sœur avait cessé d'être une enfant fragile et maladive qu'il fallait protéger... Shu-shu était maintenant une femme adulte, consciente de ce qu'elle faisait. Elle était en outre l'épouse d'un souverain, et montrait qu'elle savait se comporter comme telle. Alors cette fois, pour le meilleur ou pour le pire, c'était à elle seule de décider.

Immobile et grave, elle regardait le visage grisâtre de son époux, telle une *pietà* indienne. Le Diwan mit la torche entre les mains tremblantes du jeune Rana, qui parut sur le point de fondre en larmes.

L'éclat de la flamme rappelait soudain que le soir était proche car, sous l'éclatant soleil, elle avait été presque invisible. A présent, les ombres s'allongeaient sur le sol et ce jour, qui avait semblé ne jamais devoir finir, s'achèverait bientôt, tout comme la brève existence de Shushila.

« Elle n'a que seize ans... pensa brusquement Ash. Ce n'est pas juste. Ce n'est pas *juste!* »

Bien qu'elle ne le touchât point, il sentit sans savoir comment qu'Anjuli frissonnait violemment. Alors l'idée lui vint soudain qu'il n'avait pas besoin d'atteindre son but. Du moment qu'il tirerait, Juli penserait que la balle avait fait son œuvre; pour qu'elle eût le réconfort de croire que sa sœur avait échappé au supplice des flammes, il suffisait de presser la détente...

Mais les arbres tout autour de la clairière étaient pleins d'hommes et d'enfants qui s'accrochaient aux branches comme des singes, n'importe quel *chattri* regorgeait de spectateurs; dans ces conditions, une balle perdue ou qui ricochait, pouvait tuer. Il était donc plus prudent de viser le bûcher. Levant le revolver, Ash en assura le canon au creux de son bras gauche tout en disant, sans tourner la tête :

– Nous filerons dès que j'aurai fait feu. Êtes-vous prêts?

– Nous, les hommes oui, répondit doucement Gobind. Et si la Rani-Sahiba...

Comme il hésitait, Ash acheva la phrase pour lui :

– ... voulait bien se couvrir le visage, cela gagnerait du temps. Et elle en a suffisamment vu comme ça, inutile qu'elle reste plantée là...

Il avait délibérément usé d'un ton dur, dans l'espoir que, occupée à rajuster le pan du turban devant son visage, Juli ne verrait point le dernier acte de la tragédie. Mais elle ne bougeait pas le moins du monde, ne semblait même pas l'avoir entendu parler.

Le petit Rana pleurait. Des larmes roulaient sur son visage enfantin, marqué par la peur et la fatigue. S'il n'y avait eu un brahmane pour l'assister et maintenir fermement ses menottes autour de la torche, il l'eût lâchée. Visiblement, le brahmane devait l'encourager à mi-voix, cependant que le Diwan et les nobles échangeaient des regards expressifs. Alors, Shushila leva la tête... Et, tout d'un coup, elle changea de visage.

Ses yeux s'agrandirent, comme hypnotisés par la

flamme de la torche, et le calme de son regard fit place à la terreur d'un animal aux abois. Ash aurait pu dire avec précision l'instant où la réalité de la flamme fit voler l'illusion en éclats...

Guidées par le brahmane, les mains de l'enfant abaissèrent la torche jusqu'à ce qu'elle touchât le bûcher, près des pieds du mort. Orangées, vertes et violettes, des fleurs de feu jaillirent du bois. Le nouveau Rana ayant accompli son devoir à l'égard du précédent – son père adoptif – le brahmane lui reprit la torche et alla vivement allumer l'autre extrémité du bûcher, derrière le dos de la satî. Une éclatante langue de feu monta vers le ciel et, dans le même temps, l'assistance retrouva sa voix pour rugir sa respectueuse approbation. Mais l'objet de leur vénération repoussa brusquement de côté la tête du défunt, se leva d'un bond et, regardant les flammes, se mit à hurler... hurler...

Un halètement de Juli fit comme un écho à ces cris et Ash, ajustant son arme, pressa la détente.

Les hurlements s'interrompirent net; la mince silhouette d'écarlate et d'or étendit la main en quête d'un appui, puis elle tomba à genoux et s'effondra en travers du corps qui gisait à ses pieds. Sa chute coïncida avec l'instant où le brahmane jetait la torche sur le bûcher. Un voile de chaleur et de fumée monta presque aussitôt du bois imprégné d'huiles, tandis qu'une magique robe de flammes semblait soudain vêtir la satî.

Dans le petit enclos, la détonation avait semblé retentir avec force et, escamotant le revolver dans l'encolure de sa robe, Ash se retourna :

– Qu'est-ce que vous attendez? s'emporta-t-il. Allez, Sarji... passe le premier!

Comme Anjuli demeurait hébétée, il rabattit le pan du turban sur son nez et sa bouche, le fixant derrière la

114

tête. Après quoi, il lui dit, en la prenant par les épaules :

– Écoute-moi, Juli... Tu as fait tout ce que tu pouvais pour Shushila. Elle ne risque plus rien... elle leur a échappé. Et si nous voulons arriver à en faire autant, il faut cesser de penser à elle pour ne plus nous occuper que de nous... de nous tous. Tu comprends? (Elle acquiesça vaguement.) Bon... alors rejoins vite Gobind et ne te retourne pas. Je serai derrière toi. *Va!*

La faisant pivoter sur place, il la poussa vers l'épais rideau que Manilal tenait écarté. Anjuli passa de l'autre côté; à la suite de Sarji, elle se mit à descendre les degrés de marbre qui menaient à la terrasse inférieure et à la foule.


## 43


Sur la terrasse, spectateurs et sentinelles se haussaient sur la pointe des pieds pour assister aux derniers instants de la satî et, transportés d'émotion, priaient, criaient ou pleuraient tandis que le bûcher s'embrasait totalement. Aucun d'eux n'accorda le moindre regard aux quatre serviteurs du palais qui suivaient un garde du corps casqué. En l'espace de quelques minutes, le petit groupe eut quitté le *chattri* sans encombre et rejoint le monument en ruine où Dagobaz attendait.

En dépit du brouhaha, il avait dû entendre et reconnaître le pas de Ash, car il le salua d'un petit hennissement dès que son maître apparut. Quatre autres chevaux étaient attachés à proximité, dont Moti Raj appartenant à Sarji, et celui que le jeune homme avait prêté à Manilal pour regagner Bhitor. Les deux autres avaient été achetés par Gobind quelques semaines auparavant.

– J'en avais un troisième pour le cas où nous aurions pu sauver les deux Ranis, expliqua le médecin. Mais je n'ai emmené que les deux meilleurs, car nous ne pouvions nous encombrer de l'autre. Si la Rani-Sahiba veut bien monter?

Ils sortirent du bois et firent un détour à travers la plaine poussiéreuse, en direction de l'entrée de la vallée, où se dressait la masse imposante de la capitale fortifiée. Le soleil n'avait pas encore disparu derrière les collines et, comme leur route était orientée à l'ouest, ils étaient éblouis par ses derniers rayons...

Si Ash s'était souvenu de ce marchand de Bhitor qui avait appris dans un pays lointain comment envoyer un message à distance en utilisant des plaques d'argent poli, ça ne lui eût pas été d'un grand secours mais, du moins, eût-il été sur ses gardes. Chevauchant avec le soleil dans les yeux, il ne vit pas les brefs éclairs lancés du haut d'un toit élevé de la ville, auxquels d'autres, émanant du fort de droite, répondirent aussitôt.

Aucun des fugitifs ne sut jamais comment l'alerte avait pu être donnée aussi rapidement. L'explication était pourtant fort simple et prouvait que Manilal n'avait pas tort de vouloir tuer les prisonniers. Même bâillonné, on peut quand même émettre un gémissement. Lorsque six personnes gémissent ainsi en chœur, cela finit par faire un certain bruit et, incapables de bouger, les captifs s'y étaient employés de leur mieux. Or, il se trouva qu'un des gardes de la terrasse inférieure eut l'idée de monter en haut du *chattri* pour avoir une meilleure vue. Passant près du rideau, il entendit du bruit et, pensant que c'était la Junior Rani qui gémissait ainsi, il ne résista pas à la tentation d'écarter un peu le rideau pour risquer un coup d'œil de l'autre côté....

Quelques minutes plus tard, libérés de leurs liens comme de leurs bâillons, les six captifs racontaient à l'envi une histoire d'agression, de meurtre et d'enlèvement. Peu après, un détachement de soldats se lançaient à la poursuite des fugitifs, guidés par le nuage de poussière que Ash et ses compagnons soulevaient à travers la plaine. Il n'y avait guère de chances de les rattraper, car ils avaient une solide avance, mais il se trouva que l'un des gardes était muni d'une plaque d'argent pour les signaux, car il avait eu mission d'annoncer à la ville et aux forts que le cortège était arrivé à bon port. Il s'empressa de l'utiliser de nouveau pour envoyer un message ainsi conçu : *Ennemis. Cinq. A cheval. Les intercepter.*

On accusa aussitôt réception du message. Les forts ne pouvaient faire grand-chose, mais la ville réagit immédiatement. Presque tout l'effectif des troupes étant parti pour assurer le passage du cortège funèbre ou contenir la foule, les quelques gardes demeurés sur place furent rassemblés en hâte et envoyés au galop à la Porte de l'Éléphant, avec ordre de barrer le passage à cinq cavaliers qui étaient présumés vouloir gagner la frontière.

N'ayant pas vu les signaux et ne se doutant pas que leur fuite avait été découverte, Ash et les siens ne poussaient pas trop leurs montures, car des chaumes, où s'entrecroisent des rigoles d'irrigation, ne constituent pas un terrain idéal pour le galop. Ils se rattraperaient lorsque, la ville derrière eux, ils trouveraient le sol de la vallée, durci par la brûlure du soleil.

La soudaine apparition d'un groupe de cavaliers vociférants qui, sortis par la Porte de l'Éléphant, progressaient selon une tangente dans l'évidente intention de leur couper le chemin avant qu'ils eussent atteint la vallée, leur porta un rude coup, d'autant plus que, dans le même temps, on tirait sur leur droite. Ils mirent néanmoins un moment à se persuader que c'était bien après eux qu'on en avait, car il s'était écoulé trop peu de temps pour que... Mais le doute fut de courte durée, l'intention des gardes à cheval apparaissant avec évidence.

Trop tard pour faire demi-tour... Et, de toute façon, ils devaient avoir d'autres poursuivants sur leurs talons. La fuite en avant s'imposait donc et, éperonnant leurs chevaux, ils foncèrent vers le passage que les hommes venus de la ville étaient résolus à leur barrer. Il est douteux qu'ils l'eussent atteint suffisamment à temps sans le zèle d'un canonnier.

Alertée par les signaux, la garnison du fort suivait avec excitation l'approche des cinq fugitifs et les progrès de leurs poursuivants. Du sommet de la colline, on distinguait aussi la poignée d'hommes en armes sortis au grand galop par la Porte de l'Éléphant. Mais les vieux fusils à mèche et les *jezails*, qui équipaient le fort, étaient quasiment sans effet à cette distance, d'autant que la poussière et la tremblante brume due à la chaleur ne permettaient pas de bien viser. Leurs coups de feu demeurèrent donc sans influence et, du haut du fort, les observateurs eurent l'impression que les fugitifs allaient réussir à gagner la vallée avant d'être rejoints.

Les grands canons de bronze avaient déjà tiré une fois ce jour-là; mais comme la tradition voulait qu'ils tirent encore pour saluer le retour du nouveau Rana dans sa capitale, on les avait rechargés. Un canonnier débordant de zèle se précipita allumer une queue-de-rat tandis que, suivant ses ordres, les serveurs s'efforçaient de braquer un canon sur la cible galopante. La flamme de la queue-de-rat fut mise au contact du canal de lumière. L'éclair et le fracas de l'explosion qui en résulta ne laissèrent pas d'être impressionnants; toutefois, dans ce tir précipité, on avait mal calculé la vitesse des cavaliers et, manquant les fugitifs, l'obus tomba au beau milieu des gardes venus de la ville.

Aucun d'eux ne fut sérieusement blessé; mais ce jaillissement inattendu de terre, de pierraille et de débris de toute sorte, à un mètre ou deux de leurs naseaux, fit se cabrer de peur les chevaux déjà surexcités. Plusieurs cavaliers furent désarçonnés, d'autres eurent du mal à reprendre en main leurs montures. Mettant à profit ce répit inespéré, les fugitifs débouchèrent enfin dans la vallée où ils éperonnèrent leurs chevaux.

Une course fantastique, terriblement éprouvante pour les nerfs, mais en même temps si grisante que, sans Juli, Ash en eût éprouvé de la joie. C'était le cas de Sarji qui, riant et chantant, encourageait sans cesse Moti Raj à galoper encore plus vite. Dagobaz se trouvait lui dans son élément et, si Ash l'avait laissé faire, il eût largement distancé ses compagnons dès le premier demi-mille. Mais il fallait penser à Juli et, les rênes fermement en main, Ash regardait souvent pardessus son épaule pour s'assurer que tout allait bien du côté de la jeune femme.

Le vent de la course faisait voler en arrière le pan du turban, et le visage ainsi découvert était pareil à un masque blafard où il n'y avait de vivants que les yeux. En selle, Juli faisait honneur à son grand-père cosaque et Ash éprouva aussi un élan de gratitude envers le vieux Rajah qui, en dépit de l'opposition de Janoo-Rani, avait insisté pour que sa fille Kairi-Bai apprenne à monter.

Gobind était lui aussi un excellent cavalier, mais ce n'était pas le cas de Manilal, lequel avait toutefois le bon sens de s'en remettre à son cheval.

Quant à leurs poursuivants, pour autant que les fugitifs pussent s'en rendre compte à travers le sillage de poussière laissé derrière eux, ils étaient encore en plein désarroi et bien trop loin pour constituer une menace sérieuse.

Évitant la piste même, pleine de trous et d'ornières, les cinq cavaliers se maintenaient sur le côté – le côté gauche, puisque c'était celui où se trouvait l'accès au chemin de Bukta – et ils avaient couvert plus des deux tiers du parcours quand le cheval d'Anjuli mit son pied dans un trou de rat et tomba lourdement en avant. Projetée par-dessus sa tête, Anjuli alla s'étaler dans la poussière. Manilal, qui la suivait, tira désespérément sur ses rênes et réussit à l'éviter de justesse mais, perdant le contrôle de son cheval, il en fut réduit à se cramponner à la selle. Les trois autres, eux, s'arrêtèrent aussitôt.

Sautant à terre, Ash courut prendre Juli dans ses bras et, comme elle ne bougeait pas, l'espace d'un atroce moment il la crut morte. Mais il fut vite rassuré et, se retournant, il vit leurs poursuivants se rapprocher dangereusement. Gobind aussi s'en était aperçu qui, demeuré en selle, tenait les rênes de Dagobaz. Sarji, lui, examinait le cheval blessé et il dit :

– Il s'est claqué un tendon. Tu vas devoir prendre la Rani sur Dagobaz. Monte en selle, je te la passe. Vite !

Ash obéit. Bien que sonnée par la chute, Juli avait recouvré son souffle; dès que Sarji l'eut hissée sur la croupe de Dagobaz, elle entoura Ash de ses bras et se cramponna à lui. Ils se lancèrent ainsi sur les traces de Manilal, maintenant très en avant d'eux; Gobind et Sarji suivirent, à une légère distance sur la droite et la gauche afin d'éviter la poussière.

Ce poids supplémentaire ne fit aucune différence pour Dagobaz, qui filait comme le vent. Mais l'incident avait réduit leur avance à quelques centaines de mètres seulement, et aussi brisé l'élan impétueux des deux autres chevaux. Gobind dut recourir à la cravache et aux éperons, cependant que, couché sur l'encolure de Moti Raj à la façon d'un jockey, Sarji ne chantait plus.

Ash entendit le bruit d'un coup de feu et vit une balle labourer le sol en avant sur la droite. Il comprit qu'un de leurs poursuivants venait de tirer et se reprocha de n'avoir pas prévu cela lorsqu'il avait pris Juli en croupe. Il aurait dû la mettre devant lui, afin de lui faire un rempart de son corps; mais c'était trop tard maintenant, ils ne pouvaient pas s'arrêter. Heureusement, le risque était minime : sur un cheval lancé au galop, un *jezail* se prêtait mal au tir et était ensuite impossible à recharger.

Mais le coup tiré donna conscience à Ash que leurs poursuivants avaient gagné du terrain, et lui rappela aussi qu'il avait un revolver. Sachant que Dagobaz répondrait à la moindre pression de sa jambe, il plongea la main à l'intérieur de sa robe puis, du genou, amena le cheval à faire un crochet pour éviter d'être aveuglé par la poussière soulevée derrière lui, et dit à Anjuli de se cramponner fermement. Se tournant alors sur sa selle, il tira sur l'homme qui venait en tête des poursuivants.

Ash ne s'attarda même pas à regarder le résultat, car il avait été à trop bonne école avec Koda Dad Khan pour avoir pu manquer son but. Il entendit derrière lui un bruit de chute et des hurlements de rage, puis Sarji clama sa joie quand ils furent dépassés par un cheval gris sans cavalier.

En avant d'eux, Ash retrouvait la triple saillie de l'avancée rocheuse, la tache en forme de flèche, le gros rocher semblant flotter sur des herbes près duquel – plaise à Dieu! – Bukta devait les attendre, Bukta qui avait une arme de réserve et des munitions.

Si seulement ils réussissaient à augmenter leur avance et atteindre le passage entre les rochers avec ne fût-ce qu'une minute de répit, ils pourraient tenir tête à leurs poursuivants d'une façon telle que ceux-ci, à l'approche de la nuit, ne se risqueraient certainement pas à les suivre dans les collines.

Plus qu'un demi... un quart de mille... quatre cents mètres... Le rocher marqué par les traînées blanchâtres des déjections d'oiseaux se détachait sur le fond de la colline et, près de lui, se tenait un homme avec un fusil. Bukta! Il les avait attendus et il était là, pointant le canon de son Lee-Enfield tant aimé.

Il ne restait plus que deux mètres à franchir et, exultant, Ash attendit l'éclair du coup de feu. Mais il ne se produisit pas et Ash comprit que le vieux *shikari* n'osait pas se risquer à tirer parce que Sarji et Gobind se trouvaient devant leurs poursuivants.

Ils avaient tous oublié Manilal. Le gros homme avait été emporté au delà des rochers où Bukta était embusqué; néanmoins, comme son cheval se fatiguait, il réussit à lui faire décrire un grand arc de cercle qui le ramena face à la direction d'où il venait, mais beaucoup plus sur la gauche. Manilal mesura alors la situation avec plus de précision que n'importe quel autre acteur du drame.

Le passage entre les rochers lui avait été suffisamment décrit pour qu'il pût le repérer et il se rendit compte que ses compagnons ne l'atteindraient pas avec assez d'avance pour avoir le temps de se préparer à la riposte. Et le *shikari* serait alors trop occupé à tirer pour leur être de quelque secours. Manilal n'avait pas d'éperons, mais il avait eu la précaution d'emporter une cravache accrochée à son poignet. Il s'en servit à coups redoublés pour lancer son cheval au grand galop, non vers les rochers mais vers la meute hurlante accourue de la capitale.

Ash devina la manœuvre et entendit derrière lui Manilal arriver de plein fouet dans le groupe compact de leurs poursuivants. Mais il ne se retourna pas. Il arrêta son cheval, sauta à terre, saisit Anjuli dans ses bras pour la déposer près de lui, puis il la prit par le poignet et entraîna Dagobaz à leur suite, tandis que Sarji et Gobind sautaient aussi en bas de leurs montures, protégés par Bukta qui tirait, rechargeait, tirait de nouveau...

Derrière les rochers et les éboulis, l'étroit passage apparut à Ash comme un havre de paix après cette folle chevauchée. C'était là que Bukta campait : le fusil, les cartouches, les deux boîtes de munitions étaient soigneusement rangés à portée de la main; son poney, entravé à la mode indigène, broutait paisiblement. On se sentait à l'abri dans ce refuge, auquel on accédait par un passage tellement étroit qu'un seul homme avec un revolver pouvait y tenir tête à toute une armée...

C'est du moins ce que Ash avait naguère pensé. Confronté maintenant avec la réalité, il se rendait compte que cette résistance aurait des limites... elle durerait seulement autant que les munitions et l'eau. Les munitions, il y en aurait suffisamment en l'occurrence, mais l'eau, c'était une autre affaire, surtout qu'il fallait penser aussi aux chevaux. Bukta avait dû abreuver son poney et boire lui-même tout son saoul à la rivière de la vallée. Mais il n'était plus possible d'y aller, et la réserve d'eau la plus proche – un petit bassin naturel que dominait un unique palmier – se trouvait à plus d'une heure de marche. En dehors de ça, ils n'avaient que le contenu de leurs gourdes, ce qui représentait quelque chose pour eux, mais pratiquement rien pour leurs chevaux...

Ash eut brusquement conscience de sa soif, qui jusque-là, n'avait guère compté au milieu de toutes les émotions de cette journée. Mais il se refusa à boire, par crainte de ne pouvoir s'arrêter et de vider sa gourde jusqu'à la dernière goutte. Il pouvait endurer cette soif un peu plus longtemps et, à la tombée de la nuit, il y aurait la rosée... Deux choses lui apparaissaient clairement : ils ne pouvaient rester là car, sans eau, ce tranquille refuge se transformerait en piège, et il leur fallait à tout prix partir le plus vite possible parce que, à la nuit tombée, même Bukta n'arriverait pas à retrouver la piste, à peine visible et au parcours accidenté, qui permettait de franchir les collines.

Mais dès qu'ils seraient partis, plus rien n'empêcherait leurs poursuivants de s'enfourner dans l'étroit passage et de reprendre la chasse. A moins que quelqu'un ne reste en arrière pour les retarder jusqu'à ce que les autres...

Ash regarda Anjuli qui s'était laissée choir par terre dès qu'il l'avait lâchée et demeurait les yeux clos, la tête appuyée contre la paroi rocheuse. Ses cheveux dépeignés étaient gris de poussière, mais Ash y décela une longue mèche blanche, pareille à une barre d'argent; ses traits étaient tellement tirés par la fatigue que quelqu'un ne la connaissant pas aurait pu la prendre pour une vieille femme, alors qu'elle n'avait pas encore vingt et un ans.

Ash aurait voulu pouvoir la laisser reposer plus longtemps. Elle paraissait en avoir grand besoin – comme eux tous d'ailleurs, chevaux aussi bien que cavaliers – et, en dépit de la chaleur qui s'y était accumulée au long de la journée, les ombres de ce défilé donnaient une illusion de fraîcheur. On entendait toujours le fusil de Bukta et des détonations y répondre, attestant que leurs poursuivants avaient fait halte pour riposter.

La carabine de Ash était attachée à la selle de Sarji. Il la prit et la rechargea. Puis il fourra les boîtes de munitions dans une des sacoches en disant :

– Sarji, Gobind et toi allez partir en avant avec la

Rani, pendant que je prendrai la relève de Bukta. Vous avez besoin de lui, car il est le seul à connaître le chemin et...

S'interrompant brusquement, Ash regarda autour de lui :

— Où est Manilal? Que s'est-il passé?

Sarji et Gobind furent incapables de le lui dire. Quand ils cravachaient leurs montures, ils n'avaient pas le loisir de regarder derrière eux. Et une fois rendus parmi les rochers, ils ne pouvaient plus voir ce qui se passait dans la vallée.

— Mais Bukta aura veillé à ce qu'il ne lui arrive pas de mal, dit Sarji avec assurance. Il ne manque jamais son coup, et les autres vont pouvoir compter les morts... Si nous allons aider Bukta, nous les tuerons tous!

— Non, Sarji, coupa sèchement Ash. Nous sommes venus ici pour sauver la Rani, et sa sécurité doit passer avant tout. Nous ne pouvons nous permettre de lui faire risquer sa vie. Or, s'il n'y a peut-être pour l'instant qu'une poignée d'hommes dans la vallée, il va bientôt leur arriver du renfort en provenance du Govidan. En outre, la nuit venue, aucun de nous n'aura plus la possibilité de se déplacer. Alors fais ce que je te dis et ne discute pas, nous n'en avons pas le temps. Gobind, veillez à ce que la Rani soit prête à partir dès que Bukta et Manilal vous rejoindront. L'un de vous devra la prendre en croupe. Si aucun des autres chevaux ne semble capable de supporter cette double charge, Sarji n'a qu'à monter Dagobaz et me laisser le sien... Passe-moi le fusil de chasse et les cartouches... Merci, Sarji. Je vous rejoindrai dès que je serai en mesure de le faire sans risques pour vous. Ne vous arrêtez que pour un cas de force majeure, car c'est seulement de l'autre côté de la frontière que vous serez en sécurité.

Ash prit les deux fusils et la sacoche de munitions, puis s'éloigna rapidement sans regarder Anjuli.

L'étroit passage qui se faufilait entre les rochers était calme et dans l'ombre, car la lumière n'y pénétrait que parcimonieusement. Ash eut conscience qu'il y ferait très noir bien avant que le soleil fût couché, trop noir pour qu'on pût y voir, ce qui serait sans doute à son avantage car ainsi quiconque s'engagerait dans le passage s'arrêterait probablement au premier coude, pensant qu'il s'agissait d'un cul-de-sac... Alors que lui-même saurait y retrouver son chemin à tâtons... s'il revenait.

Bukta occupait une position stratégique entre deux épais contreforts, derrière un rocher aplati sur lequel il pouvait appuyer le canon de son arme. Il y avait beaucoup de vides dans sa cartouchière et, dans la vallée, de nombreux chevaux fouaillés par la terreur galopaient au hasard, selle vide et rênes traînantes, leurs cavaliers gisant sur le sol. Mais les survivants s'étaient mis à l'abri et ripostaient.

Pour ce qui était de l'efficacité du tir, leurs vieilles pétoires n'étaient pas comparables au Lee-Enfield, mais elles avaient l'avantage du nombre. Pour un coup tiré par Bukta, quatre ou cinq balles venaient arracher des éclats de pierre autour de lui. Et, comme l'avait dit Ash, le temps travaillait pour leurs adversaires qui allaient sûrement recevoir du renfort.

Lui jetant un rapide regard de côté, Bukta dit :

– Va-t'en, Sahib. Tu n'es d'aucune utilité ici. Pars vite avec les autres dans les collines, c'est votre seule chance... Nous ne tiendrons pas contre une armée... Regarde tout ce qui arrive !

Mais Ash l'avait déjà vu. C'était une armée en effet qui survenait au galop depuis le fond de la vallée. Le soleil couchant faisait étinceler les lances, les cimeterres et les *jezails*. A en juger par le nuage de poussière

126

que soulevaient les arrivants, la moitié des forces militaires de la principauté avaient été envoyées sur les traces de la Rani et de ses sauveteurs. Ces renforts avaient encore un long chemin à faire, mais ils n'auraient que trop vite rejoint ceux qui tiraient sur Bukta.

Une balle s'écrasa contre la paroi rocheuse, à quelques centimètres de la tête de Ash, qui se baissa davantage en disant précipitamment :

– Tu sais bien, Bukta, que nous ne pouvons partir sans un guide. Alors je vais rester ici à ta place, tandis que tu emmèneras les autres. Va vite!

Bukta ne perdit pas de temps à discuter et, tout en secouant la poussière de ses vêtements, il recommanda à son remplaçant :

– N'en laisse aucun approcher trop près, Sahib. Tiens-les à distance et tire aussi souvent que tu le peux, de façon qu'ils soient dans l'impossibilité de savoir combien nous sommes. Quand il fera nuit, mets-toi en route et, si je le peux, je reviendrai au-devant de toi.

– Tu vas devoir emmener un des chevaux, car si Manilal est blessé...

– Il est mort... Et sans lui, aucun de vous n'aurait survécu, car ces chiens de Bhitor étaient pratiquement sur vos talons... Ils vous auraient rejoints avant que vous n'ayez eu le temps de mettre pied à terre et moi, j'étais dans l'impossibilité de tirer sans risquer de blesser l'un de vous. Mais Manilal est allé droit sur ceux qui venaient en tête, les faisant choir en même temps que lui. Comme il était étendu par terre, l'un de ces porcs lui a coupé la tête. Puisse-t-il renaître prince et guerrier! Je reviendrai te chercher quand la lune se lèvera. Si tu ne me vois pas revenir...

Il n'acheva pas sa phrase, se bornant à hausser les épaules avant de disparaître dans le passage. Ash se mit à plat ventre derrière le rocher servant d'appui à ses deux armes.

Quoique plus proches maintenant, les renforts étaient encore hors de portée. Mais l'un de ceux qui les attendaient, constatant que deux minutes s'étaient écoulées sans qu'un coup de feu fût parti d'entre les rochers, estima pouvoir se risquer à découvert. La carabine de Ash l'abattit net. Après quoi, ses camarades eurent soin de garder leurs têtes à l'abri, ce qui ôta toute précision à leur tir. Ash en profita pour concentrer son attention sur les arrivants.

Sa carabine de cavalerie permettait de bien viser jusqu'à trois cents mètres; au delà, cela devenait beaucoup plus une question de chance que d'habileté dans le tir. Mais, se rappelant le conseil de Bukta, Ash tira vers les cavaliers et, comme ils étaient une cinquantaine chevauchant à dix ou douze de front, il fit mouche. Il ne sut pas s'il avait atteint un cheval ou un homme, mais il vit le peloton se désintégrer comme par magie; ayant tiré de toutes leurs forces sur les rênes, certains cavaliers furent percutés par ceux qui arrivaient derrière eux, tandis que d'autres dégageaient de côté et faisaient demi-tour pour se mettre hors d'atteinte.

En continuant de tirer, Ash ajouta à la confusion; il rechargeait pour la sixième fois quand une main lui toucha l'épaule. Il se retourna vivement et s'exclama :

– *Sarji!* Dieu! Que tu m'as fait peur! Qu'est-ce qui te prend?! Ne t'avais-je pas dit...

Il s'interrompit en découvrant Gobind derrière Sarji.

Des balles sifflèrent au-dessus de sa tête, mais il n'en eut cure :

– Qu'y a-t-il? Qu'est-il arrivé?

– Rien, dit Sarji en tendant la main pour lui prendre la carabine. Nous avons simplement estimé que c'était

128

à toi de partir en avant avec la Rani-Sahiba, car si... si les choses tournaient mal, toi qui es un Sahib sauras mieux parler aux autres Sahibs pour obtenir que le Gouvernement fasse justice. Bukta considère aussi que c'est plus sage. Il veillera à ce que vous arriviez à bon port. Alors laisse-nous et va vite les rejoindre...

— Mais Gobind ne sait pas se servir d'un fusil! Il...

— Je suis à tout le moins capable de charger les armes et, en ayant deux à sa disposition, votre ami pourra tirer plus vite, ce qui donnera peut-être à croire aux autres que nous sommes plus nombreux... auquel cas ils se montreront moins hardis. Allez vite rejoindre la Rani, Sahib. Soyez sans crainte en ce qui nous concerne : il va faire bientôt nuit et, d'ici là, nous sommes capables de défendre cette position contre tout Bhitor. Tenez, prenez ça et partez vite! conclut Gobind en glissant un petit paquet dans la main de Ash.

A voir leurs visages, Ash comprit qu'il discuterait en vain. D'ailleurs, ils avaient raison. Il se contenta donc de leur dire :

— Soyez prudents!

— Pars tranquille, lui répondit Sarji.

Leurs mains s'étreignirent vigoureusement tandis qu'ils échangeaient un bref sourire pincé. Gobind eut un hochement de tête en guise d'adieu, et Ash les quitta aussitôt.

Il y eut une nouvelle manifestation bruyante de l'ennemi; tandis que Ash se mettait à courir, il entendit le fusil de chasse riposter.

A présent qu'il ne transportait plus d'armes ni de munitions, le jeune homme eut vite rejoint Bukta et Anjuli. En un clin d'œil, il fut sur Dagobaz et fit asseoir Juli derrière lui, puis il partit au petit galop guidé par le poney de Bukta, aussi agile qu'un chat. Ce fut seulement lorsqu'ils commencèrent à prendre un peu de hauteur qu'il se rappela le paquet donné par

Gobind. Il vit alors que c'étaient les lettres écrites par lui la veille au soir. Toutes ses lettres. Et il comprit ce que cela signifiait.

Bukta les avait menés directement au seul endroit de ces collines désolées où ils pussent étancher leur soif afin d'avoir la force de continuer. Mais cela devait être fatal à l'un d'eux...

Si Dagobaz n'avait pu voir l'eau, il avait dû la sentir; or, lui aussi était très fatigué et assoiffé. Le poney de Bukta, habitué à la montagne et qui, ce jour-là, n'avait manqué ni d'eau ni de repos, descendit agilement la pente abrupte. Mais, à cause de sa soif, Dagobaz voulut aller trop vite et il n'avait pas le pied sûr comme le poney... Avant que Ash ait pu faire quoi que ce soit pour le retenir, il dérapa et se mit à glisser dans un éboulement de terre et de pierres, entraînant Ash dans sa chute jusqu'au bord de l'eau.

Anjuli, elle, avait sauté à temps, Ash ne souffrait que de quelques éraflures et contusions légères, mais Dagobaz ne put se remettre debout : son antérieur droit était fracturé et l'on ne pouvait plus rien pour lui.

Tout d'abord, Ash refusa d'y croire. Quand il dut s'en convaincre, il prit entre ses bras la tête du cheval, où la sueur traçait des rigoles dans la poussière; la serrant contre sa joue, il se mit à pleurer comme il ne l'avait encore fait qu'une seule fois dans sa vie, le matin où Sita était morte.

Ash n'aurait su dire combien de temps il resta ainsi, mais une main le prit par l'épaule et Bukta lui dit gravement :

– Assez, Sahib! La nuit tombe, et il nous faut partir d'ici tant que nous y voyons encore un peu. Nous ne pouvons camper que plus haut, à un endroit où nous serons davantage en sécurité.

Ash se leva en chancelant et resta un instant ou deux les yeux clos, luttant pour recouvrer le contrôle de ses nerfs. Puis il se baissa pour ôter le mors et le harnais, afin que Dagobaz se sentît plus à l'aise. Vidant le contenu tiède de sa gourde, il s'en fut la remplir dans l'eau fraîche du bassin. Ne pensant plus à lui-même, il se disait que la soif qui avait conduit Dagobaz au désastre, pouvait à tout le moins être étanchée. Le cheval était comme hébété par la souffrance, mais il but l'eau avec avidité; lorsque la gourde fut vide, Ash la tendit à quelqu'un par-dessus son épaule sans même tourner la tête. Ce n'était pas Bukta qui se trouvait derrière lui mais Anjuli et elle alla plusieurs fois remplir la gourde.

Bukta regardait avec inquiétude la clarté décliner; quand il vit que Dagobaz n'avait plus soif, il s'avança en disant :

– Laisse-moi faire, Sahib. Je te promets qu'il ne sentira rien. Mets la Rani-Sahiba sur mon poney et éloigne-toi d'ici.

A quoi Ash lui répondit un peu rudement :

– Inutile. Si j'ai pu tirer sur une jeune femme que je connaissais bien, je dois sûrement pouvoir en faire autant pour mon cheval.

Tout en parlant, il avait sorti son revolver, mais Bukta tendit la main vers l'arme en disant d'un ton grave :

– Non, Sahib. Il vaut mieux que ce soit moi.

Ash le regarda un moment puis, avec un grand soupir, il acquiesça :

– Oui, tu as raison. Mais il te faut le faire tant que je suis là, car si je m'éloigne, il va essayer de se lever pour me suivre.

Bukta hocha la tête. Ash lui donna alors son revolver et il s'agenouilla pour chuchoter des mots de tendresse à l'oreille de Dagobaz qui, en réponse, frotta son museau contre lui. Quand la détonation retentit, le cheval eut un sursaut. Et ce fut tout.

Ils s'arrêtèrent seulement lorsque Juli, endormie en selle, faillit tomber. Ils venaient d'atteindre la crête des collines mais, même là, Bukta insista pour qu'ils continuent jusqu'à un cercle de rochers.

— Ça n'est pas très confortable, dit-il alors, mais ici vous pourrez dormir en toute tranquillité : même un serpent ne réussirait pas à s'approcher sans faire rouler ces éboulis, et le bruit vous éveillerait aussitôt.

Il creusa la terre entre deux rochers, et ménagea ainsi pour Juli une sorte de nid où il disposa son tapis de selle. Cela fait, il exhiba de quoi manger pour tout le monde : des *chuppattis* préparés par lui le matin même, du riz froid, plus des *pekoras* que Sarji avait achetés en hâte à Bhitor et transférés dans les sacoches du poney lorsque Gobind et lui avaient décidé de rester en arrière-garde.

Quand ils eurent mangé, Anjuli se pelotonna dans le creux que lui avait préparé Bukta, et s'endormit presque immédiatement. Le vieux *shikari* eut un grognement approbateur et engagea Ash à suivre son exemple.

— Tu vas retourner les chercher? lui demanda le jeune homme.

— Bien sûr. Il est entendu avec eux qu'ils m'attendront près du *nullah* et que je rebrousserai chemin dès que je t'aurai amené ici avec la Rani-Sahiba.

— A pied?

— Oui, ça ira plus vite. A cheval, il me faudrait attendre que la lune se lève, ce qui ne se produira pas avant une heure encore. D'ici là, j'espère être en vue du *nullah*. Qui plus est, un homme ne peut conduire deux chevaux à travers ces collines. Alors, étant moi-même à pied, si l'un de tes amis est blessé ou exténué, il restera en selle tandis que je tiendrai la bride de son cheval. Si tout va bien, nous devrions être de retour avant minuit, ce qui nous permettra de repartir aux premières lueurs de l'aube. Alors dors tant que tu en as la possibilité, Sahib.

Ash s'était éveillé un moment plus tôt. Constatant que Bukta n'était pas de retour, il se retourna vers Juli qui dormait toujours. Il fut surpris de n'éprouver rien de ce que sa proximité aurait dû susciter en lui.

Elle était là, toute proche, enfin libérée des liens qui l'asservissaient à un odieux mari et une sœur trop adorée. Or, au lieu d'exulter, voilà qu'il pensait simplement « Pauvre Juli », en la plaignant parce qu'elle avait beaucoup souffert. Mais il avait aussi de la peine pour lui-même, parce qu'il avait tué la petite Shu-shu, et provoqué indirectement la mort tant de Manilal que de Dagobaz, dont les restes n'allaient pas tarder à être la proie des chacals, des vautours, et autres charognards.

Si seulement il avait pu les enterrer... ou les brûler, comme Shushila avait brûlé, de façon que leurs corps, à l'instar du sien, deviennent cendres au lieu de chairs en lambeaux et os rougis... Ce dont il souffrait le plus, c'était d'avoir dû abandonner ainsi le corps décapité du fidèle Manilal mort si héroïquement... et que la force gracieuse incarnée par Dagobaz fût la proie des carnassiers. Passe encore pour Dagobaz, mais Manilal...

Si le Destin avait permis que Manilal retourne à Karidkote pour y terminer paisiblement son existence, lui aussi eût été incinéré. Après quoi, ses cendres auraient été emportées par un torrent de montagne jusqu'à la rivière Chenab qui va se déverser dans l'Indus, lequel rejoint la mer. Ce n'était pas juste que son corps reste à pourrir ainsi sous le ciel...

Une soudaine et déplaisante pensée fit courir un frisson dans le dos de Ash.

A supposer que Bukta ait eu un accident en allant vers le *nullah*... qu'il ait fait un faux pas dans l'obscurité, chu dans un ravin, comme Dagobaz... Il gisait peut-être inanimé quelque part, ou bien se traînait péniblement à quatre pattes... Et comme les autres n'oseraient pas se risquer à partir sans lui... Combien de temps resteraient-ils à l'attendre?

Les heures qui suivirent parurent interminables au jeune homme. La nuit était si tranquille que, lorsque la brise tombait, il entendait la respiration de Juli ou, très loin, l'aboi d'un chacal; mais il avait beau tendre l'oreille pour percevoir un bruit de voix ou de chevaux, son espoir était toujours déçu. A l'approche de l'aube, le vent se leva, soufflant d'abord doucement, puis avec une force qui aplatissait l'herbe et faisait rouler de petits cailloux.

La lune pâlit, les étoiles disparurent et, à l'est, une clarté jaune se mit à rayonner... sur laquelle Ash vit se détacher une petite silhouette noire qui suivit la crête avant de descendre lentement vers la ravine.

Sans se soucier du bruit, Ash se mit à courir en appelant, tant il éprouvait de soulagement. Mais lorsqu'il fut à mi-chemin, Ash sentit son cœur se glacer. Car il n'y avait toujours qu'une silhouette. Bukta était seul et, comme il se rapprochait, Ash vit ses vêtements poussiéreux marqués de grandes taches sombres.

– Je les ai trouvés morts tous les deux...

A bout de résistance, Bukta avait peine à parler et il se laissa tomber dans l'herbe. Non, ça n'était pas son sang qui maculait ses vêtements car, à son arrivée, tout était fini.

– Quelques-uns de ces fils de chiens ont dû escalader les collines et les surprendre par derrière. Ils se sont battus dans le *nullah* et leurs chevaux ont été tués, mais je pense qu'ils ont abattu aussi bon nombre de leurs assaillants car le fond du *nullah* et le sol entre les rochers étaient rouges de sang. Par terre, il y avait tant de douilles de cartouches qu'ils ont dû certainement tirer jusqu'à la dernière... Quand je suis arrivé, ces chiens de Bhitor étaient repartis en emportant leurs morts et leurs blessés. Il n'en restait que quatre pour monter la garde à l'entrée du *nullah*...

Un bref sourire effleura le visage brun de Bukta :

– Ces quatre-là, je les ai tués avec mon couteau... L'un après l'autre et sans bruit car ils s'étaient assoupis, se croyant en sûreté... persuadés sans doute que nous n'étions que cinq – trois qu'ils avaient tués, et deux autres – dont une femme! – qui ne devaient penser qu'à fuir le plus loin et le plus vite possible. Bien sûr, j'aurais pu revenir plus tôt pour que tu ne t'inquiètes pas. Mais pouvais-je abandonner ainsi les corps de mon maître le Sirdar-Sahib, du Hakim et de son serviteur... à la merci des bêtes sauvages? Je n'en ai pas eu le triste courage; alors je les ai transportés, un à un, jusqu'à un abri abandonné qui se trouvait au bord de la rivière. J'ai dû faire quatre voyages, car je n'ai pu emporter en une fois le corps et la tête de Manilal... Quand je les ai eu rassemblés là, j'ai fait s'effondrer cet abri branlant qui avait un vieux toit de chaume tout desséché. J'ai pu édifier ainsi une sorte de bûcher où j'ai disposé les corps avant de disperser sur eux la poudre de mes cartouches. Je suis allé ensuite chercher de l'eau de la rivière et j'ai récité les prières rituelles... Puis, avec mon briquet à amadou, j'ai mis le feu. Alors, je suis parti en les laissant brûler...

Bukta poussa un gros soupir avant de poursuivre :

– Comme le chaume, le bois était vieux et bien sec... Ça flambait... Quand tout aura brûlé, j'espère que le vent portera les cendres du Sirdar-Sahib et des autres à la rivière si proche, et que les dieux permettront qu'ils s'en aillent ainsi jusqu'à la mer.

Voyant l'affliction qu'exprimait le visage de Ash, le vieil homme lui dit avec douceur :

– Ne sois pas triste, Sahib. Pour nous, la mort est peu de chose... une halte brève au cours d'un très long voyage, durant lequel nous continuerons à renaître et mourir jusqu'à ce que nous atteignions le Nirvana. Alors pourquoi pleurer ceux qui ont franchi une nouvelle étape vers ce but?

Comme Ash continuait de se taire, le *shikari* soupira de nouveau. Il avait été très attaché à Sarjevar et ce qu'il venait d'accomplir avait de quoi exténuer un homme bien plus jeune que lui. Il aurait aimé rester là et se reposer, mais ça n'était pas possible. Alors il se remit péniblement debout, en disant d'une voix rauque :

– Viens, Sahib, nous perdons du temps. Nous avons encore beaucoup de chemin à faire; or désormais toi et moi devrons aller à pied, car il ne nous reste plus que le poney.

Toujours sans prononcer une parole, Ash le suivit dans le jour naissant.

## 44

Le bruyant départ de Ash avait réveillé Anjuli et les deux hommes la trouvèrent qui les attendait. Ses yeux s'agrandirent à la vue des taches de sang qui maculaient les vêtements du *shikari* et le visage hagard de Ash était suffisamment éloquent pour qu'elle n'eût pas à poser de questions. Comme elle faisait mine d'aller leur chercher à manger, Bukta la retint en disant qu'on mangerait plus tard car, des hommes étant sur leurs

traces, il importait de partir au plus vite. Il ramassa les
sacoches et Anjuli le suivit jusqu'à l'endroit où le
poney entravé broutait paisiblement. Mais quand Ash
lui dit de monter en selle, la jeune femme s'y refusa en
objectant que Bukta était exténué, et qu'ils avance-
raient plus vite si c'était lui qui était sur le poney;
elle-même, après une bonne nuit de repos, pouvait très
bien marcher.

Le *shikari* n'avait même pas essayé de discuter car,
somme toute, c'était la solution la plus raisonnable. Ce
fut seulement lorsque le soleil du matin les accabla et
que Juli donna des signes de fatigue, qu'il se déclara
suffisamment reposé pour continuer à pied. A midi, ils
s'arrêtèrent un moment afin de prendre leur frugal
repas, et le vieil homme en profita pour s'assoupir
quelques instants dans l'ombre d'un large surplomb
rocheux.

Après ce petit somme, ils se remirent en route et,
chaque fois qu'ils franchissaient un sommet, Bukta se
retournait pour voir s'il apercevait des poursuivants. Il
ne voyait rien bouger, sauf dans le ciel cuivré où se
mouvaient des points noirs : les vautours qui, sans
doute dérangés dans leur repas, attendaient en tour-
noyant le départ des intrus.

— Ils ont dû trouver le bassin, marmotta le guide. Ils
savent donc maintenant qu'il nous reste un seul cheval
pour trois, ce qui nous contraint à n'avancer qu'au pas
d'un marcheur. Souhaitons qu'ils s'attardent à se
reposer en étanchant leur soif, puis se disputent pour
savoir lequel d'entre eux aura ta selle et ton harnachement.

Ce fut peut-être ce qui se produisit; en tout cas,
lorsque les ombres violettes s'étendirent à nouveau au
flanc brûlé des collines, il n'y avait toujours personne
en vue. Bukta se sentit rassuré au point d'allumer ce
soir-là un feu pour faire cuire des *chuppattis* et dissua-

der éventuellement un léopard de s'approcher. Cela lui permit aussi de faire sécher ses vêtements, après qu'il les eut lavés pour faire disparaître les taches de sang.

Mais comme, de toute façon, ils étaient trop exténués pour bien se reposer, Ash et Bukta se relayèrent afin de monter la garde. Ils se remirent en marche à la pointe de l'aube et cette nouvelle journée fut une répétition de la précédente, sauf qu'ils se pressèrent moins et ne s'immobilisèrent pas si souvent pour regarder derrière eux. Le lendemain matin, au lever du soleil, ils franchirent la frontière.

Trois jours plus tard, Ash et Bukta étaient de retour dans la maison de Sarji, qu'ils avaient quittée de façon si précipitée moins de trois semaines auparavant. Anjuli n'était pas avec eux car, durant leur dernière nuit dans la jungle, Bukta avait prodigué quelques sages conseils à Ash pendant que la jeune femme dormait.

Pensant à l'avenir, il estimait plus sage de ne pas révéler l'identité de la Rani-Sahiba. Cela ne lui attirerait en effet aucune sympathie, car beaucoup d'hommes approuvaient secrètement les vieilles coutumes et eussent souhaité que leurs veuves deviennent des satî; d'autres considéraient une jeune veuve comme une créature de mauvais augure – puisqu'elle avait causé certainement la mort de son mari – et presque aussi indigne qu'une esclave.

Bukta jugeait également préférable de ne pas dire la vérité touchant la mort du Sirdar Sarjevar. Mieux valait que sa famille et ses amis restent dans l'ignorance de ce qui s'était passé à Bhitor.

– Il ne faut pas oublier, déclara-t-il à Ash, que non seulement vous avez pénétré en fraude sur le territoire de la principauté dans l'intention d'enlever les veuves du défunt Rana, mais aussi poignardé un des gardes du corps royaux, agressé, ligoté et bâillonné plusieurs personnes, emmené la Junior Rani, tiré sur les soldats qui essayaient de s'opposer à cet enlèvement et tué un grand nombre d'entre eux. Pour ma part, je n'ai aucune envie d'être traîné devant un magistrat-Sahib pour y répondre de telles accusations, qui me vaudraient de passer le reste de mes jours en prison ou d'être pendu. Nous savons que les Bhitoris ne reculeront devant aucun mensonge et que, même si on ne les croyait pas, les Sahibs diraient que nous n'avions pas le droit de nous substituer à la justice en tuant ces porcs. Toi, tu t'en tirerais peut-être avec une sévère admonestation de tes chefs, mais pour moi, je le répète, ce serait au mieux la prison. Et si j'étais relâché, les Bhitoris ne me laisseraient guère le temps de savourer ma liberté recouvrée. C'est pour eux un point d'honneur après ce que nous leur avons fait. Alors s'ils venaient à connaître l'identité de ceux qui...

— Ils connaissent le nom du Hakim-Sahib, et sans doute aussi celui de Manilal.

— Oui, mais ces deux-là étant de Karidkote, les Bhitoris supposeront que leurs complices venaient également de là-bas. Ils n'ont aucune raison de penser que tu puisses être un officier-Sahib de *rissala*, cantonné à Ahmadabad. Et ils ne chercheront pas à se venger sur la famille de la Rani, trop puissante... et aussi trop éloignée de Bhitor. En revanche, s'ils venaient à savoir que la Rani-Sahiba se trouve au Gujerat, sa vie ne vaudrait pas cher!

— Tu as raison, acquiesça pensivement Ash, nous ne pouvons dire la vérité. Mais il nous faut raconter des mensonges qui se tiennent. En ce qui nous concerne personnellement, nous dirons que toi, moi, et ton maître le Sirdar étions allés chasser dans la jungle, comme nous l'avions déjà fait bien des fois, mais qu'il s'est tué avec son cheval en tombant dans un ravin; moi-même, je ne m'en suis tiré que par miracle et j'y ai perdu mon cheval. Nous dirons en outre ce qui se trouve être la vérité : ne pouvant ramener son corps, nous l'avons brûlé près d'une rivière qui emportera ses cendres jusqu'à la mer.

– Mais la Rani-Sahiba ? Comment expliquer sa présence ?

Ash réfléchit pendant quelques minutes, puis dit :

– Le mieux sera de la faire passer pour une jeune veuve, parente de Gul Baz, mon porteur. Demain, quand nous serons sortis de cette jungle et pourrons acheter des vivres, tu chercheras un endroit où la Rani-Sahiba et moi demeurerons cachés pendant que tu t'en iras au cantonnement, sur le poney, chercher Gul Baz... ainsi qu'une *bourka* comme en portent les femmes musulmanes, car ce sera pour la Rani-Sahiba un déguisement qui la dissimulera presque entièrement. Je combinerai une histoire avec Gul Baz et tous deux pourront aller dans mon bungalow, tandis que toi et moi nous présenterons chez le Sirdar-Sahib avec nos tristes nouvelles.

– Et ensuite ?

– Ensuite, tout dépendra de la Rani. Elle aimait beaucoup sa sœur. Si elle accepte de garder le silence, la mort de sa sœur ne sera pas vengée, le Diwan et ses complices échapperont au châtiment. Alors, il se peut qu'elle préfère parler, en dépit des conséquences que cela risque d'avoir.

Bukta eut un haussement d'épaules et fit remarquer avec philosophie que nul ne peut prévoir ce dont une femme sera capable ou non. Il fallait espérer qu'elle se montrerait raisonnable car, pour autant qu'elle eût chéri sa sœur, celle-ci était morte et rien ne pouvait la rappeler à la vie.

Ash avait préparé des arguments pour convaincre Juli, mais il n'eut pas besoin d'y recourir car, contre toute attente, la jeune femme n'éleva aucune objection et acquiesça à tout ce qu'il suggérait, y compris de se faire passer pour une musulmane, parente de Gul Baz, bien que cela l'obligeât à rester dans les communs, derrière le bungalow.

– Quelle importance? fit-elle avec indifférence. Un endroit en vaut un autre... et, sauf de nom, j'ai déjà été une servante à tous égards.

Son acceptation causa un vif soulagement à Bukta qui s'était attendu à beaucoup de difficultés de sa part, vu sa caste et son sang royal. Aussi confia-t-il à Ash que la Rani-Sahiba était une femme non seulement courageuse, mais aussi très lucide, ce qui était beaucoup plus rare.

Aux abords de la première ville qu'ils trouvèrent sur leur chemin, Bukta fit cacher ses compagnons tandis qu'il allait sur le poney acheter des vivres et aussi des vêtements, car ceux qui leur avaient permis de quitter Bhitor eussent été par trop marquants dans le Gujerat. C'est sous l'aspect de gens de la campagne – Anjuli toujours en habits masculins, car Ash estimait cela plus prudent – qu'ils repartirent ensuite, après avoir eu la précaution de brûler les vêtements qu'ils venaient de quitter.

Vers la fin de l'après-midi, en empruntant des chemins détournés, Bukta conduisit Ash et Juli jusqu'à un tombeau en ruine qui se dressait parmi les buissons épineux et des roseaux à plumes, au milieu d'une étendue de terres incultes. Peu de gens devaient connaître l'existence de ce mausolée, car il se trouvait très à l'écart des chemins et à plusieurs milles du plus proche village. Une partie du dôme s'était effondrée, mais l'ensemble tenait encore bon. A l'intérieur, outre des flaques d'eau, vestiges de la dernière mousson, il y avait beaucoup de débris de toute sorte : branchages, plumes, pierres, etc. Bukta nettoya un coin, où il déposa des brassées d'herbe sèche qu'il recouvrit

141

ensuite avec le tapis de selle, en guise de lit pour Anjuli.

Le *shikari* déclara vouloir faire aussi vite que possible, mais qu'il ne pensait pas pouvoir être de retour avant le lendemain au coucher du soleil. S'il était retardé, qu'ils ne s'inquiètent surtout pas!

Ash l'accompagna jusqu'à la sortie des fourrés et le suivit longtemps des yeux, cheminant vers Ahmadabad au pas lent du poney fatigué.

Dans l'épaisseur du mur du mausolée se trouvait un escalier que Anjuli avait gravi; en rebroussant chemin, Ash la vit au-dessus de lui, se découpant sur le ciel et tournée vers le nord, là où se dressaient les collines. Quelque chose dans le visage de la jeune femme lui fit comprendre qu'elle ne pensait pas à sa sœur bien-aimée morte derrière ces collines, mais à d'autres monts, à l'Himalaya avec ses vastes forêts et ses pics neigeux pointés dans la transparence glacée de l'air du nord.

Bien que Ash n'eût fait aucun bruit, elle se retourna vers lui. Il eut alors intensément conscience de ce qu'elle avait dû endurer à Bhitor.

L'Anjuli qu'il avait connue et aimée, celle dont il avait gardé l'image dans son cœur tout au long de trois terribles années, avait fait place à une inconnue. Une femme très mince, au regard comme hanté, avec une mèche blanche sillonnant sa chevelure de jais, qui donnait l'impression d'avoir enduré torture, famine et prison. Avec encore autre chose, de moins définissable... Le chagrin et l'adversité n'étaient pas arrivés à briser Anjuli, mais ils la laissaient comme privée de sentiment.

Et Ash éprouvait quelque chose de comparable. Il l'aimait toujours, car c'était toujours Juli et il ne pouvait pas plus cesser de l'aimer que s'arrêter de respirer. Ce qu'il y avait de changé, c'est qu'en la

142

regardant il ne voyait plus seulement son visage, mais aussi ceux de Sarji, Gobind et Manilal, trois hommes morts pour qu'elle et lui parviennent à fuir ensemble. La tragédie de leur fin restait en lui comme une blessure ouverte et, à cet instant, l'amour paraissait chose bien dérisoire en comparaison du cruel sacrifice demandé à ses amis.

Ayant trouvé l'escalier, Ash rejoignit la jeune femme sur la partie plate du toit qui entourait le dôme effondré. Anjuli s'était de nouveau absorbée dans la contemplation des lointaines collines et quand, étendant la main, il lui toucha l'épaule, elle eut un geste comme pour le repousser. Ash laissa retomber son bras et, fronçant les sourcils, dit d'un ton âpre :

– Qu'est-ce qui te prend ? Tu n'as quand même pas cru que je voulais te faire du mal ? Ou... ou bien serait-ce que tu ne m'aimes plus ? Non, ne t'en va pas !

Il la saisit par les poignets d'une façon telle qu'elle ne put se dégager.

– Regarde-moi, Juli... Et maintenant, dis-moi la vérité : as-tu cessé de m'aimer ?

– Je m'y suis efforcée, murmura-t-elle. Mais... mais il semble que... que je ne puisse m'en empêcher...

Sa voix exprimait le désespoir, comme si elle parlait d'une maladie incurable, à laquelle il lui fallait se résigner tout en continuant de vivre. Mais Ash n'en éprouva pas un choc, car cela correspondait au malaise qu'il ressentait.

Il se rendait compte que leur amour n'avait pas cessé d'exister et continuerait toujours ; mais il était momentanément submergé par un sentiment de culpabilité et d'horreur. Il ne se raviverait pas avant qu'ils aient réussi à se libérer de ce poids accablant. Mais le temps travaillerait pour eux. Le pire était maintenant passé et ils se trouvaient de nouveau réunis... Alors, le reste pouvait attendre.

Portant les poignets d'Anjuli à ses lèvres, il posa un baiser sur chacun d'eux avant de la libérer :

– C'est tout ce que je voulais savoir. Du coup, je sais aussi que, tant que nous serons ensemble, plus rien ne pourra nous faire vraiment du mal. Tu dois t'en convaincre également. Quand tu seras ma femme...

– Ta *femme?*

– Bien sûr! T'imagines-tu que je veuille courir le risque de te perdre à nouveau?

– Ils ne te permettront jamais de m'épouser, dit Anjuli avec une certitude triste.

– Les Bhitoris? Ils n'oseront même pas se risquer à ouvrir la bouche!

– Non : les tiens... Et les miens aussi, qui auront tous la même réaction.

– Tu veux dire qu'ils nous empêcheront de nous marier? Mais ça ne les regarde pas! C'est uniquement notre affaire, à toi et moi. D'ailleurs, ton grand-père n'avait-il pas épousé une princesse des Indes, bien qu'il fût étranger et d'une autre religion que la sienne?

Anjuli soupira en secouant la tête :

– Oui, mais c'était avant que ton gouvernement n'ait affermi son emprise. A Delhi, il y avait encore un Mogol sur le trône, et Ranjit-Singh tenait le Pendjab sous sa domination. Mon grand-père était un seigneur de la guerre; ayant vaincu au cours d'une bataille l'armée du père de ma grand-mère, il prit cette dernière comme un butin, sans demander la permission à qui que ce soit. J'ai entendu dire qu'elle était consentante, car ils éprouvaient un très grand amour l'un pour l'autre. Mais les temps ont changé et cela ne peut plus se reproduire.

– Cela va se reproduire, Cœur de mon cœur. Personne ne t'empêchera de m'épouser. Tu n'es plus une jeune fille, c'est-à-dire un bien dont on dispose au mieux, sans se soucier de son consentement. Et

144

personne non plus ne m'empêchera de t'épouser.

Mais Anjuli n'en était pas convaincue. Elle n'arrivait pas à imaginer un mariage entre deux êtres de religions si différentes et, en ce qui la concernait, elle n'en voyait pas la nécessité. Pour sa part, elle était prête à passer le reste de sa vie avec Ashok sans que leur union fût légalisée par un prêtre ou un magistrat. Elle avait déjà participé à une cérémonie de ce genre, qui n'avait fait d'elle l'épouse du Rana qu'au sens légal du mot. Elle n'avait pas été véritablement sa femme, mais seulement son bien.. un bien d'ailleurs méprisé et sur lequel, la cérémonie terminée, il n'avait plus jamais daigné abaisser son regard. Sans Ashok, elle eût été encore vierge, et il était donc déjà son mari aussi bien de corps que de cœur ou d'esprit. Alors quel besoin avaient-ils de phrases creuses, ou de papiers qu'elle-même était incapable de lire? Et puis...

Elle se détourna pour regarder le soleil couchant qui dorait la cime des arbres et dit à mi-voix :

– Et puis, à Bhitor, ils m'avaient donné un surnom... Ils m'appelaient la « métisse ».

Ash eut un mouvement involontaire et, le regardant par-dessus son épaule, elle dit sans surprise :

– Oui, j'aurais dû me douter que c'était parvenu jusqu'à tes oreilles... La *Nautch* elle-même ne m'avait jamais appelée ainsi. Du vivant de mon père, elle n'osait pas. Ensuite, quand elle avait tenté quelques allusions, Nandu s'était aussitôt tourné contre elle parce que, je suppose, cela blessait sa fierté, vu qu'il était mon demi-frère. Mais à Bhitor, il n'était pas de jour que je ne m'entende rappeler ainsi ma naissance, et les prêtres m'interdisaient l'accès du temple de Lakshmi, dans les jardins du Palais de la Reine, où les épouses et les concubines du Rana allaient prier...

Sa voix s'éteignit en un murmure et Ash lui dit avec douceur :

– Tu n'as plus à te tracasser pour de telles choses, Larla. Oublie-les. Tout cela est fini pour toujours.

– Oui, c'est fini... Etant une métisse, je n'ai plus à me soucier de ce que peuvent dire les gens de ma race ou les prêtres de ma religion, puisqu'une métisse n'a apparemment ni race ni religion. Donc, à partir de maintenant, je suis une métisse, c'est-à-dire une femme sans famille, venue de nulle part... et ayant son mari pour unique dieu.

## 45

« Je vais devoir être prudent, pensa Ash. Extrêmement prudent. »

La veille au soir, après le départ de Bukta, il avait envisagé de quitter immédiatement le Gujerat avec Juli, et de ne jamais remettre les pieds à Ahmadabad. En prenant le train pour Bombay dans quelque gare perdue, bien avant que les hommes du Diwan aient eu la possibilité de retrouver leur trace, ils auraient laissé le Pendjab derrière eux, franchi l'Indus, et regagné la sécurité de Mardan.

C'était la solution qui s'imposait. Mais, justement, elle s'imposait avec trop d'évidence. C'était ce qu'on s'attendrait qu'il fasse et qu'il ne devait donc pas faire. Il lui faudrait se montrer beaucoup plus subtil... et prier le ciel de ne pas commettre d'erreur lorsqu'il prendrait une décision, sans quoi ni Juli ni lui ne vivraient assez longtemps pour regretter de s'être trompés.

Il en était là quand Anjuli l'appela pour manger. Elle avait aménagé un petit âtre dans un angle de la tombe et, avant que le feu ne s'éteigne, Ash y brûla le paquet de lettres écrites dans sa chambre de Bhitor, ces lettres que Sarji et Gobind n'avaient pas osé garder en leur possession, conscients qu'elles eussent trahi Ash si les Bhitoris les avaient trouvées sur eux. Il les regarda se carboniser et, plus tard, lorsque Juli fut endormie, il sortit s'asseoir sur un bloc de pierre, à l'entrée du mausolée, afin de réfléchir...

Il ne faisait aucun doute que le Bhitor et son Diwan eussent à cœur de venger leurs morts. Ils devaient en vouloir plus particulièrement à Juli, la juger responsable de tout. Elle et ses deux complices seraient donc pourchassés tant qu'on n'aurait pas la conviction qu'ils avaient dû mourir de soif et d'épuisement après s'être perdus dans les collines.

Les Bhitoris n'auraient eu aucune raison de penser que la Rani avait peut-être pour complice un officier-Sahib d'un régiment de cavalerie cantonné à Ahmadabad, si un capitaine-Sahib nommé Pelham-Martyn, appartenant au régiment des Guides, n'avait escorté les Ranis au moment de leur mariage et discuté avec acharnement les conditions du contrat... Or, un officier du même nom n'avait-il pas alerté les autorités d'Ahmadabad en leur disant que si le Rana venait à mourir, les Ranis périraient sur son bûcher? N'avait-il pas envoyé aussi plusieurs télégrammes à ce sujet?

Donc, très probablement, pendant que des recherches étaient effectuées du côté de Karidkote, d'autres émissaires du Diwan devaient être déjà en route pour le Gujerat. Pourtant, après mûre réflexion, Ash arriva à la conclusion que la meilleure solution – sinon la seule – était encore de se payer de toupet et de regagner son bungalow.

Juli l'y précéderait avec Gul Baz et, après quelques jours, lui-même les rejoindrait avec Bukta comme s'ils arrivaient de Kathiawar, dans la moitié sud de la péninsule, nantis d'un autre mensonge touchant la mort de Sarji et la perte des chevaux, lesquels auraient été emportés par un mascaret alors qu'ils traversaient une rivière se jetant dans le golfe de Kutch. Le chagrin, combien réel, causé par la perte d'un ami très cher – pour ne rien dire d'un cheval exceptionnel – expliquerait que Ash se fût dès lors complètement désintéressé du sort des Ranis de Bhitor.

Fort heureusement une bonne partie de son congé restait encore à courir, grâce aux vacances qu'il comptait passer avec Wally. Leur randonnée devrait être annulée, car Ash voulait demeurer une semaine environ au cantonnement, afin de vendre les choses qu'il ne souhaitait pas emporter, et avoir tout loisir de préparer son retour à Mardan. Cela montrerait, à d'éventuels observateurs, qu'il n'avait rien à cacher et ne témoignait d'aucune hâte pour quitter Ahmadabad.

A supposer qu'elle fût même remarquée, la présence d'une femme de plus dans les communs ne risquait d'éveiller aucune curiosité. Et qui se fût attendu à trouver la fille d'un Maharajah, veuve du Rana de Bhitor, vivant avec les domestiques musulmans d'un Sahib? C'était tellement inimaginable que même les Bhitoris, qui l'appelaient pourtant « la métisse », ne penseraient jamais que Juli ait pu consentir à une telle chose. Ils surveilleraient probablement Ash pendant quelques jours, observant son comportement, notant ses déplacements, et finiraient par conclure qu'il n'était pour rien dans les événements de Bhitor, son aide aux Ranis s'étant bornée à envoyer les fameux télégrammes. En recevant leur rapport, le Diwan porterait son attention d'un autre côté. Et Juli serait sauvée.

Ayant ainsi arrêté son plan, Ash s'étendit pour dormir en travers de l'entrée du mausolée, de façon que ni homme ni bête ne pussent y pénétrer sans le réveiller. La lune ne s'était pas encore levée qu'il dormait déjà. Il bénéficia d'un sommeil sans rêves, mais il n'en alla pas de même pour Anjuli.

La première fois qu'elle le réveilla en criant, Ash la trouva plaquée contre le mur, cachant son visage derrière ses bras, comme pour échapper à une horrible vision, et gémissant : « Non! Non, Shu-shu, non... » Il la serra contre lui, la berça doucement en lui prodiguant des paroles de tendre réconfort jusqu'à ce que, pour la première fois depuis leur fuite de Bhitor, elle fondît en larmes.

Moins d'une heure plus tard, elle s'agita de nouveau et cria encore le nom de Shu-shu. Cette fois, elle fut beaucoup plus longue à se calmer et le supplia de la serrer bien fort contre lui. Ce fut ainsi qu'elle se rendormit et Ash finit par s'assoupir aussi. Ils furent réveillés par le chœur joyeux des perroquets, pigeons, colombes et tisserins saluant l'aube. Quand ils eurent mangé, Ash fit part à la jeune femme du plan qu'il avait élaboré au cours de la nuit. Elle n'éleva aucune objection, semblant même approuver toutes les décisions qu'il avait prises mais, à part cela, ils n'échangèrent que peu de propos.

Vers la fin de l'après-midi, Bukta revint avec Gul Baz et deux chevaux. Anjuli se trouvait alors sur le toit du mausolée et elle ne redescendit pas, préférant laisser les trois hommes discuter entre eux. Bukta approuva le plan de Ash car, de leur côté, Gul Baz et lui étaient arrivés sensiblement à la même conclusion.

– Toutefois, dit Gul Baz, j'ai mieux à te proposer que cette histoire de fille veuve revenue vivre près de moi...

Et qui plus est, le porteur avait déjà pris certaines dispositions dans ce sens. Après avoir discuté de la situation avec Bukta, il avait estimé que le mieux était de substituer la Rani-Sahiba à la femme, timide et silencieuse, qu'il avait installée plus d'un an auparavant dans la cabane située derrière celle qu'il habitait. Cette femme s'attendait d'ailleurs à partir très prochainement, puisqu'elle savait que le Sahib et ses serviteurs allaient retourner sous peu à la Frontière Nord-Ouest. Lorsqu'elle avait conclu cet arrangement avec le porteur du Sahib, il avait été bien spécifié qu'il cesserait automatiquement lorsque Gul Baz devrait quitter Ahmadabad. Gul Baz n'avait donc anticipé que de quelques jours sur ce qui devenait inévitable.

Ce matin de bonne heure, il avait quitté le bungalow dans une *tonga*, en emmenant la femme avec lui, après avoir dit qu'elle souhaitait aller voir sa mère dans son village natal et qu'ils rentreraient très tard. En réalité, ce serait la Rani-Sahiba qui reviendrait dans la cabane, mais les autres serviteurs ne s'en apercevraient pas, car rien ne ressemble autant à une femme en bourka qu'une autre femme en bourka. Le Sahib n'avait rien à craindre de celle qui s'en allait car, outre qu'elle était d'un naturel taciturne, elle avait été très bien payée. Il n'y avait donc aucun risque qu'elle revienne au cantonnement ou même en ville, avant qu'ils fussent eux-mêmes depuis longtemps à Mardan.

— J'ai eu soin de garder une de ses bourkas, en lui disant qu'elle était trop reprisée et que j'allais lui en acheter une neuve, ce que j'ai fait. Cette bourka est vieille mais propre et, de la sorte, personne ne doutera qu'il s'agisse de la même femme, car le *shikari* m'a dit que la Rani-Sahiba était grande elle aussi. Je raconterai qu'elle est souffrante et doit rester couchée. Comme cela, elle n'aura pas besoin de parler à qui que ce soit, ni même de se montrer.

— Et quand le moment sera venu pour nous de quitter le Gujerat? demanda Ash.

— Nous y avons également pensé, répondit Bukta, et ça ne présentera aucune difficulté. Ton serviteur racontera que sa femme désire aller voir une parente au Pendjab et qu'il a décidé de l'emmener avec lui jusqu'à Delhi... Ou Lahore, si tu préfères, c'est sans importance. On sait que cette femme vit là sous sa protection depuis plus d'un an, alors que la disparition de la Rani-Sahiba date seulement de quelques jours. On ne risque donc pas de faire un rapprochement. Quant à notre retour...

Ce fut cinq jours plus tard que Ash regagna Ahma-dabad, monté sur un des chevaux de Sarji et accompagné par un syce du défunt.

Avant de repartir avec le cheval, le syce fut reçu très amicalement par Kulu Ram et d'autres. Il eut ainsi tout loisir de raconter à ses hôtes la mort de son maître, qui s'était tragiquement noyé en traversant, au moment d'un mascaret, une des nombreuses rivières se jetant dans le golfe de Kutch. Le propre cheval du Sahib s'était aussi noyé, le Sahib lui-même n'en ayant réchappé que par miracle. De toute évidence, devait rapporter plus tard Gul Baz, le syce était tout aussi convaincu que ses auditeurs de la véracité de son récit.

– Voilà donc un autre fossé de franchi, poursuivit Gul Baz. Pour le reste, tout s'est aussi très bien passé. Elle ne sort pas de la cabane, sous prétexte qu'elle se sent souffrante, ce qui doit d'ailleurs être en partie vrai, car la seconde nuit qu'elle était là, elle a crié si fort dans son sommeil que j'en ai été réveillé et me suis précipité dans la cabane, craignant qu'elle eût été découverte et qu'on tentât de l'enlever. Mais elle m'a dit que c'était seulement un cauchemar et que... (Voyant l'expression de Ash, il s'interrompit et demanda :) Cela s'était déjà produit?

– Oui, et j'aurais dû penser à t'en avertir, dit Ash qui se reprochait cet oubli.

Lui-même n'avait pas eu de cauchemars à propos de Shushila, mais elle continuait de peser sur sa conscience. Aux moments les plus inattendus, il revoyait son petit visage surgir devant lui avec une expression de reproche... Alors, ce devait être bien pis pour Juli qui, elle, l'avait aimée.

Il demanda si d'autres domestiques avaient également été réveillés, mais Gul Baz ne le pensait pas.

– Comme tu le sais, mon logement et celui qu'occupait Mahdoo-ji se trouvent à l'écart; or, la cabane de la Rani-Sahiba est située derrière eux, ce qui l'isole des baraquements où dorment les autres domestiques. Mais j'ai néanmoins acheté de l'opium afin de lui préparer une potion dont elle prend désormais une cuillerée après le coucher du soleil. Depuis lors, elle dort tranquillement, sans plus pousser de cris... ce qui est un bien car, comme prévu, on espionne le Sahib.

Gul Baz raconta que, la veille, plusieurs étrangers s'étaient présentés au bungalow, l'un pour demander du travail, un autre pour proposer des herbes et des simples, un troisième à la recherche de sa femme qui, disait-il, s'était enfuie avec le serviteur d'un Sahib. Celui-là, apprenant que Pelham-Sahib était parti vers le début du mois chasser dans le Kathiawar, avait posé de nombreuses questions...

– Qui ont toutes eu réponse, précisa Gul Baz, mais sans que cela puisse lui être d'aucun secours. Quant au marchand de simples, la chance a voulu qu'il repasse au bungalow peu après le retour du Sahib, et il a entendu tout ce que le syce racontait. Je ne pense pas qu'il se manifeste de nouveau car il a vu le Sahib revenir seul, et tout appris par le syce concernant la noyade du Sirdar Sarjevar Desai.

– Il y en aura sûrement d'autres, dit Ash d'un ton pessimiste. Je doute que le Diwan se laisse si facilement convaincre.

Gul Baz estimait que les espions se lasseraient de converser avec des gens qui ne leur apprenaient rien d'utile, et de suivre partout le Sahib pour constater qu'il allait simplement faire des visites mondaines, participer à des soirées d'adieu, ou bien à la gare pour les longs et fastidieux préparatifs de son voyage de retour à Mardan.

– Dans une dizaine de jours, ils seront convaincus qu'ils n'ont plus rien à faire ici, et nous pourrons alors prendre le *rail-ghari* pour Bombay, quitter ce maudit endroit, où veuille le Tout-Puissant que nous n'ayons jamais aucune raison de revenir!

Ash acquiesça distraitement, car il pensait à Juli, qui allait devoir passer encore dix jours dans cette cabane étouffante, en n'osant se montrer pour respirer un peu l'air du dehors, ni dormir sans l'aide de l'opium.

Selon le conseil de Gul Baz, le jeune homme circula au maximum durant les jours suivants car, même s'il n'avait pas été sur ses gardes, il aurait vite senti qu'il faisait l'objet d'une constante surveillance. C'était une question d'instinct, le même instinct qui avertit les bêtes de la jungle qu'un tigre est en chasse, ou qui réveille un dormeur dans l'obscurité silencieuse, parce qu'il n'est plus seul dans sa chambre.

Ash fit installer son lit sur le toit en terrasse du bungalow, où il était facile pour un observateur de le surveiller et de s'assurer qu'il ne ressortait pas la nuit pour aller à de secrets rendez-vous.

La nouvelle de la fin de Sarjevar et de la perte de l'incomparable Dagobaz s'était vite répandue dans le cantonnement; aussi beaucoup d'officiers ou de membres de la colonie britannique avaient-ils tenu à témoigner leur sympathie au jeune homme. Le grand-oncle du défunt, le Risaldar-Major, ému par le chagrin de Ash, lui répétait qu'il n'avait rien à se reprocher, alors que celui-ci était persuadé du contraire car il aurait facilement pu refuser de laisser Sarji l'accompagner à Bhitor.

Le fait que la famille de Sarji et ses amis n'eussent pas un seul instant mis en doute la véracité de l'histoire inventée par Bukta et lui, fut d'un grand secours pour Ash. En effet, cela donnait l'impression que tous les intimes étaient au courant de cette randonnée de chasse dans une région située bien plus loin au sud d'Ahmadabad que la frontière du Rajasthan ne l'était au nord. Ceci s'ajoutant au reste, Gul Baz constata que, à la fin de la semaine, le bungalow ne faisait plus l'objet d'aucune surveillance, et Ash eut conscience de n'être plus suivi dans ses déplacements. Il n'en continua pas moins de se comporter comme si le danger existait toujours. Quand trois jours et trois nuits se furent écoulés sans qu'on eût rien à signaler, Ash se détendit et, respirant de nouveau librement, se remit à envisager l'avenir.

Il n'avait désormais plus aucune raison de s'attarder à Ahmadabad, mais comme deux des trois dates pour lesquelles le chef de gare avait pu garantir toutes les réservations nécessaires étaient déjà passées, la troisième imposait un délai de quelques jours encore. Et, de toute façon, il restait à résoudre le problème posé par Juli.

Naguère, cela semblait plus simple : si Juli redevenait libre, il pourrait l'épouser. Or, voilà qu'elle était libérée non seulement du Rana mais aussi de Shushila, donc... Mais c'est une chose de rêver à un fait ayant très peu de chances de se produire, et une autre de se trouver brusquement confronté avec ce fait devenu réalité.

Ash avait maintenant peine à croire qu'il ait pu envisager de quitter les Indes avec Juli, pour se réfugier dans un pays étranger en se coupant à jamais de Mardan, Wally ou Zarin. Les liens qui l'attachaient aux Guides étaient trop solides pour être facilement rompus et, même pour Juli, il ne pouvait se résoudre à les trancher, en perdant du même coup Wally et Zarin. D'ailleurs, il n'avait aucune raison de le faire car, fût-il arrivé à persuader quelqu'un de le marier avec Juli, il ne l'eût jamais présentée ouvertement comme sa femme.

Ash s'en était ouvert à Mme Viccary, la seule personne à laquelle il pût se confier en toute sécurité et capable de l'écouter sans être influencée par des préjugés raciaux. Ce n'était pas de conseils qu'il avait besoin — car il se rendait bien compte qu'il ne suivrait d'autres conseils que ceux allant dans le sens qu'il souhaitait — mais de quelqu'un à qui parler, avec qui discuter de la situation, afin d'arriver à voir plus clair en lui-même. Et Mme Viccary avait répondu à son attente, n'approuvant ni ne blâmant son désir d'épouser une veuve hindoue, non plus que l'opinion de Juli quant à l'utilité d'une union légale.

— Vous comprenez, dit Ash, dès qu'on nous saurait mariés, elle ne serait plus en sécurité.

— Ni vous non plus, fit remarquer Edith Viccary. Les gens parlent, et les nouvelles voyagent vite dans ce pays.

Bhitor apprendrait avant longtemps que l'officier des Guides qui avait escorté les fiancées au moment du mariage (et qui se trouvait en garnison dans le Gujerat lorsqu'une des Ranis avait disparu après la mort du Rana) s'était marié avec une veuve hindoue. Le Diwan ne tarderait pas à faire le rapprochement et enverrait quelqu'un enquêter sur place. Après quoi, la mort de Juli ne serait plus qu'une question de jours.

— Il faudrait donc que notre union reste secrète, dit Ash.

— Vous tenez à l'épouser? Alors qu'elle-même, d'après ce que vous me dites, ne voit aucune raison de le faire?

155

– Bien sûr! Pensez-vous que je veuille l'avoir pour maîtresse ou concubine? Je désire qu'elle soit ma femme, même si cela doit demeurer ignoré. C'est quelque chose que je *me dois* de faire... Je ne peux vous expliquer...

– Ça n'est pas nécessaire, dit Edith Viccary. Si j'étais à votre place, j'éprouverais le même sentiment. Il est clair que vous devez l'épouser. Mais ça ne va pas être facile.

Le mariage étant un sacrement, expliqua-t-elle, jamais un prêtre ne consentirait à unir un chrétien à une hindoue, à moins que celle-ci ne se soit sincèrement convertie au christianisme.

– On ne peut tromper Dieu, vous savez, ajouta doucement Mme Viccary.

– Ça n'a jamais été mon intention. Mais je ne considère pas que Dieu soit anglais, ou juif, ou hindou, ou de n'importe quelle autre de ces nationalités que nous avons inventées à notre usage. Et je ne crois pas non plus qu'Il nous différencie de la sorte. Toutefois, dès que j'ai commencé à penser au mariage, je me suis tout de suite rendu compte que ni de mon côté, ni du sien, il ne se trouverait un prêtre pour nous unir. Mais je me suis dit que peut-être un magistrat...

Edith Viccary secoua la tête sans même le laisser achever. Elle connaissait le magistrat britannique local, et pouvait assurer Ash que ce M. Chadwick était bien la dernière personne qui se prêterait à une pareille chose. En outre, il ne manquerait pas de signaler cette demande de licence de mariage au Gouverneur, lequel serait non seulement scandalisé mais poserait à Ash un tas de questions embarrassantes. Et, dès lors, il n'y aurait plus de secret possible.

– Oui... Nous ne pouvons nous permettre de courir un tel risque, opina Ash d'un ton amer.

Il semblait injuste et stupide, voire inconcevable,

156

que deux personnes adultes ne puissent avoir la permission de se marier, alors que leur mariage ne causait
de tort à personne. Puisque le commandant d'un
bateau pouvait procéder en mer à un mariage sans
licence ni magistrat, il aurait dû exister à terre quelque
moyen du même genre...

— Mais oui, bien sûr! s'exclama Ash en se levant
d'un bond. Bert Stiggins... le *Morala!* Comment n'y
avais-je pas pensé plus tôt?

Le rouquin lui avait dit devoir se rendre à Karachi
« dans quelques semaines » et l'avait invité à faire la
traversée avec lui. Si le *Morala* n'était pas encore
parti...

Prenant juste le temps de baiser chaleureusement les
deux mains de Mme Viccary, complètement ahurie,
Ash se précipita hors de chez elle en criant à Kulu
Ram de lui amener son cheval. Dix minutes plus tard,
quiconque se fût trouvé dehors à cette heure torride de
la journée, aurait pu voir un Sahib galopant bride
abattue vers la ville.

Le Gujerati qui s'occupait des intérêts du capitaine
Stiggins dans la péninsule avait son bureau près de la
Porte de Daripur. Il était en plein dans sa sieste
quotidienne, lorsqu'un Sahib vint en grande hâte lui
demander si le *Morala* était déjà parti pour Karachi;
dans la négative, quand et d'où partait-il? Cette fois la
chance fut du côté de Ash, car le *Morala* n'avait pas
encore levé l'ancre, mais allait le faire dans un jour ou
deux, en tout cas avant la fin de la semaine. Le bateau
se trouvait à Cambay et si le Sahib désirait envoyer un
message...

Le Sahib le désirait effectivement, et lui fut d'autant
plus reconnaissant de la proposition qu'il n'avait pas
le temps d'écrire une lettre :

— Dites-lui que j'accepte son invitation et que j'arriverai demain. Qu'il ne parte surtout pas sans moi!

## 46

Stiggins gratta le chaume cuivré qui hérissait son menton et demeura un long moment à considérer Ash d'un air pensif, puis déclara lentement :

– Eh bien, ma foi... Je ne peux pas dire que je sois le même genre d'animal que ces types galonnés qui commandent des paquebots... ni que ce vieux *Morala* offre beaucoup de confort à ses passagers... Mais je n'en suis pas moins le seul maître à bord et il n'y a donc aucune raison pour que je n'aie pas le droit de faire exactement comme un commandant de la P. & O.

– Alors, vous allez le faire, Bert?

– Mon garçon, ça ne m'est encore jamais arrivé. Donc, je ne peux vous garantir que ce sera parfaitement légal, mais ça c'est votre affaire et non la mienne... Doucement, doucement, mon garçon! fit-il en prévenant l'accolade que voulait lui donner Ash, rayonnant de joie. Je n'ai pas dit que j'allais le faire tout de suite... Vous êtes un ami mais, même pour un ami, je n'irai pas jusqu'à prétendre que cette mare aux canards est un océan. Alors, il va vous falloir attendre que nous soyons bien au large, à mi-chemin entre ici et Chahbar. Ça fera bien meilleur effet sur le livre de bord. Ce sont mes conditions, à prendre ou à laisser.

– Où diable est Chahbar? Je croyais que vous alliez à Karachi?

– Oui... mais sur le chemin du retour, car il y a eu des modifications. Je suppose que vous étiez trop occupé de vos propres affaires pour vous aviser que la famine sévit depuis maintenant près de trois ans... et surtout dans le Sud. Voilà pourquoi je m'en vais avec une cargaison de coton à destination de Chahbar, port situé sur la côte du Mekran, pour en revenir avec un chargement de céréales. Cela fait un plus long trajet mais, au retour, je pourrai vous déposer où vous voudrez. Ça vous botte?

Ash avait espéré être marié dans les plus brefs délais, mais il comprenait le point de vue de Stiggins et, de toute façon, il n'avait pas le choix.

Le *Morala* n'avait que quatre cabines. Bien que Stiggins occupât certainement la plus belle, on n'y était pas au large et, en cette saison, on y étouffait. Mais Anjuli y passa néanmoins la première partie du voyage, car elle se révéla n'avoir pas le pied marin et eut le mal de mer pendant plusieurs jours. Quand elle se sentit mieux, le *Morala* avait franchi le Tropique du Cancer et naviguait sur une mer tachée par tout le limon qu'y apportaient l'Indus et les quatre rivières ses sœurs.

Gul Baz, qui avait insisté pour accompagner Ash, avait aussi commencé par être malade, mais il ne lui fallut pas longtemps pour se remettre. Le rétablissement d'Anjuli fut beaucoup plus lent. Elle dormait la majeure partie de la journée, car elle continuait d'avoir des cauchemars dans son sommeil et les trouvait moins terrifiants le jour que la nuit, durant laquelle elle préférait donc rester éveillée.

Ash, qui l'avait soignée et s'était constamment occupé d'elle, prit aussi l'habitude de dormir le jour, afin de pouvoir lui tenir compagnie une partie de la nuit. Mais, même lorsqu'elle ne souffrit plus du mal de mer, Anjuli continua d'être taciturne, et la moindre allusion à Bhitor la faisait se pétrifier, le regard fixe. Aussi Ash ne lui parlait-il plus que de leur avenir; il avait toutefois le sentiment que, la moitié du temps, elle n'entendait pas ce qu'il lui disait parce qu'elle écoutait d'autres voix.

Quand il lui demandait à quoi elle pensait, Anjuli se

troublait et répondait : « A rien »... jusqu'au soir où la question la surprit si brusquement que, saisie, elle dit sans réfléchir : « A Shushila. »

Certes, il était déraisonnable de souhaiter qu'elle cesse de se tourmenter au sujet de Shushila alors qu'il en était lui-même incapable, mais Ash se leva aussitôt et quitta la cabine sans un mot. Une demi-heure plus tard, ce fut Gul Baz qui frappa à la porte et entra avec le plateau du dîner, car Ash était occupé ailleurs.

Le jeune homme était allé trouver Stiggins et, fortifié par le cognac du commandant, il n'avait pas tardé à lui exposer ses soucis.

– L'ennui, Bert, c'est que, pour elle, sa sœur a toujours passé en premier. Je m'étais imaginé être le seul aimé, pensant que c'était uniquement l'affection et un très puissant sens du devoir qui la retenaient près de Shu-shu. Mais je commence à croire que je me trompais. Vous savez, je l'avais déjà incitée à s'enfuir avec moi, mais elle s'y était refusée... à cause de Shu-shu... Seigneur! ce que je peux détester ce nom!

– Vous en étiez jaloux, hein?

– Bien sûr! Ne l'auriez-vous pas été, à ma place? Bon sang, Bert, je suis amoureux d'elle et le serai toujours; s'il n'y avait pas eu sa sœur...!

– A présent que cette pauvre fille est morte, vous n'avez plus aucune raison d'être jaloux, fit remarquer le Rouquin d'un ton conciliant.

– Oh! mais si! Parce que même maintenant – à vrai dire : plus que jamais! – elle continue de se dresser entre nous. Je vous le dis, Bert : c'est comme si elle était à bord, en train de gémir et pleurnicher pour accaparer sa sœur. A certains moments, j'en arrive presque à croire que les fantômes existent, et que le sien s'acharne à nous poursuivre afin de me ravir Juli! Maintenant qu'elle est morte, j'ai peur... j'ai peur...

– Peur de quoi? demanda Stiggins en fronçant les

sourcils. Que votre Juli n'arrive pas à oublier sa sœur?
Quel mal y a-t-il à ça?

Ash vida son verre et le remplit de nouveau. Oui,
bien sûr, c'était normal que Juli n'oublie point sa sœur
et ce n'était pas de ça qu'il avait peur...

– De quoi alors?

– Eh bien, qu'elle ne puisse oublier que c'est moi
qui ai tué Shushila.

– Quoi? s'exclama le commandant, tout saisi.

– Je ne vous l'ai pas dit? Je lui ai tiré dessus.

Ash entreprit d'expliquer comment il en était arrivé
à cette extrémité; lorsqu'il eut fini, ce fut Stiggins qui
éprouva le besoin de vider son verre pour le remplir
aussitôt. Puis il déclara d'un ton pensif:

– Je me demande bien comment vous auriez pu agir
différemment, mais je comprends ce que vous voulez
dire. Sur l'instant, elle n'avait qu'une idée : épargner à
sa sœur d'être brûlée vive. Mais, à présent que c'est
passé, elle se reproche peut-être de n'avoir pas laissé la
petite mourir comme elle le souhaitait... et à vous, en
quelque sorte, d'avoir fait office de bourreau.

– Oui, c'est ce que je crains. Là-bas, elle m'a
littéralement *supplié*... Elle voulait que je tue Shushila
avant que celle-ci ne sente la morsure des flammes, et
je l'ai fait. Depuis lors, je n'ai cessé de le regretter car
je l'ai, pour ainsi dire, empêchée d'accéder à la
sainteté. Et maintenant j'ai grand peur que Juli ne
commence à voir qu'elle ne peut me regarder sans se rappeler que c'est moi qui ai tué sa Shu-shu tant aimée...

– Allons donc! fit Stiggins avec un geste expressif.

– Oh! je ne veux pas dire qu'elle m'en tienne
rigueur. Elle n'ignore pas que je l'ai fait uniquement
pour elle. Mais elle a beau se raisonner, au fond de son
cœur, elle sait très bien que je me fichais pas mal de
Shu-shu... et c'est ce qui fait toute la différence à ses
yeux.

– Oui... oui... je vois, opina lentement le commandant. Si vous aviez eu de l'affection pour cette petite et l'aviez tuée à cause de cela... ce ne serait pas la même chose...

– Hé oui... alors, ce soir, je veux me saouler pour oublier durant quelques heures...

Que ce fût l'effet du cognac ou d'avoir ouvert son cœur au Rouquin, Ash se sentit plus détendu, moins inquiet de l'avenir, bien qu'il évitât d'en parler à Anjuli. Elle était encore très amaigrie et d'une extrême pâleur, mais Ash se disait que, lorsqu'ils seraient mariés et qu'il pourrait la persuader de quitter cette cabine étouffante pour aller sur le pont respirer l'air marin à pleins poumons, son état de santé s'améliorerait tout comme son état d'esprit.

Ils furent mariés deux heures après que les rivages du Sind se furent estompés, tandis que l'étrave du *Morala* fendait l'océan en direction de Chahbar. Gul Baz, avait suivi la brève cérémonie depuis le seuil du petit salon, et il était maintenant convaincu que, dans la vie privée, le commandant du *Morala* devait être un gourou dont la sagesse égalait la sainteté.

Mahométan très pieux, Gul Baz était plein d'appréhension. Cette veuve hindoue n'était pas du tout le genre de femme qu'il s'attendait à voir choisir par le Sahib, et il désapprouvait les mariages mixtes au moins autant que Koda Dad Khan... ou M. Chadwick. Il redoutait le moment où il devrait expliquer à Koda Dad et à ses fils comment on en était arrivé là, et le rôle joué par lui dans cette succession d'événements. Pourtant, il ne voyait pas comment il aurait pu refuser son aide au Sahib ou l'empêcher de partir pour Bhitor. En dépit de quoi, tandis que le mariage était célébré, il pria pour le bonheur des époux, en suppliant le Tout-Puissant de leur accorder une longue vie et beaucoup de fils vigoureux.

Ash avait oublié d'acheter une alliance; comme il ne portait pas de chevalière, il avait finalement résolu le problème avec un bout de sa chaîne de montre, dont il avait réuni les mailles d'or pour former un anneau qu'il passa au doigt d'Anjuli. Moins de dix minutes suffirent à expédier les formalités; lorsque ce fut terminé, Anjuli regagna sa cabine, en laissant Ash recevoir les congratulations et boire le vin offert par Stiggins.

La journée était particulièrement torride et, en dépit de la brise marine, il régnait dans le salon une température avoisinant les 35°. Mais elle baisserait avec la disparition du soleil et le pont de la dunette serait d'une agréable fraîcheur pour la première nuit de leur lune de miel... à condition, bien sûr, que Juli consente à quitter sa cabine. Ash espérait réussir à l'en persuader, car il n'avait aucune envie de s'enfermer par une telle chaleur. Il était grand temps que Juli cesse de se morfondre sur la mort de Shushila et se rende compte que ça ne la mènerait à rien, qu'il valait mieux maintenant penser un peu à l'avenir. Elle avait fait pour Shu-shu tout ce qui était en son pouvoir; ce sentiment devait la réconforter un peu et lui donner le courage de tourner le dos au passé.

Quand Ash avait demandé à Stiggins de leur abandonner momentanément le pont de la dunette, l'excellent homme y avait non seulement aussitôt consenti, mais il avait fait tendre des toiles pour ménager une certaine intimité aux nouveaux époux, dont une en auvent afin de leur procurer un peu d'ombre durant la journée et les abriter de la rosée pendant la nuit.

Anjuli avait accepté de passer la majeure partie de son temps sur le pont plutôt que dans la cabine, mais avec une telle absence d'intérêt que Ash avait eu l'impression que ses pensées étaient ailleurs et que la nuit prochaine – leur première nuit d'époux – ne lui paraissait pas devoir être différente des autres... Alors,

163

la passer sur le pont ou dans la cabine, quelle importance ?

Tandis que le soleil s'apprêtait à disparaître derrière l'horizon, Gul Baz, le visage impénétrable, apporta les éléments d'un souper froid sur le pont de la dunette. Puis, tout en étendant sous l'auvent une grande *resai* où il disposa plusieurs coussins, il dit, d'une voix dénuée d'expression, que la Rani-Sahiba... pardon, la memsahib... avait déjà mangé. Le Sahib avait-il d'autres ordres à lui donner ?

Le Sahib ayant répondu négativement, Gul Baz servit le café, puis repartit en emportant le plateau du dîner auquel Ash avait à peine touché.

A l'exception du bruissement de la mer et du craquement monotone du mât accompagnant le gémissement de la voile tendue, le silence était total. Ash demeura un long moment à se laisser bercer par ces bruits légers ; ne sachant quel accueil lui réserverait sa femme, il appréhendait d'aller la rejoindre. Enfin, il s'y décida.

La petite cabine était éclairée par une lampe à pétrole, dont l'odeur empestait. Debout près du hublot ouvert, Anjuli contemplait la beauté phosphorescente de la mer et n'avait pas entendu s'ouvrir la porte. Quelque chose dans son attitude – l'inclinaison de la tête et la longue natte brune – rappela si fortement à Ash la petite Kairi-Bai, qu'il dit doucement, presque sans en avoir conscience :

– Kairi...

Anjuli fit aussitôt volte-face et, l'espace d'une seconde, elle eut une expression sur laquelle il était impossible de se méprendre : la terreur à l'état pur. La même expression que Ash avait vue, trois ans auparavant, sur le visage de Biju Ram et, plus récemment, dans le regard des cinq otages, ligotés et bâillonnés, sur la terrasse du *chattri* à Bhitor.

Il en éprouva un tel choc qu'il se sentit pâlir intensément. Le teint d'Anjuli était devenu grisâtre et elle balbutia :

— Pourquoi m'as-tu appelée ainsi? Jamais tu ne...

La voix lui manqua et elle porta les deux mains à sa gorge, comme ayant soudain peine à respirer.

— C'est, je suppose, parce que ta vue a brusquement réveillé des souvenirs... Je suis désolé... J'aurais dû me rappeler que tu n'aimais pas m'entendre t'appeler ainsi... Je n'ai pas réfléchi...

Anjuli secoua la tête :

— Oh! non, non... Ça ne me fait rien... Mais tu as parlé si doucement que j'ai cru... j'ai cru que c'était...

Elle n'acheva pas, et Ash demanda :

— Qui donc?

— Shushila, dit-elle dans un souffle.

Au delà du hublot, le bruissement de la mer sembla se mettre soudain à répéter *Shushila, Shushila, Shushila...* Alors, brusquement, Ash fut pris de colère. Claquant la porte derrière lui, il traversa la cabine en deux enjambées, saisit sa femme par les épaules et la secoua avec une telle violence qu'elle en eut le souffle coupé.

— Je ne veux plus t'entendre prononcer ce nom! dit-il en serrant les dents. Ni maintenant, ni jamais! C'est compris? J'en ai par-dessus la tête! Tant qu'elle vivait, j'ai dû m'effacer et te laisser te sacrifier à elle avec tout notre avenir. A présent qu'elle est morte, tu sembles vouloir empoisonner le reste de notre existence en ne cessant de pleurer sa chère mémoire! Elle est morte, mais tu ne veux pas l'admettre, hein? Elle continue à t'accaparer tout entière!

Il repoussa Anjuli avec une telle brusquerie qu'elle fût tombée si la cloison ne l'avait arrêtée, et il poursuivit :

– Dorénavant, tu vas laisser cette pauvre fille reposer en paix, au lieu de l'encourager à revenir te hanter. À présent, tu es ma femme, et le diable m'emporte si je consens à te partager avec Shushila! Je me refuse à avoir deux femmes dans mon lit, même si l'une d'elles n'est qu'un fantôme. Alors, choisis : moi ou Shushila; tu ne peux nous avoir tous les deux. Et si Shu-shu continue d'avoir pour toi plus d'importance que moi, ou si tu me reproches de l'avoir tuée, alors il te vaut mieux retourner auprès de ton frère Jhoti, en faisant comme si tu ne m'avais jamais connu et encore moins épousé!

Anjuli parut n'en pas croire ses oreilles. Quand elle put de nouveau parler, elle dit d'une voix mal assurée :

– C'est donc ça que tu crois!

Et soudain elle se mit à rire, un rire suraigu, hystérique, qui secoua son corps émacié aussi violemment que Ash l'avait fait.

– Se peut-il que tu sois aussi stupide? s'exclama-t-elle enfin.

Elle se pencha vers lui; à présent, ses yeux n'étaient plus comme éteints, mais brillants de mépris.

– N'as-tu donc parlé à personne lorsque tu te trouvais à Bhitor? Tu l'aurais dû, afin d'apprendre la vérité, car je ne puis croire que ça ne se soit pas su jusque dans la rue. Et même dans le cas contraire, le Hakim-Sahib aurait dû le savoir, lui, ou à tout le moins s'en douter. Or *toi*... toi, tu pensais que c'était sur elle que je pleurais!

– Sur quoi alors? lui lança Ash avec rudesse.

– Sur moi. Sur mon aveuglement et ma stupidité qui m'ont empêchée de voir ce dont j'aurais dû me rendre compte voici bien des années... sur ma vanité de me croire indispensable à Shushila... Tu ne peux savoir ce que j'ai enduré... personne ne peut même l'imaginer! Lorsque Geeta est morte, je n'ai plus eu personne à qui me fier... *personne!* Il y a eu des moments où j'ai cru devenir folle... d'autres où j'ai voulu me tuer... Mais on m'en a empêchée, parce qu'elle ne voulait pas que je lui échappe en mourant. Tu m'avais mise en garde, un jour, me rappelant qu'elle était la fille de la *Nautch.* Je ne l'ai jamais oublié; mais je n'avais pas voulu t'écouter... pas voulu te croire...

La voix lui manqua. La prenant par les mains, Ash la guida vers le siège le plus proche et lui versa un verre d'eau. Quand elle eut fini de boire, il s'assit au bord de la couchette, en face d'elle, et lui dit calmement :

– Il ne m'était jamais venu à l'idée que nous pussions être victimes d'un malentendu. Raconte-moi tout, Larla.

## 47

C'était une longue et sinistre histoire. En l'écoutant, Ash ne s'étonnait plus que la veuve qu'il avait fait s'enfuir de Bhitor ressemblât si peu à la fiancée qu'il y avait conduite, à peine deux ans auparavant.

Car il ne s'était pas trompé au sujet de Shushila. Elle était bien la digne fille de Janoo-Rani, l'ex-*Nautch* qui n'avait jamais toléré qu'on fît obstacle à ses désirs et n'hésitait pas à éliminer quiconque se trouvait sur son chemin.

– C'est seulement vers la fin que je m'en suis rendu compte, dit Anjuli. Et bien des choses ne me sont apparues clairement que lorsque j'étais cachée dans cette cabane derrière ton bungalow, où je n'avais rien d'autre à faire que penser et me souvenir.

» Geeta et mes deux suivantes, ainsi qu'une servante Bhitori qui me voulait du bien, me répétaient tout ce qu'elles entendaient. Une autre aussi, cette horrible créature que tu as laissée bâillonnée et ligotée dans le *chattri*, me rapportait tout ce qu'elle supposait devoir m'être pénible. Mais je n'arrivais pas à penser du mal de Shushila... ça m'était impossible. Je la croyais dans l'ignorance des choses que l'on faisait en son nom, et que j'imaginais avoir été ordonnées à son insu par le Rana lui-même. Je me disais que ceux qui voulaient me mettre en garde se trompaient... et que les autres inventaient des mensonges pour me faire de la peine; alors, je fermais mes oreilles aux uns comme aux autres. Mais à la fin... à la fin, j'ai bien été obligée de croire ce que j'entendais puisque c'était Shushila elle-même... ma propre sœur... qui me le disait.

» En ce qui concernait le Rana, j'aurais dû aussi me douter de ce qui arriverait, puisque cela s'était déjà produit. Mais il s'agissait alors de notre frère, Nandu. Je crois te l'avoir raconté... Nandu avait été amené à rudoyer Shushila et tout le monde pensait qu'elle lui en voudrait à mort. Au lieu de quoi, elle lui a voué une véritable adoration, au point que j'en ai même été blessée et m'en suis voulu de cette jalousie. Ce précédent ne m'a cependant pas servi de leçon. Quand elle est tombée éperdument amoureuse de ce malade pervers qu'était son mari, je n'ai pu me l'expliquer, mais j'en ai rendu grâce aux dieux, me réjouissant que ma petite sœur ait trouvé le bonheur dans un mariage qu'elle redoutait au point d'avoir tout mis en œuvre pour y échapper.

– Je peux tout croire de Shushila, dit Ash, mais quand même pas qu'elle soit tombée amoureuse du Rana. Elle jouait probablement la comédie.

– Non. Tu ne comprends pas. Shushila ignorait tout des hommes et n'était pas en mesure d'établir des différences. Comment l'aurait-elle pu quand, en dehors de son père et de ses frères – qu'elle voyait rarement – les seuls hommes à fréquenter le Zenana étaient les eunuques, tous deux vieux et gras? Elle savait seulement que le devoir sacré d'une femme est de se soumettre en tout à son mari, de le vénérer comme un dieu, de lui donner beaucoup d'enfants et – de peur qu'il ne se tourne vers des femmes légères – de lui procurer entière satisfaction au lit. Dans ce but, à ce que je sais, Janoo-Rani s'était arrangée pour qu'une célèbre courtisane fasse son éducation, afin qu'elle ne risque pas de décevoir son mari le moment venu. C'est peut-être cela qui a éveillé en elle cette fringale sexuelle que je ne soupçonnais pas... à moins qu'elle ne l'ait héritée de sa mère... En tout cas, je n'aurais pas cru qu'un homme comme le Rana, qui préférait les jeunes gens et les adolescents, pourrait la satisfaire. C'est pourtant ce qui a dû se produire car, dès après leur nuit de noces, elle a été à lui corps et âme. Ce dont j'étais loin de me douter, c'est que, à compter de cette même nuit, elle se mit à me haïr, parce que moi aussi j'étais l'épouse du Rana. Les eunuques, désireux de semer le trouble entre nous, lui chuchotaient que le Rana avait un faible pour les femmes grandes parce qu'elles ressemblaient davantage aux hommes, et que je lui avais fait une forte impression. Rien que des mensonges, mais qui avaient suscité sa jalousie; alors, même quand il me traitait comme un paria, dont le contact est une souillure, et se refusait à m'adresser la parole ou à poser les yeux sur moi, elle avait peur – et je le craignais aussi – qu'un jour il pense différemment, parce qu'il avait trop bu ou bien trop fumé de haschisch.

Cette première année avait été la pire car si Anjuli n'attendait guère de joies de sa nouvelle vie, elle n'aurait jamais imaginé que Shushila pût se tourner contre elle. Cela tenait à ce qu'elle-même avait aimé Shu-shu dès le premier instant où on l'avait chargée de cette petite fille en larmes, dont sa mère ne voulait pas. Pour Anjuli, l'affection n'était pas une chose qui se reprend, ou que l'on prodigue dans l'espoir d'une récompense, mais un morceau de son cœur que l'on donne sans retour.

Certes, elle n'était pas aveugle et avait conscience des défauts de Shushila, mais elle en rendait responsables les femmes du Zenana qui l'avaient trop gâtée, ainsi que le tempérament nerveux de la fillette et sa santé fragile. Elle n'en tenait donc pas rigueur à Shu-shu et ne risquait pas d'y voir les prémices de noirs sentiments.

La folle passion que, contre toute attente, le Rana avait suscitée chez sa jeune épouse, fit croître ces sentiments presque du jour au lendemain, comme certains champignons monstrueux sous les premières pluies de la mousson.

Ordre fut donné que « Kairi-Bai » reste désormais dans ses appartements et ne pénètre dans ceux de la Senior Rani que si elle y était expressément convoquée. Les « appartements » d'Anjuli consistaient en deux petites pièces sans fenêtres, dont les portes donnaient sur une minuscule cour intérieure entourée de hauts murs. On lui prit ses bijoux ainsi que la majeure partie de son trousseau, les voiles et les soieries étant remplacés par des vêtements de pauvres.

Rien n'était trop mesquin pour blesser celle que Shushila avait voulu à tout prix emmener avec elle mais qui, pour son malheur, avait été aussi épousée par le Rana. Anjuli passait pour n'avoir pas grand-chose qui pût séduire les hommes; c'était cependant encore trop et il convenait donc de l'affamer pour qu'elle devienne maigre et desséchée. On ne lui donnait jamais son titre et, de crainte que la fidèle Geeta et ses suivantes de Karidkote lui témoignent trop de considération, on les lui enleva, mettant à leur place

170

cette Promila Devi que Ash avait vue, réduite à l'impuissance, dans le *chattri*.

Se comportant avant tout comme une geôlière et une espionne, Promila avait rapporté que la *dai* Geeta et les deux suivantes rendaient secrètement visite à la « métisse » pour lui donner à manger. Toutes trois avaient été fouettées en conséquence et, après cela, même la vieille Geeta n'avait plus osé s'approcher des appartements de Juli. Là-dessus, Shushila avait constaté qu'elle était enceinte, et cela lui avait procuré une telle joie, en même temps qu'un sentiment de triomphe, qu'elle était redevenue la Shu-shu d'autrefois, réclamant à nouveau la compagnie de sa demi-sœur chaque fois qu'elle se sentait fatiguée ou sans entrain, et se comportant comme si elle n'avait jamais cessé de l'aimer. Mais ça n'avait pas duré...

Quelques semaines plus tard, ayant trop mangé de mangues, Shushila avait souffert de violentes coliques qui avaient provoqué une fausse couche. Elle se rendit bien compte que c'était dû à sa gourmandise, mais elle préféra se persuader que quelqu'un avait voulu l'empoisonner. Et qui pouvait être jalouse d'elle à un tel point, lui chuchotèrent les femmes de Bhitor – par crainte de voir les soupçons tomber sur l'une d'elles –, sinon l'autre épouse, Kairi-Bai ?

– Mais il se trouva que je n'avais pas eu la possibilité de toucher à ses aliments, dit Anjuli, car Shu-shu et ses suivantes étaient parties passer trois jours au Palais de la Perle, près du lac, où ni moi ni Geeta n'avions été invitées à les suivre. Il était donc impossible de nous accuser. Mais les deux suivantes venues avec moi de Karidkote n'eurent pas cette chance, car elles avaient même aidé à cueillir et laver les mangues qui provenaient des jardins du palais. Les femmes de Bhitor s'étaient aussitôt liguées pour accuser ces étrangères.

Rendue comme folle par le chagrin et la déception de n'avoir pu mener cette grossesse à bon terme, Shushila n'hésita pas à les croire et fit empoisonner les deux femmes de Karidkote.

– Ça, c'est Promila qui me l'a dit. Mais officiellement, on déclara qu'elles étaient mortes des fièvres et je fis tout pour m'en convaincre, préférant croire à un mensonge de Promila plutôt que Shushila capable d'une chose aussi horrible.

Vers la fin de l'automne, Shushila se trouva de nouveau enceinte. Mais la joie qu'elle en éprouva fut, cette fois, gâtée par la crainte de faire une deuxième fausse couche, car les débuts de cette grossesse s'accompagnèrent de nausées et de violents maux de tête. Malade et inquiète, Shushila eut de nouveau recours à sa demi-sœur, qu'on ramena auprès d'elle, toujours comme si de rien n'était.

Anjuli avait fait de son mieux, car elle continuait de croire le Rana responsable de tout ce qui lui était arrivé; certes, sa sœur ne pouvait être dans une totale ignorance, mais elle n'avait pas osé prendre parti pour son aînée de crainte que cela pousse le Rana à se montrer encore plus dur à l'avenir. Geeta aussi était rentrée en grâce, mais la vieille femme n'avait pas oublié les accusations portées contre elle après la première fausse couche et, comme sa longue expérience de *dai* lui donnait à penser que cette nouvelle grossesse serait de courte durée, elle vivait dans la terreur de s'entendre demander un remède pour soulager les migraines ou les nausées de la Rani. Cela finit par se produire et elle s'entoura alors du maximum de précautions, tant pour protéger Anjuli qu'elle-même.

– Elle me dit de paraître violemment irritée contre elle et de raconter que je refusais de lui adresser la parole, que je ne voulais même plus la voir. De la sorte, on ne pourrait nous accuser d'avoir comploté ensemble. Elle me recommanda également de ne jamais rien toucher de ce que ma sœur devait boire ou manger. Je lui obéis en tout point, car moi aussi j'étais désormais habitée par la peur.

Pour se mieux protéger, Geeta ne voulut pas user d'herbes ou de produits de sa pharmacopée. Elle en fit venir du dehors, veillant à ce que tout fût préparé par d'autres femmes et à la vue du Zenana. Mais cela ne servit à rien.

Ainsi que Geeta l'avait prévu, il y eut une deuxième fausse couche. Et, comme précédemment, Shushila se persuada que quelqu'un avait dû provoquer cet échec. Désireuses de trouver un bouc émissaire, les femmes de Bhitor parlèrent de poison et de mauvais œil. Elles auraient volontiers accusé la « métisse », ce qui leur eût permis de s'assurer la faveur du Rana en lui fournissant un prétexte pour se débarrasser d'Anjuli, mais Geeta et elle avaient si bien joué leurs rôles qu'on les croyait désormais ennemies. Geeta s'était donc retrouvée seule pour endosser la responsabilité du nouvel accident.

En dépit de toutes ses précautions, elle fut accusée d'avoir provoqué la mort du bébé avec les remèdes qu'elle avait prescrits. Au cours de la nuit qui suivit, elle fut tuée par Promila Devi et l'un des eunuques, qui jetèrent ensuite son corps du haut d'un toit afin de donner à croire qu'elle avait fait une chute mortelle.

– Sur le moment, j'ai vraiment cru à un accident, puisque Promila elle-même confirmait la chose.

Le lendemain matin, la « métisse » s'entendit annoncer que permission lui était donnée de se retirer pendant quelque temps au Palais de la Perle... où elle fut effectivement conduite, mais pour y être confinée dans une seule pièce, située par surcroît au sous-sol.

Dans cette cellule, Anjuli était complètement coupée du reste du monde, car Promila Devi ne lui parlait que très rarement. Elle ignora donc que sa demi-sœur était encore enceinte et que, cette fois, on avait tout lieu d'espérer une heureuse issue, car Shushila n'éprouvait ni migraines ni nausées. Lorsque l'enfant remua, le Zenana assura que tout se passerait bien, tandis que prêtres et devins s'accordaient à dire que ce serait très probablement un fils. Anjuli ne sut pas davantage que, le Rana étant gravement malade et ses médecins n'arrivant pas à le guérir, la Senior Rani faisait venir Gobind Dass, le Hakim de son oncle.

Anjuli n'apprit toutes ces choses que lorsqu'elle fut brusquement ramenée dans ses appartements du palais royal, et elle se demanda si elle ne devait pas ce retour à l'imminente arrivée de Gobind beaucoup plus qu'à une soudaine bienveillance du Rana. En effet, le médecin personnel de son oncle ne manquerait pas de s'enquérir de la santé des Ranis pour envoyer de leurs nouvelles à Karidkote. Il importait donc que l'on sût la Junior Rani dans le Zenana du Rung Mahal et non seule au Palais de la Perle. Mais elle ne fut toujours pas autorisée à sortir de chez elle, sauf pour aller dans la petite cour fermée.

En dehors de Promila, Nimi et les inévitables *mehtanari* (servantes chargées du nettoiement), aucune femme n'approchait Anjuli, mais elle les entendait rire et jacasser de l'autre côté des murs ou sur les toits en terrasse. Ce fut ainsi que, un soir, elle apprit la maladie du Rana et l'arrivée de Gobind Dass. Elle eut alors le fol espoir que le Hakim trouverait un moyen qui lui permette de s'enfuir.

Mais elle eut beau chercher, elle n'arriva pas à imaginer comment entrer en contact avec Gobind. Or, elle savait que le médecin, même si le Rana le tenait en très haute estime, ne serait jamais autorisé à pénétrer dans le Zenana, Shushila fût-elle à l'article de la mort. Mais, tant que Gobind était à Bhitor, elle continua d'espérer un miracle. Et par une chaude soirée, alors que les lampes venaient d'être allumées, Nimi lui remit une lettre du Hakim en lui apportant son dîner.

Anjuli devait apprendre par la suite que c'était la seconde qu'il lui écrivait car, dès son arrivée à Bhitor, le Hakim avait envoyé une lettre à chacune des Ranis, et à ces lettres étaient joints des messages de Kara-ji ainsi que de leur frère le Maharajah. Gobind avait ouvertement remis ces missives au chef des eunuques, mais toutes deux avaient été portées à Shushila, qui les avait lues, puis déchirées, chargeant le porteur d'un message verbal qui était censé émaner des deux Ranis.

La lettre qu'Anjuli venait de recevoir avait aussi été portée à Shushila mais, comme le médecin se bornait à y demander l'assurance que les deux sœurs se portaient bien, la Senior Rani avait jugé plus habile de laisser Kairi en prendre connaissance et y répondre. Si Anjuli se bornait à dire que tout allait bien de leur côté, cela satisferait le Hakim, qui n'insisterait pas davantage. Si la réponse contenait quelque chose de répréhensible, on pourrait alors l'utiliser comme preuve que Kairi-Bai complotait pour susciter des troubles entre Bhitor et Karidkote, en portant des accusations aussi bien contre son mari que contre sa demi-sœur.

Nimi avait ordre de prétendre que cette lettre lui avait été remise par un inconnu qui l'avait arrêtée au passage, alors qu'elle revenait du bazar. Il lui aurait promis beaucoup d'argent si elle la faisait tenir à la Junior Rani lorsque personne ne serait présent, et rapportait la réponse la prochaine fois qu'elle sortirait en ville. Nimi avait été dûment chapitrée : si elle ajoutait quoi que ce soit à cette histoire, qu'on lui avait fait apprendre par cœur, ou répondait aux questions qu'Anjuli pourrait lui poser, elle aurait la langue arrachée. Mais si elle s'acquittait bien de sa mission, elle serait récompensée.

Mise en balance avec la récompense, l'horrible menace aurait dû suffire à assurer l'obéissance aveugle de la messagère. Mais, pour ignorante et timide qu'elle fût, Nimi avait plus de caractère que ne lui en prêtait Shushila. Anjuli-Bai avait été bonne avec elle – ce qui était sans précédent, car même ses parents la rudoyaient – et pour rien au monde Nimi n'aurait voulu lui faire du mal. Or, il lui apparaissait avec évidence que si on l'obligeait à raconter une histoire inventée, sous peine de tortures, c'était en vue de nuire à la Junior Rani. Elle remettrait donc la lettre, mais en disant toute la vérité à sa maîtresse, laquelle serait alors juge de ce qu'il convenait de faire.

Anjuli avait craint un piège : Nimi était-elle sincère ou jouait-elle la comédie? Si cette machination était réelle, alors cela confirmerait ses craintes : Shushila lui était devenue hostile. Anjuli avait peine à s'en convaincre, mais il lui paraissait encore plus difficile de croire que Nimi pût lui mentir d'une pareille façon. La chose certaine, en tout cas, c'est qu'il lui fallait répondre à cette lettre si elle ne voulait pas que Nimi soit soupçonnée de l'avoir mise en garde.

Anjuli rédigea donc une réponse courtoise et anodine, où elle remerciait le Hakim de l'intérêt qu'il leur portait, en lui disant qu'elle était en bonne santé et que, à sa connaissance, il en allait de même pour la Senior Rani. Nimi avait porté la réponse à Shushila qui, après l'avoir lue, l'avait fait suivre à Gobind. Mais lorsque Nimi était retournée chez ses parents, elle leur avait laissé entendre que si l'un d'eux réussissait à trouver un moyen d'approcher secrètement le Hakim de Karidkote, il y aurait beaucoup d'argent à gagner en servant d'intermédiaire... idée qui lui avait été soufflée par Anjuli. On avait mordu à l'appât et, dès lors, Nimi avait porté d'autres lettres de Gobind à Anjuli, laquelle y avait toujours répondu avec une extrême prudence, de crainte que Nimi fût surveillée.

Mais Shushila ne soupçonnait rien. Depuis la réponse faite par sa demi-sœur à la première lettre, elle était convaincue que l'emprisonnement et les mauvais traitements avaient réduit celle-ci à un tel état de sujétion craintive, qu'il n'y avait plus rien à craindre de sa part. Aussi Anjuli avait-elle été informée que, à condition de ne pénétrer ni dans les jardins ni dans les appartements de la Senior Rani, elle pouvait de nouveau circuler à sa guise dans le Zenana.

Ce fut peu avant 10 heures du soir, par une chaude nuit de printemps, que Shushila ressentit les premières douleurs. Tout au long de la journée et de la nuit qui suivirent, elle ne cessa de pousser des hurlements de souffrance au point que l'une de ses femmes, épuisée par le manque de sommeil et à bout de nerfs, vint en courant dire à Anjuli que la Rani-Sahiba réclamait sa présence.

Il n'y avait qu'à obéir. Mais Anjuli était parfaitement consciente du risque qu'il y avait pour elle à pénétrer en un tel moment dans les appartements de sa sœur. Si l'accouchement tournait mal, ce serait Kairi-Bai, la « métisse » qui, par dépit, jalousie, ou pour se venger de la façon dont elle avait été traitée, aurait jeté un sort à la mère ou l'enfant.

La nouvelle *dai* était une femme pleine de compétence, mais qui ne possédait pas comme Geeta la science des remèdes. De plus, c'était la première fois qu'elle se trouvait aux prises avec une parturiente qui non seulement ne faisait rien pour aider à l'accouchement, mais entravait l'action des autres.

La Senior Rani se roulait sur sa couche en hurlant et griffait sauvagement quiconque tentait de l'immobiliser, au point que, selon la *dai*, sans l'intervention de sa demi-sœur, elle eût fini par se blesser grièvement ou devenir folle. Mais la seconde épouse tant méprisée avait réussi où toutes les autres femmes avaient échoué. Les cris s'étaient espacés, cependant que Shushila apprenait à endurer les douleurs et à se détendre lorsqu'elles se calmaient.

Enfin, peu après minuit, le bébé était né le plus aisément du monde, un beau bébé plein de vigueur qui s'était mis à crier en agitant ses poings minuscules. Mais lorsque la *dai* l'avait levé dans les airs, la consternation avait été générale car, au lieu du fils tant attendu et annoncé avec assurance par les devins, c'était une fille.

Anjuli frissonna et sa voix baissa instinctivement d'un ton :

– Lorsqu'on lui présenta le bébé, Shushila le regarda avec haine et, bien qu'épuisée par l'accouchement, elle eut la force de dire : « Je n'en veux pas. Ce n'est pas mon enfant. Emportez-le... et tuez-le! » en se tournant pour ne plus le voir. La chair de sa chair... Je n'aurais jamais cru qu'une femme puisse... Mais la *dai* m'a dit que c'était souvent le cas avec celles qui ont beaucoup souffert en travail, lorsqu'elles ne sont pas payées de leur peine par la vue d'un fils.

Exténuée, la *dai* avait administré une potion somnifère à Shushila et, dès que la drogue avait agi, un eunuque tout tremblant était allé, bien à contrecœur, apprendre au Rana malade qu'il était père d'une autre fille. Anjuli était retournée chez elle, et c'est alors qu'elle avait écrit cette lettre à Gobind, où elle le suppliait d'user de son influence sur le Rana pour qu'une infirmière *Angrezi* vienne au plus vite s'occuper de la mère et de l'enfant.

Gobind avait reçu la lettre, mais aucune Européenne n'avait été mandée à Bhitor et, de toute façon, elle serait arrivée trop tard. En effet, Shushila refusait toujours de voir le bébé, parce que, disait-elle, il était si frêle et maladif qu'il ne vivrait pas plus de quelques jours, et elle ne voulait pas se causer à nouveau du chagrin en s'y attachant.

— Je ne pense pas qu'on l'ait laissé mourir de faim car, vu sa robustesse, cela aurait pris du temps. J'espère qu'on aura trouvé un moyen plus expéditif... Mais quelles que soient les mains qui ont commis l'acte, il a été ordonné par Shushila. Et le lendemain du jour où l'on emporta le petit corps sur le terrain de crémation, trois des femmes, en sus de la *dai*, tombèrent malades et furent emmenées du Zenana en *dhoolis*... pour éviter la contagion, disait-on. Plus tard, j'entendis raconter qu'elles étaient mortes toutes les quatre. Ça n'était peut-être pas vrai, mais on ne les a jamais revues au Zenana et, comme arriva simultanément la nouvelle que le Rana avait fait une grave rechute, on eut vite fait d'oublier ces femmes sans importance.

Shushila, qui s'était vite rétablie, se refusait à croire qu'on ne pût guérir son mari. Elle avait une telle confiance dans le Hakim de son oncle qu'elle n'hésitait pas à dire que, avant un mois, le Rana serait de nouveau sur pied. Jusqu'aux tout derniers moments, elle ne put admettre qu'il était mourant. Mais alors elle voulut aussitôt aller auprès de lui pour le défendre contre la mort, le tenir dans ses bras, lui faire un rempart de son corps. Elle griffa et mordit tous ceux qui s'employèrent à l'en empêcher.

Ce dut être vers ce moment qu'elle se confirma dans l'idée de mourir et décida aussi de la conduite qu'elle adopterait vis-à-vis de sa sœur car, lorsqu'on lui apprit que son mari était mort, elle envoya immédiatement chercher le Diwan auquel, en présence du chef des eunuques et de Promila Devi qui se donna la peine de rapporter tous les détails de l'entrevue à Anjuli, elle annonça son intention de mourir sur le bûcher de son mari.

Elle suivrait le corps à pied, mais seule. La « métisse » ne pouvait être autorisée à souiller les cendres du Rana en se faisant brûler avec lui. On prendrait donc d'autres dispositions en ce qui la concernait...

Le Diwan avait acquiescé à tout, puis était allé en hâte conférer avec les prêtres et ses conseillers, pour l'organisation des funérailles. Après son départ, Shushila avait envoyé chercher sa demi-sœur.

Anjuli ne l'avait pas revue ni n'avait reçu aucun message d'elle depuis la nuit de l'accouchement. Elle s'attendait à trouver la jeune veuve en larmes, échevelée, les vêtements lacérés, entourée de pleureuses. Mais elle n'avait perçu aucun bruit en provenance des appartements de la Senior Rani et, lorsqu'elle y était entrée, il ne s'y trouvait qu'une seule personne qu'elle avait mis un moment à reconnaître...

– Je n'aurais jamais cru qu'elle pût paraître aussi méchante et *cruelle*. Et quand elle a parlé... Pire que Janoo-Bai, pire!

» Elle m'a tout dit : qu'elle me haïssait depuis l'instant où elle était tombée amoureuse du Rana, parce qu'elle ne pouvait endurer l'idée que je fusse aussi son épouse. Elle avait tout fait pour que je devienne laide et vieille avant l'âge afin que, si jamais le Rana venait à se rappeler mon existence, il se détournât aussitôt de moi avec dégoût. Elle m'avoua même avoir fait tuer mes deux suivantes et la vieille Geeta... Elle me jetait tous ces aveux à la figure, comme si me voir souffrir atténuait un peu sa propre douleur. Quand elle eut terminé, elle m'annonça son intention de devenir satî et que la dernière chose qu'il me serait donné de voir, serait son corps uni par les flammes à celui de son mari, car on avait ordre de me brûler les yeux aussitôt après avec un fer rougi à blanc.

180

Ensuite, je serais ramenée au Zenana où je finirais mes jours dans les ténèbres de l'abjection...

En achevant de prononcer ces mots, la voix avait manqué à Anjuli et, dans le silence qui suivit, Ash eut de nouveau conscience du bruit de la mer comme du relent de pétrole qui empestait la touffeur de la cabine. Mais là-haut, sur le pont, il ferait bon regarder les étoiles, qui seraient de nouveau familières car l'on avait maintenant laissé le sud dans le sillage du bateau, le sud avec Bhitor, ses dures collines de pierre et tout ce qui s'y était passé.

C'était fini. *Khutam hogia!* Shushila était morte et, pour attester qu'elle avait vécu, il ne restait plus que l'empreinte de sa petite main à la porte des Satî du Rung Mahal.

Ash respira lentement et bien à fond puis, prenant dans les siennes les mains d'Anjuli, il lui demanda avec une extrême douceur :

– Pourquoi ne m'as-tu pas raconté tout ça plus tôt, Larla ?

– J'en étais incapable... C'était comme si mon cœur et mon esprit avaient été meurtris au point de me mettre dans l'impossibilité d'endurer la moindre émotion. Tout ce que je souhaitais, c'était rester seule, tranquille, sans avoir à répondre à des questions ou devoir raconter quoi que ce fût... Je l'avais aimée si longtemps, en croyant si longtemps qu'elle me le rendait... Et puis... et puis quand je l'ai vue marcher vers le bûcher, quand j'ai deviné ce qui allait se passer lorsqu'elle comprendrait ce qu'elle avait voulu et à quoi il ne lui était plus possible d'échapper... Je n'ai pu supporter l'idée qu'elle endure une mort aussi atroce. *Ça m'était impossible !* Et pourtant, si je t'avais laissé faire ce que tu voulais, les autres ne seraient peut-être pas morts... J'avais leur sang sur la conscience et je n'aspirais plus qu'à enterrer tous ces

181

horribles souvenirs afin de me persuader que rien de tout cela n'était arrivé... Mais ils ne voulaient pas se laisser enterrer... Ils revenaient sans cesse...

– A présent, c'est fini, mon cœur, lui assura Ash en la serrant dans ses bras. Oh! mon amour, j'ai eu si peur... si terriblement peur! Tu ne peux pas savoir! Tu comprends, pendant tout ce temps, je pensais que tu pleurais Shushila et t'étais aperçue que je n'arriverais jamais à la remplacer. J'ai cru t'avoir perdue pour toujours, Larla...

La voix du jeune homme se brisa. Alors les bras d'Anjuli se nouèrent autour de son cou tandis qu'elle s'écriait :

– Non, non, je n'ai jamais cessé de t'aimer... et je t'aimerai toujours... toujours... plus que tout au monde!

Des larmes se mirent à ruisseler sur son visage, mais Ash comprit que c'étaient des larmes bienfaisantes, qui emportaient un peu des sentiments d'horreur, d'amertume et de culpabilité accumulés dans le cœur meurtri d'Anjuli, qui faisaient se relâcher enfin l'effroyable tension nerveuse qu'elle endurait depuis si longtemps. Quand elle cessa de pleurer, il lui fit tendrement lever la tête et l'embrassa. Ils sortirent enlacés dans l'obscurité semée d'étoiles puis, pour cette nuit au moins, ils oublièrent le passé, l'avenir, et tout au monde sauf eux deux.

## 48

Dix jours plus tard, peu avant le lever du soleil, le *Morala* jeta l'ancre devant Keti, dans le delta de l'Indus. Là, il débarqua trois passagers : un Pathan solidement bâti, un homme mince et glabre, dont les vêtements comme l'allure disaient qu'il était afghan, et une femme en bourka, probablement mariée à l'un ou l'autre d'entre eux.

C'est Gul Baz qui avait acheté ce costume afghan au cours d'une brève escale à Karachi, où le *Morala* avait déchargé des peausseries et des fruits secs embarqués à Chahbar, une semaine auparavant, en même temps que le blé. Cet achat avait été fait à l'instigation de Stiggins, le Sind étant un pays, en grande partie désertique, dont les habitants étaient connus pour leur manque d'hospitalité à l'égard des étrangers.

– Mais ils craignent les Afghans et ne se risquent pas à leur répondre mal. Voilà pourquoi je vous conseille de vous faire passer pour l'un d'eux.

Fut-ce le costume afghan ou tout simplement une question de chance, en tout cas le long trajet de la côte du Sind jusqu'à Attock se déroula sinon confortablement, du moins sans incident.

Un des nombreux amis du Rouquin avait loué pour eux un dundhi, embarcation à fond plat utilisée pour la navigation sur les cours d'eau. A son bord, ils avaient remonté l'Indus, d'abord à la voile puis, lorsque le vent tombait, en se faisant haler d'un village à l'autre par une équipe de coolies tirant sur une corde. Chaque soir, dûment rémunérée, l'équipe regagnait son point de départ et était remplacée par une autre. C'était le propriétaire du bateau – lequel, avec ses deux fils, constituait l'équipage permanent – qui se chargeait du paiement.

Sur les rivières, le temps s'écoulait lentement, mais encore trop vite au gré de Ash et Anjuli qui eussent souhaité que ce voyage n'ait pas de fin. Les inconvénients – nombreux – et l'inconfort leur paraissaient inexistants comparés au plaisir qu'ils avaient d'être ensemble, de pouvoir parler et de s'aimer sans crainte. La nourriture était quelconque et mal cuisinée, mais après avoir été si longtemps réduite à la portion congrue, Anjuli la mangeait avec appétit. Et Ash se réjouissait de voir sa femme perdre sa minceur squelettique pour redevenir chaque jour un peu plus belle et sereine comme elle l'avait été avant ces années passées à Bhitor.

Le Père des Rivières était profond et si large parfois qu'il avait alors davantage l'air d'un lac que d'un fleuve, car certains jours la réverbération empêchait de voir l'une ou l'autre rive. La campagne était la plupart du temps aride et désolée, mais au bord de l'eau s'élevaient des palmiers, des lauriers-roses et des tamarins, à l'ombre desquels il y avait toujours de la vie même en dehors des villes et des villages.

Commencées à bord du *Morala*, des leçons d'anglais et de pachto s'intégraient à la routine quotidienne. Anjuli était une élève très douée, dont les progrès étaient rapides. Lorsqu'ils arrivèrent en vue des collines de Kurramn, elle pouvait s'exprimer en anglais avec une aisance qui faisait honneur à son professeur et encore plus à son assiduité.

Constatant qu'ils seraient à Kala Bagh presque un mois avant l'expiration de sa permission, Ash se souvint de la tante de Zarin, Fatima Begum, dont la maison s'élevait à l'écart de la route venant d'Attock, au fond d'un jardin plein d'arbres fruitiers et entouré de hauts murs. C'était un endroit où il pourrait laisser Juli en toute sécurité. Il lui faudrait évidemment mettre la vieille dame dans la confidence, mais il était certain de pouvoir compter sur sa discrétion. Il inventerait aussi quelque plausible histoire pour satisfaire la curiosité de la maisonnée et éviter ainsi de faire jaser les domestiques.

Zarin devait pouvoir lui arranger ça. Le soir même, Gul Baz partit sur le cheval de Ash afin de rallier Mardan au plus vite. Il était chargé d'un message verbal pour Zarin et d'une lettre pour Hamilton Sahib, après quoi il rejoindrait les voyageurs à Attock. Le tout pouvait s'effectuer en trois jours. Mais il fallut presque une semaine à Ash et Juli pour arriver à Attock. En effet, après avoir durant des centaines de milles divisé ses eaux en deux, trois et parfois quatre bras, l'Indus les rassemble au-dessus de Kala Bagh où les bateaux doivent alors lutter contre toute la force du courant. Ce fut quelque six jours plus tard, et encore au clair de lune, que Ash se présenta chez Fatima Begum.

Un homme franchit la grille du jardin pour accueillir les voyageurs :

– *Stare-mah-sheh!* dit Zarin.

– *Khwah-mah-sheh,* dit Ash en lui retournant le salut.

Ayant mis pied à terre, il aida Anjuli à descendre de cheval mais, bien qu'il la sût exténuée par la chaleur, il n'eut aucun geste pour la soutenir car, en Orient, lorsqu'une femme se rend à l'étranger, elle est une silhouette anonyme à laquelle on se doit de ne prêter aucune attention. Et Ash savait que dans un pays où la chaleur incite la plupart des gens à dormir dehors, la nuit est pleine d'yeux. Pour la même raison, il ne fit aucune présentation et suivit Zarin dans le jardin, en laissant Anjuli fermer la marche, selon l'immémoriale coutume de l'Islam.

Bien qu'il fût plus de minuit, une vieille servante en qui Fatima Begum avait toute confiance attendait dans la cour intérieure, une lanterne à la main, pour guider Anjuli vers une chambre de l'étage. Lorsqu'elles eurent disparu, les deux hommes se regardèrent longuement à la clarté de la lampe à huile qui brûlait dans une niche voisine de la porte. A les voir ainsi, quelqu'un de non prévenu aurait pu croire non pas qu'ils se retrouvaient après une longue séparation, mais qu'ils se disaient adieu. Et, en un sens, c'eût été assez juste, car chacun d'eux se rendait compte avec un rien de tristesse que le garçon qu'il avait connu était parti pour toujours. Puis Ash sourit, et tout regret s'effaça. Ils s'embrassèrent comme autrefois et, prenant la lampe, Zarin conduisit l'arrivant dans une pièce où un repas froid les attendait. Ils mangèrent et parlèrent, parlèrent...

Ash apprit que Koda Dad n'allait pas très bien depuis quelque temps, mais Zarin lui avait annoncé sa venue et, s'il se sentait mieux, il se mettrait certainement aussitôt en route pour Attock. Hamilton-Sahib se trouvant en permission, Gul Baz était parti à sa recherche du côté d'Abbottabad, où sa présence avait été signalée.

– Tu lui avais donné une lettre pour Hamilton-Sahib, à remettre en main propre; alors, ne le trouvant pas au gîte, il est allé à sa rencontre. J'espère qu'ils auront fini par se rejoindre. Gul Baz ne s'inquiétait pas, sachant que je serais là pour t'accueillir. J'ai envoyé un domestique veiller sur le bateau et il s'occupera de vos bagages.

Les dernières nouvelles du régiment et de la Frontière que Ash avait reçues par Wally datant d'environ trois mois, Zarin avait beaucoup de choses à lui raconter, il l'entretint aussi de l'éventualité d'une guerre avec l'Afghanistan. Mais Ash ne parla ni de lui ni d'Anjuli, et Zarin eut grand soin de ne pas lui poser de questions : ce sujet pouvait attendre le moment où son ami jugerait bon de l'aborder, probablement le lendemain, après une bonne nuit de repos comme il n'avait pas dû en connaître beaucoup dans la chaleur accablante des gorges de l'Indus.

De fait, Ash passa une excellente nuit et, le lendemain, il relata toute la série d'événements qui avait commencé avec l'arrivée soudaine de Gobind et Manilal à Ahmadabad. Il conclut en racontant comment

186

Anjuli était devenue sa femme à bord du *Morala*, après avoir résumé tout ce qui les avait amenés à conclure cette union.

Zarin et Fatima Begum l'avaient écouté avec un extrême intérêt. Zarin s'attendait plus ou moins à quelque chose de ce genre, Gul Baz lui àyant dit que la femme pour laquelle le Sahib demandait l'hospitalité à Fatima Begum, était une veuve hindoue de haut lignage, dont une cérémonie était censée avoir fait son épouse. Mais comme cette cérémonie qui n'avait pas duré plus de cinq minutes ne ressemblait pas à un vrai *Shadi* et qu'aucun prêtre n'était présent, Gul Baz estimait qu'il n'y avait pas lieu de la prendre au sérieux. Et, bien entendu, il n'était pas venu à l'idée de Zarin que cette veuve pût être une femme qu'il connaissait, ou plus exactement qu'il avait autrefois connue : la fille de la *Feringhi*-Rani, la petite Kairi-Bai.

Que Ashok se considérât marié avec elle attrista Zarin, lequel avait espéré – afin qu'il ne se sentît plus tiraillé entre deux mondes – le voir épouser une fille de sa race qui lui aurait donné des fils robustes, de futurs officiers des Guides, car ils auraient sûrement hérité de leur père son amour et sa compréhension de l'Inde. Cette union avec Kairi-Bai faisait s'effondrer tous ses rêves : les enfants de Ash seraient non seulement de naissance illégitime mais aussi des « sang mêlé » et, comme tels, indignes d'entrer dans le régiment d'élite.

D'un autre côté, ce fut quand même un soulagement pour Zarin d'apprendre que, tout en estimant valable ce semblant de mariage à bord du *Morala*, Ash tenait à garder la chose secrète et installer sa femme dans une petite maison de Mardan où, s'il prenait toutes les précautions nécessaires, il pourrait aller la voir sans que tout le cantonnement en fût informé. Si Ash agissait ainsi, ça n'était point parce qu'il n'était pas assuré de la validité de ce mariage, mais parce qu'il craignait pour la sécurité de sa prétendue femme... ce que Zarin trouvait parfaitement justifié, vu ce qu'il se rappelait de Janoo-Rani et ce qu'il avait entendu dire de Bhitor. Il se réjouissait même de cet état de choses, qui avait empêché Ash de briser sa carrière. Personne dans son régiment, du commandant à la dernière des recrues, personne n'aurait consenti à considérer l'ex-Rani comme sa légitime épouse.

Appartenant à un autre âge, Fatima Begum ne trouvait rien d'anormal à ce que le Sahib désirât avoir une Indienne dans une tranquille petite *Bibi-gurh* à proximité de son lieu de travail. C'était là une chose très courante, avait-elle dit à son neveu, et elle ne voyait pas en quoi cela pouvait faire du tort au Sahib. Quand Zarin lui opposa qu'ils étaient mariés, elle esquissa un geste d'impatience, car elle s'était entretenue avec Anjuli, pour qui elle avait d'emblée éprouvé beaucoup de sympathie, et la jeune femme elle-même, en dépit de toutes les assurances données par Ashok, ne croyait pas que quelque chose d'aussi expéditif et dénué de cérémonial fût valable.

La tante de Zarin avait insisté pour qu'Anjuli et son mari restent ses hôtes jusqu'à l'expiration de la permission du Sahib. Elle s'était également proposée pour trouver à l'ex-Rani une maison aux abords de Mardan, où elle n'aurait aucune peine à garder secrète son identité. En effet, expliqua la Begum, nulle femme vertueuse n'irait s'inquiéter des antécédents d'une courtisane, et comme Anjuli n'entrerait pas en compétition avec les femmes vivant de leurs charmes, elle n'aurait pas non plus à redouter leur curiosité.

Le jour suivant, comme ni Koda Dad ni Gul Baz ne s'étaient encore manifestés, Ash partit vers Hasan Abdal dans l'espoir de rencontrer Wally sur la route d'Abbottabad. La maison était encore plongée dans l'obscurité quand, laissant sa femme endormie, il descendit sans bruit au rez-de-chaussée. Mais, en dépit de l'heure matinale, Zarin était déjà debout car, pour regagner Mardan, lui aussi devait partir avant le lever du jour.

Quand les deux hommes se mirent en selle, l'air était encore frais, mais on devinait qu'une autre journée torride se préparait car il n'y avait pas un souffle d'air. A la jonction du chemin de terre et de la grand-route, les cavaliers immobilisèrent leurs montures pour prêter l'oreille, dans l'espoir d'entendre un bruit d'approche qui émanerait de Koda Dad ou de Gul Baz. Mais la longue route blanche était déserte et, à l'exception des coqs qui s'éveillaient, le silence régnait.

– Ils ne doivent plus être très loin, dit Zarin, en réponse à la question informulée de Ash. Quand comptes-tu rejoindre Mardan?

– D'ici trois semaines. Donc, si ton père n'est pas déjà parti, fais-lui dire de rester à la maison et je passerai le voir dès que j'en aurai la possibilité.

– D'accord. Mais il se peut que je le rencontre en chemin; auquel cas, à ton retour, tu le trouveras t'attendant chez ma tante. Allez, il faut nous séparer. *Pa makhe da kha*, Ashok.

– *Ameen sera*, Zarin Khan.

Deux heures plus tard, comme le soleil se levait, Ash traversa Hasan Abdal puis, quittant la route de 'Pindi, il tourna à gauche pour emprunter celle qui s'en allait vers les collines et Abbottabad. Wally venait de prendre son petit déjeuner sous un bouquet d'arbres proche de la route, à l'endroit où celle-ci était coupée par une rivière, un mille environ au-dessus de la ville. Il ne reconnut pas immédiatement ce grand Afridi efflanqué qui, en le voyant, avait arrêté son cheval et mettait pied à terre.

# LIVRE SEPTIÈME

## MON FRÈRE JONATHAN

### 49

— Je suppose que c'est parce que je ne m'attendais pas à vous voir, expliqua Wally tout en bourrant son ami de thé, d'œufs durs et de *chuppattis*. Votre lettre me donnait rendez-vous à Attock, alors je n'escomptais pas vous rencontrer déguisé sur la route! J'avais toujours su que vous étiez capable de vous faire passer pour un indigène, mais je n'aurais jamais pensé que c'était au point de m'abuser moi-même... Et je n'arrive pas encore à comprendre comment c'est possible, car votre visage est à peine changé et ça ne peut pas tenir uniquement aux vêtements. Pourtant, jusqu'à ce que vous me parliez, je vous avais pris pour un indigène!

Wally aussi était en selle depuis la pointe de l'aube, ayant campé la nuit précédente près de Haripur. Il avait loué une *tonga* pour transporter depuis Abbottabad son porteur et tout son fourniment; Gul Baz — qui avait chevauché vite et longtemps durant ces derniers jours — avait été bien aise de finir la randonnée dans ce véhicule, tandis que le Sahib prenait son cheval.

Cela faisait près de deux ans que Wally et Ash ne

s'étaient revus; pourtant, en dépit de tout ce qui s'était passé depuis lors, on eût dit qu'ils s'étaient quittés la veille et reprenaient une conversation momentanément interrompue. Ash avait insisté pour que Wally lui donnât d'abord toutes les dernières nouvelles, parce qu'il se rendait bien compte que lorsqu'il aurait mis son ami au courant de ce qui lui était arrivé, ils ne parleraient plus que de ça.

En riant souvent, Ash avait donc écouté nombre de potins et d'incidents comiques ayant trait aux camarades, au régiment ou aux civils de 'Pindi. Il apprit ainsi que les Guides étaient vraiment « en très grande forme », que le commandant et quelques autres étaient « des types absolument exceptionnels » mais que Wigram Battye (récemment promu capitaine) les surpassait tous. L'expression « Wigram dit » « Wigram pense » revenait si souvent que Ash eut conscience d'en éprouver un rien de jalousie, regrettant un peu l'époque où lui-même était le « grand homme » de Wally. Mais ce temps était révolu; à présent, Wally avait d'autres dieux et s'était fait d'autres amis. Tout en l'écoutant, Ash se disait que le jeune homme n'avait pas changé, sauf sur un point : le récit de ses faits et gestes au cours des deux dernières années ne comportait aucun nom de fille. De toute évidence, Wally était maintenant amoureux des Guides et de l'Empire. Il ne rêvait plus que de marches de nuit et d'attaques à l'aube, de la discipline et de la camaraderie régnant dans un régiment toujours prêt à partir sur l'heure vers tel ou tel point de la Frontière où sa présence était nécessaire.

Ce fut seulement lorsqu'il eut absolument épuisé ce merveilleux sujet, que Wally voulut savoir ce qui avait amené Ash à se déguiser ainsi, et gaspiller une précieuse permission à transpirer dans un *dundhi* sur l'Indus, au lieu de la consacrer à la grande randonnée qu'ils avaient projetée, ou encore à aller pêcher dans la vallée de Kangan.

– J'ai demandé à Gul Baz ce que vous aviez bien pu fabriquer, mais il s'est borné à me répondre que « le Sahib avait évidemment de bonnes raisons pour agir comme il l'a fait », et que vous me les donneriez vous-même. Alors, j'attends une explication, et veillez à ce qu'elle soit bonne si vous voulez que je vous pardonne de m'avoir pareillement laissé tomber!

– C'est une longue histoire, l'avertit Ash.

– Nous avons toute la journée! rétorqua Wally, avant de rouler sa veste pour y appuyer sa tête en s'étendant confortablement à l'ombre.

Le récit fait à Wally fut sensiblement plus long que celui entendu la veille par Zarin, car Zarin, lui, connaissait Kairi-Bai et n'avait pas besoin qu'on lui dise ses antécédents, ni l'attachement qu'elle avait voué au jeune Ashok dès sa plus tendre enfance. En effet, lorsqu'il avait raconté à Wally ses années à Gulkote, Ash n'avait fait aucune mention de Kairi-Bai et, plus tard, il avait à dessein omis de lui préciser que la principauté de Karidkote, dont il avait été chargé d'escorter les princesses jusqu'à Bhitor, ne faisait qu'une avec celle de Gulkote. Toutes ces révélations stupéfièrent Wally qui ne tarda pas à se redresser en témoignant d'une vive attention, au lieu de rester paresseusement étendu.

Zarin avait écouté le récit sans guère changer d'expression, mais Wally n'avait jamais été capable de dissimuler ses réactions. Ash pouvait lire comme en un livre tout ce qu'exprimait le beau visage, ce qui l'amena très vite à comprendre qu'il s'était trompé en croyant que Wally n'avait pas changé.

Le Wally de naguère eût été captivé par ce qu'il entendait, se rangeant sans hésiter aux côtés de Ash et de la pauvre petite princesse de Gulkote qui, telle l'héroïne· d'un conte de fées, avait une méchante marâtre et une demi-sœur jalouse. Mais le Wally de maintenant s'était dépouillé de bien des sentiments puérils et, comme l'avait d'emblée pressenti Ash, il s'était épris des Guides. Désormais, il ne lui serait pas plus venu à l'esprit de faire quoi que ce soit qui pût causer du tort au Régiment dans lequel il avait l'honneur de servir, que de tricher aux cartes ou puiser dans la caisse du mess. De même, dans son exaltation de néophyte, il n'imaginait pas sort plus terrible que d'être banni des Guides. Pourtant, si Ash avait vraiment épousé une veuve hindoue, c'était ce qui lui pendait au nez!

— Eh bien? fit Ash, lorsqu'il eut terminé, en voyant que le jeune homme gardait le silence. Ne me présentez-vous pas tous vos vœux de bonheur?

Wally rougit comme une fille et dit précipitamment.

— Si, bien sûr! C'est seulement que...

Ne sachant comment terminer sa phrase, il y renonça.

— Que vous n'êtes pas encore remis de la surprise? suggéra Ash d'un ton quelque peu mordant.

— Avouez qu'il y a de quoi, non? riposta Wally, sur la défensive. Je vous souhaite beaucoup de bonheur, et j'espère que vous n'en doutez pas. Mais... mais vous êtes encore loin d'avoir trente ans; or, vous le savez comme moi, avant cet âge, vous n'êtes pas supposé vous marier sans le consentement du commandant et...

— Mais je *suis* marié, Wally, et personne n'y peut plus rien changer, dit posément Ash. Soyez toutefois sans inquiétude : je n'ai pas l'intention de quitter les Guides. L'aviez-vous sérieusement pensé?

— Mais lorsqu'ils vont le savoir...

— Ils ne le sauront pas, coupa Ash qui entreprit d'expliquer pour quelle raison.

— Dieu soit loué! s'exclama alors Wally avec dévotion. Comment avez-vous eu le front de me causer une telle peur?

— Vous ne valez pas mieux que Zarin. Bien qu'il ait connu Juli enfant et ne laisse point, comme vous, paraître ses sentiments, j'ai compris que notre mariage le choquait profondément, parce qu'elle est hindoue. Mais je vous croyais plus large d'esprit!

— Vous oubliez donc que je suis irlandais? La couleur de notre peau ne nous empêche pas d'être bourrés de préjugés. Si vous ne vous en étiez pas encore rendu compte, c'est à croire que vous êtes né avec des œillères?

— Cela tient sans doute à ce que je n'ai jamais eu moi-même ce genre de préjugé. Et ça n'est évidemment pas maintenant que je vais l'acquérir.

— Une drôle de chance que vous avez là! assura Wally en riant. (Puis, après un temps et avec une gêne inhabituelle, il demanda :) Est-ce que... Voulez-vous me parler d'elle? Comment est-elle? Non pas physiquement mais...

— L'image même de l'intégrité et de la tolérance. Juli ne juge jamais les gens : elle s'efforce de les comprendre et de leur trouver des excuses.

— Mais encore? Il doit bien y avoir autre chose...

— Certes... Même si cela pourrait paraître plus que suffisant à bien des égards. Elle est...

Ash hésita, cherchant des mots qui fussent en mesure d'exprimer ce qu'Anjuli représentait pour lui. Il dit très lentement :

— Elle est l'autre moitié de moi-même... Sans elle, je ne me sens plus complet. J'ignore à quoi cela tient, mais c'est ainsi. Pour le reste, que vous dire? Elle monte à cheval comme une Walkyrie et je ne connais pas femme plus courageuse... Ce qui ne l'empêche nullement d'être pareille à une belle chambre paisible,

194

où l'on peut se réfugier loin de la laideur et du bruit... assuré que l'on est de toujours la retrouver inchangée. Anjuli est tendre, loyale... Elle est ma paix et mon repos. Cela répond-il suffisamment à votre question?

– Oui, acquiesça Wally en lui souriant. J'aimerais la connaître.

– J'espère que ce sera chose faite dès ce soir, déclara Ash en lui rendant son sourire.

Laissant ensuite de côté leurs affaires personnelles, ils ne discutèrent plus que du problème posé par l'Afghanistan, problème qui préoccupait vivement quiconque appartenait aux forces en campagne dans le Peshawar, et dont Wally sut parler avec autant de compétence que de finesse.

Au cours de ces dernières années, l'Émir d'Afghanistan, Shir' Ali, s'était trouvé dans la peu enviable position du « blé entre deux meules », la meule du dessus étant la Russie, l'autre la Grande-Bretagne, qui toutes deux avaient des vues sur son pays.

La Grande-Bretagne avait déjà annexé le Pendjab et le territoire frontalier situé au delà de l'Indus, tandis que la Russie engloutissait de son côté les principautés de Tachkent, Boukhara, Kokand et Kiva. Des armées russes étaient maintenant massées aux frontières nord de l'Afghanistan. Le nouveau Vice-Roi (1), lord Lytton, joignait une grande obstination à une hautaine ignorance de l'Afghanistan et, pour la plus grande gloire de son pays (la sienne aussi peut-être), il était décidé à reculer encore les frontières de l'Empire. Or, il venait de recevoir instruction d'envoyer sans délai

_____

(1) Avant l'Acte de 1858, par lequel la Couronne britannique prit à la Compagnie des Indes l'administration de ses possessions, le titre officiel était Gouverneur général. Le dernier Gouverneur général et premier Vice-Roi fut Sir John Lawrence.

un émissaire vaincre « l'apparente répugnance » de Shir' Ali à voir les Britanniques installer des comptoirs dans son pays.

Que l'Émir répugnât tout autant à recevoir un autre émissaire de l'étranger, ne vint à l'esprit de personne, ou fut jugé sans importance. En retour de sa soumission, Shir' Ali aurait l'assistance d'officiers britanniques pour l'aider à développer sa puissance militaire, plus la promesse d'être soutenu par les Anglais en cas d'attaque par une tierce puissance, et aussi un subside si le Vice-Roi le jugeait à propos.

Lord Lytton avait la conviction que c'était uniquement en ayant l'Afghanistan sous influence britannique – pour transformer ce pays turbulent en Etat-tampon – qu'on pourrait neutraliser l'avancée russe et assurer la sécurité des Indes. Quand l'Émir fit des difficultés pour recevoir une mission britannique dans sa capitale de Kaboul, le Vice-Roi l'avertit qu'un refus lui aliénerait une puissance amie, laquelle était en mesure de déverser toute une armée à l'intérieur de son territoire « avant qu'un seul soldat russe ait pu atteindre Kaboul ». Cette menace eut pour effet de confirmer Shir' Ali dans son sentiment que les Britanniques cherchaient à s'emparer de son pays, pour étendre leurs frontières jusqu'à l'autre versant de l'Hindou Kouch.

Les Russes aussi pressaient l'Émir de recevoir une mission diplomatique, et chacune des deux puissances s'offrait à signer avec lui un traité comportant la promesse de lui prêter assistance si l'autre venait à l'attaquer. Mais Shir' Ali objectait, non sans raison, que s'il s'alliait avec l'une ou l'autre, ses sujets verraient certainement des objections à ce que des soldats étrangers pénètrent dans leur pays, sous quelque prétexte que ce fût, car ils avaient toujours très mal accueilli de telles interventions.

Il aurait pu ajouter, avec encore plus de véracité, que ses sujets étaient d'une farouche indépendance, très portés sur les intrigues, les trahisons et les meurtres, et avaient pour principale caractéristique de n'endurer aucune autorité, pas même celle de leurs dirigeants, dès qu'elle allait contre leurs désirs. L'insistance du Vice-Roi le mettant dans une position extrêmement embarrassante, l'Émir prit le seul parti qui s'offrît à lui : temporiser au maximum dans l'espoir que, les négociations s'éternisant, quelque chose se produise qui lui épargnerait l'humiliation de devoir accepter la présence permanente d'une mission britannique à Kaboul, car elle ne manquerait pas de lui valoir le mépris de ses fiers et turbulents sujets.

Mais plus Shir' Ali cherchait à gagner du temps, plus le Vice-Roi s'entêtait à vouloir lui imposer une mission diplomatique. Pour lord Lytton, l'Afghanistan était un pays arriéré habité par des sauvages; aussi, que l'Émir osât s'opposer à ce qu'une puissante nation comme la Grande-Bretagne fût présente en permanence dans cette contrée barbare, lui paraissait non seulement insultant mais risible.

Nur Mohammed, le Premier ministre de Shir' Ali, se rendit à Peshawar pour y exposer le point de vue de son maître; bien que malade, âgé, et indigné par les cruelles pressions exercées sur l'Émir, il s'acquitta de cette mission avec beaucoup de diplomatie, mais cela ne servit à rien. Le nouveau Vice-Roi n'hésita pas à se dégager de toutes les promesses et obligations issues des négociations avec son prédécesseur, dans le même temps qu'il accusait l'Émir de ne pas tenir ses propres engagements. Et lorsque Nur Mohammed refusa de céder, le porte-parole du Vice-Roi, sir Neville Bowles Chamberlain, se déchaîna violemment contre lui; insulté de la sorte, le Premier ministre, vieil ami de

197

l'Émir, se retira, le désespoir dans l'âme, conscient d'avoir échoué et perdu toute raison de vivre.

Les négociateurs britanniques voulurent voir dans sa maladie un prétexte pour gagner du temps. Mais, lorsqu'il était arrivé à Peshawar, Nur savait déjà ses jours comptés et, quand il mourut, le bruit se répandit dans tout l'Afghanistan que les *feringhis* l'avaient empoisonné. L'Émir fit savoir qu'il envoyait un autre émissaire pour le remplacer, mais le Vice-Roi ordonna que l'on rompe les négociations, faute d'avoir trouvé un terrain d'entente, et le nouvel émissaire dut retourner chez lui, tandis que lord Lytton s'employait à subvertir les tribus de la Frontière, dans le but de provoquer en sous-main le renversement de Shir' Ali.

Ash connaissait déjà tout cela en partie, car la Conférence de Peshawar avait commencé avant qu'il ne parte pour le Gujerat, et l'on en avait discuté avec chaleur les résultats dans chaque mess, club ou bungalow britannique, aussi bien que dans les rues et boutiques des villes comme des villages. Les Britanniques voyaient dans l'Émir le type même de l'Afghan fourbe, qui intriguait avec les Russes et projetait de signer un traité d'alliance donnant aux armées du Tsar la liberté d'emprunter la Passe du Khyber, tandis que l'opinion publique indienne était convaincue de son côté que les Britanniques complotaient pour renverser l'Émir et intégrer l'Afghanistan à l'Empire.

Dans le lointain Gujerat, Ash avait vite cessé de s'intéresser aux démêlés politiques des hautes autorités de Simla avec l'infortuné souverain du Pays de Caïn. Aussi avait-il éprouvé un choc en découvrant à travers Zarin que, dans le Nord, les gens prenaient ces choses très au sérieux et parlaient ouvertement d'une nouvelle guerre afghane.

— Mais je ne pense pas que cela aille jusque-là, dit

Wally, non sans un rien de regret. Lorsque l'Émir et ses conseillers se rendront compte que le Vice-Roi n'est pas disposé à considérer « Non » comme une réponse, ils s'inclineront et nous laisseront envoyer une mission à Kaboul, point final. Wigram dit que si l'Émir accepte de laisser une mission britannique venir à Kaboul, elle sera accompagnée par une escorte et, comme il est presque certain que Cavagnari en fera partie, il y a de grandes chances pour que les Guides fournissent cette escorte. Que ne donnerais-je pour en être! Vous vous rendez compte... Kaboul! Ne seriez-vous pas aussi prêt à tout pour y aller?

– Non, répondit Ash. Une fois suffit.

– Une fois... Oh! oui, bien sûr, vous y êtes déjà allé! Qu'est-ce que vous n'y avez pas aimé?

– Un tas de choses. Certes, l'endroit ne manque pas de charme, surtout au printemps lorsque les amandiers sont en fleur et les montagnes environnantes encore blanches de neige. Mais ses rues et ses marchés sont sales, ses maisons croulantes, et ça n'est pas pour rien qu'on l'appelle le Pays de Caïn!

Ash ajouta que, selon lui, il n'y avait rien d'étrange à ce qu'une ville passant pour avoir été fondée par le premier assassin de notre monde ait cette réputation de violence et de fourberie, ni que ses dirigeants aient suivi la tradition de Caïn en s'adonnant au meurtre et au fratricide. Le passé des Émirs afghans n'était qu'une longue et sanglante histoire de pères tuant leurs fils, de fils complotant contre leurs pères ou s'entre-tuant, d'oncles supprimant leurs neveux.

– S'il est vrai que les fantômes sont les âmes en peine de gens ayant péri de mort violente, alors Kaboul doit en être pleine! C'est un lieu hanté, que j'espère bien ne jamais plus revoir.

– S'il y a une guerre, fit remarquer Wally, vous la reverrez sûrement car les Guides seront dans le coup.

– Oui, *si* guerre il y a. Mais autrement, en ce qui me concerne...

La phrase s'acheva dans un bâillement et, s'installant plus confortablement entre les racines de l'arbre, Ash ferma les yeux. Eprouvant un sentiment de complète détente parce que Wally et lui étaient de nouveau ensemble, il s'endormit.

Quand ils arrivèrent à la maison, le crépuscule était couleur d'améthyste et, en réponse à la question de Ash, le gardien dit que non, Koda Dad Khan n'était pas venu. Sans doute son fils, le Risaldar-Sahib, était-il arrivé à temps pour que son père ne se mette pas en route. Tandis que l'homme emmenait les chevaux, Ash fit porter un message à la Bégum, lui demandant de permettre à son ami, Hamilton-Sahib, d'entrer chez elle pour faire la connaissance de sa femme.

Si Anjuli avait été musulmane, la Bégum eût opposé un refus catégorique, car elle la considérait maintenant comme sa fille. Mais Anjuli n'était ni musulmane ni jeune fille, et son prétendu mari se trouvant être tout à la fois chrétien et étranger, il ne fallait pas s'attendre à l'observance des règles : si donc Pelham-Sahib ne voyait pas d'inconvénient à ce que ses amis fréquentent sa femme, c'était son affaire et non celle de la Bégum. Aussi envoya-t-elle une servante conduire les deux hommes dans la chambre d'Anjuli et dire à Ash que, s'ils désiraient manger ensemble, le repas du soir pouvait leur être servi dans quelques minutes.

Les lampes n'avaient pas encore été allumées et Anjuli, debout près d'une fenêtre ouverte, contemplait le jardin. Elle n'avait pas entendu le bruit des pas dans l'escalier, car il avait été couvert par celui d'oiseaux qui se querellaient. Ce fut seulement à l'ouverture de la porte qu'elle se retourna.

Voyant Ash, mais non l'autre homme qui se tenait

en retrait dans l'ombre, elle courut lui faire un collier de ses bras. Ce fut donc ainsi que Wally la vit pour la première fois : une jeune fille, grande et élancée, courant vers lui, les bras tendus, transfigurée par l'amour. Il en eut le souffle coupé... et se sentit aussitôt le cœur pris.

Plus tard, lorsqu'il se retrouva seul au clair de lune dans la galerie du *dâk-bungalow*, Wally constata qu'il n'avait pas un souvenir précis d'Anjuli, sinon qu'elle était la plus radieuse créature qu'il eût jamais vue... une véritable princesse de conte de fées. Mais, n'ayant encore jamais eu l'occasion de rencontrer une Indienne de l'aristocratie, il ignorait tout ce que le *purdah* peut dissimuler de beauté et de grâce aux yeux des étrangers.

Il s'était attendu à voir une femme petite, plutôt basanée, alors qu'il découvrait une déesse aux longues jambes, avec une carnation plus claire que le blé mûr, dont les yeux splendides, frangés de cils noirs, avaient la même couleur que l'eau des tourbières dans les *moors* du Kerry.

Chose étrange, ça n'était pas l'Orient qu'elle évoquait pour lui, mais plutôt le Nord; en la regardant, il pensait à la neige, aux sapins, et au vent qui souffle dans les hautes montagnes.

Il ne lui venait pas à l'idée de blâmer Ash de s'être si précipitamment marié car, à la place de son ami, il eût fait exactement la même chose. Il n'était certainement pas au monde beaucoup de femmes comme Anjuli et, ayant la chance d'en avoir trouvé une, c'eût été folie que de la sacrifier à sa carrière. Pourtant... Wally soupira; l'euphorie qu'il éprouvait depuis ces dernières heures se dissipa un peu. Non, il n'aurait probablement pas fait la même chose... pas s'il avait eu le temps de réfléchir aux répercussions que cela aurait sur son avenir, car les Guides comptaient désormais trop pour lui. D'ailleurs, aussi loin qu'il se souvînt, il avait toujours rêvé de gloire militaire; ce sentiment était si profondément enraciné dans son cœur qu'il ne pouvait l'en arracher pour l'amour d'une femme... fût-elle celle dont, ce soir-là, il était tombé éperdument amoureux.

Il débordait de gratitude envers Dieu, pour lui avoir permis de rencontrer une telle femme, car elle était hors d'atteinte. De la sorte, en tombant amoureux d'elle, il ne risquait plus – ou, du moins, pas avant un très long temps – de s'éprendre d'une étoile de moindre éclat, qu'il épouserait en perdant inévitablement une partie de son enthousiasme pour sa carrière et son régiment.

Le soleil était encore caché à l'horizon lorsque, le lendemain matin, Wally franchit l'Indus et prit la route de Peshawar, laissant son porteur Pir Baksh le suivre dans une *tonga* avec les bagages. Une heure plus tard, il se fit servir le petit déjeuner au *dâk-bungalow* de Nowshera tandis que son cheval récupérait un peu, puis il franchit la rivière de Kaboul et se hâta vers Risalpur. Au milieu d'une région aride, Mardan avait une fraîcheur d'oasis, avec le fort et la place d'armes, l'arrière-plan familier des collines de Yusafzai sur lesquelles la chaleur faisait courir un frémissement. Mais, dans le cantonnement, pas une feuille ne bougeait et la poussière recouvrait jusqu'au moindre brin d'herbe, fondant tous les verts et les marrons en une seule nuance, celle que sir Henry Lawrence avait choisie pour les uniformes du Régiment des Guides, peu avant la Révolte des Cipayes, et qu'on avait appelée *kaki*.

Wally alla directement chez Wigram, mais celui-ci n'était pas là; il se trouvait à Peshawar pour une conférence d'importance secondaire. Il rentra néanmoins à temps pour dîner au mess et se rendit ensuite avec Wally chez ce dernier, où il resta jusqu'à bien après minuit, écoutant le jeune homme lui raconter la saga de Ash et Anjuli-Bai.

L'histoire l'intéressait, mais le mariage à bord du *Morala* lui arracha une exclamation de contrariété; après quoi ce fut sourcils froncés et lèvres pincées qu'il écouta la suite du récit, en s'abstenant de tout commentaire. A la fin, d'un air pensif, il dit se rappeler le commandant déclarant, à l'issue de l'affaire des carabines, que Ashton Pelham-Martyn était non seulement un jeune emporté, mais aussi une sorte d'enfant terrible qui, parvenu à l'âge adulte, demeurait capable de n'importe quelle réaction impulsive, sans réfléchir aux conséquences possibles. Il fallait toutefois reconnaître que ces défauts-là se révèlent souvent précieux en temps de guerre, surtout lorsqu'ils vont de pair, comme chez Ashton, avec un très grand courage.

– Je crois que le commandant avait raison, dit lentement Wigram, et s'il devait y avoir une guerre – ce qu'à Dieu ne plaise – nous aurions besoin de beaucoup de garçons comme Pelham-Martyn.

## 50

Dans les premières années du XIX$^e$ siècle, lorsque la « John Company (1) » gouvernait la moitié des Indes, un jeune homme sans personnalité, nommé Shah Shuja, s'était trouvé hériter du trône d'Afghanistan. L'ayant perdu après un règne jugé fort bref même pour ce pays habitué à la violence, il s'enfuit aux Indes, où

(1) Surnom de la Compagnie des Indes. (*N. d. T.*)

il fut autorisé par le gouvernement à mener l'existence paisible d'un quelconque citoyen. Après son départ, l'Afghanistan connut une période d'anarchie à laquelle mit fin un homme aussi énergique qu'intelligent, Dust Muhammad, appartenant au clan Barakzi. Il rétablit l'ordre et, dans le même temps, se nomma Émir.

Malheureusement, le Gouvernement des Indes britanniques se méfiait des hommes intelligents. On estima ce Dust difficile à manipuler et, si l'on n'y veillait, capable même de s'allier à la Russie. Discutant à Simla de cette éventualité, le Gouverneur général lord Auckland et ses conseillers arrivèrent à la conclusion que ce serait une bonne chose de se débarrasser de ce Dust (lequel ne leur avait pourtant causé aucun tort, tout en faisant beaucoup de bien à son pays) pour le remplacer par l'ex-Émir Shah Shuja, qui était maintenant un homme âgé. Ils estimaient que ce vieillard, lié à la Grande-Bretagne non seulement par la gratitude mais aussi par l'intérêt, serait un outil docile, prêt à signer n'importe quel traité qu'ils lui proposeraient.

Bien que la guerre, ainsi déclenchée par lord Auckland contre l'Afghanistan, se fût achevée en désastre pour les Britanniques, la plupart de ses instigateurs en tirèrent profit car, pour marquer la victoire initiale, ils furent couverts de titres, d'honneurs et de décorations, qu'on ne leur retira évidemment point par la suite. Mais les morts dont les os blanchissaient dans les défilés ne reçurent aucune médaille et, moins de deux ans après, Dust Muhammad Khan était de nouveau Émir d'Afghanistan.

Et une quarantaine d'années plus tard, sans raison aucune, une poignée de hauts fonctionnaires installés à Simla voulaient de nouveau contraindre un autre Émir – le plus jeune fils de Dust Muhammad – d'accepter l'installation à Kaboul d'une mission britannique permanente. Cinq ans auparavant quand, rendu inquiet par des menaces de rébellion et la puissance grandissante de la Russie, Shir' Ali avait fait des ouvertures au Vice-Roi d'alors, lord Northbrook, en demandant l'assurance d'une protection contre d'éventuels agresseurs, on lui avait opposé une fin de non-recevoir. Ulcéré par ce refus, il avait alors décidé de se tourner vers la Russie, laquelle avait témoigné d'un empressement flatteur à discuter avec lui traités d'amitié et d'alliance. Or, ces mêmes *Angrezis* qui lui avaient refusé leur aide exigeaient maintenant, comme un droit, qu'il accueille dans sa capitale une mission diplomatique et cesse « d'intriguer » avec le Tsar.

Au cours des années qui venaient de s'écouler, Wigram avait beaucoup vu le major Louis Cavagnari, Commissaire du Gouvernement à Peshawar, pour lequel Wally avait tant d'admiration. Et jusqu'à récemment, il avait partagé les sentiments du jeune homme pour Pierre-Louis Napoléon Cavagnari, curieux personnage que l'on s'attendait peu à voir occuper un tel poste, car il avait pour père un comte français qui, ayant servi sous Napoléon, était devenu secrétaire de Jérôme Bonaparte, roi de Westphalie, et avait épousé une jeune demoiselle irlandaise, Elizabeth Blacker de Carrickblacker. En dépit de ses origines françaises, Cavagnari avait été élevé en Irlande et se considérait comme britannique; aussi demandait-il à ses amis de l'appeler Louis, celui de ses trois prénoms qui lui paraissait le moins étranger.

Pendant vingt ans, Cavagnari avait servi avec distinction aux Indes, participant à rien moins que sept campagnes à la Frontière. Il s'était acquis une enviable réputation pour ce qui était de traiter avec les tribus turbulentes, dont il parlait couramment les différents dialectes. Bien que cet homme grand et barbu ressemblât davantage à un professeur qu'à un homme d'action, ceux qui le connaissaient le disaient d'un courage frisant la témérité. Personnalité extrêmement dynamique, il avait beaucoup de qualités mais, comme c'est souvent le cas chez de tels hommes, elles allaient de pair avec une grande ambition, un caractère emporté, et une tendance à voir les choses comme il souhaitait qu'elles fussent plutôt que comme elles étaient réellement.

Aussi n'y avait-il rien de surprenant que Wigram Battye eût éprouvé un sentiment de malaise en entendant le major Cavagnari déclarer au cours d'un dîner à Peshawar : « Si la Russie prend pied en Afghanistan, elle s'emparera de tout le pays, comme elle l'a fait de presque tous les vieux royaumes d'Asie centrale. Lorsqu'elle se sera ainsi assuré un libre passage à travers le Khyber, plus rien n'empêchera ses armées d'attaquer et de prendre Peshawar, puis le Pendjab comme Baber le Tigre l'avait fait voici quelque trois cents ans. Je n'ai rien contre les Afghans : j'en veux uniquement à leur Émir. En intriguant avec le Tsar, il attise un feu qui, si nous n'intervenons pas, détruira non seulement son pays mais progressera vers le sud jusqu'à ce qu'il ait consumé toute l'Inde. »

Il était très caractéristique de Cavagnari d'avoir dit « je » et, dans d'autres circonstances, Wigram n'y eût probablement pas attaché d'importance. Là, il en éprouva un certain malaise. Dans le différend qui opposait le Gouvernement des Indes à l'Émir, lui-même ne se préoccupait que des conséquences militaires d'une possible guerre avec l'Afghanistan et du rôle que son propre régiment serait appelé à y jouer. Mais, bien qu'ayant la mentalité d'un militaire de carrière, il avait aussi une conscience et il craignait que les tenants de la politique d'expansion entraînent le Vice-Roi dans une seconde guerre afghane, que rien ne justifiait, sans se rendre pleinement compte des énormes difficultés auxquelles devrait faire face une armée d'invasion.

S'il pouvait être prouvé que Shir' Ali était sur le point de signer un traité accordant à la Russie des postes militaires et une solide implantation dans son pays, alors il convenait effectivement d'intervenir au plus vite, car l'idée d'un Afghanistan sous contrôle russe, avec des armées russes stationnées le long de la frontière nord-ouest des Indes, était impensable. Mais était-ce vrai? Wigram avait le sentiment que des hommes comme Cavagnari, lord Lytton, et autres tenants de la politique d'expansion, étaient abusés par des informations que leur fournissaient des espions afghans; ceux-ci, sachant très bien ce que ces Sahibs souhaitaient apprendre, leur répétaient uniquement ce qui pouvait leur être agréable, et taisaient le reste, plus par désir de plaire que dans l'intention délibérée de tromper.

Cavagnari ne pouvait ignorer cette tendance et devait donc – du moins, Wigram l'espérait – en tenir compte. Mais le Vice-Roi et ses conseillers avaient-ils bien conscience que les rapports de ces espions – ponctuellement transmis à Simla par le Commissaire du Gouvernement – étaient partiaux et ne donnaient pas une image exacte de la situation? Cette crainte tourmentait Wigram depuis quelque temps et, après avoir écouté Wally lui parler de Ashton, il eut une idée...

Ashton avait passé près de deux ans en Afghanistan et s'y était probablement fait des amis, surtout dans le village de son père adoptif Koda Dad Khan, car il était bien connu à Mardan que le Risaldar Zarin Khan n'était pas – et de loin – le seul Pathan à considérer Ash presque comme un frère de sang. Alors, à supposer que Ashton persuade ses amis d'organiser une sorte de réseau de renseignement pour recueillir des informations auxquelles on pût se fier avec certitude, lui-même les transmettrait au commandant ou à Wiġram, qui les passeraient à Cavagnari, lequel, en dépit de ses propres opinions, ne manquerait sûrement pas d'en informer les « huiles » de Simla? En tout cas, c'était une idée qui méritait attention.

Conscient de l'urgence de la situation, Wigram ne perdit pas de temps. Au week-end suivant, il se rendit à Attock en compagnie de Wally et, arrivés après la tombée de la nuit pour passer inaperçus, ils s'installèrent au *dâk-bungalow* sous prétexte de s'en aller chasser le lendemain. Mais l'idée de Wigram eut finalement un résultat qu'il n'avait certainement pas prévu.

Le *syce* de Wally avait été envoyé chez la Bégum porter à Pelham-Martyn un message, dont la réponse fut remise aux deux officiers alors qu'ils s'apprêtaient à dîner. Une heure plus tard, ils quittaient le *dâk-bungalow* pour aller se promener sur la route de 'Pindi. Là, empruntant un chemin de terre, ils arrivèrent devant une porte perçant une haute muraille, où un Afridi les attendait avec une lanterne. N'ayant encore jamais eu l'occasion de le voir ainsi vêtu, Wigram fut un moment avant de reconnaître Ash.

Le capitaine Battyë avait beaucoup réfléchi aux arguments qu'il voulait mettre en avant et il était convaincu d'avoir pensé à tout. Mais il n'avait pas fait entrer en ligne de compte Juli Pelham-Martyn, née Anjuli-Bai, princesse de Gulkote, car il tenait ce mariage pour une détestable erreur et n'avait aucun désir de connaître l'ex-veuve. Or, à travers le jardin baigné d'ombre, Ash guida les arrivants vers un petit pavillon à un étage qui s'élevait au milieu d'arbres fruitiers. Il les précéda dans un escalier menant à la pièce de l'étage, aux fenêtres toujours masquées par des stores, et dit :

– Juli, voici un autre de mes amis du Régiment. Ma femme, Wigram Battye...

Et Wigram s'était retrouvé serrant, à l'européenne, la main d'une jeune femme en blanc, dont il pensa tout comme Wally – mais sans éprouver la même émotion – que c'était la plus jolie qu'il eût jamais vue.

S'avisant que Ash lui avait posé une question, il répondit au hasard, et un haussement de sourcils étonné lui fit comprendre qu'il venait de trahir son inattention. Rougissant, il s'excusa en bredouillant et, dit à Anjuli :

– Je vous prie, madame Pelham, de bien vouloir pardonner d'aussi déplorables manières : je suis venu trouver votre mari pour lui faire une proposition, et c'est à cela que je pensais au lieu d'écouter.

Anjuli le considéra gravement puis, avec un petit hochement de tête, elle répondit :

– Je comprends : vous souhaitez vous entretenir en tête-à-tête avec mon mari ?

– Uniquement si vous me le permettez.

Elle se leva en le gratifiant d'un ravissant sourire et allait joindre les paumes dans le salut traditionnel quand, se rappelant que les *Angrezi* ne faisaient pas ainsi, elle tendit la main en disant :

– Bonsoir..., capitaine Battye.

Wigram s'inclina sur cette main, ce qui le surprit tout autant que Ash et Wally. Mais ç'avait été un hommage instinctif par lequel il faisait en lui-même amende honorable pour les choses qu'il avait pensées d'Anjuli.

Il fut néanmoins très soulagé de voir partir la jeune femme, car en sa présence il n'eût pas osé parler carrément. Tandis que le bruit léger de ses pas descendait l'escalier, Wally exhala un petit soupir et Ash s'enquit :

– Alors ?

– Elle est très belle, dit Wigram. Et très... jeune.

– Vingt et un ans, répondit laconiquement Ash. Mais mon « alors » signifiait « Qu'avez-vous à me dire? » et non « Que pensez-vous d'elle? »

– Oui, oui, ne perdons pas de temps! opina Wally. Je meurs de curiosité. De quoi s'agit-il?

Brusquement, Wigram ne fut plus très sûr d'avoir envie de parler.

– A vrai dire, j'ai peur de vous faire rire.

Mais Ash ne rit pas. Il connaissait beaucoup de choses touchant la dernière guerre avec les Afghans et, pendant qu'il se trouvait dans le Gujerat, il avait relu le livre de sir John Kaye sur ce sujet. Comme son père, plus de trente ans auparavant, il s'était indigné de toutes les injustices et tragédies qu'avait provoquées cette tentative d'étendre la puissance de la Compagnie des Indes orientales.

Or, tandis que Wigram parlait, il se rendait compte que cela n'avait pas servi de leçon et que, en haut lieu, on s'apprêtait à recommencer. « S'il est vrai toutefois que Shir' Ali se prépare à laisser entrer les Russes, pensa-t-il comme l'avait fait Wigram, il convient d'intervenir car, s'ils mettent la main dessus, les Russes ne lâcheront plus le morceau, et ensuite ce sera le tour des Indes. »

Cette perspective suffit à lui donner le frisson. Mais il connaissait l'Afghanistan encore mieux que ne le connaissaient des hommes comme Cavagnari, et cela l'inclinait à un certain scepticisme.

– Je me rappelle avoir lu quelque part, remarqua-t-il d'un ton pensif ce que Henri I<sup>er</sup> de France disait à propos de l'Espagne : si on l'envahit avec une forte armée, elle y succombera à la disette; et s'il s'agit d'une petite armée, elle sera écrasée par la population. Eh bien, on pourrait dire aussi cela de l'Afghanistan et, à moins qu'ils sachent pouvoir le faire avec le consentement tant de la population que de l'Émir, je

ne crois pas que les Russes se risqueraient à l'envahir...
Et je douterais que Cavagnari connaisse bien les
Afghans s'il pensait un seul instant que les prétendus
« sujets » de l'Émir accepteraient d'avoir des garnisons
russes sur tout leur territoire. Voilà pourquoi, selon
moi, cette menace russe n'a pas plus de consistance
qu'un épouvantail.

Momentanément réduit au silence, Wally se borna à
écouter Ash et Wigram discuter la possibilité de savoir
ce qui se passait réellement à Kaboul, et si cette
menace russe n'était qu'un épouvantail, agité par les
tenants de la politique d'expansion pour justifier une
autre guerre d'agression.

— A supposer même que nous arrivions à recueillir
des renseignements sûrs, dit Ash une dizaine de minutes plus tard, rien ne nous garantit qu'on les acceptera
comme tels, s'ils contredisent ce que les gens de Simla
souhaitent croire.

— Non, en effet, acquiesça Wigram. Mais il y a une
chose dont je suis certain en tout cas, c'est que jamais
Cavagnari n'étoufferait des informations arrivant par
votre canal, fussent-elles en contradiction avec ce que
lui rapportent ses propres espions. Alors, on peut à
tout le moins essayer. Quand on voit un bateau aller
droit vers des brisants qu'il ignore, on tente de l'en
avertir par n'importe quel moyen, même si ça n'est
qu'en criant à tue-tête!

— Oui, convint Ash, il nous faut faire quelque
chose... même si ce doit être en vain.

— Voilà exactement mon sentiment! déclara Wigram en poussant un soupir de soulagement.

Se laissant aller contre le dossier de son fauteuil, il
dit à Ash avec un sourire :

— Je me rappelle que, lorsque vous êtes arrivé, nous
vous taquinions sur votre habitude de dire que ceci ou
cela « n'était pas juste ». C'était une expression dont

vous usiez volontiers à l'époque. Eh bien, en ce qui me concerne, je ne vois aucune objection à faire la guerre, puisque c'est mon métier; mais je préfère savoir que cette guerre est juste ou, à tout le moins, qu'elle était inévitable. Or, je crois que celle-ci peut être évitée et qu'il n'est pas encore trop tard pour l'empêcher d'éclater.

Ash garda le silence et Wigram, qui ne le connaissait pas comme Wally le connaissait, ne sut comment interpréter ce silence. Mais Wally, lui, vit que son ami avait sur le visage l'expression d'un homme contraint de prendre une décision qu'il a du mal à digérer. Et comme il l'observait, ce sixième sens, qu'il tenait de son ascendance irlandaise, lui donna le pressentiment d'un désastre, avec une force telle qu'il étendit instinctivement la main comme pour le repousser. Au même instant, il entendit Ash déclarer :

– Il va falloir que j'y aille moi-même.

Ils discutèrent la chose, mais finalement Wigram et lui durent convenir que Ash avait raison. Il ne s'agissait plus simplement de savoir si telle tribu préparait un raid sur un quelconque point de la frontière ou si tel *mollah* incitait les croyants à massacrer des infidèles, mais si l'Émir d'Afghanistan trafiquait avec les Russes, s'il était sur le point de signer un traité d'alliance avec le Tsar, et si son peuple était disposé à accepter tout cela.

Des renseignements sûrs à cet égard seraient de la plus haute importance, tant pour les négociateurs de Simla et de Peshawar que pour les ministres de Sa Majesté à Londres, car ils pouvaient représenter la différence entre la paix et la guerre, c'est-à-dire la vie ou la mort pour des milliers d'êtres humains.

– Ah! que je voudrais pouvoir aller avec vous! s'exclama Wally. Quand comptez-vous partir?

– Dès que Wigram aura arrangé ça avec le commandant, car je ne puis m'en aller sans qu'il m'y autorise et rien ne dit qu'il le fera.

– Si, j'en suis convaincu! assura Wigram. Cette affaire le préoccupe autant que moi... et la moitié des forces de la Frontière. Car c'est nous qui nous battrons si les galonnés de Simla en décident ainsi. Cela va demander un peu de persuasion, mais il finira par estimer que c'est une bonne idée. Quant à Cavagnari, elle a tout pour l'enthousiasmer.

Wigram avait vu juste sur l'un et l'autre point. Le commandant se laissa convaincre et Cavagnari fut emballé par le projet que lui exposa le capitaine Battye. Celui-ci ne jugea pas nécessaire de lui préciser que Ash avait posé deux conditions. Il voulait d'abord discuter du projet avec Koda Dad et, si le vieil homme le désapprouvait, il y renoncerait. L'autre condition était que les Guides lui promettent de prendre soin d'Anjuli et de veiller à ce qu'elle soit traitée en tout comme sa veuve, si le malheur voulait qu'il ne revienne pas.

Ce dernier point ne posait aucun problème. Mais lorsque Wigram avait émis des doutes touchant la nécessité de mettre au courant quelqu'un d'extérieur aux Guides, Ash lui avait rétorqué que, de toute façon, Zarin serait dans la confidence, et qu'il n'hésiterait pas un instant à remettre sa vie entre les mains du père de Zarin.

– Je le connais pour ainsi dire depuis toujours et j'attache plus de prix à son opinion qu'à celle de quiconque. S'il estime que mon intervention peut être bonne, alors je partirai. Mais il ne faut pas oublier que c'est un Pathan, donc un citoyen afghan. Comme tel, il peut désapprouver qu'on aille espionner dans son pays, même si c'est pour éviter une guerre... Je n'en sais rien. Mais il me faut absolument lui parler avant de prendre ma décision.

Wigram avait eu un haussement d'épaules :

— Faites comme vous le jugez bon. Après tout, c'est votre vie qui est en jeu. Quel sera son verdict, selon vous!

— Oh! il y a de grandes chances qu'il soit d'accord avec vous, tout comme Zarin. Mais j'ai besoin d'en avoir la certitude...

— ... et aussi de recevoir sa bénédiction, murmura Wigram sans se rendre compte qu'il extériorisait sa pensée.

Bien qu'il eût parlé de façon à peine audible, Ash comprit ce qu'il disait et s'exclama, surpris :

— Oui! Comment le savez-vous?

Wigram parut embarrassé.

— Ça peut paraître absurde à notre époque, dit-il gauchement, mais mon père m'a donné la sienne avant que j'embarque pour les Indes, et j'éprouve toujours du réconfort à me le rappeler. Je suppose que cela remonte à l'Ancien Testament, lorsque la bénédiction d'un patriarche signifiait vraiment quelque chose.

— *Et Esaü dit... bénis-moi aussi, ô mon père*, cita Wally. J'espère qu'il vous donnera sa bénédiction, Ash... Pour notre bien à tous!

Wigram, lui, espéra que Ash ne s'attarderait pas trop avec Zarin, car il avait le sentiment que le temps pressait.

— Je vais tâcher de voir Koda Dad demain ou après-demain. Vous retournez ce soir à Mardan, tous les deux?

— Ce n'était pas notre intention, mais nous le pouvons.

— De toute façon, voulez-vous vous charger d'un message pour Zarin? Dites-lui que j'ai besoin de voir Koda Dad le plus vite possible, et demandez-lui de me faire savoir s'il croit son père suffisamment bien pour me recevoir, car il a été malade ces derniers temps.

Dans l'affirmative, j'aimerais autant que la rencontre n'ait pas lieu dans son village si cela peut être évité. Dites-lui que, pour avoir sa réponse, je l'attendrai, demain soir, au coucher du soleil, sous le banyan proche de la première borne à la sortie de Nowshera. J'y resterai jusqu'à ce qu'il vienne. Peut-être sera-t-il de service, mais je pense que vous pourrez arranger ça pour lui ?

Nul ne devait jamais savoir quel eût été l'avis de Koda Dad, car il était déjà mort quand Wally et Wigram avaient quitté Mardan pour se rendre à Attock. Vu la chaleur torride, on l'enterra le jour même, à la tombée de la nuit. Si bien que lorsque Ash arriva au lieu du rendez-vous, sur la route de Now-shera, Zarin l'y attendait pour lui annoncer que Koda Dad Khan, autrefois Maître des Chevaux de Gulkote, était enterré depuis vingt-quatre heures.

De ce fait, Ash se trouva avoir franchi le Rubicon et il ne lui restait plus qu'à mettre Anjuli au courant, ce qu'il avait différé le plus longtemps possible, pour le cas où cela n'eût plus été nécessaire, Cavagnari ou le commandant ayant toujours la possibilité de se raviser et de tout annuler.

Ce fut encore plus pénible que Ash ne l'avait craint, car Anjuli le supplia de l'emmener avec lui, disant que sa place était désormais à son côté... surtout s'il devait courir des dangers : non seulement elle pourrait s'occuper de lui et préparer ses repas, mais sa présence contribuerait à détourner les soupçons, car imagine-t-on un espion s'encombrant de sa femme ?

— Et j'apprendrai à tirer, insista Juli. Tu n'auras qu'à me montrer comment faire.

— Mais tu ne parles pas assez couramment le pachto, mon cœur.

— Je te promets de faire des progrès !

– Tu n'en as pas le temps, mon amour, car il me faut partir immédiatement. Si je t'emmenais et que tu ne sois pas en mesure de t'entretenir librement avec les femmes du pays, elles se poseraient des questions à ton sujet, et ce serait extrêmement dangereux... tant pour toi que pour la mission qu'il me faut remplir. Tu le sais bien, Larla : je ne demanderais qu'à t'avoir avec moi si c'était possible. D'ailleurs, c'est pour six mois seulement. Je laisse Gul Baz ici et la Bégum veillera sur toi... Moi, je serai plus en sécurité sans toi.

Finalement, ce fut par ce dernier argument qu'elle se laissa convaincre, car au fond de son cœur, elle savait que c'était la vérité.

– Alors, reviens-moi vite... sain et sauf!

Ash lui assura qu'elle n'avait pas à craindre pour lui. Mais, bien qu'il affectât en paroles de minimiser le danger, la façon dont il lui fit l'amour cette nuit-là avait quelque chose de désespéré, presque comme s'il voulait profiter au maximum de chaque instant, de crainte qu'il fût sans lendemain.

Le lendemain soir, quand toute la maisonnée fut endormie, alors que la lune n'était pas encore levée, Ash se faufila dans le jardin par la porte de derrière. Et moins de douze heures plus tard, ayant franchi la frontière, il se perdait dans l'Afghanistan comme une pierre qui choit en eau profonde.

## 51

Durant l'été de 1878, la famine qui sévissait de façon si terrible dans le Sud, gagna le Nord et atteignit le Pendjab car, pour la troisième année successive, la mousson avait beaucoup tardé. Lorsque la pluie était enfin venue, au lieu de tomber avec la persistance dont avait tant besoin la terre assoiffée, elle avait été sporadique et capricieuse, ne faisant guère que transformer la poussière en boue, et laissant par-dessous la terre dure comme du fer.

Dans le même temps couraient beaucoup de rumeurs dont peu étaient réconfortantes, sauf peut-être pour ceux qui souhaitaient une guerre avec l'Afghanistan. On racontait qu'une armée russe était massée le long de l'Amou Daria, une armée dont l'importance croissait de bouche en bouche : cinquante mille... soixante mille... non : quatre-vingt mille hommes...

– Je tiens de bonne source, écrivit le major Cavagnari dans une lettre adressée à Simla, que les forces russes sur l'Amou Daria comptent au total quinze mille quatre cents hommes, divisés en trois colonnes : deux de dix-sept cents hommes et une de douze mille. En avance sur ces troupes, une mission russe, comprenant le général Stolietoff et six autres officiers, a quitté Tachkent dans le courant de mai, avec une escorte de vingt-deux Cosaques. On assure que la famille et des amis, craignant que la guerre russo-turque n'entraîne un déclenchement des hostilités entre la Russie et la Grande-Bretagne, font pression sur l'Émir pour qu'il choisisse entre ces deux puissances rivales, mais il n'arrive pas à se décider dans un sens ou dans l'autre. Je dois ajouter que selon mon informateur (dont je tiens à souligner que les vues sont très personnelles), l'Émir préférerait n'avoir pas à se déclarer, étant convaincu que son pays doit s'efforcer de rester indépendant des uns comme des autres. Je vous fais parvenir une lettre confidentielle de cet informateur, qui m'est donnée comme étant la copie exacte des conditions posées par un émissaire russe venu à Kaboul vers la fin de l'année dernière. Je ne peux, évidemment, garantir cette exactitude, et il ne serait pas sage que je vous révèle de qui je tiens cette information, mais j'ai toutes les raisons de penser qu'on peut s'y fier.

Lorsqu'il parvint à Simla, le document en question fut jugé d'un très grand intérêt, car il y était stipulé notamment que l'Émir permettrait l'installation d'agents russes à Kaboul et autres lieux de son territoire; que les troupes russes devraient être cantonnées sur quatre points de la frontière afghane; que le gouvernement russe recevrait l'autorisation de procéder à la construction de routes et l'installation de lignes télégraphiques reliant Samarcande à Kaboul, et Kaboul avec Herat et Kandahar. Le gouvernement afghan devrait également permettre le passage de troupes russes sur son territoire « si le gouvernement russe jugeait nécessaire de faire la guerre aux Indes ».

En retour, l'Émir avait l'assurance que la Russie considérerait comme siens tous les ennemis de l'Afghanistan, n'interférerait en rien dans l'administration et les affaires intérieures du pays, et « veillerait à ce que la souveraineté de l'Afghanistan se transmette à perpétuité aux héritiers, successeurs, et représentants de l'Émir ».

Le major Cavagnari avait dû convenir bien à contrecœur que, si la personne ayant réussi à obtenir cette copie du document et à la lui faire parvenir, était convaincue de son authenticité, elle n'avait en revanche aucune preuve que l'Émir l'eût vu et que, dans ce cas, il fût disposé à accepter ces conditions. D'un autre côté, il était indubitable que Son Altesse était très inquiète de l'avance des troupes russes vers ses frontières, et la nouvelle qu'une mission russe se rendait à Kaboul sans y avoir été invitée l'avait mise dans une grande colère.

– Il y a des moments, déclara Cavagnari au capitaine Battye venu à Peshawar pour avoir des nouvelles de Ash, où je commence à me demander si votre ami est avec nous ou pour l'Émir!

Wigram sourit du coin des lèvres et répondit, avec un rien de hauteur :

– C'est simplement qu'il ne peut s'empêcher de considérer les deux côtés du problème, alors que, pour la plupart, nous voyons seulement le nôtre. Par ailleurs, il a toujours été épris de justice, c'est chez lui presque une obsession. S'il juge que l'Émir a raison sur certains points, il s'estimera tenu de le dire. Nous vous en avions averti.

– Je sais, je sais, mais j'aimerais qu'il ne s'estime pas tenu de le dire si souvent! riposta Cavagnari. C'est très beau de vouloir se montrer équitable, mais nous ne devons pas oublier que ce qu'il peut savoir en faveur de l'Émir, il le sait seulement par ouï-dire. Or, c'est de renseignements que j'ai besoin et non d'opinions personnelles. Vraiment, il y a des moments où je me demande si... si l'on peut se fier à lui.

– Je vous assure qu'il n'y a absolument aucun risque de le voir trahir, si c'est ce que vous voulez dire, répliqua Wigram, très raide.

– Non, *non!* se défendit le major avec irritation. Je ne veux rien dire de tel! En dépit de votre mise en garde, je pensais seulement que, étant anglais, il saurait percer à jour le double jeu de l'Émir, au lieu de lui trouver des excuses. Il m'envoie des renseignements, parmi lesquels certains sont d'un grand intérêt, puis il embrouille tout avec un plaidoyer en faveur de l'Émir dont il semble prendre les problèmes beaucoup trop à cœur. Car il existe une solution toute simple à ces problèmes : Shir' Ali n'a qu'à s'allier avec la Grande-Bretagne et cesser de trafiquer avec la Russie. C'est uniquement cela qui crée l'actuelle tension et je ne suis pas d'accord avec... avec Akbar lorsqu'il prétend que l'Émir perdrait la face s'il accédait à notre requête, et pourrait même être renversé. Dès l'instant où il se déclare en faveur d'une alliance avec nous, le danger d'une agression russe est écarté car ils savent bien que toute tentative contre l'Afghanistan les mettrait en guerre contre la Grande-Bretagne. Leurs troupes regagneraient alors la Russie et la situation redeviendrait normale.

– A ceci près, fit remarquer Wigram, qu'il y aurait à Kaboul, au lieu des Russes, une mission et des officiers britanniques.

Le major fronça les sourcils et gratifia son interlocuteur d'un long regard soupçonneux, avant de lui demander brusquement s'il avait des nouvelles de son ami.

– De... d'Akbar? Non. Vous auriez tort de croire que je le citais. Je n'avais aucune nouvelle de lui depuis son départ et j'ignorais même s'il était encore vivant. C'est pour cela que j'étais venu vous trouver. C'est un grand soulagement d'apprendre qu'il a pris contact avec vous. Mais je suis navré qu'il ne se révèle pas aussi utile que vous l'aviez espéré.

– Il nous est utile et même, à certains égards, extrêmement utile. Mais il le serait encore davantage s'il voulait bien s'en tenir à ce qui se passe actuellement à Kaboul, au lieu de se laisser aller à des commentaires philosophiques. Ce qui nous importe au plus haut point, c'est de savoir où se trouve cette mission russe. Est-elle déjà arrivée à la frontière de l'Afghanistan et sera-t-elle refoulée? Ou bien l'Émir va-t-il renoncer au double jeu, pour se montrer sous son vrai jour en la recevant à Kaboul et se déclarant du même coup notre ennemi? L'avenir le dira. Mais il nous est revenu de différents côtés que Stolietoff et sa mission touchaient au terme de leur voyage, et si votre ami nous apprenait qu'ils ont reçu le meilleur accueil, nous saurions à quoi nous en tenir. C'est probablement ce qui va se produire et cela devrait lui ouvrir les yeux, lui montrer que c'était folie de vouloir trouver des excuses à la conduite de Shir' Ali.

Les choses allèrent encore plus vite que ne l'escomptait le major Cavagnari, car le soir même il reçut un message, très bref, lui annonçant que la mission russe avait pénétré en Afghanistan et été publiquement accueillie à Kaboul. C'était tout. Mais les dés étaient jetés et, à compter de ce moment, une seconde guerre afghane devenait inévitable.

De plus amples détails suivirent et montrèrent que Cavagnari se trompait en pensant que son « espion » ne pourrait plus trouver d'excuses à Shir' Ali.

« Akbar » lui en trouvait plusieurs et laissait même entendre que, vu les circonstances, c'était tout à l'honneur de Shir' Ali d'avoir résisté aussi longtemps à la pression des Russes.

« On pense à Kaboul, écrivait Akbar, que non seulement l'Émir n'est arrivé à aucun accord avec l'émissaire russe, mais qu'il s'emploie actuellement à gagner du temps jusqu'à ce qu'il voie quelles mesures le gouvernement britannique va prendre pour faire échec aux Russes. On vous rapportera sûrement qu'il a parlé avec beaucoup d'amertume de la façon dont il avait été traité par le Gouvernement de Sa Majesté; mais je n'ai pas entendu dire qu'il eût la moindre intention d'accorder à un nouvel ami ce qu'il avait refusé à un vieil allié. Aussi je tiens à bien souligner que tout ce que j'ai pu voir et entendre, tant à Kaboul qu'ailleurs en Afghanistan, confirme mon sentiment que Shir' Ali n'est pas plus pour les Russes que pour les Britanniques. C'est simplement un Afghan qui s'efforce de sauvegarder l'indépendance de son pays, en ayant contre lui les Ghilzaïs de Herat et aussi le fait

221

que le neveu qu'il a exilé, Abdul Rahman, vit actuellement sous la protection des Russes et passe pour être disposé à tout accorder à ces derniers, s'ils lui permettent de remplacer son oncle sur le trône. »

Mais le Vice-Roi et ses conseillers ne voyaient qu'une chose : un envoyé russe avait été reçu par l'Émir et accueilli avec tous les honneurs, alors que l'autorisation d'envoyer à Kaboul une mission diplomatique avait été refusée à la Grande-Bretagne. C'était un affront que nul patriote anglais ne pouvait digérer, et l'on demanda d'urgence à Londres de faire pression, afin que le perfide Shir' Ali cesse de tergiverser pour recevoir une mission britannique à Kaboul.

Se voyant opposer le fait irréfutable qu'un envoyé russe avait bien été reçu par l'Émir, le ministre des Affaires étrangères donna son consentement. Aussitôt, le Vice-Roi sélectionna les membres de cette mission. Elle serait conduite par sir Neville Bowles Chamberlain, commandant en chef des troupes du Bengale, accompagné de deux officiers – dont le major Louis Cavagnari – comme « conseillers politiques », ainsi que de deux aides de camp. L'escorte serait sous le commandement du lieutenant-colonel Jenkins, flanqué du major Stewart et du capitaine Battye; cette escorte serait composée de cent cavaliers et de cinquante fantassins du Régiment royal des Guides.

La Mission partirait pour Kaboul en septembre. Mais, entre-temps, un émissaire indigène irait porter une lettre du Vice-Roi à l'Émir, l'informant de l'envoi d'une mission diplomatique et lui demandant de prendre toutes dispositions pour assurer sa libre circulation en territoire afghan.

Pour bien marquer le mécontentement du Gouvernement, l'émissaire choisi pour cette délicate ambassade était un homme qui environ quatorze ans auparavant, avait été nommé par le Gouverneur général d'alors, lord Lawrence, Envoyé spécial à Kaboul, d'où il avait été rappelé ensuite parce qu'il avait abusé de sa position pour intriguer contre Shir' Ali.

Il va de soi que ce choix n'était pas de nature à rendre l'Émir mieux disposé envers les Britanniques; mais, de toute façon, Shir' Ali se trouvait malade de chagrin : il venait de perdre soudainement son fils préféré, Mir Jan, qu'il avait élu pour successeur. L'émissaire ne parvint absolument à rien et, vers la mi-septembre, il écrivit au Gouvernement que l'Émir était toujours de mauvaise humeur, mais ses ministres continuaient d'espérer qu'on puisse arriver à une solution satisfaisante; lui-même était convaincu que de nouveaux entretiens étaient possibles, à condition que la Mission différât son départ.

Cette recommandation était superflue car, vu les lenteurs du voyage, sir Neville Bowles Chamberlain n'était pas encore arrivé à Peshawar. Lorsqu'il y parvint enfin, il apprit que l'Émir n'avait toujours pris aucune décision mais que, en prévision d'un refus, le major Cavagnari avait déjà entamé des négociations avec les *maliks* des tribus du Khyber pour qu'ils laissent passer la Mission sur leurs différents territoires. De ce côté, contrairement à ce qui se passait à Kaboul, les discussions étaient en bonne voie, et l'on était presque parvenu à un accord lorsque le gouverneur de la forteresse d'Ali Masjid – qui domine le Khyber – un nommé Faiz Mohammed, en eut vent et envoya aux *maliks* l'ordre péremptoire de regagner leurs villages sans délai.

Les tribus du Khyber étant vassales de l'Émir et leurs territoires – les terres s'étendant entre Peshawar et Ali Masjid – faisant partie de l'Afghanistan, il n'y avait qu'un moyen d'empêcher les *maliks* d'obéir à cet ordre : leur verser désormais les subsides annuels jusqu'alors reçus de l'Émir et qui leur seraient coupés s'ils n'obéissaient pas à Faiz Mohammed.

Mais, Cavagnari le savait mieux que personne, un tel geste de la part du Gouvernement serait considéré comme visant à détacher ces tribus de l'Émir, et Shir' Ali y verrait la preuve que, loin d'être « amicale et pacifique », la Mission constituerait en quelque sorte la tête de pont d'une armée d'invasion. Cavagnari interrompit donc les pourparlers et en référa au Vice-Roi, lequel fut d'accord que, aussi longtemps que l'Émir ne se serait pas prononcé pour ou contre la venue de la Mission, de telles négociations avec les tribus étaient de nature à lui fournir de légitimes raisons de se plaindre. Le Vice-Roi suggérait donc de précipiter les choses en envoyant une lettre au gouverneur Faiz Mahommed, lui annonçant l'imminent départ d'une mission diplomatique pour Kaboul et lui demandant l'autorisation d'emprunter les passes du Khyber. Si la réponse était négative, alors sir Neville Bowles s'entendrait avec les tribus du Khyber et marcherait sur Ali Masjid...

Faiz Mohammed répondit fort. poliment qu'on n'avait pas à lui demander sa permission : si l'Émir était d'accord pour qu'ils se rendent à Kaboul, ils avaient libre passage. En revanche, s'ils venaient sans avoir obtenu le consentement de Son Altesse, la garnison d'Ali Masjid serait contrainte de s'opposer à leur avance; il leur conseillait donc, en conclusion, de différer leur départ et de rester à Peshawar jusqu'à ce que l'Émir ait fait connaître sa décision.

Mais, irrité de devoir ainsi lanterner indéfiniment, le Vice-Roi finit par se persuader que les Britanniques étaient dans leur droit en envoyant cette mission et que l'Émir ne pouvait s'y opposer. Il expédia donc un télégramme à Simla, pour donner ordre à la Mission de quitter Peshawar à destination de Jamrud, qui se trouvait à la limite des territoires occupés par les

Britanniques. De là, le major Cavagnari, en compagnie du colonel Jenkins et d'un ou deux autres officiers, continuerait jusqu'à Ali Masjid pour voir quelle serait la réaction. Si Faiz Mohammed refusait de les laisser passer, cela pourrait être considéré comme un acte d'hostilité, et permettrait à la Mission de regagner Peshawar sans avoir eu l'humiliation de se voir renvoyer.

Cavagnari partit donc pour Ali Masjid avec le colonel Jenkins, Wigram Battye, une demi-douzaine d'hommes appartenant aux Guides, et quelques *maliks* du Khyber. Tenant parole, Faiz Mohammed refusa de les laisser passer. Il leur déclara qu'ils avaient essayé de suborner certains sujets de l'Émir et que, dans ces conditions, ils devaient s'estimer heureux qu'il n'eût pas commandé de tirer sur eux.

– Après quoi, dit Wigram lorsqu'il relata l'incident à Wally, il nous a serré la main et nous nous sommes remis en selle pour regagner Jamrud, l'oreille basse.

Wally eut un sifflement expressif et, hochant la tête, Wigram opina :

– Ce n'est vraiment pas une expérience que j'aimerais recommencer. Car il faut bien reconnaître que ce type avait raison, et c'est ce qui était particulièrement vexant. Notre Gouvernement ne se tirait pas de cette affaire avec honneur; je ne peux m'empêcher de penser que, si j'avais été un Afridi, j'aurais éprouvé exactement les mêmes sentiments que Faiz Mohammed... et je souhaiterais m'être comporté avec autant d'élégance. En dépit de quoi, je vous parie ce que vous voudrez qu'on va considérer son attitude comme un affront intolérable, une insulte faite à la nation britannique tout entière, afin que nous n'ayons apparemment pas d'autre issue que de déclarer la guerre.

– Vous le croyez vraiment? s'exclama Wally.

Se levant d'un bond, il se mit à marcher de long en

large dans la pièce, comme s'il ne pouvait plus tenir en place.

– Ça ne me paraît quand même pas possible... Je veux dire... des escarmouches, oui, d'accord... mais la guerre... et surtout une guerre aussi injustifiée. C'est impensable! Une pareille chose ne peut arriver! Ash va certainement...

Faisant volte-face, Wally vint se planter devant Wigram :

– Avez-vous de ses nouvelles?

– Je sais seulement qu'il garde le contact avec Cavagnari, ce qui sous-entend que tout va bien pour lui jusqu'à présent.

Wally soupira :

– Il m'avait prévenu qu'il ne pourrait nous faire savoir comment tournaient les choses, car ce serait trop risqué, mais que Cavagnari vous tiendrait au courant, puisque c'était vous qui aviez eu l'idée de cette expédition.

– Eh bien, il me tient au courant. Vous n'avez donc aucune raison de vous inquiéter de Ashton.

– Puis-je le dire à sa femme?

– Vous continuez à la voir?

Wigram paraissait surpris et pas tellement content.

– Non. J'ai promis à Ash de veiller sur elle, mais nous avons jugé préférable que je n'aille pas la voir : la vieille Bégum estime que cela ferait jaser, et elle a probablement raison. Mais je peux lui faire porter une lettre par Zarin, dont personne ne s'étonnera qu'il rende visite à sa tante. J'aimerais lui dire que Ash va bien. Ce doit être très dur pour elle de ne pas savoir...

– En effet, oui, acquiesça Wigram.

– Elle apprend à tirer et se perfectionne dans la pratique du pachto, pour le cas où Ash aurait besoin d'elle.

226

## 52

En cet automne, bien des hommes avaient le sentiment que les événements se précipitaient, parmi lesquels Sam Browne, qui commandait les Guides à
l'époque où, après avoir discuté de l'avenir de Ash
avec Awal Shah, frère aîné de Zarin, il avait décidé
d'envoyer le neveu de William Ashton en Angleterre
aux bons soins du colonel Anderson.

Devenu sir Sam Browne et général de division
nommé récemment à la tête de la 1er Division des
Forces en campagne dans la Vallée de Peshawar, il
découvrait que l'on ne savait pas grand-chose du pays
où ses troupes allaient peut-être devoir sous peu
s'engager. Et cela en dépit du fait qu'une armée
britannique y était déjà allée, et y avait essuyé l'une
des plus humiliantes défaites depuis celle de la Grande
Armée en Russie.

– C'est ridicule! tonna-t-il. J'ai absolument besoin
de cartes. Nous ne pouvons nous aventurer comme ça
dans ces collines... Que dites-vous? Pas de cartes?
Absolument *aucune?*

– Apparemment, oui. Juste quelques croquis et qui,
à ce que j'ai compris, ne sont qu'approximatifs, lui
répondit son chef d'état-major qui ajouta, comme pour
excuser la chose : Vous comprenez, les tribus voient
d'un très mauvais œil des étrangers se promener sur
leurs territoires avec des boussoles et des théodoli-
tes...

– Non, je ne comprends pas! l'interrompit Browne.
Le major Cavagnari m'a dit être arrivé à un accord
avec au moins deux tribus et espérer persuader une
troisième – celle des Mohmands – de nous laisser
passer. Dans ces conditions, il devait être possible

d'envoyer quelques hommes procéder à des relevés topographiques. Occupez-vous de ça, voulez-vous?

Voilà comment, quelques jours plus tard, le colonel Jenkins et Wigram Battye se retrouvèrent à l'aube de l'autre côté de la Frontière, en train d'escalader un abrupt et presque invisible sentier de chèvre, en compagnie du capitaine Stewart, de M. Scott du Service géographique, et du major Cavagnari.

Les cinq hommes avaient quitté Jamrud aux petites heures puis, ayant dû abandonner leurs chevaux, ils s'étaient lancés dans une ascension qui se révéla aussi longue que pénible, l'obscurité ajoutant à la difficulté. Le ciel commençait à pâlir, lorsqu'ils arrivèrent en haut d'un escarpement situé à quelque cent cinquante mètres d'altitude et Scott, qui marchait en tête, s'arrêta. Après avoir repris son souffle, il dit à mi-voix, comme s'il craignait que d'autres pussent l'entendre :

– Voici l'endroit, monsieur.

Cavagnari acquiesça et répondit sur le même ton :

– Oui. Nous allons attendre.

En sueur, exténués, ses quatre compagnons se laissèrent tomber par terre avec plaisir et regardèrent autour d'eux.

La clarté n'était pas encore suffisante pour que, même avec des jumelles, on pût repérer beaucoup de détails dans le fouillis obscur de hauteurs et de ravins qui s'étendait alentour, ou distinguer Ali Masjid des autres collines environnantes. Wigram regardait les hauts sommets que caressait l'aube et notamment le pic neigeux du Sikaram qui, à plus de quatre mille sept cents mètres, domine la chaîne de la Safid Kuh. Il pensa que ce serait bientôt l'hiver et, lorsque la neige se mettrait à tomber, les passes du Nord se trouveraient rapidement bloquées. Ça n'était vraiment pas le bon moment pour engager une offensive en Afghanistan...

A plat ventre parmi les rochers, Stewart, Scott et le colonel Jenkins étudiaient les environs avec leurs jumelles. Cavagnari était le seul à être resté debout et ne pas s'intéresser au paysage. Sa haute silhouette se découpait sur le ciel et il avait la tête légèrement penchée de côté, comme s'il écoutait quelque chose; instinctivement, Wigram prêta lui aussi l'oreille.

Quelqu'un montait vers eux, du côté opposé à celui qu'ils avaient emprunté. Les autres avaient également dû l'entendre car Jenkins avait posé ses jumelles pour saisir son revolver, cependant que Scott et Stewart cherchaient aussi leurs armes; mais, d'un geste impérieux, Cavagnari leur intima de ne pas bouger. Tous les cinq se figèrent dans l'attente, osant à peine respirer, tandis que les neiges éternelles viraient au rose.

L'invisible grimpeur devait être un montagnard expérimenté car, en dépit des difficultés de l'entreprise, il progressait rapidement et, comme pour montrer qu'il ne se sentait aucunement fatigué, il se mit à fredonner le *Zakmi dil*, une vieille chanson que connaissent bien tous les Pathans. Il le faisait à mi-voix mais, dans le silence de l'aube, c'était parfaitement audible; en l'entendant, Cavagnari exhala un soupir de soulagement. Faisant signe à ses compagnons de rester où ils étaient, il se mit à descendre au-devant du grimpeur. Le fredonnement s'interrompit et, un moment plus tard, les quatre hommes perçurent le salut pathan, *Stare-mah-sheh*, et la réponse qu'on y donne habituellement. Se levant alors, ils virent Cavagnari s'entretenir avec un homme mince, armé d'un vieux fusil à mèche et portant une bandoulière bourrée de cartouches cuivrées.

Il n'était pas possible d'entendre ce que se disaient les deux hommes car, après s'être salués, ils avaient baissé le ton. Mais il était clair que Cavagnari posait des questions et que le Pathan y répondait assez longuement. Puis, comme la clarté du jour s'accentuait, l'homme pointa le doigt en direction d'Ali Masjid, accompagnant ce geste d'un mouvement de tête vers le haut. Cavagnari opina et, faisant demi-tour, il remonta vers le sommet de l'escarpement, suivi de l'inconnu.

– Un de mes hommes, expliqua-t-il brièvement. Il nous dit de rester cachés car la garnison d'Ali Masjid a été renforcée. Un détachement se trouve aussi à deux milles d'ici, que nous devrions pouvoir distinguer quand le soleil aura fini de se lever.

Après avoir salué de la tête, le Pathan, sur un mot de Cavagnari, alla s'accroupir derrière un amoncellement de rochers, à huit ou dix mètres au-dessous des cinq hommes qui, de nouveau étendus à plat ventre, reprirent leurs jumelles pour observer les crêtes voisines à travers les brumes matinales qui se dissipaient rapidement.

– Oui, c'est bien Ali Masjid, confirma le colonel Jenkins après un moment. Et votre Pathan a raison, la garnison a été renforcée : regardez donc comme les parapets sont garnis!

Il y avait aussi des cavaliers au pied de la colline, que l'on put voir se diriger vers le plateau de Shagai, puis le traverser en direction d'une petite tour proche de la route de Macheson : sans doute le détachement dont avait parlé le Pathan.

– Il est temps pour nous de partir, estima Cavagnari en rangeant ses jumelles. Ces gars-là ont des yeux d'aigle et nous pourrions être repérés. Venez!

Ils trouvèrent le Pathan toujours assis en tailleur derrière les rochers, son fusil en travers des genoux. Cavagnari fit signe aux autres de poursuivre leur chemin tandis qu'il échangeait encore quelques mots avec l'homme; il était sur le point de les rejoindre au flanc herbeux de la colline, quand il s'immobilisa soudain et appela Wigram, lequel se retourna aussitôt :

– Oui, sir?

– Je suis désolé, mais j'ai oublié quelque chose...

Le major sortit de sa poche une poignée de pièces d'argent et un paquet de cigarettes bon marché, qu'il tendit à Wigram :

– Voulez-vous porter ça à l'homme qui est là-haut? J'ai l'habitude de lui donner des cigarettes et quelques roupies... Je ne voudrais pas qu'il vienne à Jamrud réclamer son bakchich, au risque de se faire reconnaître. Nous ne vous attendrons pas...

Cavagnari se hâta vers le bas tandis que Wigram remontait le sentier escarpé. Maintenant que le soleil était levé, il eut bientôt sa chemise trempée et la sueur ruisselait sur son visage. En l'essuyant d'un revers de main, il se demanda si le Pathan serait encore là et, dans la négative, ce qu'il était censé devoir faire. Mais il entendit de nouveau fredonner le *Zakmi dil*, ce traditionnel chant d'amour d'un pays où l'homosexualité a toujours été considérée comme faisant partie de la vie... *De l'autre côté de la rivière, il y a un garçon dont le derrière est comme une pêche, mais, hélas, je ne sais pas nager...*

Puis, tandis que le grimpeur poursuivait son ascension, ce fut un refrain beaucoup plus familier et d'autant plus surprenant dans un tel environnement : *Oh! my darling, oh! my darling, oh! my darling Clementine!*

Wigram s'arrêta pile, la tête levée vers l'homme barbu tapi derrière les rochers :

– Ça, par exemple! s'exclama-t-il en repartant avec une ardeur nouvelle. Ashton... du diable si je vous aurais reconnu!... Je ne m'imaginais absolument pas... Pourquoi donc n'avez-vous rien dit? Pourquoi...

Ash s'était levé pour saisir la main tendue vers lui :

231

– Parce que votre ami Cavagnari ne voulait pas mettre les autres au courant. Il ne vous aurait soufflé mot de rien non plus si je n'avais insisté. Je lui ai dit avoir absolument besoin de vous parler. Asseyez-vous et baissez le ton... vous n'imaginez pas comme la voix porte dans ces collines.

Tandis que, à son exemple, Wigram s'asseyait par terre en tailleur, Ash lui dit :

– Donnez-moi les dernières nouvelles. En avez-vous de ma femme ? Va-t-elle bien ? Je n'ai pas osé entrer en rapport avec elle au cas où... Et comment va Wally ? Zarin ? Le Régiment... Tout, quoi ? Je suis affamé de nouvelles !

Wigram put le rassurer au sujet d'Anjuli, car un des serviteurs de la Bégum était venu à Jamrud, trois jours auparavant, apporter à Zarin un message où sa tante Fatima lui disait que tout le monde se portait bien chez elle et espérer qu'il en allait de même pour lui et aussi ses amis. A cette façon dissimulée de lui demander s'il avait des nouvelles de Ash, Zarin avait répondu en disant qu'on n'avait aucun souci à se faire : ses amis et lui étaient en excellente forme.

– Ce doit être cette barbe qui vous change si totalement, dit Wigram. Je ne me serais jamais douté que c'était vous. D'ailleurs, je vous croyais à Kaboul.

– J'y étais. Mais je tenais à voir Cavagnari, au lieu de lui écrire ou de lui faire tenir verbalement des messages comme d'habitude. Je pensais que, de vive voix, je l'amènerais peut-être à considérer la situation d'un autre œil. Mais je me trompais. Tout au contraire, je lui ai donné le sentiment que j'étais de plus en plus du côté de l'Émir et à deux doigts de n'être plus « sûr »... ce qui, dans son esprit, doit signifier « trahir », je suppose ?

– La tête toujours aussi près du bonnet, Ashton ? s'enquit Wigram avec un petit sourire. Jamais pareille idée ne viendrait à Cavagnari... à moins que vous ne vous soyez employé à la lui donner. Que lui avez-vous donc dit qui l'ait bouleversé?

— La vérité, répondit froidement Ash. Mais j'aurais aussi bien pu économiser ma salive et rester à Kaboul, car il ne veut pas me croire. Je commence à penser qu'ils sont tous dans le même cas... A Simla, j'entends.

— Qu'est-ce qu'ils ne veulent pas croire?

— Qu'il n'y a aucun danger que l'Émir autorise les Russes à construire des routes et installer des bases militaires sur son territoire. D'ailleurs, s'il était assez fou pour y consentir, son peuple s'y opposerait, et c'est le peuple qui compte. J'ai dit et répété à Cavagnari que les Afghans ne veulent prendre parti ni pour les Russes ni pour le Vice-Roi... Oui, oui, je sais, vous allez m'objecter comme il l'a fait : « Mais l'Émir a reçu la Mission russe à Kaboul. » Bon, et alors? Que pouvait-il faire d'autre, sachant une armée russe massée de l'autre côté de l'Amou Daria, la moitié de son pays en révolution, et que la nouvelle des victoires remportées par les Russes en Turquie se répandait à travers l'Asie comme le feu sur une traînée de poudre? A moins de leur tirer dessus, avec toutes les conséquences que cela entraînerait, il n'avait d'autre issue que de leur faire bonne figure en les accueillant publiquement. C'est tout, il n'y a rien de plus. L'Émir ne souhaite pas davantage leur présence que la nôtre et le Vice-Roi le sait très bien...Ou, s'il l'ignore, c'est que son service de renseignement est exécrable!

— Vous conviendrez que ça ne fait pas bonne impression, objecta Wigram. Après tout, l'Émir avait refusé de recevoir une Mission britannique.

— Et pourquoi pas? Nous nous gargarisons de nos « droits » en Afghanistan, de notre « droit » d'avoir une Mission à Kaboul... Mais qui diable nous a donné de tels droits? L'Afghanistan n'est pas notre colonie et n'a jamais constitué une menace pour nous... sinon comme possible allié des Russes et base permettant à ceux-ci d'attaquer les Indes. Mais tout le monde sait aujourd'hui que si ce danger a jamais existé, il a pris fin avec la récente signature du traité de Berlin. Donc, prétendre que nous avons quelque chose à craindre de l'Afghanistan est pure foutaise. Toute cette affaire peut avoir une solution pacifique et il n'est pas trop tard pour cela. Au lieu de quoi, nous préférons nous considérer comme sérieusement menacés, et prétendre avoir tout fait pour nous concilier l'Émir mais être maintenant à bout de patience. Bon sang, Wigram, serait-ce que nos gros bonnets *veulent* une seconde guerre afghane?

Battye eut un haussement d'épaules :

– Pourquoi me le demander à moi? Je ne suis qu'un pauvre officier de cavalerie, qui fait ce qu'on lui dit et va où on l'envoie. Je ne suis pas dans la confidence des Grands, aussi mon opinion n'a-t-elle guère de prix... Mais, d'après ce que j'ai pu entendre, la réponse est : « Oui, ils veulent une autre guerre. »

– C'est bien ce que je pensais. L'impérialisme leur est monté à la tête et ils souhaitent voir l'emprise de la Grande-Bretagne s'étendre de plus en plus sur la carte, afin que les livres d'histoire les considèrent comme de grands hommes, les proconsuls, les Alexandre des temps modernes! Ça me donne envie de vomir!

– N'en veuillez pas à Cavagnari. Lorsque nous trouvions à Ali Masjid, je l'ai entendu dire à Faiz Mohammed, qu'il n'était qu'un serviteur faisant ce que son gouvernement lui commande. Et il en va de même pour moi.

– Peut-être. Mais des hommes comme lui, des hommes qui connaissent les tribus du Khyber et sont capables de leur parler dans leurs dialectes, devraient conseiller au Vice-Roi et à ses batailleurs de retenir leurs chevaux, au lieu de les pousser à la charge... Enfin, bref, j'ai fait de mon mieux, mais c'était une erreur de penser que j'arriverais à le persuader de ce qu'il se refuse à croire. Et je vous avoue que je serai rudement content quand j'en aurai terminé avec cette affaire!

— Moi aussi! s'exclama Wigram avec chaleur. Je vais même prendre langue avec le commandant pour voir s'il ne peut demander que vous soyez rappelé...

— Non, Wigram, ne me tentez pas, l'interrompit calmement Ash. Je me suis lancé dans cette aventure les yeux bien ouverts, et vous savez comme moi que je me dois de continuer aussi longtemps que subsiste la moindre chance de voir, fût-ce à la onzième heure, la raison l'emporter. Parce que l'Afghanistan n'est pas un pays où faire la guerre... et c'est aussi un pays impossible à garder si l'on est vainqueur.

— Bref, cette manœuvre n'est *pas juste*? murmura Wigram à dessein.

Ash rit en hochant la tête :

— Exactement : ce n'est pas juste. Si la guerre est déclarée, ce sera une guerre aussi injuste qu'injustifiable, et je ne crois pas que nous aurons Dieu avec nous. Enfin, j'ai été content de vous revoir, Wigram. Voulez-vous faire parvenir ceci à ma femme? poursuivit-il en lui remettant un papier plié et cacheté. Faites aussi mes amitiés à Wally et Zarin, en leur disant que l'oncle Akbar prend leurs intérêts très à cœur. Et si vous avez tant soit peu d'influence sur Cavagnari, essayez de le convaincre que je ne suis ni un menteur ni un renégat et que, à ma connaissance, tout ce que je lui ai dit est la stricte vérité.

— Je ferai de mon mieux, promit Wigram. Au revoir... et bonne chance!

Il descendit de nouveau la colline, retrouva son

235

cheval qui l'attendait dans la plaine, et repartit rapidement vers Jamrud dans l'éclatant soleil de cette matinée.

Quelques heures plus tard, il s'entretenait de Ash avec Cavagnari. Mais la conversation tourna court sans avoir abouti à rien de concluant, et Wigram repartit avec le sentiment qu'il eût mieux fait de s'abstenir.

A ce moment-là, nul ne se doutait que la plupart des vues de Ash étaient partagées par un autre homme, lequel n'était rien de moins que le Premier ministre de Sa Majesté, lord Beaconsfield – le cher « Dizzy » de Victoria – qui, au cours d'une allocution prononcée au Guildhall de Londres, à l'issue du banquet du Lord Maire, les avait fort bien exprimées mais en ayant grand soin de ne pas donner de noms...

« D'après tout ce qu'on entend raconter, avait déclaré Disraeli, on croirait que notre Empire des Indes risque d'être envahi et que nous allons entrer en conflit avec un ennemi aussi puissant qu'inconnu. Alors, je tiens à dire que le Gouvernement de Sa Majesté ne redoute absolument pas une invasion des Indes par notre frontière du nord-ouest. La base d'opérations d'un éventuel ennemi est tellement éloignée, les communications sont si difficiles, le pays si peu engageant, que nous ne croyons pas, dans ces conditions, qu'une invasion par la frontière nord-ouest soit envisageable. »

Mais, bien que l'invention du télégraphe eût donné la possibilité d'expédier des nouvelles d'un bout à l'autre des Indes à une vitesse miraculeuse, les communications avec l'Angleterre demeuraient terriblement lentes, aussi personne aux Indes n'eut connaissance de ces déclarations. Il paraît d'ailleurs peu probable que, s'ils en avaient été informés, les stratèges de Simla ou les généraux affairés de Peshawar, Quetta,

236

Kohat, y eussent prêté grande attention. Le plan élaboré par Cavagnari pour amener Ali Masjid à la dissidence avait été abandonné, mais ses ultimes conséquences se révélèrent catastrophiques. Les renforts impressionnants que Faiz Mohammed avait fait venir en toute hâte pour assurer la défense du fort eurent pour effet d'inquiéter sérieusement les conseillers militaires du Vice-Roi, lesquels estimèrent que le rassemblement de telles forces à proximité de la frontière constituait une menace pour les Indes, et qu'il convenait de la neutraliser par une mobilisation de la même importance du côté britannique.

De nouveau, des messagers furent envoyés à Kaboul, porteurs de lettres où l'Émir était accusé d'avoir *manifesté des sentiments inamicaux à l'égard du Gouvernement britannique* en recevant la Mission russe, et où on lui demandait de *présenter des excuses* pour l'attitude hostile du gouverneur d'Ali Masjid, qui avait refusé de laisser passer une mission britannique. Et il était une fois encore souligné que les relations amicales entre les deux pays dépendaient de la présence permanente d'une mission britannique à Kaboul.

*A moins que ces conditions soient dûment acceptées par vous et que votre acceptation me parvienne au plus tard le 20 novembre,* écrivait lord Lytton, *je serai contraint de voir dans votre attitude une manifestation d'hostilité, et de vous traiter dès lors comme un ennemi déclaré du Gouvernement britannique.*

Mais l'infortuné Shir' Ali, qui s'était un jour décrit comme « un pot de terre entre deux pots de fer » (et en était arrivé à détester les Britanniques), ne sut comment traiter cet ultimatum. Il balança, hésita, se tordit les mains, accusa le sort, en espérant que, s'il s'abstenait de toute action, la crise passerait d'elle-même, comme les précédentes. Car, finalement, les Russes avaient quitté Kaboul, et Stolietoff venait de lui écrire pour lui recommander de faire la paix avec les Britanniques... Stolietoff, dont l'insistance à venir en Afghanistan sans y avoir été invité était à l'origine de tous ces ennuis !

A Simla, le Secrétaire particulier du Vice-Roi, le colonel Colley, aussi porté sur cette guerre que son seigneur et maître, écrivait : *Actuellement, notre principale inquiétude est que l'Émir envoie des excuses ou que Londres intervienne.*

Le colonel n'avait pas à s'inquiéter. Le 20 novembre arriva et se passa sans qu'on reçoive un message de l'Émir. Le 21, déclarant n'avoir aucun grief contre le peuple afghan et n'en vouloir qu'à son Émir, lord Lytton ordonna de franchir la frontière. Une armée britannique pénétra en Afghanistan, et ce fut le commencement de la Seconde Guerre afghane.

## 53

Décembre avait été d'une douceur inhabituelle mais, avec la Nouvelle Année, la température se mit à baisser. Un jour, aux petites heures, Ash fut réveillé par la caresse furtive de doigts glacés sur ses joues et ses paupières fermées.

Il avait de nouveau rêvé et, dans son rêve, il était à demi assoupi, au bord d'un torrent, dans une vallée au milieu des montagnes, la vallée de Sita. C'était le printemps, des poiriers étaient en fleurs et, soufflant entre leurs branches, la bise détachait des pétales qui venaient se poser sur son visage. S'ajoutant au bruit du torrent, cette sensation le fit s'éveiller. En ouvrant les yeux, il eut conscience d'avoir dormi longtemps et que, durant son sommeil, le vent s'était levé, amenant la neige avec lui.

D'un revers de main, Ash balaya les flocons qui s'étaient posés sur son visage et sa barbe puis, se mettant péniblement debout, il secoua sa couverture pour faire tomber la neige, avant de s'en couvrir la tête et les épaules par-dessus le long manteau afghan en peau de mouton qu'il portait jour et nuit depuis une semaine. Le manteau sentait la fumée et l'huile rance, le suint et l'humanité mal lavée, mais Ash lui était reconnaissant de la chaleur qu'il lui procurait, car la caverne où il nichait était froide et allait le devenir encore plus. D'ailleurs, il était comme immunisé contre les mauvaises odeurs et elles ne le gênaient pas.

La guerre de lord Lytton contre Shir' Ali (le Vice-Roi ayant bien souligné qu'il n'avait rien contre les sujets de l'Émir) avait pris un bon départ, en dépit de quelques erreurs dues à un manque de préparation. Ces erreurs n'avaient d'ailleurs pas empêché la chute d'Ali Masjid moins de deux jours après l'ouverture des hostilités, avec seulement quinze morts et trente-quatre blessés du côté des vainqueurs; ni, quelques jours plus tard, l'occupation de Dakka, puis de Djalalabad. Le Jour de l'An, les forces commandées par le général de brigade sir Frederick Roberts s'étaient emparées des forts de la vallée du Kurram.

Mais quelque chose d'autre s'était produit ce 1er janvier. Ce quelque chose revêtait tant d'importance aux yeux de Ash qu'il avait décidé d'aller en entretenir directement le major Cavagnari. Celui-ci, ayant accompagné l'armée victorieuse en qualité de conseiller politique, se trouvait alors à Djalalabad où, à l'occasion du durbar tenu par sir Sam Browne pour le Nouvel An, il s'était efforcé d'expliquer aux quelques chefs afghans présents, les raisons de cette déclaration de guerre et les dispositions pacifiques du Gouvernement britannique à l'égard des tribus nomades.

Une fois qu'il serait à Djalalabad, Ash ne pensait pas avoir beaucoup de difficulté à rencontrer Cavagnari car, s'étant rendu compte qu'ils ne couraient aucun risque d'être massacrés par les envahisseurs, les habitants de la ville commerçaient activement avec les troupes, après avoir augmenté tous les prix. Il y aurait donc à nouveau beaucoup d'Afridis dans la ville et un de plus n'y attirerait pas l'attention.

Mais Ash n'avait pas prévu la neige et il se demandait à présent s'il pourrait atteindre Djalalabad car, si cette tempête de neige se prolongeait, elle recouvrirait tous les repères lui permettant de trouver son chemin... à supposer que ce ne fût pas déjà fait. Toutefois la chance était avec lui car, lorsqu'il y vit suffisamment clair pour se mettre en route, la neige avait cessé de tomber, et vers midi, il rencontra un groupe de Powindahs qui se rendaient à Djalalabad. En leur compagnie, il atteignit la ville une heure avant le coucher du soleil.

Entrer en contact avec Cavagnari se révéla assez facile. Les nouvelles qu'apportait Ash étaient à la fois saisissantes et tragiques, encore que leur aspect tragique échappât au major qui n'avait jamais eu la moindre sympathie pour Shir' Ali.

Apprenant que sa réponse à l'ultimatum de lord Lytton était arrivée trop tard pour empêcher l'invasion de son pays, que ses forteresses tombaient l'une après l'autre aux mains des assaillants, l'Émir avait perdu la tête et décidé de s'en remettre à la merci du Tsar.

Sous la pression des événements, il avait déjà été contraint de reconnaître son fils aîné Ya'kub Khan (qu'il séquestrait depuis des années et continuait de haïr) non seulement comme son héritier mais aussi co-souverain du royaume. Épreuve amère et humiliante alors que son cœur pleurait encore la mort d'un autre fils tant aimé. Pour éviter le douloureux embarras de devoir partager le pouvoir, il n'avait vu d'autre issue que de quitter Kaboul. Il l'avait fait en prétendant devoir se rendre à Saint-Petersbourg pour soumettre sa cause à l'empereur Alexandre, lui demander justice, et obtenir contre la Grande-Bretagne la protection de toutes les puissances européennes bien pensantes...

– Oui, je suis au courant, dit le major Cavagnari pour bien faire comprendre à Ash qu'il n'était pas sa seule source d'informations touchant ce qui se passait à Kaboul. Nous avons été avertis des intentions de l'Émir. Il a d'ailleurs écrit lui-même au Gouvernement britannique pour l'informer de sa décision, et le sommer d'envoyer des représentants qualifiés au Congrès qui se tiendrait à Saint-Petersbourg. Je suppose que cette idée lui a été suggérée par le Congrès de Berlin, où nos différends avec la Russie ont été discutés et résolus. J'ai su par la suite qu'il avait quitté Kaboul le 22 décembre, pour une destination inconnue.

– Mazar-i-Charif, dans sa province du Turkestan, précisa Ash. Il y est arrivé le 1er janvier.

– Ah! Alors, je pense que nous en aurons bientôt confirmation.

– Très probablement. Mais, vu les circonstances, j'ai jugé devoir vous informer sur-le-champ car, bien sûr, ça change tout.

– Comment cela? s'enquit Cavagnari. Nous savions déjà qu'il était de mèche avec les Russes, et ceci prouve simplement que nous ne nous trompions pas.

Ash le regarda.

– Mais... Ne voyez-vous pas qu'il ne compte plus désormais? Après ça, il est fini aux yeux de son peuple, car il lui est impossible maintenant de retourner à Kaboul ou de remonter sur le trône d'Afghanistan. S'il était resté dans sa capitale et avait tenu bon, il aurait rallié autour de lui tout Afghan qui hait les infidèles – autrement dit, quatre-vingt-dix-neuf et demi pour cent de la population; au lieu de quoi, il s'est enfui en laissant Ya'kub Khan seul pour faire face aux conséquences. Je vous assure, sir, qu'il est absolument fini, fichu, *klas-shu!* Si je suis ici, ça n'est pas pour cette raison, qui n'a plus d'importance, mais pour vous apprendre qu'il n'arrivera jamais à Saint-Petersbourg car il est mourant.

– *Mourant?* Vous êtes certain? questionna vivement Cavagnari.

– Oui, sir. Ses proches disent qu'il en est lui-même conscient au point de refuser médicaments et nourriture afin de hâter sa fin, car il ne peut se remettre du double coup d'avoir perdu le fils qu'il adorait et d'avoir dû reconnaître pour héritier celui qu'il déteste, le tout survenant après les intolérables pressions qu'il a subies de la part des Russes comme de nous-mêmes. Plus rien ne le rattache à la vie et personne ne croit qu'il quittera le Turkestan; d'ailleurs, le ferait-il que les Russes l'obligeraient certainement à rebrousser chemin. Maintenant qu'ils nous ont officiellement serré la main, l'Afghanistan est plutôt pour eux un sujet d'embarras et je pense qu'ils préfèrent pouvoir en oublier l'existence... Jusqu'à la prochaine fois, bien sûr! Je tiens aussi de bonne source que Shir' Ali a écrit au général Kaufman pour lui demander d'intercéder en sa faveur auprès du Tsar; Kaufman lui a répondu de ne surtout pas quitter son royaume et de faire la paix avec les Britanniques. Il sait donc maintenant n'avoir aucune aide à espérer du côté de la Russie et qu'il a commis une irréparable erreur en quittant Kaboul. On ne peut s'empêcher de le plaindre un peu, mais cela signifie du moins que la guerre est finie et que nos troupes vont pouvoir regagner les Indes.

– Regagner les Indes? fit écho Cavagnari en fronçant les sourcils. Je ne vous comprends pas.

– Mais... Dans sa proclamation, le Vice-Roi n'a-t-il pas dit n'avoir aucun grief contre le peuple afghan, n'en vouloir qu'à Shir' Ali? A présent, Shir' Ali a quitté Kaboul et vous, sir, qui connaissez ces gens, vous savez bien que Ya'kub Khan veillera à ce qu'il n'y remette jamais plus les pieds. Par ailleurs, comme je vous l'ai dit, Shir' Ali est à l'article de la mort et vous allez apprendre son décès d'un jour à l'autre. De toute façon, qu'il vive ou qu'il meure, il a cessé de compter. Alors pourquoi nous battrions-nous?

Cavagnari ne répondit pas. Après un moment, Ash rompit ce silence qui s'éternisait :

– Sir... S'il est vrai que nous n'avons aucun grief contre son peuple, j'aimerais savoir ce que nous faisons ici plusieurs semaines après qu'il a jeté l'éponge et décampé? J'aimerais savoir quelle excuse nous avons maintenant pour envahir leurs territoires et s'ils résistent – ce qui ne devrait pas nous étonner – les abattre, puis brûler leurs maisons et leurs champs, de façon que femmes, enfants, vieillards et démunis se retrouvent sans abri ni nourriture au beau milieu de l'hiver? Car c'est ce que nous faisons. Or, si lord Lytton était sincère quand il disait n'avoir rien à reprocher au peuple afghan, il devrait arrêter immédiatement cette guerre, que nous n'avons plus aucune raison de continuer.

– Vous oubliez, dit le major Cavagnari d'un ton glacial, que Shir' Ali a nommé Ya'kub Khan co-souverain, et que celui-ci va donc à présent devenir Régent... si bien que le pays a toujours un souverain.

– Mais comment pourrions-nous prétendre avoir querelle avec Ya'kub, alors qu'il était retenu prisonnier depuis des années, et que nous avions nous-

243

mêmes demandé sa libération à plusieurs reprises ? Maintenant qu'il est virtuellement le souverain de l'Afghanistan, une trêve peut à tout le moins intervenir jusqu'à ce que nous voyions comment il se comporte ? Ça ne nous fera aucun tort et ça sauvera un grand nombre de vies. Mais si nous continuons cette guerre sans même attendre de voir ce que Ya'kub va faire, nous perdrons toute chance de nous l'attacher et, comme son père qu'il haïssait, il deviendra notre ennemi. Est-ce cela que nous voulons ?

De nouveau, Cavagnari ne répondit pas. Alors Ash répéta sa question, en élevant la voix :

– Est-ce *vraiment* ce que vous voulez... vous, le Vice-Roi, et tous les conseillers de Son Excellence ? N'avez-vous cherché qu'un sanglant prétexte pour vous emparer de l'Afghanistan et l'ajouter à l'Empire... sans aucun souci de son peuple, auquel nous disions pourtant n'avoir rien à reprocher ? Est-ce bien ça ? *Dites ?* Parce que si c'est ça...

– Vous dépassez les bornes, lieutenant Pelham-Martyn, l'interrompit Cavagnari d'un ton glacial.

– Syed Akbar, rectifia Ash avec acidité.

Ignorant la correction, Cavagnari poursuivit :

– Et cessez de crier, je vous prie. Si vous n'êtes pas en mesure de vous contrôler, il vous vaut mieux partir avant qu'on ne vous entende. Nous ne sommes pas aux Indes britanniques, mais à Djalalabad, qui fourmille d'espions. Je vous ferai remarquer en outre que ça n'est ni à vous ni à moi de critiquer les ordres qu'on nous donne, ou de nous immiscer dans une politique qui nous dépasse. Notre devoir est de faire ce qu'on nous dit ; si vous en êtes incapable, alors vous n'avez plus d'utilité pour moi, ni pour le Gouvernement que j'ai l'honneur de servir, et je pense que vous feriez bien de rompre sans plus attendre vos relations avec nous.

Ash respira bien à fond et se détendit. C'était comme si on lui avait ôté un poids de sur les épaules, un poids écrasant de responsabilité qui s'alourdissait sans cesse. Au fond, tout cela était beaucoup de sa faute : il avait été bien présomptueux de s'imaginer que les renseignements recueillis par lui avec tant de peine, seraient jugés suffisamment importants pour influer sur les décisions des conseillers du Vice-Roi et faire pencher la balance vers la paix au lieu de la guerre.

Ses rapports n'avaient d'autre utilité que de confirmer ou contredire ceux des espions indigènes, que l'on savait portés à exagérer ou se montrer trop crédules. La décision vitale entre la guerre et la paix devait avoir déjà été prise avant que lui-même se portât volontaire comme agent de renseignement. Seuls auraient pu la changer les ordres venus de Londres, ou bien l'acquiescement total de Shir' Ali aux demandes du Vice-Roi et du Gouvernement des Indes.

Mesurant soudain tout le comique de l'affaire, il rit, pour la première fois depuis bien des semaines; voyant l'air choqué de Cavagnari, il s'excusa :

– Je suis désolé, sir. Je ne voulais pas me montrer insolent. C'est seulement que je me prenais trop au sérieux depuis quelque temps. Je me voyais un peu comme une sorte de *deus ex machina*, ayant entre mes mains le sort de mes amis et de la nation... de deux nations. Vous avez raison de vous débarrasser de moi. Je ne suis pas taillé pour ce genre de travail, et j'aurais dû avoir assez de jugeote pour ne pas me laisser persuader de le faire.

Il ne s'attendait pas à ce que son interlocuteur comprenne ce qu'il ressentait, mais Louis Cavagnari n'était anglais que d'adoption. Dans ses veines, coulait du sang français et irlandais; en sus de quoi, lui aussi voyait l'Histoire non comme relevant du passé mais comme quelque chose en train de se faire, quelque chose dans quoi il pouvait jouer un rôle... peut-être même un grand rôle...

Son visage s'adoucit et il dit :

— Ne croyez pas cela. Vous nous avez été d'un grand secours. La plupart des informations transmises par vous nous ont été précieuses; alors il ne vous faut pas penser que vous avez œuvré en vain, ni que je ne vous suis pas profondément reconnaissant de tout ce que vous avez fait et tenté de faire. Nul n'a davantage conscience que moi des risques et des dangers que vous avez courus, des sacrifices que vous avez consentis de grand cœur. Aussi, dès la fin de cette campagne, je n'hésiterai pas à demander que l'on vous décore pour votre bravoure.

— N'en faites surtout rien, sir. Je m'en veux de vous ôter vos illusions mais, pour quelqu'un comme moi, le danger n'était vraiment pas grand, car je ne me suis jamais senti bien différent des gens que j'ai rencontrés et avec qui j'ai discuté depuis que je suis ici. Je n'avais pas à changer de peau, si vous voyez ce que je veux dire. La seule chose qui ne cessait de me tourmenter, c'était la responsabilité que j'avais de m'efforcer d'éviter une erreur désastreuse... Mais vous savez déjà tout cela et il n'y a aucune raison que je revienne là-dessus.

— Aucune, en effet, acquiesça Cavagnari d'un ton bref. Mais même si nos opinions diffèrent, je suis sincère en disant vous avoir beaucoup de reconnaissance. C'est pourquoi je déplore que nous devions nous séparer. Bien entendu, je transmettrai aux autorités compétentes les renseignements que vous m'apportez touchant l'arrivée de Shir' Ali à Mazar-i-Charif et son état de santé, ainsi que votre opinion personnelle sur la situation. Il se peut qu'elle ait quelque influence... je l'ignore. Si la conduite de la guerre dépendait de moi... mais comme ça n'est pas le cas, inutile d'épiloguer là-dessus. Je présume que vous allez retourner à Mardan? Cela vous arrangerait-il que je vous fasse voyager jusqu'à Peshawar avec l'un de nos convois?

– Je vous remercie, sir, mais je crois préférable de m'en retourner par mes propres moyens. D'ailleurs, je ne sais au juste quand je repartirai. Cela va dépendre de mon commandant.

Cavagnari lui jeta un regard incisif, mais se retint de faire un commentaire et ils se serrèrent la main.

Au sortir du bureau chauffé, l'air de la nuit était glacial. L'homme qui, sur les ordres de Cavagnari, avait conduit Ash jusque-là et devait le raccompagner, s'était abrité dans l'embrasure d'une porte. L'espace d'un instant, Ash le crut parti et interrogea les ténèbres :

– Zarin?

– Je suis là, répondit Zarin en s'avançant. Tu es resté si longtemps avec le Sahib que je me sentais mourir de froid. Il a été content des nouvelles que tu lui apportais?

– Pas spécialement, non... Il en connaissait déjà une partie et m'a dit qu'il aurait appris le reste d'ici un jour ou deux. Mais ce n'est pas un endroit pour parler...

– Non, convint Zarin.

Il guida son ami le long de ruelles obscures et finit par s'arrêter devant une maison basse, proche des remparts. Ash entendit une clef tourner en grinçant et fut introduit dans une petite pièce, éclairée par une seule *chirag* et la clarté rouge d'un feu de charbon fort accueillant.

– C'est ici que tu habites? demanda Ash en s'asseyant par terre sur ses talons et présentant ses mains au rayonnement de l'âtre.

– Non. J'ai demandé asile pour quelques heures à un veilleur de nuit qui ne sera pas de retour avant l'aube. Nous allons donc pouvoir parler en toute tranquillité. Tu as tant de choses à me raconter! Sais-tu que cela fait près de sept mois que je ne t'ai vu? Plus de la moitié d'une année sans aucune nouvelle, sinon par Wigram-Sahib qui m'a dit t'avoir vu et parlé sur la colline de Sarkai, au début de novembre. Tu lui avais remis une lettre pour qu'elle soit portée à Attock par quelqu'un de sûr.

C'était Zarin lui-même qui s'était chargé de la lettre, ce qui lui permettait de dire qu'Anjuli était en bonne santé, choyée par toute la maisonnée. Elle avait mis tant d'ardeur à étudier le pachto qu'elle pouvait à présent le parler couramment.

– Maintenant que je t'ai rassuré sur ce qui te préoccupait par-dessus tout, tu auras l'esprit plus tranquille pour manger. Il y a des *chuppattis* et du *jal frazi* que j'ai gardé au chaud à ton intention. Tu n'as pas dû manger à ta faim depuis quelque temps, car tu es maigre comme un chat de gouttière.

– Tu serais comme moi si tu étais venu à cheval et à dos de chameau depuis Charikar, qui se trouve au delà de Kaboul, en un peu moins de cinq jours, rétorqua Ash avant de se mettre à manger voracement. Ce n'est pas un voyage à entreprendre en hiver et, de plus, il me fallait faire vite. Alors, pour ne pas perdre de temps, j'ai pratiquement dormi et mangé sur ma selle.

Il but avec avidité un gobelet de thé fort largement additionné de *gur* avant de déclarer :

– Mais me voici de nouveau libre. Cavagnari-Sahib m'a dit qu'il n'avait plus besoin de mes services.

– Ah? Eh bien, voilà une bonne nouvelle!

– Peut-être... Zarin, me serait-il possible de rencontrer Hamilton-Sahib sans que personne le sache?

248

– Pour cela il faudrait que tu restes à Djalalabad jusqu'à son retour, dont j'ignore quand il aura lieu. Lui et quelques autres de notre *rissala* font partie d'une expédition contre le clan Bazai. Comme ils sont partis seulement hier, ils ne reviendront sûrement pas avant plusieurs jours.

– Et Battye-Sahib aussi?

– Non, lui, il est ici. Mais ça ne sera pas facile de le voir sans que personne en ait vent, car il a été nommé récemment major et maintenant il commande le *rissala*. C'est dire qu'il a beaucoup de travail et se trouve rarement seul. Mais je vais quand même tâcher d'arranger ça.

La promotion de Wigram était une surprise pour Ash, lequel ne savait pas que le colonel Jenkins avait donné à Battye le commandement d'une brigade nouvellement formée, qui comprenait la 4e Batterie d'artillerie, l'infanterie des Guides et le 1er Sikhs.

– Zarin, mets-moi au courant de ce qui s'est passé ici. Je ne sais pour ainsi dire rien de ce qu'ont fait nos troupes car, où j'étais, on parlait surtout de l'autre camp.

Tout en faisant la part de l'exagération dans ce qui se racontait à Kaboul et à Charikar, Ash avait eu le sentiment que ça n'allait pas très bien pour les armées du Vice-Roi, et Zarin le lui confirma. La victorieuse avance sur Kaboul avait été stoppée par le manque de transports, tandis que les troupes cantonnées à Djalalabad et dans le Kurram étaient rendues malades par le froid rigoureux... les plus atteints étant les régiments britanniques et ceux venus du Sud, guère habitués à de telles températures. On manquait aussi d'animaux de faix et l'on trouvait si peu de fourrage dans le Khyber qu'il fallait envisager de renvoyer les chameaux passer une quinzaine de jours dans les plaines, si l'on ne voulait pas devoir remplacer au

printemps les centaines qui seraient morts entre-
temps.

– Si j'étais superstitieux, déclara Zarin, – ce qui
n'est pas le cas et j'en rends grâce au Tout-Puissant, –
je dirais que cette année doit se trouver placée sous
une mauvaise étoile, et pas seulement pour l'Afghanistan. En effet, il nous est parvenu des nouvelles selon
lesquelles dans l'Aoudh, le Pendjab et les provinces du
Nord-Ouest, les pluies d'hiver ont de nouveau déçu
tous les espoirs, si bien que des milliers de gens
meurent de faim. Etais-tu au courant de ça?

Ash secoua la tête et dit que non. Par contre, il
savait qu'en Afghanistan la population tout entière
était certaine de la victoire car, dans un *firman* royal,
Shir' Ali avait parlé des défaites et des grosses pertes
des envahisseurs, alors que de ses « lions dévorants »,
aucun n'était allé au Paradis sans avoir tué au moins
trois ennemis. En temps de guerre, il y avait toujours
des communiqués de ce genre dans les deux camps.
Mais à cause de la configuration du pays, du manque
de communications entre les tribus, et parce qu'ils
n'avaient encore essuyé aucune grande défaite, les
Afghans étaient convaincus que leurs troupes n'auraient aucune peine à stopper l'avance vers Kaboul.

– Ils doivent pourtant savoir que nous nous sommes
emparés d'Ali Masjid! objecta Zarin.

– Oui, mais on leur a tant dit que nous y étions
parvenus seulement au prix d'énormes pertes, qu'ils
sont encore persuadés de remporter une victoire comparable à celle par laquelle, voici près de cinquante
ans, leurs pères anéantirent toute une armée britannique en l'espace de quelques jours. Comme ton père
m'en avait averti, c'est une chose qu'ils n'ont jamais
oubliée et ne se lassent pas de raconter, au point que
même les très jeunes enfants en ont entendu parler. En
revanche, ils semblent tous avoir oublié que le général

250

Sale-Sahib a défendu Djalalabad avec succès, et ne se rappellent pas davantage l'avance victorieuse de Pollack-Sahib par les passes du Khyber, qui suivit la destruction du Bazar de Kaboul. C'est là, selon moi, que réside le plus grand danger en ce qui nous concerne : aussi longtemps qu'ils seront persuadés de pouvoir nous battre sans peine, ils n'accepteront pas de négocier. Ils sont sûrs de nous avoir pris dans un piège et de nous anéantir quand ça leur chantera.

Zarin eut un rire bref :

– Qu'ils essayent ! Ils mesureront vite leur erreur !

Ash ne répondit rien. Comment une armée d'invasion peut-elle progresser sans moyens de transport ? Comment garder une forteresse conquise, si l'on n'a pas de quoi alimenter sa garnison en vivres et munitions ? Et, dans ces conditions, comment des hommes ne supportant pas un froid rigoureux pourraient-ils gagner des batailles ? Ash estimait que lord Lytton devrait saisir au vol le prétexte que lui fournissait la fuite de Shir' Ali et annoncer une trêve. En agissant de la sorte, il prouverait qu'il était sincère en disant n'avoir de grief que contre Shir' Ali. En outre, s'il le faisait tout de suite, tant que les Britanniques détenaient Ali Masjid, Djalalabad, plus encore quelques autres villes, donnant ainsi l'impression de contrôler le Kurram et les passes du Khyber, il serait possible d'arriver à un accord équitable avec Ya'kub Khan lorsque son père mourrait... ce qui n'était plus qu'une question de jours. Il pourrait en découler une paix juste et durable entre le Vice-Roi et l'Afghanistan. Mais si la guerre continuait, il en résulterait immanquablement un autre massacre.

Zarin, qui l'observait, semblait lire dans ses pensées, car il énonça avec philosophie :

– Ce qui est écrit, est écrit. Nous n'y pouvons rien changer. Raconte-moi tout ce que tu as fait...

251

Ash le lui dit, tandis que tous deux continuaient à boire du thé; lorsque ce fut fini, Zarin déclara :

– Tu as bien mérité que Cavagnari-Sahib te rende ta liberté. Que comptes-tu faire maintenant? Vas-tu rester ici avec le *Rissala* ou bien partir pour Attock demain matin? Après tout ça, ils ne te refuseront sûrement pas une permission.

– C'est au commandant-Sahib d'en décider. Vois si tu peux t'arranger pour que je le rencontre demain, mais pas au camp. Le mieux serait, je crois, au bord de la rivière. Je m'y rendrai dans la soirée. Me sera-t-il possible de passer la nuit ici?

– Certainement, le veilleur est un de mes amis. Et pour ce qui est du commandant-Sahib, je vais faire de mon mieux.

Tandis que Zarin rassemblait la vaisselle et se retirait, Ash s'installa pour dormir, réconforté non seulement par le repas et le feu, mais aussi par le sentiment que ses épreuves étaient terminées. Le lendemain ou le surlendemain, il aurait la permission de retourner à Attock voir Juli et passer quelques jours auprès d'elle, avant de regagner Mardan.

Si Ash s'était entretenu avec Wigram cette nuit-là, ou très tôt le lendemain matin, il aurait probablement pu réaliser ce programme. Mais le Destin se manifesta en la personne du général de brigade sir Sam Browne. Le général avait invité ce matin-là Cavagnari à prendre son *chota-hazri* avec lui, afin qu'ils aient un entretien privé avant la réunion officielle qui devait se tenir dans l'après-midi. Vers la fin de cet entretien, se rappelant soudain que le général avait naguère commandé les Guides et pouvait donc être intéressé, Cavagnari parla de Ashton Pelham-Martyn et du rôle d'agent de renseignement qu'il venait de jouer depuis l'Afghanistan.

Le général fut plus qu'intéressé et, après avoir posé bon nombre de questions, il déclara se rappeler parfaitement l'arrivée à Mardan de ce garçon... Dire que, à l'époque, Jenkins, Campbell et Battye n'étaient encore que sous-lieutenants...

Puis, comme son interlocuteur se taisait, Cavagnari prit cela pour une invite à se retirer, ce qu'il fit avec d'autant plus d'empressement qu'il avait devant lui une matinée chargée, et devrait encore trouver le temps d'écrire au major Campbell (commandant provisoirement des Guides en l'absence du colonel Jenkins) pour l'informer qu'il n'avait plus besoin du lieutenant Pelham-Martyn et que celui-ci était donc en mesure de regagner son régiment. Mais, au même instant, le remplaçant de Jenkins était en train de lire une autre note, émanant de Sam Browne et que celui-ci lui avait envoyée par un cavalier quelques minutes après le départ de Cavagnari. Cette note demandait au major Campbell de se présenter au Q.G. du général dans les plus brefs délais.

Campbell s'était aussitôt mis en route, cherchant à deviner ce qui se mijotait; à son arrivée, il avait été très étonné d'apprendre que si le général désirait lui parler, c'était au sujet de Ash.

– J'ai su qu'il était ici, à Djalalabad, et Cavagnari, l'ayant saqué, s'attend à ce qu'il aille se faire porter rentrant à son régiment. Je suis navré de le décevoir, mais je me trouve avoir d'autres idées concernant ce garçon...

S'il avait pu les entendre exposer, le major Cavagnari n'aurait pas aimé les « idées » du général, car elles étaient à l'opposé des siennes concernant le crédit qu'il fallait accorder aux renseignements fournis par le lieutenant Pelham-Martyn. Il est vrai, comme Sam Browne lui-même le souligna, qu'ils ne considéraient pas le problème sous le même angle : le général n'avait aucun souci de la politique mais, sur le plan militaire, il estimait inappréciable le concours de quelqu'un comme Pelham-Martyn.

– Cavagnari le croit devenu trop pro-afghan pour que ses renseignements ne soient pas tendancieux. Moi, je n'en suis pas convaincu. De toute façon, le genre d'informations dont nous avons besoin, nous, n'a rien à voir avec la politique; alors, si vous pouvez m'assurer que ce garçon ne risque pas de nous trahir, il est exactement ce que je cherche. Quelqu'un capable de nous faire parvenir des renseignements précis sur le comportement des tribus hostiles, leur importance et leurs déplacements, si ces gens-là sont bien ou mal armés, etc. Dans un pays comme celui-ci, de tels renseignements valent autant qu'un corps d'armée supplémentaire. Bref, ce que je vous demande, c'est de vous arranger pour que ce garçon continue d'espionner, mais pour notre compte et non plus celui des politiciens.

Ash accueillit la nouvelle avec stoïcisme. Le coup était rude, mais que faire? Il était officier de carrière et s'était porté volontaire pour ce genre de mission. Il écouta donc sans broncher Wigram – que Campbell avait délégué comme prévu le long de la rivière – lui donner des instructions détaillées quant au genre de renseignements dont le général avait besoin, les moyens les plus sûrs pour les acheminer, etc.

– Le général estime préférable que vous quittiez Djalalabad aussi vite que possible et continuiez d'avoir votre base à Kaboul car, tôt ou tard, cette ville tombera entre nos mains... à moins que les Afghans ne crient « Pouce! » avant cela.

Ash acquiesça. Ce soir-là, il retrouva Zarin au même endroit que la veille et eut un bref entretien avec lui, à l'issue duquel il s'éloigna dans la nuit, de la démarche caractéristique des hommes des collines. Le lendemain, Wally et sa poignée de *sowars* étaient de retour à Djalalabad, mais Ash se trouvait alors à déjà vingt milles de là.

Ceci se passait en janvier, avant que ne commencent les tempêtes et que les défilés ne soient bloqués par la neige. Vers la fin du mois, une lettre que Ash avait remise à Zarin avant de le quitter, parvint à Attock, chez Fatima Begum, par des voies détournées. Trois jours plus tard, Anjuli partait pour Kaboul.

Ces trois jours avaient été épiques. La Bégum et Gul Baz s'étaient récriés : un tel voyage, en cette saison et, qui plus est, en période d'hostilités, n'était même pas envisageable. De plus, une femme se déplaçant seule dans des régions aussi sauvages eût été la proie des *budmarshes,* assassins et voleurs.

– Mais je ne serai pas seule, rétorqua Anjuli. J'aurai Gul Baz pour me protéger.

Gul Baz déclara alors ne vouloir participer en rien à une entreprise aussi insensée : s'il le faisait, Pelham-Sahib ne le lui pardonnerait jamais, et avec juste raison. Sur quoi Anjuli avait annoncé que, dans ce cas, elle partirait seule.

Si elle avait crié et sangloté, ils se seraient peut-être sentis plus en mesure de faire face à la situation, mais elle était demeurée parfaitement calme. Sans même élever la voix, elle avait simplement déclaré que sa place était auprès de son mari. Elle avait accepté le principe d'une séparation qui devait durer six mois, mais ne supporterait pas de la voir durer encore six mois, sinon davantage. Par ailleurs, maintenant qu'elle parlait le pachto comme une Afghane, elle ne risquait plus de constituer une entrave ou un danger pour Ash. Et pouvait-on mettre en balance les dangers qu'elle courrait en Afghanistan, et l'angoisse perpétuelle dans laquelle il lui fallait vivre aux Indes, où elle n'était jamais sûre qu'un espion de Bhitor ne s'apprêtait pas à la tuer? En revanche, il était certain qu'aucun Bhitori n'aurait l'idée de se risquer de l'autre côté de la Frontière, parmi les tribus nomades. Son mari avait trouvé à se loger à Kaboul chez un ami d'Awal Shah, le Sirdar Bahadur Nakshband Khan. Elle savait donc où aller et rien ne l'arrêterait.

– Pardonnez-moi, Begum-Sahiba, ma chère tante... Vous avez été si bonne pour moi, et j'ai l'air de me montrer ingrate. Mais en restant ici, je me consumerais de peur, car je n'ignore pas que si Ash était trahi, il endurerait une lente et terrible mort... Et moi, je n'en saurais rien... Je serais pendant des mois, peut-être des années, à me demander s'il est mort ou vivant... captif dans quelque horrible endroit où on le laisse périr de faim et de froid, comme cela a bien failli m'arriver. Ça, c'est une chose que je ne pourrais endurer! Alors, aidez-moi à le rejoindre et ne m'en veuillez pas trop... N'auriez-vous pas fait de même pour votre mari?

– Si, reconnut la Bégum. J'aurais agi exactement comme toi.

Privé de l'appui de la Bégum, Gul Baz avait dû capituler, car il ne pouvait laisser Anjuli voyager seule. Ils partiraient donc le lendemain pour Kaboul, n'emportant que très peu de choses en dehors de vivres, un peu d'argent, et les bijoux ayant constitué la dot de Juli.

La Bégum avait procuré à Anjuli des vêtements afghans et des bottes fourrées comme on en porte dans le Cachemire. Elle avait chargé Gul Baz d'acheter deux bidets, capables de les transporter sans risquer d'éveiller l'attention ni susciter la convoitise des nomades.

– Oui, pensa la vieille dame, après qu'ils furent

partis. Moi aussi, au même âge, j'aurais agi ainsi. Je vais prier pour qu'elle arrive saine et sauve à Kaboul, et y retrouve l'homme qu'elle aime.

La prière de la Bégum fut exaucée : au bout de quinze jours, les deux voyageurs frappèrent à la porte de la maison, située dans une rue tranquille proche de la citadelle Bala Hissar, qui abritait Ash.

## 54

Le 21 février 1879, Shir' Ali mourait à Mazar-i-Charif, dans le Turkestan afghan, et son fils Ya'kub Khan devenait Emir à sa place. Mais, loin de faire des ouvertures aux Britanniques, le nouvel Emir s'employait déjà avec ardeur à développer et réorganiser l'armée afghane.

Les espions de Cavagnari firent savoir que cette armée comptait pour l'instant sept mille cavaliers, et douze mille fantassins, en plus de soixante canons. On accueillit ces chiffres avec un certain scepticisme, sachant que les informateurs indigènes avaient toujours tendance à broder. Mais Wigram Battye en reçut confirmation par quelqu'un qui signait « Akbar »; son correspondant ajoutait que même les tribus considérées jusqu'alors comme plutôt amies devenaient hostiles. Partout des Afridis demandaient pourquoi, maintenant que Shir' Ali était mort, le gouvernement des Indes continuait d'avoir une armée en Afghanistan et d'y occuper des forts. Cela signifiait-il que les Anglais ne comptaient pas tenir les promesses faites par eux au peuple d'Afghanistan quand la guerre avait éclaté?

« ...et je vous engage vivement, écrivait Akbar, à

vous efforcer de convaincre les imbéciles qui nous gouvernent que ça n'est pas le moment d'envoyer sans cesse des gens effectuer des relevés topographiques pour le Service géographique. C'est une perpétuelle cause de friction qui contribue à ancrer l'idée que les Anglais cherchent à s'emparer de tout l'Afghanistan. Alors, pour l'amour du Ciel, tâchez qu'ils arrêtent ça! »

Wigram fit de son mieux, mais sans succès.

M. Scott et ses adjoints avaient été sauvagement attaqués alors qu'ils prenaient des croquis dans les collines; il y avait eu quatre morts et deux blessés parmi les membres de leur escorte. Trois semaines plus tard, Wally s'était trouvé mêlé à un incident du même ordre. Alors que, avec un détachement de la Cavalerie des Guides et une compagnie du 45e Sikhs, il escortait un autre groupe d'étude, des villageois furieux les avaient attaqués et l'officier commandant la compagnie de Sikhs avait été mortellement blessé.

– Quel dommage, cette mort de Barclay! dit Wigram. C'était un si chic type!

– Un des meilleurs que je connaisse, opina Wally. Et si encore il avait été tué dans une bataille *pukka*... Mais mourir pour ça!

Il envoya voltiger de l'autre côté de la tente un inoffensif embauchoir et, après un instant ou deux, ajouta d'un ton amer :

– La situation était déjà assez délicate dans ces régions, sans qu'on aille délibérément provoquer les gens du cru par l'envoi jusque dans des coins perdus, de types laissant voir qu'ils dressent des cartes détaillées des villages. Ash avait raison : c'est bien la dernière des choses à faire en un pareil moment. Je suppose que vous n'avez pas eu d'autres nouvelles de lui?

– Pas depuis lors, non. Je pense que ça ne lui est pas

facile d'envoyer des lettres. En outre, chaque fois qu'il le fait, il doit avoir conscience de courir le risque d'être dénoncé aux Afghans, ou d'un chantage qui l'obligerait à donner tout l'argent qu'il a. De plus, il n'est jamais sûr que la lettre arrivera à destination.

– Non, en effet... Ah! je voudrais bien le revoir... Ça fait si longtemps... Il me manque bougrement!

Sortant de la tente, Wally se planta face aux collines qui dominaient Djalalabad, tandis que le vent de mars faisait voltiger ses cheveux et claquer le rabat de la tente.

– Je me demande s'il est dans les parages... nous observant peut-être du haut de ces collines?

– Je ne le pense pas, répondit Wigram. Il est probablement à Kaboul.

Mais Wally se trouvait plus près que Wigram de la vérité car, en ce même instant, Ash était dans un village appelé Fatehabad, à moins de vingt milles d'eux.

Depuis le début des hostilités, un chef ghilzai, nommé Azmatulla Khan, travaillait à provoquer un soulèvement des habitants de la vallée du Lagman contre l'envahisseur britannique. Vers la fin de février, à la tête d'une petite colonne, le colonel Jenkins avait dispersé les forces d'Azmatulla, mais sans réussir à capturer ce dernier. On le disait maintenant de retour, avec encore davantage d'hommes. Le dernier jour de mars, Ash avait envoyé d'autres mauvaises nouvelles à Djalalabad. Les hommes appartenant à la tribu des Khugianis, dont le territoire se situait à dix-sept milles à peine au sud de Fatehabad, se rassemblaient en grand nombre dans l'une de leurs forteresses sur la Frontière.

En apprenant cette nouvelle, le général de division avait donné ordre que certaines unités fassent immédiatement mouvement pour écraser cette révolte avant qu'elle ne prenne force. Elles partiraient le soir même, sans tentes ni bagages lourds, et se diviseraient en trois colonnes : une d'infanterie, une autre composée de deux escadrons de cavalerie (appartenant respectivement aux Lanciers du Bengale et au 10e Hussards), la troisième réunissant des éléments d'infanterie et de cavalerie. Cette dernière – placée sous le commandement du général Gough et comprenant deux escadrons des Guides – marcherait sur Fatehabad afin de disperser les Khugianis. Des deux colonnes restantes, l'une irait combattre Azmatulla Khan et ses bravis, tandis que l'autre franchirait les hauteurs de Siah Koh pour couper la retraite à l'ennemi.

Vu la rapidité avec laquelle cette opération avait été conçue et mise à exécution, le général espérait surprendre Azmatulla Khan et les Khugianis. Mais il aurait dû penser que Djalalabad fourmillait d'espions afghans, et que pas un sabre n'y pouvait bouger sans que la chose s'ébruitât sur l'heure. Par ailleurs, lors de l'occupation de la ville, le colonel Jenkins – maintenant général de brigade – avait été inspecter le gué que le 10e Hussards et les Lanciers du Bengale allaient à présent devoir emprunter pour passer la rivière en faisant route vers la vallée de Lagman. Or, non seulement il avait signalé ce gué comme peu sûr, mais il avait bien recommandé de ne jamais l'utiliser de nuit, même lorsque la rivière était au plus bas. Malheureusement son rapport avait dû se perdre ou être enterré dans quelque classeur car, bien que la rivière se trouvât en crue, le plan ne fut pas modifié...

Quelques-uns survécurent, dont le capitaine, mais beaucoup y laissèrent la vie. Paralysés par le froid rigoureux, entravés par leurs bottes et leurs uniformes pleins d'eau, alourdis par leurs sabres et cartouchières, emportés par la force du courant, ils furent frappés de congestion et coulèrent à pic. Quant à Azmatulla Khan, prévenu par ses informateurs de ce qui se tramait, il avait aussitôt quitté la vallée de Lagman et les deux colonnes envoyées pour s'emparer de lui revinrent bredouilles.

Avertis eux aussi, les Khugianis n'avaient cependant pas manifesté autant de prudence.

Il avait été prévu que la colonne mixte, qui devait s'occuper de cette tribu, partirait la dernière. Mais son départ ayant été retardé par le désastre du gué, il était près d'une heure du matin quand elle se mit en marche, voyant au loin, le long de la rivière, les torches à la clarté desquelles se poursuivait la recherche désespérée des survivants.

— J'avais bien dit que cette année était placée sous un mauvais signe! grommela Zarin à l'adresse du Risaldar Mahmud Khan, tandis que les escadrons progressaient dans l'obscurité.

Et Mahmud Khan de répondre :

— Le pire, c'est qu'elle n'est pas encore très avancée. Enfin, espérons qu'elle se terminera demain pour bon nombre de ces Khugianis, et que nous vivrons assez vieux pour retourner à Mardan, profiter de nos pensions, et voir les enfants de nos enfants devenir à leur tour jemadars et risaldars.

— *Ameen!* murmura pieusement Zarin.

En dépit de l'obscurité et de la difficulté qu'il y avait à suivre de nuit une piste déjà tout juste visible en plein jour, la longue colonne d'infanterie, de cavalerie et d'artillerie progressait gaillardement; aussi était-il encore nuit quand la cavalerie, qui était en tête, reçut l'ordre de faire halte, à un mille environ de Fatehabad, jusqu'à ce que le reste de la colonne la rejoigne. Alors, en vieux habitués de ce genre de campagne, Wigram et ses deux escadrons s'installèrent sous quelques arbres de façon relativement confortable.

Le village passait pour ami mais, quand l'aube vint, on ne vit aucune fumée s'élever des cheminées. Un détachement fut envoyé en reconnaissance et constata que le village était désert. Les habitants étaient partis avec leurs provisions et leurs bêtes; il ne restait plus que quelques chiens errants et un chat qui, sur le seuil d'une maison vide, fit le gros dos en voyant les cavaliers.

– Voilà qui donne la valeur de notre Renseignement, déclara Wigram en prenant son petit déjeuner à l'ombre d'un arbre. Selon eux, ce village témoignait de « dispositions amicales » à notre égard. Les dispositions amicales d'un nid de guêpes, oui! Il est clair qu'ils sont allés rejoindre l'ennemi.

Sous le commandement du Risaldar Mahmud Khan, Battye avait envoyé des patrouilles pour être informé des mouvements des Khugianis; ces patrouilles n'étaient pas encore de retour quand, vers dix heures du matin, l'artillerie et l'infanterie rejoignirent le reste des troupes; mais, entre-temps, Battye avait eu par une autre source les renseignements dont il avait besoin.

– Ashton semble penser qu'ils vont résister et se battre, dit-il en tendant à Wally un morceau de papier froissé que Zarin venait de lui apporter.

Le court message griffonné était arrivé par l'intermédiaire d'un coupeur d'herbe, qui disait l'avoir reçu d'une vieille femme inconnue laquelle lui avait recommandé de le porter tout de suite au Risaldar Zarin Khan, du *rissala* des Guides, qui le récompenserait. C'était censé être une lettre d'amour, mais la voyant écrite en *angrezi*, Zarin avait immédiatement deviné de qui elle émanait et était allé aussitôt la porter à son commandant.

« Ennemi nombreux retranché sur le plateau dominant route de Gandamak. 5000, à vue de nez. Pas d'artillerie, mais position, défense et moral premier ordre. Toute attaque de front entraînerait lourdes pertes. Canonnade pourrait avoir raison d'eux. Sinon, tâcher de les attirer à découvert, ce qui ne devrait pas présenter de difficulté vu que discipline zéro. Mais sont résolus à se battre comme des diables. A. » Bravo pour Ash! s'exclama Wally. Je me demande s'il est là-bas avec eux... Ça ne m'étonnerait pas de lui! Vous allez transmettre ça au général?

– Bien sûr... même si ça ne doit être d'aucun effet, dit Wigram en faisant signe à son ordonnance qui, selon ses instructions, partit au galop porter le message au général Gough. Il doit déjà l'avoir appris de son côté, mais ça ne lui fera pas de mal d'avoir une confirmation.

Effectivement, le général Gough avait envoyé lui aussi plusieurs patrouilles et, plus tard ce même jour, il s'était entretenu avec les *maliks* qu'on avait pu persuader de le rencontrer, afin de tâcher de distinguer quelles tribus étaient susceptibles de se battre, de rester neutres, ou de se terrer dans les collines comme Azmatulla et ses hommes.

Mais, à mesure que la journée avançait, il devenait de plus en plus clair que toute la région était hostile. Quand une patrouille après l'autre revint l'informer que les Khugianis recevaient des renforts, le général Gough se mit à dresser des plans pour la bataille qui se préparait et aurait vraisemblablement lieu le lendemain. Sachant cela, Wigram dormit profondément et Zarin aussi : ayant fait tout ce qu'ils avaient à faire, ils se reposaient, l'esprit tranquille. Ils avaient l'habitude. Mais Wally, lui, demeura longtemps éveillé, à contempler les étoiles et penser.

Il avait sept ans lorsque, dans une vitrine de Dublin, il avait vu une gravure, coloriée à la main, montrant la charge d'un régiment de cavalerie à Waterloo, sabres au clair et panaches au vent. C'est alors qu'il avait décidé d'être officier de cavalerie et de charger ainsi à la tête de ses hommes, contre les ennemis de son pays. Maintenant enfin – si Wigram ne se trompait pas – son vieux rêve d'écolier allait devenir réalité. Car s'il lui était déjà arrivé de se battre, il n'avait jamais participé à une grande bataille et, comme charges de cavalerie, il ne connaissait encore que celles des manœuvres d'entraînement. La réalité allait-elle se révéler très différente de tout ce qu'il avait imaginé? Non pas excitante, mais horrible et terrifiante, sans rien de glorieux?

Il avait entendu raconter maintes histoires sur la façon dont les Afghans luttaient contre la cavalerie. Ils se couchaient par terre tenant à la main leurs longs couteaux, tranchants comme des rasoirs, avec lesquels ils lacéraient les jambes et le ventre des chevaux afin de provoquer la chute des cavaliers. On lui avait dit que c'était une méthode très efficace, surtout dans la mêlée, et il le croyait volontiers. Contre ça, sabres et lances n'avaient guère d'utilité; mieux valait une carabine ou un revolver, car la plupart des Afghans, lorsqu'ils se voyaient menacés d'être tués par terre, préféraient se relever pour mourir debout. Des choses comme ça, on ne les apprenait pas durant les charges d'entraînement. Mais demain, il saurait à quoi s'en tenir...

## 55

Le ciel s'éclaircissait au-dessus du village abandonné de Fatehabad quand les deux officiers s'assirent pour manger un morceau sur le pouce. Entre deux bouchées, Wigram annonça que le général désirait envoyer deux membres de son état-major vers Khujah, le plus important village des Khugianis, afin de voir les réactions de la tribu. Le lieutenant Hamilton, avec trente sabres de la cavalerie des Guides, était chargé de veiller à ce qu'ils arrivent à destination... et en reviennent sans dommage.

D'autres officiers, pareillement escortés par un détachement du 10e Hussards, iraient reconnaître la route menant à Gandamak et feraient un rapport sur son état. On espérait que ces deux patrouilles sauraient éviter de provoquer un déclenchement prématuré des hostilités, et reviendraient rendre compte au général Gough dans les plus brefs délais.

– Autrement dit, précisa Wigram à l'usage de son cadet, n'engagez aucun combat de votre propre chef. Et si les gens du coin se mettent à tirer sur vous, n'attendez pas « les ordres » : revenez ventre à terre. Ce dont le général a besoin pour l'instant, c'est de renseignements et non d'une brochette de héros morts au combat. Mais je suis convaincu que vous saurez vous en tirer au mieux... à condition, bien sûr, que vous ne tombiez pas dans une embuscade.

– Pas de risque! assura gaiement Wally. Zarin m'a dit que Ash veillerait sûrement à ce qu'il ne nous arrive rien de fâcheux.

Tout en se coupant un morceau de *chuppatti*, Wigram opina en souriant :

– C'est juste! J'avais oublié qu'il serait là. Bon, me voilà rassuré! Sur ce, il est temps que vous filiez, Walter.

Le soleil de 7 heures et demie du matin séchait la rosée au flanc de la colline voisine quand, monté sur Mushki (le brun), Wally s'éloigna en compagnie des deux officiers d'état-major, les trente hommes de l'escorte suivant posément au petit galop. Une heure plus tard, d'une hauteur, ils découvrirent soudain un grand *lashkar*, à un mille environ à vol d'oiseau. Il ne s'agissait pas d'un rassemblement pacifique, car Wally voyait flotter des étendards, le soleil matinal faisait étinceler des sabres et les cuivres de fusils à mèche. En les observant à la jumelle, Wally arriva à la conclusion qu'il y avait là environ trois mille Khugianis... sans compter ceux pouvant être cachés par des replis du terrain.

Un coup de feu, pas très éloigné, arracha des éclats de rochers à quelques mètres à peine en avant de Wally. Tandis qu'il rangeait vivement ses jumelles, la tranquillité du matin fut brisée par un tir de mousquet. Non seulement l'ennemi les avait vus, mais comme il avait eu la précaution de poster des sentinelles, l'une d'elles, habilement dissimulée derrière un éboulis de rochers à moins de cinq cents mètres, venait d'ouvrir le feu sur les intrus. Selon les ordres reçus, Wally ne s'attarda pas et, faisant volte-face, sa petite troupe se mit vite hors d'atteinte. A 10 heures, ils regagnaient le camp, sains et saufs.

Après avoir écouté le rapport de ses officiers d'état-major, le général avait donné ordre qu'on occupe immédiatement un certain sommet, du haut duquel on pourrait observer les mouvements de l'ennemi et en avertir le camp par des signaux. Wally était reparti avec les hommes chargés de cette mission, et demeura ensuite un moment en leur compagnie sous prétexte de surveiller les Khugianis, mais en réalité dans l'espoir de repérer Ash. Il était convaincu en effet que celui-ci avait tiré le premier coup de feu, pour les avertir, car la détonation n'avait pas été celle d'un mousquet. Mais, même avec des jumelles, il n'était pas possible de distinguer les visages dans cette mouvante masse d'hommes qui se trouvait à plus d'un mille. Sur les escarpements plus proches, on ne décelait aucun signe de vie, mais Wally était néanmoins persuadé qu'une demi-douzaine au moins d'avant-postes de-

266

vaient se dissimuler entre le sommet de colline où il se trouvait et les rebelles.

Wally retourna au camp dire à Wigram que Ash avait raison au sujet des Khugianis... De toute évidence, ils étaient décidés à vendre chèrement leur vie.

– Il y en a là-bas de quatre à cinq mille, avec un grand étendard rouge et quelques autres qui sont blancs. A en juger par leurs tirs de ce matin, ils doivent avoir aussi pas mal d'armes. Alors qu'est-ce qu'on attend pour donner l'assaut, au lieu de faire comme si nous étions venus ici simplement pour pique-niquer en contemplant le paysage?

– Mon cher Walter, on nous a enseigné que la patience est une vertu. Vous devriez la cultiver, lui rétorqua Wigram. Nous attendons... ou plus exactement le général attend d'avoir le rapport des gars qui sont allés ce matin reconnaître la route de Gandamak. Dès que ce sera fait, je crois que nous recevrons l'ordre de nous mettre en marche, mais ils ne sont pas encore de retour.

A 1 heure de l'après-midi, la patrouille n'était toujours pas revenue. Le général Gough ordonna alors que tout le camp prenne les armes. Il envoya le major Battye à la recherche des absents, avec trois détachements de la cavalerie des Guides. Lui-même suivait avec sept cents fantassins sikhs, pendjabis et anglais, quatre canons de la Royal Horse Artillery, et trois pelotons du 10e Hussards.

– Enfin, nous y voilà! s'exclama Wally en sautant gaiement en selle.

Zarin hocha la tête et sourit, tandis que les escadrons avançaient sur quatre rangs dans le brûlant miroitement de la vallée jonchée de rochers.

Ils retrouvèrent les officiers disparus et leur escorte, à un endroit où la route coupait un terrain en pente situé au-dessous du plateau sur lequel les Khugianis se rassemblaient. Ils rebroussèrent tous chemin pour rejoindre le général qui, après avoir écouté ce qu'ils avaient à lui dire, fit arrêter son infanterie en un point où elle ne pouvait être repérée par l'ennemi, et partit en avant juger par lui-même. Il fut vite fixé.

Les Khugianis avaient choisi un emplacement idéal pour se défendre. Ils s'alignaient au bord du plateau, au-dessous duquel le terrain tombait abruptement jusqu'à la pente douce qui rejoignait la route de Gandamak. Sur leurs flancs, les Khugianis étaient protégés par des falaises, tandis qu'ils s'étaient constitué par-devant une sorte de parapet fait de gros rochers qu'ils avaient déplacés. S'ils avaient pu monter des canons jusque-là, leur position aurait été pratiquement imprenable; mais même ainsi, les attaquer de front eût relevé du suicide. D'un autre côté, détacher des troupes pour tenter de les prendre à revers, eût considérablement affaibli les forces britanniques, environ cinq fois moins importantes que celles dont disposaient les rebelles. Comme Ash l'avait dit et comme le général s'en rendait compte, le seul espoir était d'attirer les Khugianis à découvert.

– Nous allons devoir prendre exemple sur Guillaume, dit Gough pensivement. Il n'y a pas d'autre solution.

– Guillaume, sir? fit un aide de camp déconcerté.

– Guillaume le Conquérant, oui, à la bataille de Hastings en 1066. Harold et ses Saxons avaient l'avantage de leur côté et ils auraient été vainqueurs si Guillaume ne les avait incités à quitter leur position sur les hauteurs pour donner la chasse à ses soldats, qui semblaient fuir. Nous allons essayer de faire la même chose. Ils n'ont sûrement pas entendu parler de cette bataille et s'ils ignorent la peur, ils ignorent aussi ce que signifie le mot discipline. Nous allons miser là-dessus.

Pour cela, le général envoya d'abord les Guides, le 10e Hussards et l'artillerie, avec ordre d'avancer jusqu'à environ trois quarts de mille de l'ennemi. Là, les cavaliers s'arrêteraient, tandis que les artilleurs continueraient pendant encore cinq cents mètres, tireraient quelques salves puis, au premier signe d'une avance, se replieraient un peu, avant de s'arrêter pour faire feu de nouveau.

D'après le général, pas un Khugiani ne résisterait à la vue des troupes britanniques battant apparemment en retraite... pas plus que les hommes de Harold n'avaient pu résister à celle de l'infanterie normande qui semblait fuir en désordre. Il espérait que les rebelles sortiraient de leur retranchement pour tâcher de s'emparer des canons de l'artillerie en déroute. En répétant la manœuvre, on devait pouvoir attirer l'ennemi suffisamment loin de son escarpement, pour permettre à la cavalerie de charger sur eux. Et tandis que leur attention serait centrée sur le comportement pusillanime de l'artillerie au-dessous d'eux, l'infanterie progresserait rapidement dans un ravin d'où, avec un peu de chance, elle émergerait en surprise sur le flanc droit de l'ennemi.

Une trompette sonna et, à ce signal, la cavalerie s'immobilisa dans un nuage de poussière. Le temps que celle-ci retombe, il y eut un instant ou deux de total silence durant lequel Wally prit intensément conscience de nombreux petits détails. Une odeur de chevaux, de cuir, de transpiration, et de terre brûlée par le soleil; les Khugianis, pareils à un essaim d'abeilles au bord de leur plateau; un gypaète dessinant une lente spirale sur le bleu éclatant du ciel; à droite, les uniformes des artilleurs mettant une note de couleur vive dans la désolation du paysage; au delà, presque cachés par les canons, les casques kaki du 10e Hussards qui, si l'on amenait les Khugianis à quitter leurs hauteurs fortifiées, les attaqueraient sur le flanc gauche tandis que les Guides chargeraient au centre.

– Nous sommes deux cents jeunes hommes, pensa Wally, qui allons nous élancer pour affronter des indigènes fanatiques, dix fois plus nombreux et impatients de nous massacrer.

La disproportion était tellement énorme qu'elle aurait dû l'effrayer, au lieu de quoi il éprouvait une curieuse sensation d'irréalité, aucune peur ni animosité à l'endroit de ces minuscules silhouettes tout là-haut dont il n'était aucune qui, dans un petit moment ne ferait de son mieux pour le tuer avant qu'il ne la tue. Il se sentait joyeux, comme grisé, et toute impatience l'avait quitté. Pour l'instant, le temps semblait avoir suspendu son cours, comme une fois le soleil s'était arrêté pour Josué...

Un souffle de vent balaya la vallée, dissipant le nuage de poussière et le silence fut rompu par un ordre bref du major Stewart, commandant l'artillerie montée. Eperonnant et cravachant leurs montures, les artilleurs partirent au galop, tandis que les roues des canons rebondissaient sur les pierres du terrain dans un grand envol de poussière.

Ils parcoururent cinq cents mètres puis, s'immobilisant, mirent leurs pièces en batterie et ouvrirent le feu vers l'ennemi massé sur la colline.

L'éclat intense du soleil fit qu'on ne vit guère qu'une lueur jaillir des canons mais, comme il n'y avait pas de souffle d'air, la fumée s'éleva tel un mur cotonneux et le bruit se répercuta de façon assourdissante à tous les échos de la vallée. Constatant toutefois que les projectiles retombaient avant d'atteindre leur refuge, les nomades poussèrent une grande clameur et, en réponse, firent feu avec leurs mousquets tandis que, sur la droite, quelques-uns s'avançaient hardiment à l'abri d'une arête rocheuse en brandissant l'étendard rouge.

Voyant cela, les artilleurs raccrochèrent vivement leurs pièces à l'avant-train et se replièrent au galop, imités par la cavalerie, vers la position qu'ils occupaient précédemment. Ce fut suffisant. Comme l'avait prévu le général Gough, la vue de cette petite troupe d'Anglais battant en retraite fut trop tentante pour les rebelles indisciplinés.

Convaincus que leur énorme supériorité numérique avait frappé de terreur cette poignée de *Kafirs* téméraires, rejetant toute prudence, ils bondirent hors de leurs retranchements et dévalèrent la pente telle une énorme vague, hurlant, brandissant drapeaux, mousquets ou cimeterres.

Au-dessous d'eux, un nouvel appel de trompette retentit au milieu du vacarme et, en l'entendant, la cavalerie fit demi-tour pour foncer vers l'ennemi, tandis que les canons, vivement remis en batterie, déversaient leur mitraille sur la horde des assaillants.

Un moment plus tard, une fusillade lointaine sur la gauche révéla que les fantassins avaient réussi leur approche et attaquaient maintenant l'ennemi par le flanc. Mais, hurlant sans cesse, les Khugianis ne l'entendirent pas, ni ne freinèrent leur élan bien qu'ils fussent maintenant à portée des canons. Grisés par la fièvre de la bataille ou la perspective du Paradis promis à tous ceux qui meurent au combat, ils redoublèrent de vitesse, comme si chacun mettait un point d'honneur à distancer son voisin pour être le premier à rejoindre l'ennemi.

Ceux qui prennent part à une bataille n'en distinguent que ce qui est à leur portée et Wally ne fit pas exception. Il savait que, quelque part en avant et hors de vue, l'infanterie était en action, car il entendait la fusillade, et aussi que le 10e Hussards avait dû charger en même temps que les Guides. Mais il n'en avait cure, la bataille se limitant pour lui à ce qu'il pouvait voir de son propre escadron et de l'ennemi, champ de vision encore restreint par la poussière et la confusion de la mêlée hurlante.

Leur charge avait amené les Guides à quelque cent cinquante mètres de l'ennemi, lorsque Wally entendit le crépitement mauvais des mousquets et sentit des balles passer tout près de lui, tel un vol d'abeilles en colère. Il vit le cheval de son commandant, lancé au galop, s'effondrer soudain, atteint en plein cœur. Wigram roula sur lui-même et se releva en un clin d'œil, pour retomber aussitôt parce qu'il venait de recevoir une balle dans la cuisse.

Instinctivement, en voyant tomber leur chef, les Sikhs retinrent leurs chevaux et Wally, pâle comme un linge, tira aussi sur les rênes.

– Pourquoi diable vous arrêtez-vous? hurla Wigram furieux, en s'efforçant de se remettre debout. Je n'ai rien de grave. J'arrive... Emmenez-les, Walter! Ne vous occupez pas de moi... *Emmenez-les à l'assaut, mon garçon!*

Wally ne chercha pas à discuter. Se tournant sur sa selle, il cria à ses hommes de le suivre et brandit son sabre au-dessus de sa tête. Il éperonna Mushki pour escalader la pente, et les Guides le suivirent dans un bruit de tonnerre. La minute d'après, ce fut le choc entre les deux forces opposées, dans un pandémonium de vacarme et de poussière. Wally sabrait à droite et à gauche des hommes aux yeux fous, qu'il voyait se ruer vers lui en hurlant et agitant des cimeterres.

Il fendit le crâne de l'un d'eux comme si c'eût été une coquille d'œuf et poursuivit sa course, en continuant de frapper autour de lui, tel un chasseur fouaillant la meute. Il respirait une odeur de poussière, de poudre, de sang frais, tandis que les chevaux se cabraient en hennissant de colère et de terreur ou, ayant perdu leurs cavaliers, piétinaient sauvagement tout ce qui se trouvait sur le chemin.

La charge de la cavalerie, arrivant bride abattue sur la masse compacte de l'ennemi, avait dispersé celui-ci; maintenant, les Khugianis se battaient par petits groupes en témoignant d'un fanatique courage. Wally entrevit Zarin, dents serrées, enfonçant la pointe de son sabre dans la gorge d'un *ghazi* hurlant; le Risaldar Mahmud Khan, le bras droit pendant, faisait de sa main gauche tournoyer sa carabine comme une massue.

Ici et là, des remous se formaient autour d'un *sowar* démonté, se défendant avec la férocité d'un sanglier blessé. Le *sowar* Dowlat Ram se trouva ainsi pris sous son cheval abattu, et trois Khugianis se précipitèrent pour le massacrer tandis qu'il s'efforçait de se libérer. Mais, témoin de la chose, Wally vola à son secours, en faisant tournoyer son sabre taché de sang et criant : « *Daro mut,* Dowlat Ram! *Tagra ho jao! Shabash!* » (N'aie pas peur! Courage! Bravo!)

Les trois Khugianis se retournèrent pour faire face à ce tonnerre hurlant, mais Wally avait l'avantage de se trouver sur un cheval et de savoir mieux manier le sabre. La lame s'enfonça dans les yeux de l'un avant d'aller sectionner le bras d'un second qui lâcha son cimeterre. Quand, soudain aveugle, le premier tomba à la renverse en hurlant, Dowlat Ram, un pied encore pris sous son cheval, le saisit à la gorge, tandis que Wally esquivait le coup porté par le troisième, auquel il trancha le cou d'un revers de son arme.

– *Shabash*, Sahib! applaudit Dowlat Ram en se libérant enfin et se remettant debout. Sans toi, je serais mort!

Et comme il levait le bras en un salut, Wally lui cria, d'une voix haletante :

– Tu peux encore l'être si tu n'y prends garde! File à l'arrière!

Lui-même, éperonnant Mushki, plongea de nouveau dans la mêlée, se servant comme d'un boutoir de son coursier fou de terreur, hurlant à ses hommes de venger la blessure de Battye-Sahib et d'envoyer au Jehanum (enfer) ces fils de chiens.

Les Khugianis se défendaient pied à pied, mais on n'entendait plus guère de coups de feu car, après avoir tiré, rares étaient ceux qui avaient le loisir de recharger et, dans un tel maelstrom humain, comment savoir si la balle destinée à un ennemi n'allait pas abattre un ami. Aussi la plupart se servaient-ils de leurs armes comme de massues, mais un chef Khugiani avait néanmoins pris le temps de recharger la sienne.

Voyant le mousquet braqué vers lui, Wally se jeta de côté, esquivant de justesse la balle tandis que, éperonnant Mushki, il fonçait sur l'homme, le sabre en avant. Mais, cette fois, il avait affaire à un rude gaillard, beaucoup plus rapide que les trois Khugianis qui avaient abattu Dowlat Ram. Il évita le sabre en se laissant tomber sur les genoux et, comme Mushki passait au-dessus de lui, il frappa vers le haut avec son long poignard afghan.

Tranchante comme un rasoir, la lame coupa la botte de Wally mais lui érafla tout juste la peau et, arrêtant son cheval sur cul, Wally le fit pivoter pour attaquer de nouveau, cependant que son jeune visage exprimait la même joie féroce qu'il pouvait voir sur celui de son adversaire, lequel se détendit soudain comme un ressort, le poignard dans une main, le cimeterre dans l'autre.

Le duel avait déjà attiré un cercle de rebelles qui, momentanément oublieux du reste, attendaient, poignard à la main, de voir leur champion éventrer le *feringhi*. Mais le Khugiani commit l'erreur de répéter la manœuvre qui lui avait réussi car, cette fois, Wally visa le corps et non plus la tête. Quand l'autre se laissa tomber de nouveau sur les genoux, le bord du lourd sabre de cavalerie lui entama la tempe gauche et il bascula de côté, un masque de sang sur le visage. Dans sa chute, son cimeterre effleura le flanc de Mushki, lequel se cabra en hennissant. Les autres indigènes qui s'étaient précipités – et que n'effrayait pas le sabre dégouttant de sang –, reculèrent devant ces sabots meurtriers battant l'air, si bien que monture et cavalier purent s'enfuir.

Quelques minutes plus tard, sans avertissement, le combat changea de face.

Dispersés, les Khugianis n'eurent plus qu'une idée : tâcher de regagner en courant leurs retranchements du plateau. Mais comme la cavalerie plongea au milieu d'eux en faisant pleuvoir les coups de sabre, ils tombèrent par centaines dans une complète déroute.

La bataille de Fatehabad était terminée; les vainqueurs, épuisés, firent demi-tour à travers les morts et les mourants, les corps mutilés, les armes abandonnées, les étendards brisés, les *chupplis* et les turbans, les cartouchières vides...

La colonne du général Gough avait quitté Djalalabad avec ordre de « disperser les Khugianis ». L'ordre avait été exécuté, mais au prix d'un effroyable carnage, car les Khugianis étaient des braves et, ainsi que l'avait laissé prévoir Ash, ils s'étaient battus comme des tigres. Ils avaient plus de trois cents morts et près de mille blessés mais, dans sa petite troupe, Gough comptait neuf morts et quarante blessés... Parmi les sept morts des Guides, il y avait Wigram Battye et le Risaldar Mahmud Khan...

Wally avait cru Wigram évacué vers l'arrière et hors de danger. Malheureusement, c'était le jour où celui-ci avait rendez-vous avec le Destin. Il avait ordonné à Wally, seul autre officier britannique, de mener les escadrons à l'assaut et le jeune homme lui avait obéi,

275

chargeant au plus fort de la mêlée sans autre dommage qu'une légère égratignure et une botte lacérée. Mais tandis que, aidé par un de ses *sowars,* Wigram se remettait péniblement debout, il avait été de nouveau atteint, à la hanche cette fois.

Un groupe de rebelles s'étaient précipités pour l'hallali; seulement le *sowar* avait une carabine ainsi qu'un sabre de cavalerie, et Wigram son revolver... Cinq des assaillants tombèrent et le reste s'enfuit, mais Wigram perdait rapidement son sang. Il rechargea son revolver et, au prix d'un énorme effort de volonté réussit à se soulever sur un genou. Au même instant, une balle perdue le frappa en pleine poitrine et, sans un mot, il tomba en avant, mort.

Parmi ceux qui l'avaient assailli, les survivants poussèrent une clameur de joie et se précipitèrent afin de le mettre en pièces car, pour un Afghan, le corps d'un ennemi doit être mutilé, surtout quand il s'agit d'un *feringhi* et d'un infidèle. Mais ils avaient compté sans Jiwan Singh, le *sowar.*

Jiwan Singh s'était saisi du revolver et, campé au-dessus du corps de son commandant, il se battit à coups de sabre et de revolver jusqu'à ce que, la bataille terminée, les Guides viennent dénombrer leurs morts et leurs blessés. Ils le trouvèrent montant toujours farouchement la garde auprès du corps de Wigram avec, autour de lui, pas moins de onze Khugianis morts.

Plus tard, à l'issue de tous les rapports officiels, le *sowar* Jiwan Singh se vit décorer de l'Ordre du Mérite. Mais Wigram Battye avait eu droit à un bien plus grand honneur...

Lorsque les blessés eurent été emmenés et que les brancardiers revinrent pour chercher son corps afin de l'emporter à Djalalabad (car toute tombe creusée sur le champ de bataille eût certainement été profanée aus-

276

sitôt après le départ de la colonne britannique), ses *sowars* refusèrent de le laisser toucher par les hommes de l'ambulance.

– Ce ne serait pas bien que quelqu'un comme Battye-Sahib soit laissé aux mains d'hommes qu'il ne connaissait pas, dit le Sikh qui s'était fait leur interprète. Nous le porterons nous-mêmes.

Ce qu'ils firent.

La plupart d'entre eux avaient été en selle depuis l'aube et tous, dans la chaleur torride, avaient participé à deux charges, se battant une heure durant contre un ennemi bien supérieur en nombre. Ils étaient donc recrus de fatigue et Djalalabad se trouvait à plus de vingt milles, au bout d'une route qui n'était guère qu'une piste sur un terrain pierreux. Mais, tout au long de cette chaude nuit d'avril, les hommes de Wigram se relayèrent pour le porter à hauteur d'épaule, couché non pas sur un brancard, mais sur des lances de cavalerie.

Zarin prit son tour dans ce triste convoi et, pendant un mille ou deux, Wally en fit autant. A un moment donné, un homme qui n'était pas un *sowar* mais, à en juger par ses vêtements, devait faire partie des Shinwaris, surgit de l'obscurité pour remplacer un des porteurs. Chose étrange, personne ne chercha à l'en empêcher ni ne lui demanda quel droit il avait d'être là, c'était presque comme si on l'avait attendu. En chuchotant et très brièvement, il ne parla qu'une seule fois à Zarin, dont la réponse fut tout aussi courte et inaudible. Wally, qui se traînait à l'arrière, l'esprit obscurci par la fatigue et le chagrin, fut le seul à ne pas remarquer la présence d'un inconnu dans le cortège. Et, à la halte suivante, l'homme s'éclipsa aussi discrètement qu'il était venu.

## 56

Ils atteignirent Djalalabad à l'aube. Quelques heures plus tard, ils inhumèrent Wigram Battye dans le même terrain où, quarante-six ans auparavant, les Britanniques avaient enterré leurs morts lors de la première guerre contre l'Afghanistan.

Mais le Risaldar Mahmud Khan et les cinq *sowars,* qui avaient aussi perdu la vie à Fatehabad, ne partageaient pas la même foi que Battye. Alors, suivant la religion à laquelle ils appartenaient, leurs corps furent portés dans un cimetière mahométan pour y être inhumés selon les rites et avec les prières des Croyants, ou bien incinérés et leurs cendres jetées dans la rivière de Kaboul, afin qu'elle les emporte à travers les Indes jusqu'à la mer.

Les cérémonies terminées, quand se dispersèrent ceux qui y avaient assisté, un Shinwari s'en fut jusqu'à une petite maison, située dans un quartier écarté, où le rejoignit bientôt en vêtements civils, un risaldar de la Cavalerie des Guides. Tous deux eurent un entretien de plus d'une heure en pachto. Lorsque le risaldar repartit vers le camp, il emportait une lettre écrite sur un papier grossier à l'aide d'une plume d'oie, mais rédigée en anglais et adressée au lieutenant W. R. P. Hamilton, du Régiment des Guides.

– Tu n'avais pas besoin d'inscrire le nom : je la remettrai moi-même à Hamilton-Sahib, dit Zarin en la rangeant soigneusement sous ses vêtements. Mais ce serait imprudent que tu ailles le trouver au camp ou qu'on le voie te parler. Si tu attends sous les noyers, derrière la tombe de Mohammed Ishaq, je t'apporterai sa réponse après que la lune aura disparu, ou peut-être un peu plus tôt, je ne peux te le dire au juste...

– C'est sans importance, je serai au rendez-vous, assura Ash.

Il y fut et Zarin lui remit une lettre, que le jeune homme lut plus tard, à la clarté d'une lampe à huile, dans la chambre qu'il avait louée le matin même. Contrairement à celles qu'il écrivait habituellement, la lettre de Wally était très courte; il y disait surtout le chagrin que lui causait la mort de Wigram, à laquelle s'ajoutaient celle de Mahmud Khan et des autres tombés sur le champ de bataille. Ravi de savoir qu'Anjuli était maintenant à Kaboul, il chargeait Ash de toutes ses amitiés pour elle, et terminait en recommandant à son ami de prendre grand soin de lui, jusqu'à ce qu'ils soient tous bientôt réunis à Mardan.

Son chagrin de la mort de Wigram était tel que Wally n'avait même pas pensé à mentionner ce qui, voici peu encore, aurait eu priorité absolue : le fait qu'il venait de voir se réaliser sa plus grande ambition et exaucer un de ses plus secrets désirs.

Du haut d'une proche colline, le général Gough avait suivi le déroulement de la bataille. Il fit ensuite venir Wally pour lui exprimer toute l'admiration que lui inspirait la façon dont il avait pris le commandement après la blessure de Battye, et mené la charge contre un ennemi tellement supérieur en nombre, aussi bien que le courage avec lequel il s'était porté au secours du *sowar* Dowlat Ram. En conséquence de quoi, lui, général Gough, avait demandé par dépêche que le lieutenant Walter Richard Pollock Hamilton fût décoré de la Victoria Cross.

Il serait faux de dire que Wally ne fut pas alors ému et ne sentit pas s'accélérer les battements de son cœur. En apprenant l'incroyable nouvelle qu'il avait été proposé pour la plus haute distinction récompensant un acte de bravoure, il avait rougi de fierté, mais aussitôt pensé qu'il eût quand même échangé de grand

279

cœur cette décoration si convoitée contre la vie de Wigram... ou celle de Mahmud Khan... ou de n'importe quel autre homme de son escadron qui ne retournerait jamais plus à Mardan...

Sept morts, vingt-sept blessés (dont un qui, selon le médecin, ne s'en tirerait pas) sans compter la multitude de chevaux tués ou mutilés. Et lui, qui s'en était tiré sans une égratignure, allait recevoir une petite croix de bronze, faite avec les canons pris à Sébastopol, qui distinguait les braves entre les braves. Ça ne semblait pas juste...

L'expression lui avait rappelé Ash, au point qu'il avait souri un peu tristement en remerciant le général. Et, dès son retour sous la tente, il avait rédigé ce bref message à l'intention de son ami.

Ce fut donc par Zarin que Ash connut cette grande nouvelle, et à la joie qu'il en eut se mêla le regret de ne l'avoir pas apprise de la bouche même de l'intéressé.

– Tu vas probablement le revoir avant longtemps, lui assura Zarin pour le consoler. On dit au camp que le nouvel Emir, Ya'kub Khan, ne va pas tarder à demander la paix, et que tous les régiments pourraient avoir regagné leurs cantonnements avant le milieu de l'été. J'ignore si c'est exact, mais il est clair que nous ne pouvons rester encore longtemps ici, où nous n'aurons bientôt plus de quoi nous ravitailler, à moins de réduire les Afghans à la famine. Alors je prie pour que ce soit vrai et que, d'ici quelques mois, nous nous retrouvions tous à Mardan.

– Espérons-le. Mais j'ai reçu un message du général-Sahib m'enjoignant de retourner à Kaboul et, d'après ce qu'il dit, je dois m'attendre à y rester encore un certain temps... Ce n'est pas pour déplaire à ma femme qui, ayant grandi parmi les collines, n'aime pas vivre dans les plaines.

Pour signifier qu'on doit s'incliner devant l'inévita-

280

ble, Zarin haussa les épaules en écartant les bras avant de dire :

– Alors, au revoir... Prends bien soin de toi, Ashok... Présente mes respects à Anjuli-Bégum ta femme, et rappelle-moi au bon souvenir de Gul Baz. *Salaam aleikoum, bhai.*

– *Wa'aleikoum salaam.*

Il s'écoula un peu plus de six semaines avant qu'un traité de paix fût signé à Gandamak par Son Altesse Mohammed Ya'kub Khan, Emir d'Afghanistan, et le major Pierre-Louis Napoléon Cavagnari, Compagnon de l'Ordre de l'Etoile des Indes, ce dernier agissant « en vertu des pouvoirs dont il avait été investi par le Très Honorable Edward Robert Lytton, Baron Lytton of Knebworth, Vice-Roi et Gouverneur général des Indes ».

Par ce traité, le nouvel Emir abandonnait toute autorité sur les passes du Khyber et de Michni, cependant que les différentes tribus vivant dans ces régions y acceptaient la présence permanente des Britanniques. L'Emir se déclarait prêt à suivre l'avis du Gouvernement britannique dans tous ses rapports avec les autres pays, et il consentait enfin à ce que son père avait si énergiquement refusé : l'installation d'une Mission britannique à Kaboul.

En retour, il recevait la promesse de subsides et d'une aide inconditionnelle contre toute agression extérieure, tandis que, pour avoir réussi à obtenir par ses seuls efforts la signature de ce document, le major Cavagnari était nommé chef de cette Mission à Kaboul, en qualité d'Envoyé extraordinaire.

Pour apaiser les soupçons et l'hostilité des Afghans, il fut décidé que l'Envoyé extraordinaire aurait une suite relativement modeste. En Orient, les nouvelles vont vite et, bien qu'aucun nom – en dehors de celui de Cavagnari – n'eût été avancé, moins d'un jour après le retour de l'Emir à Kaboul, un membre de sa garde personnelle faisait savoir à un ami – naguère Risaldar-major chez les Guides et maintenant à la retraite – que son ancien Régiment avait eu l'honneur de se voir choisir pour fournir une escorte à la Mission *angrezi*, laquelle escorte serait placée sous le commandement d'un certain officier-Sahib qui s'était distingué lors de la bataille contre les Khugianis.

Le sirdar Bahadur Nakshband Khan en avait aussitôt fait part à Syed Akbar, qui séjournait chez lui avec sa femme et un serviteur pathan...

Homme avisé et prudent, cet hôte exemplaire avait eu soin que nul dans la maison, pas plus sa famille que ses domestiques, ne pût se douter que Syed Akbar était autre chose que ce qu'il semblait être. Lorsque, sa femme l'ayant rejoint au milieu de l'hiver, Ash déclara qu'il leur fallait s'installer ailleurs, le sirdar insista pour les garder chez lui, suggérant simplement qu'on fît passer Anjuli pour une dame d'origine turque, ce qui éviterait toute surprise si elle ne témoignait pas d'une parfaite maîtrise du pachto lorsqu'elle s'entretiendrait avec le reste de la maisonnée.

Tout le monde l'avait donc acceptée comme telle et, à l'instar de la Bégum, s'était pris pour elle d'une grande sympathie, cependant qu'Anjuli se pliait aux habitudes de ses hôtes et participait avec empressement à tout ce qu'il faut quotidiennement faire pour assurer la bonne marche d'une maison. Dans ce pays de femmes élancées et au teint clair, on ne la trouvait plus maigre ni trop grande, mais belle.

Aussi Anjuli eût-elle été parfaitement heureuse si elle avait vu Ash plus souvent; les moments où ils se retrouvaient ensemble lui paraissaient aussi enchanteurs que leur lune de miel sur l'Indus. Nakshband Khan leur avait loué un petit appartement au dernier

282

étage de sa maison, où ils pouvaient jouir d'une totale indépendance. Mais Ash devait s'arracher souvent à cette paisible retraite pour aller écouter ce qui se racontait au bazar, dans les cafés, les caravansérails ou les cours extérieures de la citadelle Bala Hissar.

Il apprit ainsi la signature du traité de paix et, dès lors, s'attendit à recevoir un message le rappelant à Mardan, mais rien n'arriva. En revanche, il fut informé par le sirdar qu'une mission diplomatique ayant Cavagnari à sa tête allait arriver à Kaboul, et que l'escorte, fournie par le régiment des Guides, serait sans doute sous le commandement de son meilleur ami. Ash partit aussitôt pour Djalalabad afin de voir le commandant des Guides. Il comptait revenir dans la semaine mais, lorsqu'il arriva à destination, Zarin lui dit :

– Tu viens trop tard. Hamilton-Sahib et le commandant-Sahib sont partis depuis plusieurs jours. Si tout s'est bien passé, ils devraient être maintenant de retour à Mardan.

– Alors il me faut aller aussi à Mardan. Car, s'il est exact que Cavagnari-Sahib doit conduire une Mission britannique à Kaboul avec une escorte fournie par les Guides, j'ai besoin de voir le commandant-Sahib de toute urgence.

– Oh! c'est parfaitement exact, confirma Zarin. Mais si tu veux bien m'écouter, tu t'en retourneras d'où tu viens. Tu dois désormais penser à ta femme. C'était parfait tant qu'elle était à Attock, où ma tante s'occupait d'elle, mais que deviendrait-elle si tu mourais en route et qu'elle se retrouve seule à Kaboul?

– La guerre est terminée, voyons! rétorqua Ash avec impatience.

– C'est ce qu'ils disent mais, moi, je n'en suis pas convaincu. De toute façon, il y a des choses pires que la guerre, et le choléra est du nombre. Vivant à

283

Kaboul, tu ignores sans doute qu'il sévit dans le Peshawar avec une telle violence que, lorsqu'il a atteint la garnison, les troupes *angrezis* ont été aussitôt transférées dans un camp à dix milles de là. En dépit de quoi, cette fois, ce sont les *Angrezis* les plus frappés et bien peu s'en remettent. Je me suis laissé dire que les victimes du choléra sont déjà si nombreuses là-bas que la route est bordée de tombes.

– Ça, je ne le savais pas, dit lentement Ash.

– Eh bien, à présent, te voilà au courant! Juin a toujours été un très mauvais mois pour les déplacements mais ici, où l'ombre est aussi rare que l'eau et la chaleur pire que dans le désert du Sind, c'est véritablement un avant-goût du Jehanum. Aussi écoute-moi, Ashok, et retourne auprès de ta femme. Si ce que tu veux dire au commandant-Sahib est tellement urgent, écris-le lui et je me chargerai de lui porter la lettre.

– Non. Une lettre ne servirait à rien. Il me faut lui parler face à face si je veux le convaincre de la véracité de ce que j'avance. Et comme tu devrais prendre la même route, tu risquerais toi aussi d'attraper le choléra.

– Si cela m'arrivait, j'aurais plus de chances que toi d'y survivre, car je ne suis pas un *Angrezi*, répliqua Zarin. Et si je mourais, ma femme ne se retrouverait pas seule et sans amis dans un pays étranger. Mais il y a peu de risques que j'attrape le choléra car je n'emprunterai pas cette route.

– Comment ça? A ce que j'ai compris nous allons évacuer Djalalabad avec armes et bagages?

– Oui, et je partirai donc moi aussi, mais par la rivière.

– Alors, je vais avec toi.

– En tant que Ash ou Syed Akbar?

– Syed Akbar car, comme je dois retourner ensuite à Kaboul, ce serait trop dangereux d'agir différemment.

284

– C'est juste, approuva Zarin. Je vais voir ce que je peux faire.

Chez les Guides, une tradition voulait que si un officier mourait alors qu'il servait dans le régiment, on fît tout ce qui était humainement possible pour l'enterrer à Mardan. Aussi, lorsque ses hommes insistèrent pour que le corps de Battye-Sahib ne restât pas à Djalalabad, le cercueil fut exhumé. Mais, vu la chaleur de juin, on décida de le faire voyager sur un radeau, lequel emprunterait la voie offerte par la rivière de Kaboul qui, à travers les passes du Khyber puis cette *terra incognita* que constituait la région de Mallagori, le mènerait jusqu'à Nowshera.

Le risaldar Zarin Khan et trois *sowars* avaient été chargés d'escorter le cercueil. Au tout dernier moment, Zarin avait demandé la permission d'embarquer un cinquième homme, un Afridi arrivé de Djalalabad la veille au soir, et qu'il prétendit être un lointain parent, en ajoutant que sa présence leur serait précieuse car il avait déjà fait ce voyage et connaissait les moindres détours de la rivière.

Cette permission lui fut accordée et, à l'heure sombre qui précède l'aube, le radeau emportant les restes de Wigram vers sa dernière demeure à Mardan, partit pour ce long et hasardeux voyage sur la rivière de Kaboul.

## 57

La nuit commençait à descendre lorsque le guetteur, qui était demeuré toute la journée couché sur le rebord de la falaise dominant la rivière, leva la tête et émit un sifflement modulé imitant le cri d'un vautour.

Soixante mètres plus loin, un second homme dissimulé dans l'anfractuosité d'un rocher relaya le signal, et l'entendit répéter par un troisième.

Ils étaient ainsi plus d'une douzaine postés le long de la rive gauche, mais même avec des jumelles on ne les eût pas repérés, et ceux qui étaient sur le radeau n'avaient pas de jumelles. Toute leur attention visait d'ailleurs à maintenir leur peu maniable esquif à l'écart des rochers et des tourbillons, car la fonte des neiges dans les montagnes du Nord avait démesurément grossi la rivière de Kaboul.

Le bruit des eaux n'avait cependant pas couvert cet appel de vautour, lequel fit vivement tourner la tête au grand Pathan qui se tenait à l'avant, car le soleil se couchait déjà et, à cette heure, un tel cri était insolite.

– Couchez-vous! Il y a des hommes dans ces rochers! avertit Zarin Khan en saisissant sa carabine. Debout nous constituons de trop bonnes cibles... Heureusement on n'y voit plus guère et, avec la grâce d'Allah, nous avons une chance de nous en sortir.

– Ils ne nous veulent peut-être aucun mal, dit un Sikh, en vérifiant que son arme était prête à tirer. Ils ignorent qui nous sommes et peuvent penser que nous venons d'un de leurs villages.

Le Pendjabi eut un rire bref :

– Ne te fais pas d'illusions, Dayal Singh. S'il y a des hommes sur les falaises, c'est qu'ils nous attendaient et savent donc très bien qui nous sommes.

A peine achevait-il de parler, la balle du premier coup de feu l'atteignit à la gorge et, battant des bras, il tomba à la renverse dans la rivière.

Le bruit de l'éclaboussement et celui de la détonation retentirent simultanément dans le défilé. Durant un instant, une tache sombre apparut sur l'eau, qui fut vite diluée dans le courant, mais le corps du Pendjabi ne remonta pas à la surface. Tandis que le pilote s'employait de toutes ses forces à rétablir l'équilibre du radeau et le ramener au milieu de la rivière, d'autres balles fouettèrent l'eau. Les trois hommes étendus à plat ventre sur les planches ripostèrent avec la précision issue d'une longue pratique, visant la fumée et l'éclair qui jaillissaient de crevasses dans les rochers. Le cercueil pouvait les protéger quelque peu, mais si tous trois se mettaient à l'abri du côté opposé aux tireurs, le radeau se retournerait.

– Déplacez vite les cantines! haleta le pilote en manœuvrant sa longue perche afin de maintenir le radeau dans le courant. Ça fera contrepoids pour l'un de vous!

Posant sa carabine, Zarin rampa vers les cantines métalliques qui contenaient des vivres et des munitions pour le voyage. Il les poussa toutes sur le même côté du radeau, tandis que le *sowar* Dayal Singh continuait de tirer. Son compagnon sikh changea de position; appuyant le canon de son arme sur le cercueil, il visa soigneusement et pressa la détente.

Quelque chose ressemblant à un ballot de vêtements se détacha de la falaise en hurlant, et alla s'écraser sur les rochers qui émergeaient des eaux basses.

– *Shabash,* Suba Singh! dit Zarin en riant. Voilà qui est bien visé!

Ils étaient tombés dans un piège où l'un des leurs avait déjà laissé la vie et dont ils avaient bien peu de chances de ressortir vivants, mais c'étaient trois hommes dont le métier était de faire la guerre. Ils aimaient le combat par lui-même et ils plaisantaient en rechargeant leurs armes, tandis que des balles crépitaient autour d'eux. L'une d'elles s'enfonça dans le cercueil; alors une horrible puanteur envahit l'air du soir, masquant l'odeur de la poudre et de la rivière.

– *Apka mehrbani* (merci), Battye-Sahib, dit posément Suba Singh en esquissant un salut. Tu avais toujours grand soin de tes hommes et, sans toi, cette balle aurait été pour moi. Je m'en vais les punir de t'avoir aussi mal traité!

Il leva la tête, visa soigneusement en tenant compte du mouvement du radeau. Il fit feu et, au sommet de la falaise, un homme écarta les bras, s'effondra en avant, tandis que son mousquet à long canon glissait le long de la paroi rocheuse dans une pluie de pierraille.

– Deux pour nous. Maintenant, tâche de faire mieux, Pathan! dit le Sikh.

Zarin eut un rictus et, insoucieux des balles qui sifflaient à ses oreilles, visa quelque chose que seul pouvait distinguer un homme ayant grandi comme lui dans une région où chaque pierre peut cacher un ennemi : une étroite crevasse d'où émergeait l'extrémité d'un mousquet. Sa balle passa au-dessus du canon et celui-ci bascula en avant avec une éloquente soudaineté.

– Là... Tu es satisfait? lança Zarin.

Comme il ne recevait pas de réponse, il tourna la tête et vit un regard fixe au ras du cercueil. Le Sikh avait reçu une balle dans la tempe et, étendu près de lui, Dayal Singh ne s'était rendu compte de rien.

– *Mara gaya?* (Il est mort?) demanda Zarin tout en ayant conscience de l'inutilité de la question.

– Le chien sur qui tu as tiré? Espérons-le! répondit Dayal Singh en étendant le bras pour prendre des munitions.

Ce mouvement fit glisser de côté le corps de Suba Singh, qui chut de tout son long au bord du radeau, une main trempant dans l'eau.

Dayal Singh demeura un instant comme pétrifié puis, tout en jurant, il se mit debout pour tirer vers la falaise, rechargeant son arme avec les balles qu'il venait de fourrer dans sa poche.

288

Le radeau oscilla dangereusement et, y rémédiant de tout le poids de son corps, le pilote cria au Sikh de se coucher. Mais, Dayal Singh était possédé par une rage meurtrière qui le rendait sourd à toute objurgation. Un pied de chaque côté du cadavre de son camarade, il tirait sans relâche. Une balle lui entailla le menton, du sang coula dans sa barbe noire, et sa molletière devint rouge quand une seconde balle l'atteignit à la jambe gauche. Mais il continua de tirer imperturbablement jusqu'à ce qu'une autre balle, le frappant en pleine poitrine, le fit tomber en travers du corps inerte de son camarade sikh.

Sous le choc, le radeau pencha fortement de côté et, avant que Zarin ou le pilote ait pu en rétablir l'équilibre, glissant sur les planches mouillées, les deux corps disparurent dans l'eau.

Soulagé de ce double poids, le radeau se redressa de lui-même et, à genoux, Zarin dit :

– C'étaient deux braves... Lourde perte pour les Guides. Et s'il ne fait pas bientôt nuit, toi et moi risquons aussi d'y passer. Que ces fils de chiens...

Il s'interrompit, cependant que ses yeux se rétrécissaient :

– Tu es touché! s'exclama-t-il.

– Juste une égratignure. Et toi?

– Indemne... jusqu'à présent.

Mais il n'y eut pas d'autres coups de feu en provenance de la falaise, peut-être qu'on n'y voyait plus suffisamment pour que le radeau constituât une bonne cible. Une heure plus tard, les deux hommes avaient laissé derrière eux les falaises aussi bien que les rapides de la rivière, et avançaient sous les étoiles à travers une région se prêtant beaucoup moins aux embuscades.

Le cercueil avait été amarré au radeau à l'aide d'une corde solide mais qui, à la longue, s'était détendue, si bien que maintenant le cercueil bougeait comme si quelqu'un de vivant s'y trouvait enfermé et cherchait à en sortir.

— Reste tranquille, Sahib, ou nous allons te perdre au prochain tournant, grommela Zarin à l'adresse du mort. Y a-t-il un nœud de ton côté, Ashok?

— Deux, répondit le pilote. Mais si je les défaisais pour les resserrer et que nous heurtions un rocher, ou nous engagions au même instant dans un mauvais passage, le cercueil se détacherait sous l'effet de son poids et nous flanquerait à l'eau. Attends qu'il fasse jour. De toute façon, mes doigts sont trop raides après une journée passée à piloter ce rafiot. Si j'avais pensé que le courant était aussi rapide et que les Mohmands nous tendraient une embuscade, j'y aurais regardé à deux fois avant de partir avec toi.

— Tu as pourtant drôlement insisté... et ça n'était pas pour moi que tu le faisais! riposta Zarin.

Ash sourit dans l'obscurité :

— Non, mon frère. Je t'ai toujours su parfaitement capable de te débrouiller tout seul. Mais je veux parler au commandant-Sahib avant que ce soit trop tard. Si je le vois à temps, j'arriverai peut-être à le convaincre que cette Mission dont ils parlent est vouée au désastre et qu'il faut y renoncer ou, à tout le moins, la retarder. En outre, j'ai entendu dire que le Gouvernement la ferait escorter par un détachement des Guides dont Hamilton-Sahib aurait le commandement.

— Oui, et alors? Ce sera un honneur pour lui comme pour les Guides.

— De mourir tels des rats pris dans un piège? Pas si je puis empêcher ça! Je vais m'employer à ce qu'il refuse.

— Tu n'y parviendras pas. Il n'est pas dans toutes les armées de l'Empire un seul officier qui déclinerait un tel honneur. Et aucun régiment non plus.

— Peut-être, mais je me dois d'essayer. Je n'ai eu que

peu d'amis dans ma vie... Par ma faute, je suppose. Mais Hamilton-Sahib et toi m'êtes particulièrement chers... Je ne puis endurer l'idée de vous perdre tous les deux... Non, non et *non!*

– Tout d'abord, lui rétorqua Zarin d'un ton rassurant, il n'est pas dit qu'ils m'envoient à Kaboul. Et si nous arrivons sains et saufs à Mardan, tu verras les choses d'un autre œil. Tu parles ainsi, parce que tu es exténué et que tu as eu l'existence très pénible ces derniers temps.

– Oh! non. Je parle comme ça parce que, en m'entretenant avec beaucoup d'hommes qui n'ont jamais de rapports avec le *Sahib-log* ou les soldats du Sirkar, j'ai appris quantité de choses qui m'effraient.

Zarin demeura un moment silencieux, puis dit très lentement :

– Je pense qu'il est regrettable pour toi d'avoir pu parler avec de tels hommes. Voici bien des années, quand tu étais encore enfant, mon frère Awal Shah a dit à Browne-Sahib, lequel était alors notre commandant, combien ce serait dommage que tu cesses de parler et penser comme l'un de nous, car peu de Sahibs en étaient capables et tu pourrais un jour rendre de grands services à notre régiment. Alors, on a fait en sorte que tu n'oublies rien de tout ça, et peut-être a-t-on eu tort. Car ainsi, tiraillé entre l'Orient et l'Occident, tu as toujours été pareil à un acrobate de cirque qui galope avec deux chevaux, un pied sur chacun d'eux.

– C'est très juste comme image, reconnut Ash avec un rire bref. Et il y a longtemps que je suis tombé, écartelé entre les deux. Il me faut tâcher d'être désormais un seul homme... si ça n'est pas déjà trop tard. Et pourtant, si c'était à refaire...

– ..., tu agirais exactement de la même façon, je le sais, dit Zarin. Chaque homme porte son destin attaché à son cou et ne peut s'en défaire. Passe-moi la perche : à en juger par le bruit, nous approchons de rapides; si tu ne te reposes pas un peu, ta blessure te causera des ennuis d'ici demain matin. Dans l'obscurité, nous ne risquons pas d'être attaqués et je te réveillerai avant le lever du soleil. Tâche de dormir... Mais, avant de t'étendre, attache autour de ta taille un des bouts de la corde, pour que tu ne tombes pas à l'eau si le radeau vient à pencher.

Quand le courant eut emmené le radeau hors des collines de Mallagori, il perdit de sa force en même temps que s'élargissait le lit de la rivière.

Ce ralentissement éveilla Ash; il vit que c'était l'aube et qu'il se trouvait au milieu d'une plaine. Il fut un moment avant de se persuader qu'autant d'heures avaient pu s'écouler depuis que Zarin lui avait pris la perche des mains, en lui disant de se reposer. Cela lui semblait remonter à quelques minutes seulement et pourtant la nuit était finie.

Quand le soleil monta dans le ciel et que se dissipèrent les brumes du matin, les deux hommes virent en avant d'eux luire comme de l'or les murs de pisé de Michni. Ils accostèrent, achetèrent de quoi manger, et s'entendirent avec un homme pour qu'il aille à cheval porter un message à Mardan. Ils annonçaient leur arrivée et demandaient qu'on prît les dispositions nécessaires pour venir accueillir le radeau à Nowshera, puis conduire par la route jusqu'au cantonnement le corps du major Battye.

Après avoir mangé, ils repartirent sur la rivière, Ash guidant le radeau à travers l'impitoyable chaleur de juin, tandis que Zarin, exténué, dormait enfin.

Bien que la rivière coulât maintenant sans hâte entre des rives sablonneuses et à travers une région paisible, ce fut pour Ash une journée terrible. Le soleil le frappait à la tête et aux épaules, tel un marteau rougi à blanc, tandis que chaque heure rendait plus pénétrante l'intolérable puanteur exhalée par le cercueil. Mais toute chose a une fin; au crépuscule, ils atteignirent le pont de bateaux de Nowshera et virent Wally qui, avec un détachement de la cavalerie des Guides aligné sur la route, attendait Wigram pour l'escorter jusqu'à Mardan.

**58**

Les prières terminées, après la sonnerie « Aux morts » et les salves d'honneur tirées au-dessus du monticule de terre fraîchement remuée, on quitta le cimetière baigné par le clair de lune où il avait fallu réinhumer Battye sans tarder, et Ash put enfin voir Wally seul à seul.

Il avait espéré rencontrer d'abord le commandant, mais le colonel Jenkins recevant chez lui deux officiers supérieurs, amis de Wigram, venus spécialement de Risalpur pour assister à l'enterrement, leur entretien était reporté au lendemain. En attendant, Zarin avait emmené Ash dans la chambre que Wally occupait au fort.

Wally était ravi de revoir Ash mais, encore en proie à l'émotion causée par la seconde inhumation de Wigram, il n'était pas disposé à écouter critiquer le projet d'une Mission britannique en Afghanistan, et encore moins à refuser le commandement de l'escorte qui l'accompagnerait... si on le lui proposait, car ça n'avait pas encore été fait, du moins officiellement.

– Cavagnari a simplement eu la bonté de me dire que, s'il avait la responsabilité de la Mission, il me demanderait en tant qu'attaché militaire pour commander une escorte fournie par les Guides. Et je ne crois pas qu'il m'aurait dit ça, s'il n'avait eu la quasi-certitude de se voir désigner par le Vice-Roi.

– Si vous aviez le moindre bon sens, lui rétorqua Ash, vous prieriez pour que la Mission ne parte pas.

– Que diable voulez-vous dire?

– Simplement que Shir' Ali s'était efforcé de convaincre nos Seigneurs et Maîtres que son peuple ne verrait jamais d'un bon œil l'installation permanente d'une Mission – britannique ou autre – en Afghanistan. Il avait souligné que, si l'on passait outre, aucun Émir ne serait en mesure de garantir la sécurité de ces étrangers *même dans sa capitale.* Wally, ne lisez-vous jamais rien d'autre que de la poésie?

– Ne soyez pas ridicule. Vous savez bien que si.

– Alors vous connaissez sans doute le livre de sir John William Kaye sur la Première Guerre afghane, et devriez vous rappeler ses conclusions, lesquelles seraient à graver en lettres de trente centimètres au-dessus de l'entrée du ministère de la Guerre, du palais du Vice-Roi et du Q.G. de l'Armée à Simla! Kaye dit que, après d'énormes pertes de vies humaines et d'argent, nous avons laissé un souvenir exécrable en Afghanistan alors que, avant le franchissement de l'Indus par l'armée britannique, le nom de l'Angleterre y était partout révéré, parce que la population l'associait à la sage politique menée naguère par Mountstuart Elphinstone. Désormais, il n'évoque plus qu'une armée d'invasion, ayant semé partout la mort et la désolation. Voilà pourquoi, Wally, cette Mission doit être annulée.

– Il est trop tard pour cela. D'ailleurs...

– Eh bien, qu'on la retarde au moins le plus longtemps possible, afin d'avoir le loisir de travailler à créer un climat de confiance, d'établir des relations

294

amicales avec l'Émir et ses sujets. Et, avant tout, de dissiper la peur qu'ils ont de voir les Britanniques s'emparer de leur pays comme cela s'est passé aux Indes. Même à l'heure actuelle, c'est encore possible si des hommes tels que Lytton, Colley et Cavagnari, se laissent persuader de laisser de côté le bâton pour voir ce qu'on peut obtenir en usant de modération et de bonne volonté. Mais, Wally, je peux vous assurer que si Cavagnari a vraiment l'intention de conduire à Kaboul cette désastreuse Mission, il n'en reviendra pas vivant... ni vous ni aucun de ceux qui l'accompagneront. Soyez-en certain!

— Allons donc! s'exclama Wally qui l'avait écouté avec une impatience mal dissimulée.

Il fit remarquer que le nouvel Émir lui-même avait accepté la venue de la Mission.

— Sous la contrainte, rectifia sèchement Ash. Et si vous vous imaginez que ses sujets l'ont acceptée aussi, vous êtes à mille lieues de la réalité. Ils y sont plus que jamais opposés, et ce sont eux qui *comptent*, pas l'Émir. Ce dernier en est si conscient, qu'il est venu à la conférence de Gandamak prêt à lutter sans rompre d'un pouce, et rien de ce qu'ont pu lui dire tant les généraux que les politiciens, ne l'a fait changer d'avis. Il leur a tenu tête et c'est seulement lorsque Cavagnari a demandé la permission de s'entretenir seul avec lui, qu'il...

— Je sais tout cela, bon sang, puisque j'étais là-bas! l'interrompit Wally avec humeur. Cavagnari a fini par le convaincre.

— Vous croyez? J'imagine plutôt qu'il l'a menacé. Tout ce qu'on sait avec certitude, c'est qu'il a forcé l'Émir à céder et s'est vanté ensuite de lui avoir « drôlement frotté les oreilles ». Inutile de secouer la tête, car c'est vrai. Si vous ne me croyez pas, posez-lui donc la question. Il ne le niera sûrement pas. Mais il aurait bien mieux fait de garder ça pour lui, parce que le bruit s'en est répandu et je ne pense pas que cela contribue à lui gagner l'Émir. Pas plus que son peuple d'ailleurs, lequel reste persuadé que cette présence de la Grande-Bretagne en Afghanistan ne peut être que le prélude à l'annexion de leur patrie, tout comme les premiers petits comptoirs de la Compagnie des Indes ont conduit à l'annexion de ces dernières.

Wally déclara se rendre très bien compte que la Mission ne serait pas reçue à bras ouverts, loin de là, mais qu'il appartiendrait à ses membres de se mettre ensuite en bons termes avec les Afghans et les convaincre qu'ils n'avaient rien à craindre.

– Nous nous y emploierons à fond, je vous le promets. Et si quelqu'un est capable de réussir un coup comme ça, c'est Cavagnari. Ça, j'en suis certain!

– Eh bien, vous êtes dans l'erreur. Il aurait pu y parvenir, mais en traitant aussi cavalièrement l'Émir, il se l'est aliéné. Ya'kub Khan n'est pas homme à pardonner une insulte et non seulement il lui marchandera toute aide, mais il intriguera derrière son dos. Wally, je sais de quoi je parle. J'ai vécu pendant des mois d'affilée dans ce satané pays... Je suis très au courant de ce qui s'y dit. Les Afghans ne veulent pas de cette Mission et ne sont pas d'humeur à accepter qu'on la leur impose de force.

– Alors, tant pis pour eux! lança Wally avec brusquerie. Ils l'auront, que ça leur plaise ou non. D'ailleurs, nous leur avons administré une telle râclée dans le Khyber et le Kurram que ça leur a servi de leçon. Vous verrez qu'ils ne sont pas près de recommencer!

Ash s'immobilisa, les mains si violemment crispées sur le dossier d'une chaise que leurs articulations blanchirent. Se forçant à parler calmement, il déclara que ça n'avait pas servi de leçon aux Afghans, pour la simple raison qu'ils ne savaient pas avoir été battus.

– C'est précisément une des choses que je suis venu expliquer au commandant : des insurrections s'étant produites dans le Turkestan et le Badakchan, on a dû y envoyer les régiments qui venaient d'être battus; alors, pour les remplacer, l'Émir a fait appel à des engagés volontaires et ces nouvelles troupes ne sont guère qu'une sorte de cohue indisciplinée qui, n'ayant jamais été au contact des Britanniques, ignore tout des défaites subies. Au contraire, ces hommes ont avalé un tas de contes sur les « glorieuses victoires afghanes » et, ce qui est pire, ils n'ont pas touché leur solde depuis des mois, l'Émir déclarant que le Trésor n'a pas de quoi les payer. Alors ils rançonnent les malheureux paysans, et je crois que, finalement, mieux vaudrait pour l'Émir pas de troupes du tout. Il en a déjà perdu le contrôle et elles vont sans aucun doute constituer une grave menace pour n'importe quelle Mission diplomatique qui s'installera à Kaboul en comptant sur ces gens-là pour maintenir l'ordre : non seulement ils en sont incapables, mais ils n'ont aucun désir de le faire.

Wally rétorqua avec humeur que Cavagnari était certainement au courant de tout ça, vu que de nombreux agents le tenaient informé. Ash en convint, mais ajouta :

– L'ennui, c'est que ses informateurs vont et viennent. Or il faut avoir vécu à Kaboul durant ces derniers mois pour se rendre compte de la situation. Aussi instable que l'eau, elle présente autant de danger qu'un wagon plein de poudre, car on ne peut raisonner cette soldatesque indisciplinée et qui n'a pas été payée. Comme ces gens-là n'ont pas pris part aux récentes hostilités, le retrait de nos troupes signifie pour eux que l'envahisseur britannique a été vaincu. Ils ne verront donc aucune raison que leur nouvel Émir permette à une poignée de ces *Angrezi-log* vaincus, haïs et méprisés, d'établir une Mission permanente à

297

Kaboul. S'il le fait, cela leur paraîtra une preuve de faiblesse et ils n'auront plus de considération pour lui, ce qui ne facilitera pas les choses.

Juché sur un coin de la table, balançant un pied botté, Wally regardait par la fenêtre le clair de lune baigner l'intérieur du petit fort. Au bout d'un moment, il dit très lentement :

– Wigram nous répétait que, pour rien au monde, il n'aurait voulu être à votre place, car vous ne saviez pas au juste quelle était votre patrie. Mais je crois qu'il se trompait. J'ai le sentiment que vous avez fini par pencher carrément d'un côté... qui n'est pas le nôtre.

Ash ne répondit pas. Alors, Wally reprit :

– J'avais toujours pensé que, si vous vous trouviez contraint de vous prononcer, ce serait nous que vous choisiriez. Je n'imaginais pas... Enfin, bref, inutile de discuter plus longtemps. Nous ne tomberons jamais d'accord tant que vous considérerez la situation du point de vue des Afghans et moi, du nôtre.

– C'est-à-dire, le point de vue de Cavagnari, Lytton et Cie, lança Ash.

Wally esquissa un haussement d'épaules :

– Si vous voulez.

– Non, moi, ce que je veux, c'est votre point de vue personnel, Wally.

– Le mien ? Ma foi, je le croyais évident. Certes, je ne connais pas comme vous ces hommes des tribus, mais je sais qu'ils méprisent les faibles. Or, de quelque côté que vous mettiez les torts, il n'en reste pas moins que nous leur avons déclaré la guerre et l'avons gagnée. Nous avons contraint leur Émir à venir jusqu'à Gandamak signer un traité avec nous, traité dont une des clauses les plus importantes est que nous sommes autorisés à installer une Mission à Kaboul. Alors, si nous reculions maintenant, ça leur donnerait l'impression que nous n'avons pas assez de cœur au ventre pour affirmer nos droits de vainqueurs et, en conséquence, ils nous mépriseraient. Nos hommes aussi nous mépriseraient... Demandez plutôt à Zarin, Awal Shah ou Kamar Din ce qu'ils en pensent, et leur réponse vous surprendra.

– Non, pas du tout, répondit Ash avec lassitude. Je sais qu'ils auront la même réaction que vous. Tout découle de ce vaniteux besoin de « sauver la face », qui nous a déjà coûté tant de sang et de larmes. Nous ne voulons pas risquer de « perdre la face », même si cette attitude est non seulement téméraire mais très dangereuse et, en l'occurrence, absolument inutile.

– Dieu me pardonne, le voilà de nouveau qui reprend son antienne : « Ce n'est pas juste! », dit Wally avec un soupir. C'est en vain, vous perdez votre temps.

– Je le suppose, en effet, reconnut Ash calmement. Mais on se doit quand même d'essayer. Espérons que le commandant, comprenant mieux la gravité de la situation, saura convaincre Cavagnari et tous ces partisans de la politique d'expansion, que cette Mission serait une faute. Mais j'avoue ne pas attendre grand-chose de bon de ces gens de Simla... pas plus d'ailleurs que de l'Homo sapiens en général!

Wally éclata de rire et, pour la première fois ce soir-là, redevint le garçon plein de gaieté et d'insouciance qu'il était à Rawalpindi :

– Allez, Ash, cessez de jouer les prophètes de malheur! Nous ne sommes quand même pas aussi incapables que vous le pensez. Tenez, je suis prêt à vous parier ce que vous voudrez, que Cavagnari entortillera si bien les Afghans que, moins d'un mois après notre arrivée à Kaboul, ils lui mangeront dans la main! Il saura se les rallier, exactement comme sir Henry Lawrence avait su, avant la Révolte des

Cipayes, se rallier les Sikhs vaincus... Vous verrez!

— Oui... Oui, je verrai...

— Mais bien sûr! J'oubliais que vous serez vous-même à Kaboul. Quand y retournez-vous?

— Dès que j'aurai été reçu par le commandant... ce qui se produira demain j'espère. Il est inutile que je m'attarde ici, n'est-ce pas?

— Si vous pensez à vos chances de m'amener à refuser le commandement de l'escorte, au cas où on me l'offrirait, c'est inutile, en effet.

— Quand comptez-vous être fixé?

— Probablement dès que Cavagnari sera rentré de Simla.

— Simla! J'aurais dû me douter qu'il était là-bas!

— En effet, oui. Il y est allé par le Khyber avec le général Sam, puis il a filé aussitôt faire son rapport au Vice-Roi.

— Et recevoir sa récompense pour avoir contraint, par la menace, Ya'kub Khan à accepter les conditions de ce lamentable traité de paix, ajouta Ash avec acidité. Il sera au moins fait chevalier... Sir Louis Cavagnari, Chevalier Commandeur de l'Ordre de l'Étoile des Indes, etc., etc.

— Pourquoi pas? se hérissa Wally. Il le mérite.

— Sans aucun doute. Mais, à moins qu'il n'arrive à persuader son ami Lytton de différer l'envoi de la Mission jusqu'à ce que Ya'kub Khan ait eu la possibilité de rétablir un peu l'ordre à Kaboul, ça risque d'être aussi son arrêt de mort, le vôtre, et celui de tous ceux qu'il emmènera avec lui. La composition de l'escorte est-elle déjà connue?

— Pas officiellement, non, mais c'est une affaire pratiquement réglée. Pourquoi?

— Je voulais savoir si Zarin en faisait partie.

— Pour autant que je sache, non. Pas plus qu'Awal Shah. Ni aucun de vos amis, à vrai dire.

– Sauf vous.

– Oh! vous n'avez pas à vous tracasser pour moi! lui assura Wally avec entrain. Je suis né sous une bonne étoile. C'est de vous-même que vous devriez vous occuper. Vous ne pouvez rester indéfiniment en Afghanistan à veiller au grain pour vos amis. Alors, pour une fois, permettez-moi de vous donner un conseil : quand vous verrez le commandant, demandez-lui de vous rappeler. S'il le faut, demandez-le-lui à genoux. Dites-lui que nous avons besoin de vous... Ce qui, Dieu me damne, est la pure vérité!

Ash demeura un moment à le considérer d'un air étrange, faillit dire quelque chose, puis se ravisa et demanda quand la Mission était censée partir... si elle partait.

– Oh! pour partir, elle partira! Et probablement dès que Cavagnari sera rentré de Simla. Mais, comme je vous l'ai dit, rien n'est encore arrêté et, pour ce que j'en sais, le Vice-Roi a peut-être d'autres idées sur la question.

– Espérons-le, car elles ne peuvent pas être pires que celle-là. Alors, au revoir, Wally... J'ignore quand nous nous rencontrerons de nouveau mais, pour votre bien, je souhaite que ce ne soit pas à Kaboul.

Il tendit la main et Wally la serra chaleureusement en disant :

– Où que ce soit, ce ne sera jamais trop tôt, vous le savez. Et si c'est à Kaboul, vous me verrez tout joyeux d'y être. Une chance pareille n'arrive qu'une fois dans la vie! Et si tout se passe bien, il y aura de l'avancement pour le petit Hamilton, qui se rapprochera ainsi du bâton de maréchal! Vous ne voudriez quand même pas que je rate une pareille occasion!

Quand Ash lui rapporta cette conversation, le lendemain matin, Zarin partagea sensiblement le point de vue de Wally. Il ne dit pas carrément à son ami que ses avertissements n'étaient pas de saison, mais le lui laissa entendre :

– Nous ne sommes plus des enfants, tu sais, mais des hommes, et très capables de nous occuper de nos affaires. Awal Shah m'a dit avoir vu le commandant-Sahib, qui te recevra tantôt.

Zarin évita de rencontrer le regard de Ash et le quitta en déclarant qu'il serait de retour avant 2 heures de l'après-midi, afin de le conduire au bungalow du commandant. Il lui conseilla de dormir en attendant, s'il voulait repartir pour Kaboul le soir même, vu que l'on ne pouvait voyager de jour par une telle chaleur.

Mais Ash ne dormit pas. Non seulement parce qu'on étouffait dans la petite chambre de Zarin, mais parce qu'il avait trop de choses en tête et une décision vitale à prendre.

Les années qui paraissaient d'abord s'écouler avec tant de lenteur, avaient de plus en plus accéléré leur cours, comme un train qui prend de la vitesse. Assis par terre, jambes croisées, Ash voyait un tas de Zarin défiler sur l'écran d'un mur blanchi à la chaux. Le Zarin qui lui était apparu pour la première fois, chez Koda Dad au Hawa Mahal : un grand beau garçon, sachant déjà monter et tirer comme un homme. Un Zarin plein d'ardeur et d'assurance qui s'en allait de Gulkote sur son beau cheval pour s'engager dans la cavalerie des Guides. Zarin à Mardan, en uniforme de *sowar*; Zarin le consolant de la mort de Sita, et lui ébauchant un avenir avec l'aide d'Awal Shah. Un Zarin plus âgé, l'attendant sur le quai à Bombay, en qui il avait retrouvé toujours le même ami sûr, le même grand frère...

Quand Ash était revenu à Mardan avec le statut d'officier, il craignait que leurs relations ne survivent pas à ce soudain renversement de situation. Mais tout s'était bien passé, grâce beaucoup plus au solide bon sens et à l'esprit pondéré du plus jeune fils de Koda Dad, qu'aux propres qualités de Ash. Après ça, il avait eu le sentiment que, la mort exceptée, leur amitié survivrait à tout, et il n'aurait jamais imaginé qu'elle se terminerait ainsi.

Car c'était la fin, il s'en rendait parfaitement compte. Ils ne pouvaient plus continuer de se voir et se parler comme ils le faisaient jusqu'alors : leurs chemins avaient déjà divergé et le temps était venu pour Ash de marcher à son pas.

C'était quelque chose que Wigram lui avait dit, un jour, et dont il s'était toujours souvenu : « Si un homme ne marche pas au même pas que ses compagnons, c'est peut-être parce qu'il entend un autre tambour : alors il doit obéir à ce qu'il entend. » Sage conseil qu'il était grand temps de mettre en pratique. Car Ash n'avait encore jamais réussi à marcher au même pas que ses compagnons, qu'ils fussent européens ou orientaux, parce que lui-même n'appartenait ni à l'Orient ni à l'Occident.

L'heure était venue de clore le livre de Ashok-Akbar-Ashton Pelham-Martyn, du régiment des Guides, de le ranger sur une étagère, et d'entamer un autre volume, *Le Livre de Juli*, où il serait question de Ash et de Juli, de leur avenir et de leurs enfants. Peut-être un jour, quand il serait vieux, reprendrait-il ce premier tome et, après avoir soufflé sur la poussière le recouvrant, il se mettrait à le feuilleter pour revivre le passé... avec plaisir et sans regrets. Mais, pour le moment, mieux valait laisser tout cela de côté et l'oublier.

Quand Zarin revint, la décision était prise et, sans que Ash en eût rien dit, Zarin en fut aussitôt conscient. Non pas à cause d'une quelconque tension entre eux, car ils se sentaient toujours aussi à l'aise vis-à-vis l'un de l'autre, comme s'il n'y avait rien de changé. Mais, à quelque chose d'indéfinissable, Zarin se rendit compte que Ashok s'était soudain éloigné de lui et il sut, sans qu'il fût besoin de l'exprimer, que ça ne serait jamais plus comme avant.

– Ou peut-être quand nous serons vieux, se dit Zarin comme Ash l'avait fait. Il chassa cette pensée de son esprit et se mit à parler gaiement du présent, des choses qu'il projetait, – par exemple, faire un saut jusqu'à Attock pour aller voir sa tante Fatima – en attendant qu'arrive pour Ash le moment d'aller voir le commandant.

L'entretien fut beaucoup plus long que celui de la veille avec Wally car, désireux à tout prix de convaincre le colonel Jenkins, Ash était entré dans tous les détails de la situation telle qu'elle se présentait alors à Kaboul. N'ignorant pas que son régiment serait très probablement mêlé aux événements, le commandant l'avait écouté avec beaucoup d'attention. Après lui avoir posé un certain nombre de questions très pertinentes, il lui avait promis de faire tout ce qui lui serait possible, mais en avouant n'avoir pas grand espoir de réussir.

Ash le remercia et enchaîna alors sur des questions plus personnelles. Il avait une requête à présenter, une chose à laquelle il avait beaucoup pensé au cours des derniers mois, mais à propos de laquelle il n'était arrivé à une décision que le matin même, quand il se trouvait chez Zarin. Il demanda à être relevé de ses devoirs, et qu'on lui permît de quitter non seulement les Guides, mais l'armée.

Il avait bien pesé la chose et, après y avoir mûrement réfléchi, la conclusion s'était imposée à lui qu'il n'était pas destiné à faire un officier de carrière. Il présumait que Wigram avait parlé d'Anjuli au com-

304

mandant? Jenkins opina en silence. Dans ce cas le commandant devait comprendre à quelles difficultés il lui fallait faire face. S'il avait pu retourner à Mardan vivre ouvertement avec sa femme, sans doute serait-il arrivé à s'accommoder de la vie militaire aux Indes britanniques. Mais comme, pour plusieurs raisons, une telle chose n'était pas envisageable, il sentait le moment venu de changer d'existence, pour lui et pour sa femme...

Le commandant lui témoigna d'autant plus de compréhension et de sympathie qu'il se sentait soulagé d'un grand poids. Etant donné l'histoire de cette veuve hindoue que – selon ce pauvre Wigram – Ashton disait avoir épousée, le scandale eût été très grand si la chose s'était ébruitée. Aussi valait-il mieux, en effet, pour le Régiment comme pour Ashton, que le jeune homme démissionne et retourne à la vie civile où il pourrait agir à sa guise. Et, comme le général Browne avait déjà quitté le Pakistan, le commandant n'hésita pas à dire que la mission de Ash, en tant qu'agent de renseignement attaché aux Forces armées de la Vallée de Peshawar, était terminée. Il accepta aussi la démission du jeune homme pour ce qui était des Guides, et lui promit de s'arranger pour qu'il puisse également démissionner de l'armée sans difficulté. Mais, en retour, il allait lui demander une faveur.

Ashton consentirait-il à demeurer un peu plus longtemps à Kaboul (disons un an), pour continuer son activité d'agent de renseignement au profit de l'escorte des Guides? A supposer, bien sûr, que la fameuse Mission devienne une réalité!

– Je vais communiquer à Simla ce que vous venez de m'apprendre et je ferai tout ce qui est en mon pouvoir pour tâcher d'obtenir que cette Mission ne parte pas... Mais, comme je vous l'ai déjà dit, j'ai peu d'espoir d'arriver à un résultat. Or, si la Mission part, le jeune Hamilton l'accompagnera certainement, en qualité d'attaché militaire commandant l'escorte fournie par les Guides. Aussi, après ce que vous venez de m'apprendre, j'aimerais bien vous savoir dans son voisinage, prêt à lui fournir tout renseignement dont il aurait besoin concernant la situation à Kaboul, l'attitude de la population locale, etc. Si la Mission ne partait pas ou si, finalement, ça n'étaient pas les Guides qui fournissaient l'escorte, je vous avertirais aussitôt et, dès cet instant, vous pourriez vous considérer comme rendu à la vie civile, sans même avoir besoin de revenir ici.

L'eût-il voulu, que Ash aurait pu difficilement opposer un refus à une requête présentée en ces termes. Mais il n'avait aucune envie de refuser, car cela faisait son affaire. En effet, Juli se plaisait à Kaboul, et ils auraient ainsi davantage de temps pour décider de ce qu'ils feraient, où ils iraient ensuite. De plus, cela lui permettrait de revoir souvent Wally, lequel n'aurait pas besoin de savoir, avant que l'année en question touchât à sa fin, que Ash avait démissionné et ne rejoindrait jamais plus les Guides.

La lune se levait quand Ash quitta Mardan pour la dernière fois. Zarin l'accompagna jusqu'au delà des sentinelles, et le regarda s'éloigner à travers la plaine opalescente.

En se quittant, ils s'étaient embrassés et avaient, comme si souvent déjà, échangé les formules habituelles en pareil cas : *Pa makhe da kha...* Que l'avenir te sourie... *Amin sara...* Et à toi aussi. Mais, au fond de son cœur, chacun d'eux savait qu'ils les échangeaient pour la dernière fois, que c'était un adieu définitif. Ils avaient atteint le carrefour à partir duquel leurs chemins ne cesseraient de diverger et ne se croiseraient jamais plus, pour aussi souriant que pût être l'avenir de l'un comme de l'autre.

Ash se retourna. Il vit que Zarin n'avait pas bougé, petite forme sombre dans le paysage baigné par la lune. Alors il leva le bras en un bref salut, puis repartit et ne s'arrêta plus avant d'avoir atteint Khan Mai, quand Mardan avait depuis longtemps disparu au loin dans les replis de la plaine.

– Il ne me reste plus que Wally... pensa Ash. *Mon frère Jonathan, tu m'étais délicieusement cher...*

Les quatre piliers de sa maison imaginaire s'écroulaient l'un après l'autre. D'abord Mahdoo, puis Koda Dad, et maintenant Zarin. Ne restait que Wally, lequel n'était plus l'ami à toute épreuve de naguère, sollicité maintenant par d'autres intérêts, des points de vue différents.

Ash se demanda combien de temps encore s'écoulerait avant qu'il ne laisse Wally aussi derrière lui, comme Zarin. Ce ne serait quand même pas pour tout de suite, car ils allaient sans doute se retrouver prochainement à Kaboul. Et puis il n'avait aucune raison de perdre Wally comme il avait perdu Zarin. Mais, à supposer même que cela se produisît, l'importance serait-elle aussi grande maintenant qu'il avait Juli ?

Ash retourna vers Kaboul par la passe de Malakand; la ville lui apparut au milieu de la plaine, comme écrasée par la poussière et la chaleur, laquelle était beaucoup plus torride qu'à Mardan bien que Kaboul se trouvât à dix-huit cents mètres d'altitude. Comme il y pleuvait rarement, la terre était aride. Mais, le soir, la brise venant des neiges de l'Hindou Kouch rafraîchissait le dernier étage de la maison du Sirdar, si bien que les nuits y étaient relativement agréables. Et puis Anjuli l'attendait.

Les deux époux se parlèrent peu ce soir-là, Ash se bornant à dire quelques mots de son voyage éclair à

Mardan, et aussi de la façon dont il avait quitté Zarin. Le lendemain, en revanche, et durant toutes les longues journées de juin qui suivirent, ils discutèrent de l'avenir. Mais avec détachement et sans urgence aucune, car Nakshband Khan les suppliait de rester, disant que, même s'il ne venait pas de Mission britannique à Kaboul, ils n'avaient aucun besoin de s'en aller avant l'automne, où il ferait quand même plus frais pour voyager. Rien ne pressait!

Toutefois, on était à peine au milieu de juillet quand se mirent à courir d'inquiétants récits de villages pillés par des soldats en débandade, qui n'avaient pas été payés. Depuis la signature du traité de paix, il en arrivait d'un peu partout en Afghanistan, convergeant tous vers Kaboul.

Chaque jour apportait sa moisson d'échos alarmants, dont le Sirdar finit par s'émouvoir au point de renforcer les barreaux des portes et fenêtres.

– A ne croire même que la moitié de ce qui se raconte, déclara-t-il, nul n'est plus en sûreté. Ces hommes se disent peut-être encore soldats mais, depuis des semaines qu'ils n'ont pas reçu leur solde, ils en sont à ne valoir guère mieux que des bandits. Ils pillent la vallée, prennent aux paysans tout ce qui leur fait envie, et tuent quiconque leur résiste.

L'air même qu'on respirait semblait charrier une menace de violences et de troubles. Aussi, par moments, Ash éprouvait-il la tentation d'abandonner son poste et d'emmener Juli au loin, l'Afghanistan lui semblant devenir un pays beaucoup trop dangereux pour qu'elle y reste. Mais il avait donné sa parole au commandant et ne pouvait faillir à ses engagements car, à présent, plus personne n'ignorait qu'une Mission britannique était en route vers Kaboul, conduite par Cavagnari-Sahib et escortée par un détachement des Guides.

# LIVRE HUITIÈME

## LE PAYS DE CAÏN

### 59

Le major Cavagnari était arrivé à Simla au début de juin pour discuter, avec son ami le Vice-Roi, de la mise en œuvre du traité de Gandamak. Et aussi pour recevoir la récompense que lui valait le fait d'avoir amené le nouvel Émir, Ya'kub Khan à le signer. Quand il en repartit, au mois de juillet, il était devenu le major sir Louis Cavagnari, chevalier de l'Ordre de l'Étoile des Indes, Ministre plénipotentiaire et Envoyé extraordinaire de Sa Majesté à la Cour de Kaboul.

En l'espace de quelque jours, la Mission fut prête.

Si l'on considérait qu'il avait fallu une guerre pour arriver à l'envoyer, cette Mission se révélait étonnamment modeste. C'est que Pierre-Louis Napoléon n'était pas un imbécile. Si le Vice-Roi, lord Lytton (qui voyait là un premier pas vers la présence permanente des Britanniques en Afghanistan, et donc un succès pour la politique d'expansion), ne doutait pas de la réussite, le nouveau Ministre plénipotentiaire se montrait beaucoup moins optimiste.

A la différence de lord Lytton, Cavagnari avait une grande expérience de l'Afghanistan et, bien que Ash pût penser le contraire, se rendait compte des risques qu'il y avait à imposer par la force cette présence britannique à une population extrêmement réticente. Il avait aussi parfaitement conscience que rien, hormis une armée, ne pouvait garantir la sécurité de n'importe quelle Mission britannique. En conséquence, ne voulant pas risquer plus de vies qu'il n'était nécessaire, Cavagnari avait réduit la délégation au minimum, sa suite personnelle se composant seulement de trois hommes : William Jenkins, secrétaire et conseiller politique, un officier-médecin, le major Ambrose Kelly, et un attaché militaire, le lieutenant Walter Hamilton, ces deux derniers appartenant aux Guides. Hamilton avait le commandement d'une escorte triée sur le volet, comprenant vingt-cinq cavaliers et cinquante-deux fantassins, également des Guides.

C'était tout, en dehors d'un infirmier et du petit personnel indispensable : serviteurs, *syces*, etc. Tout en ayant grand soin de ne pas doucher l'enthousiasme du Vice-Roi, Cavagnari avait confié à certains de ses intimes de Simla qu'il estimait avoir quatre chances sur cinq de ne jamais revenir de cette mission, mais en ajoutant que si sa mort devait permettre « d'étendre la frontière jusqu'à l'Hindou Kouch », il ne se plaindrait pas.

Wally s'attendait à commander quelque chose de beaucoup plus important, qui eût fait honneur à l'Empire britannique et impression sur les Afghans. Aussi fut-il très déçu, mais il se consola en pensant que c'était peut-être mieux ainsi pour le prestige : les grandes puissances n'ont pas besoin d'afficher leur force, car elle est connue du monde entier.

Il ne trouva pas non plus curieux que Cavagnari eût l'intention de se rendre à Kaboul en empruntant la vallée de Kurram et le défilé de Shutergardan, plutôt que la passe du Khyber qui constituait un chemin à la

# La Résidence, à Kaboul

*d'après des plans d'époque approximatifs*

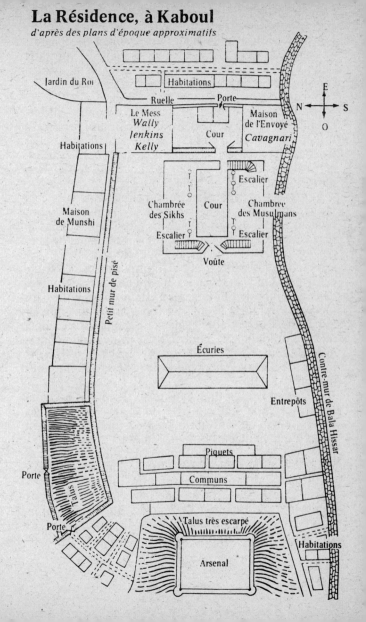

Jardin du Roi

Habitations

Ruelle   Porte

Le Mess
*Wally*
*Jenkins*
*Kelly*

Cour

Maison
de l'Envoyé
*Cavagnari*

E
N — S
O

Habitations

Maison
de Munshi

Petit mur de pisé

Escalier

Chambrée
des Sikhs

Cour

Chambrée
des Musulmans

Escalier

Escalier

Escalier

Voûte

Habitations

Écuries

Contre-mur de Bala Hissar

Entrepôts

Porte

Talus

Piquets

Communs

Porte

Talus très escarpé

Arsenal

Habitations

fois plus court et plus facile. En revenant d'Afghanistan après la signature du traité, il avait pu constater que la chaleur, la sécheresse et le choléra avaient transformé ce raccourci en un véritable charnier.

A côté de ça, même en cette saison, la vallée du Kurram devait sembler un paradis; en outre, elle ne faisait plus partie de l'Afghanistan car, aux termes du traité, elle venait d'être cédée aux Britanniques. Les troupes victorieuses n'avaient donc pas eu à l'évacuer, et Wally s'estimait ainsi assuré de la tranquillité jusqu'à la frontière afghane. En quoi il se trompait.

Les traités et accords entre gouvernements laissaient indifférentes les tribus nomades, lesquelles continuaient à harceler les garnisons, assassinant soldats et serviteurs, volant armes, munitions et animaux de faix. On emmenait des chameaux sous le nez même des sentinelles; les caravanes qui transportaient des fruits d'Afghanistan vers les Indes étaient attaquées et pillées dans le défilé de Shutergardan. Rien qu'en juillet, un médecin militaire avait été poignardé; un officier indien du 21e Punjabis avait été attaqué et tué, ainsi que son ordonnance, alors qu'ils se trouvaient à courte distance seulement de leur escorte. Le général Roberts lui-même n'avait échappé que de justesse aux hommes d'Ahmed Khel...

— Ils seront tous tués... jusqu'au dernier! s'exclama John Lawrence, qui avait été lui-même Vice-Roi des Indes, lorsqu'on apprit à Londres que la Mission britannique était partie pour Kaboul.

Et rien que la situation dans la vallée de Kurram avait de quoi justifier ce pessimisme. La paix était loin d'y régner; aussi, pour assurer la protection de la Mission, avait-on détaché une batterie d'artillerie de montagne, un escadron de lanciers du Bengale, plus trois compagnies de Highlanders et de Gurkhas. En sus de quoi, pour honorer le nouveau Ministre plénipotentiaire, le général Roberts et une cinquantaine de ses officiers avaient tenu à faire un bout de chemin avec lui.

C'est aussi royalement escortés que sir Louis Cavagnari et les membres de la Mission étaient arrivés à Kasim Khel, point situé à trois milles de la frontière afghane. On décida d'y camper pour la nuit. Un dîner d'adieu fut offert au général et à sa suite, dîner très enjoué malgré la séparation qui devait avoir lieu le lendemain et l'avenir incertain.

On se coucha fort tard et, le lendemain matin, l'envoyé de l'Émir, le sirdar Khushdil Khan, suivi par un escadron du 9e de Cavalerie afghane, arriva au camp pour escorter la Mission dans la dernière partie de son voyage.

Le représentant de l'Émir était accompagné par le chef de la tribu des Ghilzais, grand, maigre, avec une barbe grise et un visage en lame de couteau. Il se nommait Padshah Khan et, d'emblée, il inspira une vive méfiance à Wally, lequel n'avait d'ailleurs guère meilleure opinion de Khushdil Khan, visage sinistre et regard fuyant. Il s'en ouvrit en aparté au médecin-major Kelly, lequel partagea entièrement son sentiment, tout en remarquant qu'ils n'avaient pas le choix : jusqu'à ce qu'ils aient atteint Kaboul, leur sécurité était entre les mains de ces deux hommes et des ruffians à leurs ordres.

— Ce qui, je dois l'avouer, confia le médecin dans un murmure, n'est pas spécialement réconfortant.

Vêtus d'uniformes composites rappelant aussi bien l'armée britannique que celle du Bengale, les « ruffians » en question étaient montés sur de petits chevaux osseux. Comme ils étaient armés de carabines à canon lisse et de cimeterres, Wally estima que, si l'on en venait au pire, ses Guides auraient facilement le dessus. En fait, ils eussent prêté plutôt à sourire sans la férocité de leurs visages barbus au regard dur.

Mais Wally avait d'autant moins envie d'en rire qu'il les savait ignorer aussi bien la peur que la pitié. Comme le major Kelly, il ne trouvait rien de réconfortant à l'idée que ce fût sur de tels hommes que l'Émir d'Afghanistan devait compter pour maintenir l'ordre à Kaboul et y assurer la sécurité de la Mission britannique.

– S'ils tentent quoi que ce soit sur la route, nous sommes en mesure de le leur faire regretter, pensa Wally. Mais il y en aura toujours d'autres pour les remplacer... des centaines... des milliers d'autres... alors que nous sommes moins de quatre-vingts.

Si c'était vraiment là ce que l'Émir pouvait envoyer de mieux pour accueillir une mission diplomatique et veiller à sa sécurité, alors Ash n'exagérait certainement pas dans son appréciation de la situation, et Wally l'avait mal jugé.

Cinq jours plus tard, la mission britannique fut reçue à Kaboul avec les mêmes honneurs que le général Stolietoff et ses Russes. Il n'y eut d'autres différences que celle des hymnes nationaux, et aussi le fait que la suite de Stolietoff était beaucoup plus nombreuse. Ni l'une ni l'autre de ces arrivées n'était vue d'un bon œil par la population, mais un spectacle reste toujours un spectacle. Aussi, comme la précédente fois, les habitants de Kaboul se déplacèrent en masse pour profiter de cette *tamarsha* et voir d'autres diplomates étrangers dans les Howdahs dorés des éléphants d'apparat.

Sir Louis estima n'avoir vraiment aucune critique à formuler. Cette foule, les acclamations des enfants, les éléphants si richement caparaçonnés, tout le confirmait dans le sentiment qu'il avait eu raison d'insister pour que l'Émir observe scrupuleusement les accords de Gandamak, et accepte sans plus de délai une présence britannique à Kaboul. C'était maintenant fait et, visiblement, les choses allaient se passer beaucoup mieux que lui-même ne l'avait pensé. Aussitôt terminée l'installation de la Mission, il travaillerait à se faire un ami personnel de Ya'kub Khan et à être en bons termes avec ses ministres. Ce serait un premier pas dans l'établissement de liens solides et durables avec l'Afghanistan. Oui, tout allait se passer au mieux.

Le reste de la Mission diplomatique avait une impression non moins favorable et, tout en scrutant cette mer de visages dans l'espoir d'y reconnaître Ash, Wally pensait : « Quel alarmiste, cet Ash! A l'entendre, Kaboul était en ébullition, les Afghans nous détestaient, et ne pouvaient endurer l'idée que des étrangers s'installent dans leur capitale. Or, il suffit de voir ces gens pour se rendre compte que ça n'est pas vrai. On dirait des gosses se bousculant pour avoir un morceau de gâteau! »

Image beaucoup plus exacte que ne l'imaginait Wally. La population s'attendait à un gâteau et si Wally s'était retourné, il aurait pu constater que l'excitation avide des gens faisait place à une sorte de stupeur incrédule lorsqu'ils s'apercevaient que la Mission britannique se réduisait à cette poignée d'hommes. Ils avaient escompté, de la part du Vice-Roi, quelque chose de beaucoup plus fastueux et impressionnant. Ils étaient très déçus.

Mais Wally ne se retourna pas et ne vit pas non plus le visage qu'il cherchait.

Ne voulant pas courir le risque d'être reconnu par l'un ou l'autre des visiteurs, dont le regard insistant eût attiré l'attention sur lui, Ash était demeuré volontairement à l'écart, se contentant d'écouter, de la terrasse du sirdar Nakshband Khan, le vacarme des trompettes, cymbales et canons qui annonçait l'arrivée de l'Envoyé extraordinaire à la Porte Shah Shahie de la grande citadelle de Kaboul, Bala Hissar.

La maison du Sirdar n'était pas très éloignée de la citadelle et, comme Wally, Ash avait été agréablement surpris par la bonne humeur de la foule qui passait là pour aller voir le cortège. Mais le Sirdar, qui s'était déplacé lui aussi avec d'autres membres de la maisonnée, revint en disant que la faible importance et le manque de faste de la Mission avaient déçu les habitants de la capitale, qui s'attendaient à quelque chose de beaucoup plus flamboyant. Certes, il y avait des éléphants, mais seulement deux, et comme c'étaient des éléphants de l'Émir, on pouvait les voir à l'occasion de n'importe quelle fête.

— En dehors de Cavagnari-Sahib, il n'y a que trois Sahibs et pas même quatre-vingts hommes de mon ancien régiment. Quelle ambassade est-ce là? Les Russes étaient beaucoup plus nombreux. Et puis ils avaient de riches fourrures, de grandes bottes de cuir, des toques faites avec la peau de jeunes agneaux, et le devant de leurs vêtements était tout garni de cartouches en argent, des rangées entières! Ça, oui, c'était une grande *tamarsha*; mais celle d'aujourd'hui ne valait guère le déplacement. Autour de moi, nombreux étaient ceux qui se demandaient comment un Gouvernement n'ayant pas les moyens d'envoyer une ambassade plus importante, pourrait payer tout l'arriéré que l'Émir doit à ses soldats, et dans ce cas...

— Quoi donc? l'interrompit vivement Ash. Où as-tu entendu ça?

— Je te l'ai dit : tout autour de moi près de la Porte Shah Shahie, où j'étais allé voir Cavagnari-Sahib et sa suite entrer à Bala Hissar.

— Non, je veux parler de cette fable que la Mission était censée payer l'arriéré de soldes. Rien de tel n'est mentionné dans le traité.

– Vraiment? Tout ce que je peux te dire, c'est que beaucoup ici le croient. Ils racontent que non seulement Cavagnari-Sahib va payer l'arriéré des soldes, mais aussi mettre fin au service militaire obligatoire, ce qui diminuera la charge des impôts devenue par trop pesante. Serait-ce également faux?

– Oui, à moins de quelque accord secret, qui me paraît bien improbable. Les termes du traité de paix ont été rendus publics et pour ce qui est d'une aide financière, la seule qui y soit mentionnée est une promesse faite par le Gouvernement des Indes de verser à l'Émir des subsides annuels s'élevant à six *lakhs* (cent mille) de roupies.

– Alors, dit sèchement le Sirdar, lorsqu'il les recevra, peut-être l'Émir emploiera-t-il ces roupies à payer ses soldats. Mais il ne faut pas oublier que bien peu de gens ici ont entendu parler du traité, et bien moins encore l'ont lu. En outre, comme toi et moi le savons très bien, la moitié des Afghans pensent que les leurs ont remporté de grandes victoires à la guerre, contraint les armées du Vice-Roi à se replier jusqu'aux Indes, en laissant des milliers de morts sur le terrain. Alors, s'ils croient cela, pourquoi ne croiraient-ils pas aussi le reste? C'est peut-être même l'Émir qui a fait courir ces bruits, afin d'inciter son peuple à bien accueillir Cavagnari-Sahib et sa suite, au lieu de leur vouloir du mal, car seul un fou tue l'homme qui le paye. En ce qui me concerne, je peux te dire que la moitié de Kaboul pense que Cavagnari-Sahib est ici pour nous obtenir de l'Émir la fin du service militaire obligatoire, la diminution des impôts, et l'amnistie en ce qui concerne les exactions commises par les soldats dans l'attente de leur solde. Tout cela en retour de gros subsides. C'est pour cette raison que les gens ont été désemparés de le voir en si pauvre équipage et, depuis, ils doutent fort qu'il soit venu avec tant de richesses.

Ces révélations du Sirdar causèrent une si déplaisante surprise à Ash – lequel n'avait encore rien entendu raconter de pareil – qu'il s'en fut aussitôt par la ville afin d'en vérifier le bien-fondé. Une demi-heure suffit à confirmer la chose et, comme pour l'achever, il apprit à son retour chez le Sirdar, que le Munshi Bakhtiar Khan, le très actif représentant à Kaboul du Gouvernement britannique, était mort la veille.

– Officiellement, il s'agit du choléra, déclara le Sirdar. Mais quelqu'un que je connais bien m'a confié, sous le sceau du secret, que le Munshi a été empoisonné. Ça n'a rien d'invraisemblable, car il aurait pu effectivement apprendre beaucoup de choses à Cavagnari-Sahib. Mais ce qu'il savait, il l'a maintenant emporté dans la tombe. Ce n'était pas un ami du défunt Émir, et sa nomination ici avait été jugée offensante. Mais, homme plein de finesse et d'intelligence, il s'était fait ici des amis.. Ce sont eux qui parlent d'empoisonnement. Je doute toutefois que cela parvienne jusqu'aux oreilles des Sahibs.

Il suffisait que Ash ait eu vent de la rumeur. Le lendemain, brisant une promesse faite à Anjuli, il posait sa candidature à un poste qu'il avait déjà occupé : celui de scribe au service du Munshi Naim Shah, un des nombreux fonctionnaires attachés à la Cour, qui habitait Bala Hissar.

– Ce ne sera que pour quelques heures par jour, Larla, expliqua-t-il à Anjuli, laquelle lui affirmait que c'était se risquer sans raison dans l'antre du tigre. Et je n'y serai pas plus en danger qu'ici... Peut-être même moins; tant de gens à Kaboul savent que le Sirdar-Sahib est un ancien des Guides, qu'on peut toujours concevoir des soupçons à l'endroit des gens qu'il héberge. En revanche, comme j'ai déjà eu l'occasion de travailler pour le Munshi Naim Shah, je suis relativement connu à Bala Hissar et nul ne s'étonnera de m'y voir. D'ailleurs, la citadelle est une telle fourmilière, que je serais bien surpris que quelqu'un sache combien de gens l'habitent et combien y viennent chaque jour travailler, solliciter une faveur, voir un parent ou porter des marchandises.

Durant tout le printemps et le début de l'été, Anjuli avait vécu à Kaboul dans la joie. Mais depuis quelque temps, la ville lui paraissait sinistre et menaçante. La maison du Sirdar avait des murs épais, des portes solides, et les rares fenêtres donnant sur la rue étroite étaient protégées par de gros barreaux; en dépit de quoi, Anjuli ne s'y sentait plus en paix. De la terrasse ou des fenêtres éclairant les pièces où elle logeait avec Ashok, elle voyait constamment la masse oppressante de Bala Hissar.

La grande citadelle semblait vouloir écraser la maison du Sirdar. Ses vieilles tours et ses remparts interminables lui masquaient le soleil matinal, l'ensevelissant dans son ombre. A cause de cela, Anjuli se trouvait de nouveau en proie aux mêmes terreurs qu'après sa fuite de Bhitor. Elle ne pouvait s'expliquer pour quelle raison Bala Hissar lui faisait une telle impression, mais c'était comme s'il en émanait quelque chose de mauvais. Alors, à l'idée que son mari allait se risquer dans un tel endroit...

– Mais pourquoi veux-tu y aller? Ça n'est pas nécessaire, puisque tu peux apprendre tout ce que tu as besoin de savoir rien qu'en te promenant dans les rues? Tu me dis que tu rentreras chaque soir, mais si jamais il y avait une émeute ou quelque chose de ce genre? Ceux qui habitent Bala Hissar en fermeraient aussitôt les portes, et tu y serais pris comme dans un piège! Oh! mon amour, j'ai peur...

– Tu n'as aucune raison d'avoir peur, Cœur de mon cœur. Je t'assure que je ne courrai aucun danger, dit Ash en la prenant entre ses bras et la berçant tendrement. Et si je veux aider mes amis, il ne suffit pas que j'écoute les bruits qu'on fait courir par la ville, car beaucoup sont dénués de fondement. Il me faut aussi savoir, par l'intermédiaire de ceux qui voient quotidiennement l'Émir ou ses ministres, ce qu'on dit au palais, ce qui s'y mijote. Si je ne suis pas en mesure de le leur apprendre, les quatre Sahibs de la Mission n'en sauront jamais rien, car personne ne leur en soufflera mot. C'est pour cela que je suis ici. Je te promets d'être prudent et de ne pas courir de risques.

– Mais voyons, protesta Anjuli, c'est déjà un grand risque pour toi que de franchir chaque jour les portes de Bala Hissar! Je t'en supplie, mon amour, ne...

Secouant la tête, Ash étouffa ces protestations sous les baisers, car il savait devoir travailler dans une pièce ayant vue sur la Résidence et l'enceinte où logeait la Mission britannique.


## 60


La vieille citadelle des Emirs afghans s'élevait sur les pentes abruptes d'une colline fortifiée, la Shere Dawaza, d'où l'on découvre toute la capitale et une grande partie de la vallée de Kaboul.

Les contre-murs qui la ceinturaient avaient près de dix mètres de haut. Quatre portes monumentales les perçaient, flanquées de tours et surmontées de créneaux. A l'intérieur, il y avait d'autres murailles dont une, dans la partie haute de Bala Hissar, entourait le palais, au-dessus duquel culminait le fort.

La partie basse de Bala Hissar était une ville en soi, où se pressaient côte à côte les maisons habitées par gens de cour, fonctionnaires, et ceux qui travaillaient pour eux, une ville miniature avec ses boutiques et ses marchés. Dans cette partie de la citadelle, se situait la Résidence. De sa fenêtre, Ash découvrait toute l'étendue du compound (1). Sur sa droite, à l'extrémité la plus éloignée de lui et dominée par l'Arsenal, les logements des serviteurs, entrepôts et écuries, avec les piquets pour les chevaux; au-dessous de lui, les chambrées formaient une bâtisse ayant un peu l'air d'un fort, renfermant une longue cour à ciel ouvert avec une arche voûtée d'un côté, de l'autre une solide porte.

Derrière cette porte, une venelle séparait ces chambrées de la Résidence proprement dite, qui comprenait deux maisons se faisant face de part et d'autre d'une cour de dix mètres carrés, clôturée par un mur. Dans la maison la plus haute – et la plus proche de Ash – logeaient Wally, le secrétaire William Jenkyns et le médecin Kelly, tandis que l'Envoyé extraordinaire occupait l'autre, dont la paroi sud était constituée par le contre-mur de la citadelle. Si bien que certaines de ses fenêtres dominaient vertigineusement les fossés et offraient une vue splendide sur la vallée avec, tout au fond, la chaîne des hauts sommets.

Ash profitait aussi de ce panorama par-dessus la largeur du compound que, du côté opposé au sien, fermait le contre-mur. Mais la beauté du paysage était pour lui sans intérêt; il concentrait son attention sur le compound et entrevoyait ainsi de temps à autre, vaquant à leurs occupations, Cavagnari ou quelqu'un de sa suite, des serviteurs, des militaires de l'escorte. Il observait les visiteurs se présentant à la Résidence, ainsi que les allées et venues de Wally.

Tout comme Anjuli, encore que pour d'autres raisons, le lieutenant Hamilton n'aimait pas Bala Hissar.

(1) On appelait ainsi, aux Indes, une enceinte fortifiée où se trouvaient des bâtiments affectés aux Européens. (N.d.T.)

Il ne lui trouvait rien de sinistre mais, alors qu'il s'attendait à quelque chose comme le Fort rouge du Chah Jahan à Delhi, il avait été écœuré par ce ramassis de maisons en mauvais état et de venelles malodorantes, tassé derrière des murailles irrégulières et parfois croulantes, avec des terrains vagues où rien ne poussait.

Ce qu'on appelait pompeusement « la Résidence » s'était révélé tout aussi décevant : un certain nombre de bâtiments de torchis ou de brique, situés dans une vaste enceinte, dont un côté était constitué par le contre-mur de la citadelle même, et qui, sur les trois autres, se trouvait dominée par des rangées de maisons.

Il n'y avait même pas de véritable entrée; la seule barrière entre l'intérieur de l'enceinte et les habitations environnantes consistait en un mur de pisé, qu'un enfant de trois ans aurait facilement escaladé. Sans même y pénétrer, en restant à l'extérieur du compound, il était possible à n'importe qui d'observer ce qui s'y passait.

— Cela tient tout à la fois de l'aquarium et du piège à rats, déclara Wally, le jour même de son arrivée à Bala Hissar tandis que, en compagnie du médecin, il détaillait les lieux dévolus à la Mission britannique.

Son regard critique allait de la masse écrasante de l'Arsenal aux toits en terrasse des maisons afghanes dominant l'enceinte. Derrière elles, les murs du palais, au-dessus duquel s'étageaient les hauteurs fortifiées de la Shere Dawaza...

— Non, mais vous vous rendez compte! s'exclamat-il, sidéré. Nous pourrions aussi bien nous croire dans une arène ou sur la piste d'un cirque, avec des rangées de spectateurs venus assister à un combat de gladiateurs! Qui plus est, ils peuvent facilement pénétrer ici, tandis qu'ils n'auraient aucune peine à nous empêcher de sortir si ça leur chantait! Brrr! J'en ai froid dans le dos. Il va nous falloir absolument faire quelque chose à cet égard...

– Mais quoi? s'enquit le Dr Kelly d'un air absent, occupé qu'il était à inventorier les canalisations, les égouts, la présence – ou l'absence – de commodités, les points d'eau etc., alors que Wally ne considérait la situation que du point de vue militaire.

– Eh bien, pour commencer, mettre tout ça en état de défense, énonça aussitôt Wally. Construire un mur bien solide à l'entrée du compound, avec une porte que nous pourrons barricader de notre côté, porte en fer de préférence. Et en installer une autre à l'entrée de la voûte d'accès aux chambrées, clore à chaque bout la ruelle qui nous sépare d'elles. De la sorte, s'il venait à se produire quelque chose, nous pourrions empêcher qu'on accède à la Résidence autrement qu'en passant par le bâtiment des chambrées. Pour l'instant, si jamais l'on veut nous attaquer, nous sommes comme des cibles dans un stand de tir.

– Allons, allons, il n'est pas question qu'on nous attaque! fit le docteur d'un ton rassurant. L'Emir n'a aucune envie de se retrouver avec une autre guerre sur les bras; aussi va-t-il veiller à ce qu'aucun trouble ne se produise. Et puis Bala Hissar, c'est chez lui, nous sommes ses hôtes; or vous savez sûrement combien les Afghans sont pointilleux sur le chapitre de l'hospitalité, la façon dont il convient de traiter ses invités... Alors, détendez-vous et cessez de vous inquiéter. D'ailleurs, si les spectateurs auxquels vous faisiez allusion voulaient notre mort, ils pourraient nous descendre l'un après l'autre. Ça leur serait facile comme bonjour!

– C'est bien ce que je disais! Nous sommes ici comme autant de cibles vivantes... et ça peut donner des idées à certains.

Le médecin leva les yeux vers les maisons dont les fenêtres dominaient l'enceinte où ils se trouvaient.

– Oui, je comprends... Souhaitons alors que la chance proverbiale des Irlandais ne nous abandonne pas, car il n'est rien que nous puissions faire pour empêcher ces gens de nous tirer dessus si l'envie leur en vient.

Le soir même, lorsque l'Envoyé extraordinaire et sa suite rentrèrent de leur première visite officielle au palais, Wally fit part de ses craintes à Jenkins d'abord, puis à sir Louis lui-même, mais s'entendit répondre que c'était malheureusement sans remède. Refuser d'habiter les lieux mis à la disposition de la Mission serait extrêmement discourtois, et demander les moyens de repousser une éventuelle attaque eût été insulter non seulement l'Emir, mais aussi le général Daud Shah, commandant en chef de l'armée afghane.

Pas question non plus de barricader l'entrée du compound ou d'en aménager la défense, et ce pour les mêmes raisons.

– Et puis, déclara sir Louis, il est bon que la Résidence soit d'accès facile pour quiconque désire y venir. Plus nos visiteurs seront nombreux, mieux cela vaudra. Notre premier devoir est de nouer des relations amicales avec les Afghans, et rien ne doit donc leur donner à penser qu'ils ne sont pas ici les bienvenus. Comme je le disais à l'Emir...

Pour couronner le tout, Wally découvrit que son lit était plein de bestioles, et souhaita de tout son cœur que son prédécesseur russe eût autant souffert de leurs attentions. Si c'était là ce que l'Emir d'Afghanistan pouvait offrir de mieux à des hôtes de marque, le reste de Bala Hissar devait relever du taudis!

Les deux maisons composant la Résidence étaient faites de lattes et de plâtre supportés par des piliers de

324

bois. Celle de sir Louis n'avait que deux étages, un de moins que l'autre, qu'on appelait déjà « le Mess » et où les trois membres de sa suite avaient leurs quartiers. Chacune comportait un toit en terrasse à la mode afghane, auquel on accédait par une volée de marches mais, à la différence du bâtiment des chambrées haut d'un étage seulement, ces terrasses-là n'avaient aucun parapet.

Maugréant, Wally se disait avoir vu des maisons de meilleure apparence dans des bazars indiens. Il ne devait toutefois pas tarder à apprendre que constructions en pierre, tours et minarets, ne conviennent pas à une région soumise aux tremblements de terre; le torchis, le bois et le plâtre ne font pas aussi bel effet, mais ils présentent moins de risques. Seul était construit en pierre le bâtiment des chambrées, où des piliers supportant un toit en pente formaient une arcade de part et d'autre de la longue cour à ciel ouvert qui séparait les Mahométans des Sikhs. Là, en dépit des ordres de Cavagnari, Wally avait réussi à obtenir qu'une seconde porte ferme la voûte qui y donnait accès, sous prétexte que les hommes auraient ainsi « moins froid l'hiver ».

Cette voûte mesurait trois mètres de long et s'achevait en un portique d'où partaient deux escaliers – un de chaque côté de l'entrée – qui s'élevaient dans l'épaisseur du mur pour donner accès au toit. L'extrémité intérieure de ce tunnel possédait déjà une porte massive, bardée de fer. Celle due aux soins de Wally n'était faite que de planches mais, en cas d'urgence, elle permettrait à ses hommes d'emprunter les escaliers sans être vus.

A l'autre bout de la cour, proche de la Résidence, il y avait un troisième escalier. Mais une éventuelle attaque ne pouvant avoir lieu que par la façade, les escaliers de la voûte seraient d'une importance tout aussi vitale pour la défense des chambrées que le bâtiment de ces dernières pour celle de la Résidence. Sur ce point, Wally avait fait le peu qu'il pouvait faire. Restait l'autre objectif fixé par sir Louis : se lier d'amitié avec les gens de Kaboul.

Wally s'y employa avec enthousiasme et organisa des compétitions équestres, parce qu'il les savait de nature à séduire ces excellents cavaliers que sont les Afghans. De son côté, Ambrose Kelly dressa des plans pour installer un dispensaire, tandis que sir Louis et son secrétaire passaient le plus clair de leur temps en entretiens officieux avec l'Emir, discussions avec ses ministres, interminables visites cérémonieuses aux grands dignitaires.

Cavagnari mettait aussi un point d'honneur à ce qu'on le vît quotidiennement à cheval dans les rues. En revanche, il avait interdit aux membres de la Mission de monter sur les toits des bâtiments, et donné ordre que des toiles de tente fussent tendues au-dessus de la cour des chambrées. Ces deux mesures visaient à ménager la susceptibilité des voisins de Bala Hissar, en ne leur offrant pas le spectacle de « ces étrangers » en négligé.

« C'est un pays étonnant, écrivit Wally à un cousin qui servait aux Indes et qui, en le félicitant pour sa Victoria Cross, lui avait demandé de quoi avait l'air l'Afghanistan. Mais tu aurais une piètre opinion de Kaboul, qui ne donne vraiment pas l'impression d'être une capitale... »

La lettre se poursuivit avec le compte rendu d'un *Pagal*-gymkhana organisé la veille par Wally, et qui avait connu une assistance record. Wally termina en disant que les régiments de Hérat créaient sans cesse des complications en ville.

Mais le messager qui porta cette lettre au poste avancé d'Ali Khel, – tenu par les Britanniques, où l'on recevait et d'où partait tout le courrier de la Mission – y avait déjà déposé un télégramme de sir Louis Cavagnari au Vice-Roi, ainsi conçu : « De différentes sources me parviennent des rapports alarmants concernant l'attitude agressive des régiments de Hérat arrivés dernièrement ici. On a vu certains de leurs hommes circuler dans Kaboul, cimeterre à la main, en injuriant l'Emir et ses visiteurs anglais. On me conseillait fortement de ne pas sortir pendant un jour ou deux. J'ai donc demandé au ministre des Affaires étrangères de venir me voir et, lui m'ayant assuré que mes informateurs avaient beaucoup exagéré, nous sommes sortis comme d'habitude. Il ne fait aucun doute que les retards de solde et le service militaire obligatoire suscitent un certain mécontentement parmi les troupes, mais l'Emir et ses ministres se déclarent parfaitement capables d'y faire face. »

Le lendemain, il y eut un autre télégramme, beaucoup plus bref : « La situation semble en voie d'apaisement. L'Emir est convaincu de pouvoir maintenir l'ordre. » Néanmoins, dans le journal qu'il tenait quotidiennement et envoyait chaque fin de semaine au Vice-Roi, sir Louis mentionnait que l'attitude des Hératis à Kaboul frisait la rébellion.

Le ministre des Affaires étrangères assurait que ces hommes seraient payés d'ici un jour ou deux, et renvoyés alors dans leurs foyers; en conséquence, il ne fallait pas attacher d'importance à « quelques braillards ». Mais sir Louis avait ses informateurs, selon lesquels il ne s'agissait pas seulement de quelques braillards mais de troupes entières bien décidées à ne pas regagner leurs foyers tant qu'elles n'auraient pas touché jusqu'au dernier *anna* de ce qui leur était dû. Or, le Trésor n'avait pas assez d'argent pour les payer. Autant de faits contredisant l'assurance optimiste de l'Emir et de son ministre.

En dépit de quoi, Ash n'avait pas eu tort de penser que sir Louis ne mesurait pas tout le danger couru par la Mission.

L'Envoyé extraordinaire n'ignorait pas ce qui se passait à Kaboul, mais il se refusait à prendre cela très au sérieux. Il préférait se fier à l'assurance manifestée par le ministre des Affaires étrangères. Aussi élaborait-il une réforme de l'Administration afghane, et projetait pour l'automne une grande tournée de propagande en compagnie de l'Emir, alors qu'il eût été beaucoup plus important et urgent de renforcer l'autorité vacillante de ce dernier face à la montée de violence qui se manifestait dans la vallée de Kaboul. Elle gagnait chaque jour du terrain, menaçant maintenant d'envahir la capitale, voire la citadelle.

– On lui cache certainement ce qui se passe, disait Ash. Il faut absolument le mettre au courant et c'est toi qui dois t'en charger, Sirdar-Sahib. Il t'écoutera parce que tu as été Risaldar-Major des Guides. Au nom de ton ancien régiment, je te supplie d'aller à la Résidence l'avertir.

Le Sirdar était allé à la Résidence, et sir Louis avait écouté très attentivement tout ce qu'il lui disait puis, avec un sourire, avait déclaré d'un ton léger : « Après tout, nous ne sommes ici que trois ou quatre qu'ils peuvent tuer, et nos morts seront vengées. » Déclaration qui avait eu le don d'exaspérer Ash lorsque le Sirdar la lui avait rapportée, car il était convaincu que, en cas de troubles, ça n'était pas seulement ces « trois ou quatre » qui seraient tués, mais aussi toute l'escorte et les serviteurs accompagnant la Mission.

Ash n'avait pas eu vent de la remarque faite par Cavagnari avant de quitter Simla, qu'il lui était indifférent de mourir si sa mort devait permettre l'annexion de l'Afghanistan. En dépit de quoi, il commençait à se demander si sir Louis n'avait pas l'esprit un peu dérangé et ne se voyait point passant à la postérité comme un héros qui se serait sacrifié sur l'autel de l'expansion coloniale. L'idée était tellement extravagante que Ash la chassa aussitôt. Mais elle lui revint maintes fois à l'esprit dans les jours qui suivirent et, par moments, il ne voyait pas d'autre explication possible à la façon altière dont Cavagnari accueillait les mises en garde.

Devant l'insolence ouvertement affichée des Hératis, inquiet pour les Guides, le Sirdar avait fait une seconde visite à sir Louis afin de lui apprendre certaines choses qu'il avait vues et entendues.

– On ne me les a pas racontées, Votre Honneur : je les ai constatées moi-même. Ces régiments vont par les rues, musique en tête et avec leurs officiers. Tout en marchant, ils crient des injures à l'adresse de l'Emir et aussi des Kazilbashis. Parce que ces derniers se montrent loyaux envers le souverain, ils les accusent de lâcheté et d'être au service des Infidèles. Vous aussi, Excellence-Sahib, ils vous traitent de tous les noms. Alors, j'ai tenu à vous mettre au courant pour arrêter cela avant que ça n'empire.

– Je vous remercie, dit Cavagnari, mais Son Altesse l'Emir m'avait déjà recommandé de ne pas sortir en ville jusqu'à ce que cette agitation se soit calmée, ce qui ne saurait tarder. N'ayez aucune peur des Hératis, Risaldar-Sahib : les chiens qui aboient ne mordent pas.

– Sahib, rétorqua l'ancien Risaldar-Major avec gravité, ces chiens-là *mordent*. Moi, qui connais bien mon peuple, je vous dis que le danger est très grand.

– Et moi, je vous répète, Sirdar-Sahib, lui lança sir Louis en riant, que s'ils nous tuent, nous serons vengés de terrible façon.

Le Sirdar comprit l'inutilité d'insister.

– Mais, expliqua-t-il à Ash, comme je sortais de

chez lui, j'ai vu Jenkins-Sahib qui traversait la cour. Je l'ai rejoint en lui demandant la permission de m'entretenir quelques instants avec lui. Nous avons donc marché ensemble jusqu'aux écuries et, quand j'ai eu terminé, il s'est enquis : « Avez-vous dit tout ça à Cavagnari-Sahib ? » En apprenant que je venais de chez lui et quelle réponse le Sahib m'avait faite, il est resté un moment silencieux, puis il m'a déclaré : « C'est exact : même si nous sommes trois ou quatre à mourir, le gouvernement britannique ne s'en portera pas plus mal. » Alors, je te le demande, Sahib, que peut-on faire avec des hommes pareils ? J'ai perdu mon temps, car il est clair qu'ils ne tiendront aucun compte de mes avertissements.

Le résultat n'avait guère été plus encourageant du côté de Wally, que Ash avait réussi à rencontrer plusieurs fois avec une relative facilité. Sir Louis encourageant les visites, la Résidence était toujours pleine d'Afghans, qui laissaient leurs domestiques dans la cour, où ils liaient conversation avec les serviteurs de la Résidence et des hommes de l'escorte. Aussi Ash n'avait-il eu aucune peine, en se mêlant à eux, à faire tenir un message à Wally. Il lui demandait de le rejoindre dans un endroit où ils auraient la possibilité de se parler sans éveiller l'attention. Après cette première rencontre, ils usèrent d'un code très simple pour se donner rendez-vous.

Wally se montra enchanté de le revoir et c'est avec un net intérêt qu'il écouta tout ce que Ash avait à lui dire, mais pas question pour lui d'en faire part à sir Louis. Ash avait d'ailleurs déjà eu l'occasion d'en discuter à Mardan avec le commandant, lequel, avant le départ de Wally, lui avait bien souligné que l'envoyé extraordinaire avait ses propres sources d'information et que ça n'était pas au lieutenant Hamilton de le renseigner. Si, à un quelconque moment, il supposait sir Louis dans l'ignorance d'un fait important que lui-même aurait appris par Ashton, il devrait alors le communiquer au Secrétaire et Conseiller politique, William Jenkins, lequel jugerait s'il y avait lieu ou non d'en informer sir Louis.

– Je l'ai fait l'autre jour, et je ne recommencerai jamais plus, avoua Wally. J'ai cru que Jenkins allait me bouffer. Il m'a déclaré que sir Louis en savait bougrement plus que moi sur ce qui se passait à Kaboul, et conseillé de retourner jouer avec mes soldats.

Ash dit espérer qu'il en fût ainsi, mais ne pas en être convaincu. Il se sentait inquiet, plein d'appréhension non seulement pour Wally et les Guides, mais aussi pour Juli. Car, en sus de tout ce qui pouvait se dire et se faire à Kaboul, le choléra avait fait son apparition. On n'en signalait pas encore de cas à Bala Hissar ni dans la rue paisible où se dressait la maison de Nakshband Khan, mais le mal proliférait dans les quartiers les plus pauvres et les plus congestionnés de la capitale. Puis, un jour, Ash apprit par un ami du Sirdar, un Hindou très connu dont le fils travaillait dans les services du frère de l'Emir, Ibrahim Khan, que le choléra faisait des victimes parmi les troupes mécontentes.

S'il n'avait su que, cette année-là, l'épidémie de choléra sévissait aussi dans plus de la moitié des Indes, Ash eût certainement emmené Anjuli le jour même, en abandonnant Wally et les Guides sans l'ombre d'une hésitation. Mais il n'y avait aucun endroit où il pût la conduire avec la certitude de la mettre à l'abri du mal. Alors autant valait qu'elle restât là; avec un peu de chance, le choléra n'atteindrait peut-être pas ce quartier et, de toute façon, à l'arrivée de l'automne, il deviendrait moins virulent. Mais Ash vivait là des jours si pénibles qu'il en maigrissait presque à vue d'œil.

De savoir son ami à proximité, dans une maison

ayant vue sur l'enceinte de la Résidence, Wally éprouvait plus de réconfort qu'il n'eût voulu l'avouer. Il lui suffisait de lever les yeux vers une certaine fenêtre pour connaître si Ash était là ou non car, chaque matin, en arrivant à son travail, celui-ci plaçait, entre deux barreaux au centre de la fenêtre, un pot bleu contenant quelques fleurs ou du feuillage, pour signaler sa présence et qu'il n'avait pas quitté Kaboul.

Toutefois, sans même les informations fournies par Ash, Wally n'aurait pu ignorer que la situation à Kaboul se dégradait de jour en jour. Désormais les serviteurs et les hommes de l'escorte ne sortaient jamais plus seuls, ni même à deux, pour aller se baigner ou laver leur linge dans la rivière, mais toujours en groupe et armés. Il n'était pas jusqu'aux Musulmans pour hésiter maintenant à se risquer en ville; quant aux Hindous et aux Sikhs, sauf pour les besoins du service, on ne les voyait pratiquement plus hors de l'enceinte.

Ash avait demandé à l'ami hindou du Sirdar – qui, selon ce dernier, avait des antennes chez tous les gens importants – d'aller à la Résidence signaler à sir Louis que les habitants de Kaboul réagissaient avec de plus en plus d'agressivité à la présence d'une mission étrangère dans la capitale.

– Vous comprenez, expliqua-t-il, jusqu'à présent Son Excellence ne s'est entretenue qu'avec des Afghans. Qui sait dans quelle mesure ils lui ont dit la vérité et s'ils n'ont pas intérêt à le persuader que tout va pour le mieux? Mais vous, qui êtes hindou et dont le fils est au service de Son Altesse le frère de l'Emir, il vous écoutera peut-être avec plus d'attention, croira ce que vous lui dites et prendra ainsi les mesures nécessaires...

– Quelles mesures? s'enquit l'Hindou avec scepticisme. La seule susceptible d'être efficace, serait que la

Mission reparte immédiatement pour les Indes. Et je ne jurerais encore pas qu'elle arriverait indemne là-bas, car les tribus nomades pourraient bien l'attaquer en cours de route.

– Il ne consentira jamais à repartir.

– Je le sais. Mais je ne vois guère ce qu'il peut faire en dehors de cela, car il doit bien se rendre compte que la Mission n'est pas en mesure de se défendre contre une attaque. Donc, s'il prend tous les avertissements à la légère et y répond par des paroles témoignant d'un grand courage, ce n'est peut-être point parce qu'il est aveugle ou ne raisonne plus sainement. Il n'ignore pas que ses paroles seront répétées et le savoir aussi résolu peut donner à réfléchir aux têtes échauffées. J'ai déjà eu l'occasion de lui rendre visite; aussi je veux bien recommencer si le Sirdar-Sahib et vous le souhaitez.

L'Hindou tint promesse le jour même. Il ne réussit toutefois pas à être reçu. Les sentinelles afghanes qui gardaient l'entrée de l'enceinte – sous le prétexte d'assurer la sécurité de la Mission – non seulement l'avaient refoulé en le bousculant, mais lui avaient jeté des pierres tandis qu'il s'éloignait.

– Plusieurs m'ont atteint et, quand les gardes m'ont vu manquer de tomber, ils ont éclaté de rire. Il est temps, je pense, que je m'absente pour aller voir des amis dans le Sud. Aucun étranger n'est plus en sûreté à Kaboul.

L'Hindou tint parole et quitta la capitale le surlendemain. La façon dont il avait été traité par les sentinelles afghanes avait ému le Sirdar presque autant que Ash. Après sa précédente visite à la Résidence, Nakshband Khan s'était bien promis de ne plus y retourner mais, vu les circonstances, il estima devoir le faire.

Sir Louis l'accueillit aimablement, tout en lui déclarant aussitôt être parfaitement au courant de ce qui se passait à Kaboul et regretter d'être trop occupé pour avoir beaucoup de temps à consacrer aux visites d'amis.

– Pour informé que soit Votre Honneur, rétorqua poliment le Sirdàr, je ne pense pas qu'il sache tout.

Et de lui raconter comment un Hindou, très honorablement connu, venu lui rendre visite, s'était vu refuser l'accès à la Résidence et avait été chassé à coups de pierre par les sentinelles afghanes.

Le regard de sir Louis étincela de colère, sa barbe noire parut se hérisser :

– C'est faux! tonna-t-il. Cet homme ment!

Nullement intimidé, le Sirdar rétorqua :

– Si le *Huzoor* ne me croit pas, qu'il interroge ses propres serviteurs, dont plusieurs ont été témoins de la scène, tout comme d'ailleurs un certain nombre de Guides. Que le *Huzoor* s'informe et il découvrira que sa situation ne vaut guère mieux que celle d'un prisonnier. Car à quoi lui sert d'être ici, s'il ne lui est pas permis de recevoir des hommes qui souhaitent seulement lui dire la vérité?

La remarque toucha l'Envoyé extraordinaire au vif, car Pierre-Louis Cavagnari était un homme extrêmement fier, ce qui lui avait même valu d'être taxé d'arrogance par ceux qui ne partageaient pas ses vues ou qu'il avait rabroués. La chose certaine, c'est qu'il avait une très haute opinion de ses capacités et n'admettait guère la critique.

Ayant dit à son visiteur, d'un ton glacial, qu'il allait s'informer, il prit congé de lui. Aussitôt après son départ, il appela William Jenkins et lui demanda d'enquêter immédiatement aux fins de savoir si quelqu'un de la Résidence avait été témoin d'un incident comme celui décrit par Nakshband Khan.

Moins d'un quart d'heure plus tard, Jenkins lui apprenait que l'histoire était malheureusement vraie.

Les détails en avaient été confirmés non seulement par plusieurs serviteurs de la Résidence, mais aussi par deux coupeurs d'herbe et une douzaine d'hommes de l'escorte, parmi lesquels le jemadar Jiwand Singh, de la Cavalerie des Guides, et le havildar Hassan, qui appartenait à l'infanterie.

— Pourquoi n'en ai-je pas été informé plus tôt? demanda Cavagnari, blanc de rage. Ces hommes seront punis! Ils auraient dû signaler immédiatement la chose, sinon à moi du moins à Hamilton, Kelly, ou vous. Si le jeune Hamilton était au courant et ne m'a parlé de rien... Dites-lui que je désire le voir immédiatement!

— Je ne crois pas qu'il soit là pour l'instant. Il est sorti voici une heure environ...

— Envoyez-le-moi dès son retour. Il n'a pas le droit de sortir comme ça, sans me mettre au courant. Où diable est-il allé?

— Je n'en ai aucune idée, sir.

— Vous le devriez! Je ne tolérerai pas que mes officiers quittent la Résidence quand ça leur chante. N'ont-ils pas assez de bon sens pour voir que ça n'est vraiment pas le moment d'aller se balader en ville?

Mais Wally n'était pas allé se balader en ville. Il était parti à cheval pour voir Ash, avec qui il était convenu d'un rendez-vous au sud de Kaboul, près du tombeau où reposait l'empereur Baber. Car c'était le dix-huit août, jour de son anniversaire: il venait d'avoir vingt-trois ans.


## 61


Baber le Tigre s'était emparé du pays de Caïn quelques années seulement après que Colomb eut découvert l'Amérique et, de là, il était parti à la conquête des Indes, fondant une dynastie impériale qui avait duré jusqu'en 1858. Il reposait dans un jardin clos de murs, au flanc d'une colline située au sud-ouest de la Shere Dawaza. On appelait l'endroit « Le Tombeau de Baber » et il y venait peu de visiteurs en cette saison, car le Ramadan, le mois du jeûne, avait commencé. Mais le jardin étant considéré comme un but de promenade, personne ne pouvait s'étonner que le jeune Sahib commandant l'escorte de la Mission britannique fût venu voir ce lieu historique, où il avait lié conversation avec quelqu'un du cru. A vrai dire, Ash et Wally avaient le jardin tout à eux, car si le ciel était couvert, il n'était pas encore tombé une goutte d'eau et le vent brûlant soulevait assez de poussière pour inciter tous les Kaboulis raisonnables à ne pas sortir de chez eux.

Il y avait dans ce jardin quelques autres tombes, beaucoup plus humbles, marquées par des stèles de marbre dont bien peu tenaient encore debout. Après s'être arrêté un moment devant le tombeau de Baber, Ash gagna un coin de terrain herbeux que des buissons abritaient du vent, et s'assit par terre, les jambes croisées.

– Bon anniversaire, Wally, dit-il.

– Ah! vous vous en êtes souvenu, fit Hamilton en rougissant de plaisir.

– Bien sûr! J'ai même un cadeau pour vous.

Plongeant une main à l'intérieur de son vêtement, Ash en extirpa un petit cheval de bronze, d'un travail chinois ancien, qu'il avait acheté au bazar de Kaboul, sachant que Wally en serait ravi. Mais ensuite il réagit violemment lorsque le lieutenant Hamilton lui dit être venu le voir tout seul.

– Bon sang, Wally, êtes-vous fou? Ne pouviez-vous amener au moins votre *syce*?

336

— Si vous pensez à Hosein, la réponse est non. Je lui ai donné congé pour la journée... Ne vous emportez pas, de grâce! Je l'ai fait afin de pouvoir amener un de nos soldats à sa place : le *sowar* Taimus. Vous ne le connaissez pas... Il est arrivé au régiment bien après votre temps. C'est un garçon remarquable et qui a du courage comme six. Le Kote-Daffadar dit que c'est un Shahzada, prince de la dynastie des Sadozais, ce qui est probablement vrai. Ce qu'il ignore de Kaboul et des Kaboulis ne vaut pas la peine d'être connu. C'est grâce à lui que j'ai pu m'éclipser sans que des gardes afghans nous trottent aux fesses. Il attend hors du jardin avec les chevaux, et s'il voit approcher quelqu'un qui ne lui revient pas, soyez assuré qu'il m'en avertira. Donc, cessez de vous inquiéter et de vous agiter comme une mère-poule!

— Je continue à dire que vous auriez dû amener au moins trois de vos *sowars* en plus de votre *syce*, répliqua Ash avec humeur. Je n'aurais jamais accepté de vous rencontrer ici, si j'avais pensé que vous seriez assez benêt pour y venir sans une escorte convenable. Bon sang, n'y en a-t-il donc aucun parmi vous qui se rende compte de la situation?

— En voilà une façon de parler à quelqu'un le jour de son anniversaire! s'exclama Wally en riant, avant d'ajouter : Mais si, bien sûr, que nous nous en rendons compte. Nous sommes loin d'être aussi stupides que vous le pensez. Et c'est précisément pour cette raison que je suis venu ici juste avec Taimus, au lieu d'attirer sur moi l'attention et l'hostilité des populations en me faisant accompagner par un détachement de cavalerie.

— L'Emir lui-même n'a-t-il pas recommandé à votre chef de s'abstenir de sortir dans les rues pendant quelque temps?

— Dans les rues, oui. Mais par ici, il n'y a pas de

rues et nous sommes loin de la ville. Au fait, comment avez-vous eu vent de cela? Je croyais que ce conseil avait été donné à sir Louis en tête-à-tête, et ça n'est certainement pas le genre de chose qu'il tient à faire savoir.

– Celui qui m'a mis au courant est un ancien des Guides, le Risaldar-major Nakshband Khan... lequel le tenait de la bouche même du cheval... sir Louis en personne.

– Ah! bon, murmura Wally en s'étendant sur l'herbe et fermant les yeux. C'est donc vous, je suppose, qui l'aviez envoyé nous avertir que la ville était pratiquement livrée aux Hératis et que, si nous ne restions pas cloîtrés à la Résidence jusqu'à leur départ, nous risquions de les voir nous insulter et nous faire des pieds de nez? J'aurais dû m'en douter... Non, inutile de me dire que cela relevait de votre devoir, car je le sais. Mais, bon sang, c'est aujourd'hui mon anniversaire, alors ne pouvons-nous oublier tout ça et aborder des sujets plaisants?

Rien n'eût été plus agréable à Ash, mais il résista à la tentation et dit fermement :

– Non, Wally, car j'ai besoin de vous parler très sérieusement. Pour commencer, vous allez devoir mettre un terme à ces compétitions équestres que vous organisiez entre vos hommes et les Afghans.

L'indignation fit se redresser Wally :

– Y mettre un terme? Et pourquoi donc? Les Afghans en raffolent! Comme ce sont d'excellents cavaliers, ils ont grand plaisir à rivaliser avec les nôtres. Il n'y a pas meilleur moyen de nouer des liens d'amitié avec eux.

– Je ne doute pas que vous en soyez convaincu, Wally, mais c'est parce que vous ne comprenez pas la tournure d'esprit de ces gens-là. Loin de développer des liens d'amitié, vos compétitions les ont grande-

338

ment offensés. La vérité, Wally, c'est que vos *sowars* brillent trop dans ce genre d'exercices, et les Kaboulis disent que vous les organisez dans le seul but de montrer combien il vous est facile de les battre. Si vos hommes foncent vers un citron suspendu à une ficelle et le coupent en deux d'un coup de sabre, ou enlèvent au galop, à la pointe de la lance, un anneau fiché en terre, c'est pour montrer comment ils trancheraient la tête de leurs ennemis ou les embrocheraient. Les Afghans prennent ça pour eux et si, à ces moments-là, vous vous trouviez dans la foule comme cela m'est arrivé, vous ne parleriez pas de nouer ainsi « des liens d'amitié avec eux », car cela contribue à les rendre encore plus amers qu'ils ne le sont déjà, ce qui n'est pas peu dire.

— Seigneur, ces gens sont vraiment impossibles! déclara Wally d'un ton écœuré. Je vois que ce Sikh avait raison.

— Quel Sikh?

— Oh! un havildar du 3e Sikhs avec qui je me suis entretenu quand nous étions à Gandamak. Il était scandalisé par le traité de paix et le fait que nous retirions notre armée d'Afghanistan. Il avait le sentiment que nous étions devenus fous. Il me disait : « Sahib, ces gens vous détestent et vous les avez vaincus. Il n'y a qu'une façon de traiter ces *shaitans* : les mettre en miettes. » C'est peut-être ce que nous aurions dû faire.

— Peut-être. Mais inutile de revenir là-dessus maintenant, car j'ai à vous entretenir de choses bien plus importantes que vos jeux équestres. J'ai déjà abordé ce sujet avec vous et, cette fois, que ça vous plaise ou non, vous allez devoir en parler à Jenkins. Comme j'ai eu l'occasion de vous le dire, l'Emir a laissé courir le bruit que la Mission était venue dans le seul but de jouer les généreux bienfaiteurs et se faire traire d'une quantité de roupies, comme une bonne vache laitière. Presque tout le monde en étant désormais convaincu, plus vite sir Louis obtiendra du Vice-Roi l'argent nécessaire pour payer l'arriéré des soldes, mieux cela vaudra. C'est la seule chose qui puisse éviter le pire car, dès qu'ils auront touché leur dû, ces voyous venus de Hérat quitteront Kaboul. Eux partis, les autres trublions se calmeront; l'Emir aura ainsi la possibilité de prendre la situation bien en main, et de restaurer l'ordre en raffermissant son autorité. Je ne dis pas qu'un gros apport d'argent va résoudre tous les problèmes de ce pauvre type, mais, du moins, ça le remettra en selle et le sauvera pour quelque temps... ainsi que votre précieuse Mission.

Après un silence, Wally dit avec irritation :

– Ça représenterait une drôle de somme, et je ne vois vraiment pas pour quelle raison nous irions payer ainsi les soldats d'une armée qui s'est battue contre nous... l'armée d'un pays ennemi! Vous rendez-vous compte que, s'agissant d'un arriéré de soldes, ce serait comme si nous les payions pour avoir tué Wigram... et combien d'autres avec lui? Non, une telle suggestion est absolument indécente, et je ne puis croire que vous l'ayez formulée sérieusement!

– Mais si, dit Ash d'un ton grave où Wally eut même le choc de déceler une note de peur. Et pour monstrueuse qu'elle vous semble, je ne suis même pas sûr qu'elle aurait un résultat autre que momentané. Mais cela nous laisserait au moins le temps de respirer. Or, ce dont Cavagnari a besoin par-dessus tout, c'est de temps; et j'ai la nette impression que, s'il veut en avoir, il lui faudra l'acheter.

– Alors vous suggérez vraiment qu'il aille trouver ces rebelles et leur donne...

– Non, pas du tout. Je ne suggère absolument pas qu'il aille, en personne, payer quoi que ce soit aux régiments hératis (lesquels, soit dit en passant, n'ont jamais eu à se battre contre nous, et ne croient donc pas que nous ayons remporté une seule victoire). Mais je suis convaincu qu'il pourrait amener le Vice-Roi à envoyer *immédiatement* à l'Emir de quoi payer ses troupes. Et ça n'aurait pas besoin d'être un cadeau, car on le déduirait des subsides annuels qui lui ont été promis par le traité, et qui s'élèvent à six *crores*. Bon sang, Wally, ça représente six millions de roupies et il n'en faudrait qu'une petite part pour régler la dette de l'Emir envers ses troupes. Mais si l'argent n'arrive pas très vite, il n'y en a plus pour longtemps avant que tous les soldats afghans se trouvent devant ce choix : mourir de faim ou voler. Or, croyez-moi, ils opteront pour le vol, tout comme les Hératis l'ont fait. Et comme vous le feriez vous-même si vous étiez à leur place !

— Tout cela est très bien, mais...

— Il n'y a pas de « mais ». Je sais par expérience que la faim peut pousser à des tas de choses. J'aurais bien aimé parler de tout cela à Cavagnari, mais j'ai promis au commandant de ne pas le faire, parce que... Bref, il semble que le jeune Jenkins soit notre unique espoir; et, après tout, il est censé être Conseiller politique. Vous n'aurez qu'à lui dire tenir ça du vieux Nakshband Khan, ou ce que vous voudrez. Mais, pour l'amour du ciel, mettez-lui dans la tête que c'est on ne peut plus sérieux et que si Cavagnari ne s'en est pas encore rendu compte, il doit s'en convaincre sans plus tarder. Quant à vous, Wally, arrêtez vos compétitions sportives et dites à Kelly qu'il lui vaut mieux aussi renoncer au dispensaire gratuit qu'il projetait, car on raconte déjà en ville que les Sahibs comptent s'en servir pour empoisonner quiconque aurait l'imprudence de s'y rendre.

— Quand je vois nos meilleures intentions à l'égard

de ces gens ainsi dénaturées par eux, dit Wally avec une sorte de tristesse rageuse, j'en suis malade!

Ash fit remarquer que cela tenait peut-être à ce qu'ils ne voulaient accepter aucune aide de l'étranger... sinon financière.

– Si les troupes sont payées, vous pouvez vous en tirer avec juste quelques blessures d'amour-propre. Dans le cas contraire, je ne parierais pas un centime sur l'avenir de la Mission ou celui de l'Emir.

– Eh bien, vous êtes drôlement réconfortant! remarqua Wally avec un sourire en coin. Après ça, vous allez m'annoncer, je suppose, que tous les *mollahs* du pays sont en train d'appeler à la Guerre sainte?

– Non, à quelques exceptions près, – dont un fakir ici même – les *mollahs* se montrent extrêmement pacifiques et font tout leur possible pour éviter des éclaboussures. C'est grand dommage qu'ils n'aient pas un meilleur Emir. On ne peut s'empêcher de plaindre ce pauvre type, mais il n'arrive pas à la cheville de son père qui, s'il ne valait rien en ce qui nous concerne, était au moins un homme à poigne. Ce dont les Afghans auraient besoin en ce moment, c'est d'un homme fort, un autre Dust Muhammad.

– Ou bien alors de quelqu'un comme celui-ci, suggéra Wally avec un hochement de tête en direction du tombeau.

– Le Tigre? Dieu nous en garde! s'exclama Ash avec ferveur. S'il avait été au pouvoir, nous n'aurions jamais dépassé Ali Masjid.

On cessa enfin de parler politique pour aborder de plus plaisants sujets : les livres, les chevaux, leurs amis communs, et des projets de *shikar* à la saison froide.

Une brusque rafale de vent secoua les buissons, apportant avec elle quelques gouttes de pluie. Wally se leva d'un bond en s'exclamant :

– Ma parole, je crois qu'il va pleuvoir! Il est temps

que je retourne à mes devoirs si je ne veux pas me faire taper sur les doigts par mon Chef vénéré. Bon, on se voit la semaine prochaine? D'ici là, j'aurai eu un entretien avec William et trouvé un biais pour mettre fin aux compétitions sportives. *Salaam aleikoum!*

– Oui, et pour l'amour du ciel, n'allez plus traîner vos bottes à la campagne sans être convenablement escorté. C'est vraiment trop risqué!

– Ah! vieux rabat-joie, je me demande comment je vous ai supporté si longtemps! dit Wally en riant et étreignant la main de Ash. La prochaine fois, je viendrai avec un détachement armé jusqu'aux dents. Serez-vous satisfait comme ça?

– Je ne serai satisfait que lorsque Kelly, vous et les autres, aurez regagné Mardan indemnes, répondit Ash avec un sourire las. En attendant, je me contenterai d'un détachement armé... Mais que je ne vous revoie surtout pas sans lui!

– Promis! dit Wally en plaquant une main sur son cœur. Toutefois, si votre pessimisme est justifié, l'occasion ne s'en présentera peut-être plus jamais. Enfin, comme dirait Gul Baz : « C'est Dieu le maître. » *Ave*, Ashton, *morituri te salutant!*

Il salua à la romaine, puis partit en fredonnant une vieille chanson irlandaise, comme s'il n'avait aucun souci au monde.

### 62

A part quelques gouttes de pluie de temps à autre, l'orage qui menaçait n'éclata pas avant que Wally eût regagné la Résidence. Mais son excellente humeur fut alors brusquement douchée par un ordre de se présenter dès son retour au bureau de sir Louis Cavagnari.

Comme l'ordre remontait à plus de deux heures, l'accueil que reçut Wally fut loin d'être cordial. Sir Louis souffrait d'une cuisante blessure d'amour-propre et fulminait contre ceux qui, témoins de l'incident ayant opposé l'Hindou aux sentinelles afghanes, avaient omis de l'en informer aussitôt. Notamment l'officier commandant l'escorte, dont c'était le travail de lui rapporter de telles choses, à lui ou à son secrétaire, Jenkins.

Combien d'autres personnes avaient été pareillement refoulées par les Afghans? Etait-ce le seul incident de ce genre, ou seulement le plus récent?

Jamais le lieutenant Hamilton n'avait vu son héros dans une telle colère. Les questions se mirent à pleuvoir. Quand Wally put enfin prendre la parole, il dut avouer tout ignorer de l'incident en question; il promit de tancer sévèrement ceux de ses hommes qui, témoins de l'altercation, avaient omis d'en faire état. D'après lui, s'ils avaient gardé le silence, c'était par déférence à l'égard de sir Louis, vu que cet incident était un grand *shurram* (déshonneur) pour toute la Mission, et que c'eût été encore un plus grand *shurram* de causer un sentiment de honte aux Sahibs en le leur rapportant. Mais Wally leur parlerait et leur ferait comprendre que, si de telles choses venaient à se reproduire, ils devraient l'en avertir sur-le-champ.

– Ça ne sera pas nécessaire, déclara sir Louis d'un ton glacial, car je vais faire en sorte qu'elles ne se reproduisent pas. Allez immédiatement dire aux Afghans que je n'ai plus besoin de leurs services et qu'ils partent tout de suite. Après quoi, vous doublerez le nombre de nos hommes pour la garde. Et, en sortant, envoyez-moi Jenkins.

Le chef des gardes voulut discuter, disant que ses hommes étaient là par ordre de l'Emir et pour assurer la protection des « étrangers ». Mais, grâce à son ami Ash, Wally parlait couramment le pachto et, tout comme sir Louis venait de se soulager en lui passant un savon, il se fit un plaisir de répondre vertement aux objections du sous-officier, qui décampa aussitôt avec son escouade.

Après quoi, Wally signifia à ses hommes qu'ils avaient porté atteinte à leur honneur et à celui de la Mission, en passant sous silence ce dont ils avaient été témoins. Mais ils confirmèrent alors tout ce que lui avait dit Ash, en déclarant avoir préféré taire aux Sahibs que, serviteurs ou militaires, ils se faisaient tous insulter dès qu'ils se hasardaient en ville.

— Nous aurions eu trop honte de devoir dire ça, déclara le jemadar Jiwand Singh parlant au nom de ses camarades.

Plus tard, le gros porteur de Wally, Pir Baksh, usa des mêmes termes à propos des serviteurs qui avaient accompagné la Mission à Kaboul.

— Je suppose que sir Louis est au courant des mauvais sentiments qui se manifestent dans Kaboul à notre égard? dit ce même soir le jeune lieutenant au Dr Kelly, tandis que l'orage se déchaînait enfin. Et de ces rixes qui éclatent sans cesse à n'importe quel propos?

— Bien sûr! déclara placidement le médecin. Il a des espions partout.

— Il ignorait pourtant que les gardes afghans avaient empêché des visiteurs d'entrer ici... Aucun de nous quatre n'était au courant, mais nous étions apparemment les seuls à ne pas savoir ce qui se passait à notre porte, presque sous notre nez. C'est pourquoi je me demande si le Chef sait que nos hommes se font insulter par les Kaboulis lorsqu'ils sortent en ville... Et toutes les rumeurs qui courent...

— Ça ne fait aucun doute pour moi. Sir Louis est un

homme remarquable et rien ne lui échappe. Alors, cessez de vous faire de la bile!

Voyant le médecin remplir paisiblement sa pipe, Wally se sentit un peu honteux, et il se détendit en se laissant aller contre le dossier du fauteuil d'osier.

Les éclairs se succédaient au-dehors dans les grondements du tonnerre, et la pluie fouettait avec rage les minces parois de torchis. Dans la pièce voisine, un serviteur du médecin avait dû placer une bassine pour recueillir l'eau qui filtrait en un point du plafond.

Les yeux mi-clos, Wally repensait à l'entrevue qu'il avait eue avec William Jenkins, plus tôt dans la soirée, au sujet du paiement de l'arriéré des soldes.

Le Conseiller politique était tombé d'accord qu'il faudrait probablement en passer par là, et lui avait dit en confidence que le Vice-Roi avait déjà laissé entendre qu'il était disposé à le faire.

– Tout va s'arranger, mon garçon, vous verrez! Il n'est pas grand-chose de ce qui se passe à Kaboul que le Chef ne sache. Je peux vous dire qu'il a, depuis longtemps déjà, étudié les moyens de résoudre ce problème.

William Jenkins ne se trompait pas en déclarant que sir Louis était au courant de tout ce qui se passait à Kaboul, mais la confiance qu'il lui faisait était moins justifiée.

Sir Louis était bien informé et, par le journal qu'il expédiait chaque fin de semaine à Simla, lord Lytton n'ignorait rien non plus de ce qui se passait à Kaboul, mais tous deux n'y attachaient pas grande importance. Lord Lytton s'en émouvait même si peu qu'il avait laissé s'écouler dix jours avant de faire suivre au Secrétaire d'Etat, sans aucun commentaire, le rapport de sir Louis sur l'attitude agressive des Hératis, comme s'il s'agissait d'une information tout juste bonne à classer dans un dossier.

Quant à sir Louis, bien qu'il eût immédiatement informé le Vice-Roi que les Kaboulis semblaient s'attendre, entre autres choses, à ce qu'il paie l'arriéré de soldes, il ne se préoccupa plus du problème, même lorsqu'il reçut un télégramme du Vice-Roi proposant une assistance financière à l'Emir si cela pouvait aider Son Altesse à sortir de ses actuelles difficultés.

Cette offre ne relevait pas uniquement de l'altruisme – en cas d'acceptation, avait souligné lord Lytton, cela donnerait au Gouvernement la possibilité d'obtenir certaines réformes administratives devant lesquelles l'Emir se montrait réticent – mais enfin elle avait été faite. Cet argent, dans lequel Ash voyait le seul moyen de mettre fin aux troubles dont souffrait de plus en plus Kaboul, cet argent avait été mis à la disposition de sir Louis. Mais celui-ci n'y recourait pas, peut-être parce que, tout comme Wally, il lui répugnait de payer une armée qui récemment encore faisait la guerre aux Britanniques. Mais pas même à Jenkins, qui décodait tout son courrier confidentiel, il ne donna ses raisons. Cela ne laissa pas de troubler le loyal secrétaire, aux yeux duquel l'offre du Vice-Roi était apparue comme un bienfait du ciel, la merveilleuse solution des plus pressants problèmes.

Il n'était pas venu à l'idée de William Jenkins que son Chef pût voir cette offre sous un autre jour. Août se passa sans que sir Louis eût fait le moindre geste pour accepter la proposition du Vice-Roi, bien que la situation devînt chaque jour plus explosive, le mécontentement commençant à gagner même les régiments de Bala Hissar.

William venait d'apprendre cela par Walter Hamilton, et il avait peine à le croire. Se pouvait-il vraiment que ces régiments ne fussent pas plus sûrs que les Hératis? Dans ce cas, l'Emir jouait-il un double jeu? Certes, il avait réagi avec colère à propos de l'incident de l'Hindou lapidé par les sentinelles. Cette colère toutefois était dirigée non pas contre les sentinelles, mais contre sir Louis qui avait osé les renvoyer en allant jusqu'à refuser qu'on les remplaçât, et contre le lieutenant Hamilton qui avait exécuté les ordres de Cavagnari.

William se demandait si l'Emir avait réellement l'intention, à l'automne, de faire une tournée d'inspection avec sir Louis le long des frontières nord, en laissant sa capitale aux mains d'une soldatesque indisciplinée et de ministres retors. Sir Louis semblait le penser et en parlait comme d'un fait acquis.

A mesure que l'été tendait vers sa fin, William Jenkins, en dépit de son loyalisme et de son admiration, était de plus en plus tourmenté par le doute. Il en arrivait à se demander si sa brusque élévation n'avait pas eu un mauvais effet sur le jugement de Louis Cavagnari, l'empêchant de voir des choses qui naguère n'eussent certainement pas échappé à son attention.

Au cours d'un dîner à Simla, William se rappelait avoir entendu quelqu'un dire qu'on imaginait très bien Cavagnari se comportant comme le comte d'Auteroche à la bataille de Fontenoy, lorsqu'il avait lancé à ses adversaires : « Messieurs, tirez les premiers ! »

A l'époque, William avait acquiescé en riant. Mais, à présent, il ne riait plus car il se rappelait que, en réponse à cette fière invite, une volée de balles meurtrières avait décimé les rangs des gardes françaises, tuant ou blessant tous leurs officiers si bien que, se retrouvant sans aucun chef, les survivants avaient pris la fuite.

Oui, Louis Cavagnari était parfaitement capable d'un tel geste. C'était un homme fier, courageux et fanatique, plein de hautain mépris pour ceux qui ne le valaient pas.

Dans le bâtiment du Mess, de l'autre côté de la cour,

Wally était très occupé à écrire. Le courrier devait partir à l'aube pour Ali Khel et il fallait donc lui remettre les lettres au plus tard le soir même.

Pour cette raison, sir Louis Cavagnari avait aussi passé la fin de l'après-midi et la majeure partie de la soirée dans son bureau, y achevant de rédiger son journal ainsi que les lettres et télégrammes à destination d'Ali Khel. Il se sentait plus détendu depuis quelques jours, car la mort par le choléra, en l'espace de vingt-quatre heures, de quelque cent cinquante soldats hératis avait été un mal pour un bien.

Frappés de panique en voyant succomber ainsi un grand nombre de leurs camarades, les survivants avaient transigé pour une partie seulement de ce qui leur était dû, plus quarante jours de permission. Ils s'étaient aussitôt précipités à Bala Hissar rendre leurs armes et n'avaient même pas attendu leurs feuilles de permission pour quitter la ville, injuriant au passage le commandant en chef, le général Daud Shah, venu assister à leur départ.

A aucun moment, sir Louis n'avait eu peur de ce qu'il considérait comme une simple « bande de voyous », mais il fut cependant bien aise d'apprendre qu'un grand nombre d'entre eux avaient enfin été payés (il avait toujours été convaincu que l'Emir et ses ministres sauraient trouver l'argent nécessaire quand ils se rendraient compte que c'était le seul moyen de se débarrasser de cette dangereuse engeance) et avaient quitté la capitale après avoir rendu leurs armes. Il savait néanmoins que tous les Hératis n'étaient pas partis : il en restait encore cantonnés aux abords de la ville, et c'était parmi eux que l'on prenait de quoi renforcer la garde de l'Arsenal, ce qui, pour peu qu'on y réfléchisse, ne paraissait pas très prudent. Mais l'Emir lui avait assuré que ces hommes avaient été soigneusement choisis et témoignaient des meilleures dispositions... Sans doute, pensait sir Louis, parce qu'ils avaient dû percevoir un acompte.

Il restait aussi le régiment Ardal du Turkestan, et trois autres régiments militaires de carrière, dont la solde n'avait pas non plus été payée depuis plusieurs mois. Mais, tout en réclamant leur dû, ils ne manifestaient aucune inclination à imiter la conduite déplorable des Hératis. Et comme le général Daud Shah leur avait laissé entendre que, s'ils faisaient preuve d'un peu de patience, ils seraient tous payés au début de septembre, sir Louis estimait pouvoir envisager l'avenir avec un peu plus d'optimisme.

Cette année-là, le début du Ramadan – le carême musulman – tombait malheureusement au milieu d'août. Durant le Ramadan les fidèles ne peuvent boire et manger qu'entre le coucher du soleil et la première lueur de l'aube; or, des hommes qui ont jeûné durant toute la journée, qui ont dû se passer d'eau dans la chaleur et la poussière, risquent de s'emporter facilement. Toutefois il ne s'en fallait plus que d'une semaine pour qu'on fût en septembre.

Sir Louis attendait l'automne avec impatience, car il avait entendu dire que c'était la meilleure saison à Kaboul. Cette perspective fit sourire l'Envoyé extraordinaire; posant sa plume, il se leva et alla se planter devant une des fenêtres donnant au sud. Par-dessus la plaine qui s'enténébrait, il contempla les lointains sommets neigeux, lesquels, un moment auparavant rosis par le soleil couchant, semblaient d'argent à la clarté des étoiles.

La nuit était pleine de bruits car, après une journée d'abstinence, Kaboul se détendait enfin avec l'*Iftari,* le repas du soir avec lequel on rompt le jeûne pendant le Ramadan. La nuit bourdonnait comme une ruche, mais une ruche de bonne humeur, pensa Cavagnari en respirant l'odeur des feux de bois et des aliments qui cuisaient.

Entendant des pas dans l'escalier, sir Louis dit, sans se retourner :

– Entrez, William. J'ai terminé mes lettres pour le *dâk* et vous pouvez donc ranger le code, car nous n'en aurons plus besoin ce soir. Inutile d'envoyer un autre télégramme à Simla, puisque nous n'avons rien de neuf à leur apprendre. La prochaine fois qu'ils recevront le journal, ils y trouveront tout ce qu'ils ont besoin de savoir. Quand doit-il partir, au fait?

– Le 29 au matin, sir.

– Si d'ici là quelque chose d'intéressant se produisait, nous avons toujours la possibilité d'expédier un *tar*. Mais je crois que le pire est passé. Maintenant que ces voyous de Hérat sont repartis chez eux, les choses vont se tasser. Vous pouvez emporter les lettres. Je dois encore me changer pour le dîner.

A un demi-mille de là, sur le toit en terrasse de la maison de Nakshband Khan, Ash contemplait lui aussi les montagnes et, tout comme Cavagnari, estimait que le pire était maintenant passé.

A présent, si Ya'kub payait au reste de ses troupes ce qu'il leur devait, ou si le choléra les faisait fuir, ou bien encore si sir Louis insistait pour que le gouvernement des Indes envoie à l'Emir de quoi régler l'arriéré des soldes, on pouvait encore raisonnablement espérer que la Mission réussirait à transformer la méfiance et l'hostilité actuelles de la population en une sorte de tolérance, voire de respect, sinon de sympathie. Pour cela, Cavagnari et l'Emir avaient besoin de temps, et Ash restait convaincu que seul l'argent leur assurerait ce répit.

– Pourtant, si l'Emir a trouvé de quoi payer les Hératis, raisonnait le jeune homme, il pourrait sans doute aussi se procurer l'argent nécessaire pour payer les autres. Il doit se rendre compte maintenant que c'est absolument nécessaire, dût-il pour cela pressurer les nobles et les riches marchands.

Sans en avoir conscience, il avait dû prononcer ces dernières paroles à haute voix car Anjuli, assise près de lui la tête appuyée contre son épaule, lui objecta doucement :

– Mais ces gens-là ne donneront aucun argent de bon gré. Et si on le leur prend de force, ils s'arrangeront pour le soutirer à leur tour aux pauvres qui dépendent d'eux. Cela nous le savons. Alors, en quoi la position de l'Emir sera-t-elle meilleure si, pour apaiser ses soldats, il se met à dos les nobles, les marchands, et accroît encore la haine des pauvres ? Ça ne réussira qu'à attiser le mécontentement, j'en ai bien peur.

– Tu es pleine de sagesse, mon cœur. La situation est vraiment très dure à dénouer, mais tant qu'elle ne le sera pas, il n'y aura pas de tranquillité à Kaboul... du moins pour les gens de la Résidence ou du Palais de Bala Hissar.

A l'énoncé de ce nom, Anjuli frissonna et Ash la serra instinctivement contre lui, mais il ne dit rien car il pensait à Wally... Il n'avait pas reparlé à son ami depuis l'après-midi passé dans le jardin entourant le tombeau de Baber, bien qu'il l'eût aperçu souvent par la fenêtre de son bureau chez le Munshi. Il allait falloir organiser une rencontre... Avant que Cavagnari provoque la colère de l'Emir en renvoyant les sentinelles afghanes, ça ne présentait pas trop de difficulté. Mais à présent aucun des quatre Européens de la Mission ne pouvait sortir de l'enceinte sans avoir aussitôt, en sus de sa propre escorte, un détachement de cavaliers afghans caracolant derrière lui.

Dans ces conditions, il était impossible pour Wally

de sortir seul, et encore moins de s'arrêter pour bavarder avec un Afridi apparemment rencontré en chemin. Mais travailler à Bala Hissar avait ses avantages; Ash venait ainsi d'apprendre quelque chose qu'on ignorait encore à la Résidence : à partir du 1er septembre, la Mission britannique devrait se procurer par ses propres moyens le fourrage nécessaire à ses chevaux.

Jusqu'alors l'herbe et la *bhoosa* avaient été fournies par l'Emir mais, à l'avenir, c'étaient les coupeurs d'herbe des Guides qui devraient s'en occuper. Or comme il n'était pas question de les laisser sortir sans une escorte de *sowars,* on ne s'étonnerait pas que Wally les accompagne.

Bien entendu, les inévitables gardes afghans les suivraient mais, après un jour ou deux, leur vigilance se relâcherait probablement; Ash pourrait alors s'entretenir avec Wally sans éveiller de soupçons. Cela leur permettrait de se rencontrer une ou deux fois avant la fin du Ramadan; et d'ici là, si le sort leur était favorable, une certaine détente aurait succédé à l'inquiétante agitation de ces dernières semaines.

Sir Louis, en tout cas, non seulement ne doutait pas de cette détente, mais la considérait déjà comme effective. Aussi, le vingt-huit du mois, avait-il chargé William d'envoyer à Simla un autre télégramme disant que tout allait bien. Deux jours plus tard, il écrivit une lettre personnelle à son ami le Vice-Roi, dans laquelle il déclara n'avoir vraiment à se plaindre de rien en ce qui concernait l'Emir et ses ministres.

« L'autorité de l'Emir est faible mais, en dépit de tout ce qu'on peut raconter contre lui, je pense pour ma part qu'il fera un bon allié et tiendra ses engagements. »

## 63

– Eh bien alors, drôle de façon de commencer l'automne! s'exclama Wally avec indignation. Ils auraient quand même pu nous prévenir, non? Quelle engeance, vraiment!

– Allons, allons, protesta William. Ils savent très bien que nous avons nos propres coupeurs d'herbe et rien ne les obligeait à nous approvisionner en fourrage. Ils l'ont cependant fait – et gratuitement – depuis notre arrivée. Maintenant que nous sommes installés, il me paraît juste que nous nous débrouillions tout seuls à cet égard.

– Je suppose que vous avez raison, concéda Wally. Mais Son Altesse Impériale afghane aurait quand même pu nous avertir qu'Elle se proposait d'arrêter ces fournitures fin août, au lieu d'attendre le 1er septembre pour nous annoncer que c'est à nous désormais de nous occuper du fourrage. Car ça n'est pas quelque chose que nous pouvons faire du jour au lendemain, du moins dans ce pays. Si nous ne voulons pas nous attirer des tas d'ennuis, il nous faut d'abord savoir où nous sommes autorisés à prendre l'herbe et ce qui est encore plus important, où il ne nous est pas permis d'aller. Or ce n'est pas en cinq minutes que nous serons fixés sur ce point!

– Non, mais nous devons bien avoir pour deux jours de fourrage? Ce qui nous mène à après-demain. Je vais voir le Chef pour déterminer les endroits où envoyer nos coupeurs d'herbe et, le 3, ils reprendront leur travail, ce qui leur évitera de se rouiller. Je suppose qu'il nous faudra les faire accompagner par un garde?

– Oh! oui. Sans cela, soyez assuré qu'ils ne feraient

pas un pas hors d'ici, répondit Wally d'un ton amer.

– C'est vraiment à ce point? J'avais espéré que la situation s'améliorerait un peu après que la moitié de ces Hératis auraient fichu le camp?

– Elle s'est améliorée sans aucun doute. Mais il est encore trop tôt pour qu'on en ressente les effets. Aussi ne me viendrait-il pas à l'idée d'envoyer dans la nature une équipe de coupeurs d'herbe, sans quelqu'un pour jouer les chiens de berger et veiller sur eux. Pour commencer, c'est probablement moi qui les accompagnerai afin de m'assurer que tout se passe bien. Nous ne tenons pas à les voir revenir, les mains vides et pris de panique, parce que quelqu'un leur aura jeté une pierre en les injuriant.

Wally regagnait le bâtiment du Mess après son inspection matinale des écuries, lorsque William lui avait annoncé les nouvelles dispositions concernant le fourrage. Désireux d'en informer les officiers de cavalerie, il fit demi-tour et passa de nouveau à côté de la sentinelle postée près de la porte donnant accès à la venelle qui séparait la Résidence de ce qu'il considérait comme la caserne.

La porte menant aux chambrées était ouverte mais, au lieu de pénétrer dans la cour, Wally prit à droite dans la ruelle, puis à gauche, afin de contourner la partie nord des chambrées et se diriger vers les écuries qui se trouvaient à l'autre extrémité, dans l'ombre de l'Arsenal. Plissant les paupières contre l'éclat du soleil, il leva machinalement les yeux vers les fenêtres grillées des hautes maisons dominant le mur d'enceinte : on eût dit autant d'yeux épiant ce qui se passait chez « les étrangers ».

Quelqu'un qui l'eût observé n'aurait pas eu conscience qu'il s'intéressait à l'une de ces fenêtres. Pourtant, il avait repéré un certain vase bleu, garni de feuillage, qui se trouvait derrière les barreaux de l'une d'elles. Tout en continuant d'avancer, il se demanda si Ash savait que les Guides devraient désormais envoyer leurs propres coupeurs d'herbe chercher du fourrage et – ce qui était plus important – où il leur serait permis d'aller. Si oui, s'était-il rendu compte, comme lui-même, que cela leur fournirait des occasions de se rencontrer?

Le dernier envoi de fourrage ayant été particulièrement abondant, le jemadar Jiwand Singh, l'officier indien le plus ancien parmi les cavaliers, était d'avis qu'il y en avait pour deux ou trois jours. Donc, les coupeurs d'herbe n'auraient pas à s'en occuper avant le 3.

– Mais il faut penser à l'hiver, ajouta Jiwand Singh. Si, comme ils le disent, la neige atteint parfois plus d'un mètre d'épaisseur dans la vallée, il nous faut avoir une grande quantité de fourrage en réserve, et, par conséquent, davantage de place.

– Nous ne sommes encore qu'au début de l'automne, rétorqua Wally, et il ne neigera pas avant la mi-novembre. Mais je vais en parler dès ce soir au Burra-Sahib, et lui dire qu'il nous faut un emplacement où édifier un baraquement qui abritera cette réserve de fourrage.

– Là, par exemple, dit Jiwand Singh avec un hochement de tête en direction d'un terrain vague clôturé, appelé le Kulla-Fi-Arrangi, qui jouxtait le compound et n'en était séparé que par un muret de pisé. Ce serait une bonne chose si nous avions la permission de construire sur ce terrain, car ça nous permettrait de l'interdire à tous les oisifs et *budmarshes* qui viennent y rôder. Et si jamais nous étions contraints d'assurer notre défense, il nous rendrait grand service.

Wally pesa la chose, car la facilité avec laquelle on aurait pu envahir l'enceinte l'avait toujours préoccupé.

– Oui... ça n'est pas une mauvaise idée, murmura-t-il entre ses dents. Comment ne m'était-elle pas venue? Pas simplement un mur, mais de bons bâtiments bien solides, pour abriter le fourrage et peut-être aussi loger quelques-uns des serviteurs afin qu'ils soient moins à l'étroit. Je me demande...

Il continua d'y réfléchir et, à l'heure du thé, en discuta avec Kelly, lequel tomba d'accord que cela renforcerait certainement la sécurité s'il n'y avait plus qu'un seul accès à l'enceinte, de préférence étroit afin qu'on pût le fermer par une porte. Actuellement, on en comptait une demi-douzaine, en sus de ce terrain en pente où tout un troupeau aurait passé!

– Et personne ne pourrait nous accuser de faire insulte à nos hôtes, comme en construisant des murs de défense ou des barricades, puisqu'il s'agit simplement d'un bâtiment pour abriter nos réserves de fourrage... plus peut-être quelques domestiques trop à l'étroit dans...

– Non, pas des domestiques, l'interrompit Kelly : un grand dispensaire! Oui, ça ne serait pas une mauvaise idée et si le Chef approuve...

– Bien sûr qu'il approuvera! Il ne doit pas se sentir tranquille, nous sachant dans une position aussi vulnérable. Simplement, il ne veut pas bouleverser l'Emir en lui demandant d'établir un système de défense autour de l'enceinte, et ça je le comprends très bien. Mais notre idée est totalement différente, et il ne devrait avoir aucune peine à obtenir l'assentiment de l'Emir. Ils se voient tous les jours et ont de longues conversations... En ce moment même, tenez, ils doivent être ensemble. J'en parlerai à sir Louis dès son retour du palais : il est toujours de bonne humeur quand il a bavardé un moment avec l'Emir.

La bonne humeur de sir Louis tenait à ce que, au cours de ces visites qui duraient environ une heure, il était souvent question de la fameuse tournée dans les provinces du nord, pour laquelle l'Emir se montrait tout aussi enthousiaste que lui. Ce soir-là, ils devaient en discuter les derniers détails; or voilà que soudain l'Emir déclarait ne pouvoir partir.

Ya'kub Khan estimait hors de question qu'il s'absente de sa capitale en période de troubles, alors qu'il ne pouvait même pas compter sur les régiments qui s'y trouvaient stationnés. Plusieurs de ses provinces étaient en révolte ouverte et son cousin Abdur Rahman (protégé par les Russes) projetait d'envahir le Kandahar. Quant à son frère, Ibrahim Khan, il intriguait contre lui dans le but de lui ravir son trône. N'ayant pas d'argent ni beaucoup d'autorité, l'Emir estimait que s'il s'absentait de Kaboul, ne fût-ce qu'une semaine, il ne pourrait jamais plus y revenir. Son excellent ami sir Louis comprendrait que, dans ces conditions, il fallait renoncer à la fameuse tournée.

Sir Louis n'ignorait pas ces difficultés, qu'il avait lui-même signalées par télégrammes au cours des dernières semaines. Aussi aurait-on pu s'attendre qu'il partageât le sentiment de Ya'kub Khan. Mais, tout au contraire, l'annulation du projet le bouleversa, car il avait vu dans cette tournée avec le souverain, l'affirmation publique de l'amitié et de la confiance existant désormais entre la Grande-Bretagne et l'Afghanistan. Cette brusque volte-face de l'Emir le plaçait en outre dans une situation ridicule, étant donné qu'il avait annoncé cette tournée à un grand nombre de personnalités. Aussi s'efforça-t-il de faire se raviser Ya'kub Khan, mais en vain. Se rendant compte qu'il risquait de s'emporter contre son interlocuteur, il avait finalement préféré abréger l'entretien. Inutile de dire que, dans ces conditions, il n'était pas de bonne humeur lorsqu'il regagna la Résidence.

Wally s'en rendit aussitôt compte et jugea préférable d'attendre un autre moment pour aborder le problème du Kulla-Fi-Arrangi. Il se contenta donc de demander à William Jenkins s'il savait où envoyer chercher du fourrage.

Jenkins acquiesça : ils pourraient prendre tout ce dont ils avaient besoin dans le *charman,* une étendue inculte et herbeuse qui constituait la majeure partie de la plaine de Kaboul. On leur avait suggéré de commencer dans le voisinage du village de Ben-i-Hissar, qui n'était guère éloigné de la citadelle.

– J'ai annoncé que nous y enverrions nos coupeurs d'herbe le matin du 3, autrement dit après-demain. On m'a prié de les faire accompagner par un garde, tout en sachant très bien que nous ne les laisserions pas sortir seuls. De toute façon, ce sera une bonne chose d'avoir l'un des leurs avec nous. Les paysans ne pourront pas ensuite venir se plaindre que nous avons traversé leurs champs et endommagé leurs récoltes.

Wally fut entièrement de cet avis, mais persista néanmoins dans son intention d'aller le surlendemain avec les coupeurs d'herbe. Cela lui permettrait d'étudier un peu les environs et d'observer le comportement du garde afghan, afin de savoir s'il lui serait facile ou non de rencontrer ensuite Ash au cours de ces sorties.

Le lendemain, Wally réfléchit que ce ne serait pas une mauvaise chose si Ash pouvait étudier aussi la question, en allant faire lui-même un tour du côté de Ben-i-Hissar, par exemple dans la matinée du 5.

Un coup d'œil à la maison du Munshi lui avait déjà appris que Ash s'y trouvait au travail. Le jeune homme se dirigea donc vers un fruitier ambulant qui avait installé son éventaire à l'entrée de l'enceinte. Il lui acheta une demi-douzaine d'oranges et, lorsqu'il eut regagné sa chambre, il en disposa cinq sur le rebord de sa fenêtre, laquelle donnait à l'ouest, face aux chambrées et à l'Arsenal. L'éclatante couleur des fruits se voyait de loin sur le fond blanc de la fenêtre.

S'il ne le savait pas encore, Ash n'aurait aucune difficulté pour s'informer du but de la sortie que Hamilton-Sahib effectuerait ce jour-là. S'il ne pouvait se rendre libre, ça serait pour la fois suivante, qui tomberait le 7. Le 7 étant un vendredi, équivalent musulman du sabbat, on pouvait raisonnablement espérer que le garde afghan serait à ses dévotions dans l'une des mosquées de la ville.

Au petit déjeuner, sir Louis paraissait encore mal luné, et l'habituel défilé de visiteurs en tous genres l'avait tenu occupé jusqu'à la fin de l'après-midi; après quoi, il était allé chasser la perdrix en compagnie d'un gros propriétaire terrien. Wally n'avait donc pas eu l'occasion de lui parler de la construction envisagée, mais il ne le regrettait pas tellement car son instinct lui disait que, vu son humeur actuelle, sir Louis aurait mal accueilli ce projet. Il se contenta donc de l'exposer à William Jenkins.

William était très conscient de l'insécurité que présentaient les lieux mis à leur disposition par l'Emir. Mais, tout comme Cavagnari, il estimait hors de question, qu'on édifiât un dispositif de défense militaire. Il fallait donc recourir à d'autres moyens, en usant de beaucoup de diplomatie et de circonspection afin de ne susciter aucune hostilité soupçonneuse. Car ce qu'il y avait encore de plus sûr, c'était de préserver l'ambiance d'amitié et de confiance réciproque, bien plus efficace pour assurer leur sécurité que des murs de briques et de plâtre. Le projet de bâtiment ne l'enthousiasma donc pas autant que Wally l'avait espéré, mais il promit de sonder sir Louis à ce sujet. Jenkins escomptait d'ailleurs une réaction favorable car, toute autre considération mise à part, il leur fallait absolument avoir des réserves de fourrage pour les mois durant lesquels Kaboul serait sous la neige. Mais on avait encore amplement le temps...

La tiédeur avec laquelle William avait accueilli son « plan », doucha Wally, qui se consola en réfléchissant que, si Cavagnari était d'accord et l'Emir donnait sa permission, le bâtiment serait vite construit. Après quoi, Wally se sentirait beaucoup plus à l'aise vis-à-vis des hommes dont il était responsable, lesquels, de leur côté, devaient veiller à la sécurité de tous ceux qui habitaient là, de sir Louis au dernier des balayeurs.

Comme il s'en retournait vers le Mess après avoir pris des dispositions avec le jamadar Jiwand Singh concernant la corvée de fourrage, Wally jeta un coup d'œil à une certaine fenêtre : le vase n'était plus au milieu, mais sur la droite du rebord. Cela signifiait « possible », alors qu'un déplacement du vase vers la gauche eût voulu dire le contraire.

Sir Louis avait emmené son secrétaire avec lui lorsqu'il était parti chasser. Se trouvant donc en tête à tête ce soir-là, Wally et le Dr Kelly allèrent faire une promenade à cheval sur les bords de la rivière de Kaboul, du côté de Sherpur, avec juste une escorte de deux *sowars* et, bien sûr, l'inévitable détachement de gardes afghans.

Au soleil couchant, la poussière se combinant à la fumée des feux en plein air faisait de la vallée une sorte de mer dorée, d'où émergeaient les proches collines puis, à l'arrière-plan, les pics neigeux embrasés par le soleil sous un ciel d'opale. On eût dit quelque cité fabuleuse...

– *La ville était d'or fin pareil à du verre le plus pur. Les assises de son rempart étaient rehaussées de pierreries de toute sorte...* récita Wally à mi-voix.

– Que dites-vous? demanda Kelly en se tournant vers lui.

Wally rougit et balbutia avec confusion :

– Oh! rien... C'est simplement que... Ça fait penser à la description de la Cité sainte, vous ne trouvez pas? Je veux parler de ces montagnes... Vous savez, ce passage de l'Apocalypse, où il est question de jaspe, calcédoine, topaze, chrysoprase, améthyste... sans oublier les portes de perle...

– Oui, c'est très joli, acquiesça Kelly, en ajoutant qu'il n'aurait jamais cru que ce satané pays pût avoir quelque beauté.

– Ash parlait souvent d'une montagne appelée le Dur Khaima, continua Wally d'un ton rêveur, le regard toujours fixé sur la glorieuse splendeur de la chaîne neigeuse. « Les Pavillons lointains »... Tarakalas... la Tour étoilée... Je n'imaginais pas...

Comme il s'interrompait, le médecin s'enquit avec curiosité :

– Serait-ce à Pandy Martyn que vous faites allusion? C'était un de vos amis, n'est-ce pas?

– Il l'est toujours, rectifia Wally d'un ton bref, contrarié d'avoir mentionné malgré lui le nom de Ash.

En effet, bien que Kelly n'eût pas servi avec Ash, il devait avoir suffisamment entendu parler de lui pour manifester de l'intérêt et s'informer de ce qu'il était devenu.

– Un garçon remarquable à tous égards, déclara le médecin. Je n'ai eu l'occasion de le rencontrer qu'une seule fois, en 74, lorsqu'il est revenu à Mardan avec une vilaine blessure à la tête dont j'ai dû m'occuper. C'était l'année de mon arrivée aux Guides. Je me rappelle qu'il n'avait guère parlé... Faut dire qu'il se trouvait en piteux état... Et dès qu'il a été rétabli, on l'a expédié à Rawalpindi. Mais j'avais entendu raconter qu'il était allé à Kaboul, si bien que la montagne dont il vous parlait devait être une de celles-ci. Splendide, vraiment...

Wally hocha la tête, sans le contredire au sujet du

Dur Khaima, s'absorbant dans la contemplation de l'Hindou Kouch dont il lui semblait distinguer les moindres détails comme à travers un télescope... ou avec l'œil même de Dieu. Il sut que c'était là un de ces moments qui, sans raison aucune, demeurent pour toujours imprimés dans la mémoire, alors qu'on en oublie de beaucoup plus importants.

Jamais encore le monde n'avait paru aussi beau à Wally, qui pensa avec exaltation : « Ah! que c'est bon d'être vivant! »

Le toussotement discret d'un des *sowars* le ramena sur terre en lui rappelant qu'il n'était pas seul avec Ambrose Kelly... et aussi que c'était le Ramadan. Leur escorte et les gardes afghans devaient avoir hâte de regagner leurs quartiers, pour réciter les prières rituelles avant que le coucher du soleil leur permette enfin de rompre le jeûne.

Quittant la citadelle plus tard que d'ordinaire, Ash croisa Wally et son escorte comme ils franchissaient la Porte Shah Shahie. Mais Wally ne le vit pas. Ash entendit Kelly lui dire : « Vous me devez une bouteille, jeune Walter, et elle sera la bienvenue : je meurs de soif! »

Ash lui aussi mourait de soif car, en tant que « Syed Akbar », il devait observer le jeûne. En sus de quoi la journée avait été longue et éprouvante pour tous ceux qui travaillaient chez le Munshi : un des régiments cantonnés à l'intérieur de Bala Hissar, le régiment Ardal, arrivé tout récemment du Turkestan, avait réclamé trois mois de solde et, chose surprenante, s'était entendu répondre qu'on les lui paierait le lendemain matin. Le Munshi ayant été chargé de s'en occuper, Ash et ses compagnons avaient passé la journée à compiler des listes de noms avec les grades, déterminer ce qui devrait être versé à chaque homme, et la somme totale à prélever sur le Trésor.

Ce qui avait rendu la chose pénible, c'est qu'il avait fallu effectuer ce travail sans délai, en plein jeûne, dans une petite pièce où il faisait très chaud et où l'on manquait d'air. Aussi Ash était-il exténué quand, en ayant enfin terminé, il avait pu retirer le vase de la fenêtre, avant de retourner auprès d'Anjuli chez le Sirdar. Mais, en dépit de sa fatigue, il se sentait soulagé, plein d'espoir et d'optimisme.

Le fait que le régiment Ardal allait être payé, montrait que l'Emir et ses ministres avaient enfin compris qu'il était plus dangereux d'avoir une armée mécontente que pas d'armée du tout. Aussi, bien que disant n'avoir pas assez d'argent, ils s'étaient arrangés pour se le procurer avant qu'un autre régiment en arrive à se mutiner. C'était un pas de géant dans la bonne direction et, aux yeux de Ash, d'excellent augure pour l'avenir.

Les cinq oranges attestaient que le cerveau de Wally travaillait dans le même sens que le sien, ce qui était presque aussi réconfortant que de savoir le régiment Ardal sur le point d'être payé. Bientôt, ils allaient se rencontrer de nouveau et, la menace d'insurrection étant écartée, pouvoir se remettre à parler de choses agréables.

La nouvelle que les régiments allaient être payés avait traversé Kaboul comme une brise fraîche, apaisant la tension, dissipant la colère, et Ash en ressentait déjà l'heureux effet.

C'est également en très bonne forme que sir Louis et son secrétaire étaient rentrés de la chasse. L'exercice avait balayé la mauvaise humeur de Cavagnari et lui avait fait momentanément oublier l'annulation de la tournée qu'il devait effectuer avec l'Emir. Excellent fusil, sir Louis s'était entendu annoncer par le notable l'ayant invité, que le gibier serait beaucoup plus nombreux dès qu'il ferait moins chaud.

– Dans ces conditions, déclara ce soir-là l'Envoyé extraordinaire au cours du dîner, nous devrions avoir souvent cet hiver du canard, de la sarcelle ou de la perdrix au menu!

Se tournant alors vers Wally, il le questionna au sujet de la corvée de fourrage prévue pour le lendemain matin. Apprenant que le lieutenant Hamilton se proposait d'accompagner les coupeurs d'herbe, il approuva cette initiative et suggéra que le médecin-major Kelly se joigne à lui, pour faire bonne mesure.

Le médecin déclara que ce serait avec joie, et Wally ne put qu'acquiescer tout en pensant que si Kelly prenait cette habitude, il ne lui serait pas facile de rencontrer Ash. Toutefois, il s'occuperait de cela plus tard; pour l'instant, il avait hâte d'aborder l'importante question des réserves de fourrage et des bâtiments supplémentaires qu'il faudrait construire pour les abriter. Mais sir Louis s'était mis à discuter chasse au canard avec Rosie – surnom familier du Dr Kelly –, ce qui les avait amenés à parler de l'Irlande et d'amis communs à Ballynahinch. Après quoi la conversation devint générale et comme, dès la fin du repas, sir Louis regagna sa maison pour y rédiger l'habituel journal, Wally n'eut pas d'autre occasion de lui parler de son projet ce soir-là.

Dans le cas contraire, il est néanmoins douteux que ce projet eût suscité beaucoup d'enthousiasme chez l'Envoyé extraordinaire. En effet, la bonne humeur issue de la chasse avait été encore accrue par la nouvelle que lui avait apportée un agent de toute confiance juste avant le dîner; le régiment Ardal allait toucher le lendemain matin son arriéré de solde. Sir Louis estima que c'était la preuve que l'argent pouvait être trouvé – ce dont il avait été toujours convaincu – et que le reste de l'armée ne tarderait donc pas non plus à être payé. Après quoi l'ordre et la discipline régneraient de nouveau à Kaboul.

En conséquence, il recommanda aussitôt à William d'avoir pour premier souci, le lendemain matin, d'envoyer l'habituel télégramme confirmant que tout continuait d'aller bien à Kaboul.

Plus tard ce même soir, comme il allait se coucher, Wally décida qu'il consulterait Ash au sujet de son projet. Son ami saurait voir si cela pouvait être utile ou non sur le plan défensif. Dans la négative, il n'en parlerait pas à sir Louis.

Après avoir dit ses prières, Wally éteignit la lampe, mais ne se mit pas immédiatement au lit. Au cours du dîner, la conversation avait fait sourdre en lui une certaine nostalgie et il alla s'accouder à la fenêtre. Par-delà l'obscurité de la cour et le toit qui abritait sir Louis, il distinguait la vallée, où serpentait le pâle ruban de la rivière de Kaboul, avec au fond, gris sous la clarté des étoiles, l'immense rempart de l'Hindou Kouch. Mais la rivière qu'il voyait, c'était la Nore, car il était de retour à Inistioge par la pensée... Le paysage familier de champs et de bois, les collines bleutées de Kilkenny, la petite église de Donaghadee...

– Je me demande, pensa-t-il, pourquoi les généraux choisissent toujours le nom d'une de leurs batailles lorsqu'ils sont fait pairs du Royaume? Moi, non... Je prendrai le nom d'Inistioge... Maréchal lord Hamilton of Inistioge, Croix de Victoria, Grand-Croix de l'Ordre du Bain, Chevalier de l'Ordre de la Jarretière, Grand Commandeur de l'Ordre de l'Etoile des Indes... Aurai-je droit à une permission spéciale pour recevoir ma croix des mains de la Reine? Ou me faudra-t-il attendre mon tour? Et me marierai-je un jour?

Cela lui paraissait peu probable, à moins de rencontrer quelqu'un qui fût exactement comme Juli, ce qui lui semblait encore plus improbable. Ash aurait dû

366

l'éloigner de Kaboul avec cette épidémie de choléra...
Il lui en parlerait mercredi... Quelle joie ce serait de
revoir Ash et, avec un peu de chance...

Un long bâillement interrompit le cours de ses
pensées et, riant de lui-même, il s'en fut au lit,
extrêmement heureux.

## 64

Le soleil était encore bien au-dessous de l'horizon
lorsque sir Louis Cavagnari, qui était un lève-tôt, sortit
pour sa promenade habituelle le lendemain matin. Il
était accompagné par son ordonnance, un Afridi
nommé Amal Din, quatre *sowars* des Guides et une
demi-douzaine de cavaliers de l'Emir.

Le courrier, lui, s'était levé encore plus tôt, emportant un télégramme qui serait transmis de Ali Khel à
Simla. Peu après, la procession des vingt-cinq coupeurs d'herbe, avec cordes et faucilles, quitta la citadelle, encadrée par le Kote-daffadar Fatteh Mohammed, les *sowars* Akbar Shah et Narain Singh des
Guides, ainsi que quatre troupiers afghans.

Une vingtaine de minutes plus tard, ce furent Wally
et Ambrose Kelly qui s'en allèrent. Ash, arrivé plus tôt
ce jour-là en prévision de la paye, les vit partir comme
il plaçait le vase sur le rebord de sa fenêtre. Il aurait
bien aimé les imiter, car l'air devait être vif et frais
dans la campagne, alors que l'on commençait à étouf-
fer où il était, et qu'il ferait encore plus chaud sur la
grande place voisine où le régiment Ardal allait bientôt se rassembler pour être payé. L'endroit était non
seulement en plein soleil, sans aucun arbre pour y
ménager un peu d'ombre, mais encore empuanti par
tous les détritus qu'on y jetait.

Quand Wally et ses hommes arrivèrent à proximité de Ben-i-Hissar, le soleil était levé. Ils contournèrent avec soin le village et les champs cultivés, pour gagner la portion de *charman* où les coupeurs d'herbe pourraient faire provision de fourrage sans aller à l'encontre des us locaux.

— Dieu, quelle journée! s'extasia Wally en respirant à pleins poumons.

Baigné par le soleil, Bala-Hissar était tout doré.

— Rosie, non mais regardez-moi ça! Vu d'ici, croiriez-vous que cet endroit est un nid à rats, aux maisons croulantes?

— Plein de poussière et de mauvaises odeurs, grommela le médecin. Car les égouts sont inexistants. C'est merveille que nous ne soyons pas déjà tous morts de la typhoïde ou du choléra. Mais je vous concède que cela fait bel effet vu d'ici... Alors, comme je me sens un creux terrible et que ça va être l'heure du petit déjeuner, je suggère que nous y retournions en laissant ces hommes à leur travail. A moins, bien sûr, que vous ne préfériez vous attarder encore un peu?

— Seigneur, non! A présent qu'ils savent où faucher, nous n'avons plus rien à faire ici. D'ailleurs, le Chef a dit hier désirer que le petit déjeuner ait lieu aujourd'hui une heure plus tôt, car il doit aller voir je ne sais quel gros bonnet à 8 heures.

Wally donna des instructions au Kota-daffadar pour que les coupeurs d'herbe rentrent avant que le soleil ne tape trop fort puis, après avoir salué l'escorte et les gardes de l'Emir, il partit au galop.

— Hé, pas si vite, jeune homme! lui cria Rosie en le rejoignant.

A regret, Wally tira sur les rênes et ce fut au petit trot qu'ils regagnèrent la citadelle. A la Porte Shah Shahie, ils firent halte un instant pour répondre au salut des sentinelles afghanes et échanger quelques mots avec un cipaye des Guides, Mohammed Dost, qui leur dit se rendre au marché de Kaboul pour y négocier un achat de farine destiné à l'escorte...

Le fait qu'il sortît seul et sans éprouver aucune appréhension, montrait à quel point l'atmosphère de la ville avait changé depuis quelques jours. Aussi les deux cavaliers pénétrèrent-ils dans le compound avec le sentiment que la vie à Kaboul serait désormais beaucoup plus plaisante.

Rentré quelques instants auparavant de sa promenade matinale, sir Louis s'était déjà baigné et changé. Wally et Kelly le trouvèrent dans la cour et, bien qu'ordinairement il se montrât peu loquace avant le petit déjeuner, il leur parut de si bonne humeur que, prenant son courage à deux mains, Hamilton aborda enfin la question des réserves de fourrage pour l'hiver et des bâtiments qu'il faudrait construire pour les abriter. Du geste, il indiqua le Kulla-Fi-Arrangi comme espace disponible, mais se garda bien de parler d'une éventuelle défense. Sir Louis tomba d'accord que l'on devait s'occuper de ça et en chargea William, lequel gratifia Wally d'une grimace narquoise.

A quelques centaines de mètres, dans un bâtiment donnant sur la place où devait avoir lieu le paiement de la solde, le général Daud Shah, commandant en chef de l'armée afghane, était déjà assis près d'une fenêtre d'où il pourrait suivre le déroulement des opérations. En dessous de lui, au rez-de-chaussée, assis par terre avec d'autres subalternes dans une étroite galerie qui courait tout le long de la maison, Ash regardait le Munshi et ses adjoints s'affairer parmi les registres tandis que la vaste place se remplissait.

Cela se passait dans une ambiance de vacances : les hommes du régiment Ardal discutaient et riaient, par groupes de deux ou trois, sans même chercher à se mettre en rangs. Il aurait pu s'agir aussi bien d'hommes venant à quelque foire, car ils n'étaient pas en uniforme ni plus armés qu'un quelconque sujet de l'Emir lorsqu'il partait en voyage : cimeterre et poignard afghan. Très prudemment, Daud Shah avait ordonné que toutes les armes à feu fussent déposées à l'Arsenal avec leurs munitions, et même le régiment hérati qui assurait la garde avait obéi à cette injonction.

Bien qu'il fût à peine 7 heures du matin, il faisait déjà suffisamment chaud pour que Ash se réjouît de l'ombre procurée par le toit et les arches en bois ouvragé de la galerie. Recouvert de nattes, le sol de cette galerie se situait à environ deux mètres au-dessus du niveau de la place, et ceux qui s'y trouvaient avaient ainsi vue sur cette mer de visages barbus, tout en évitant de respirer par trop son odeur d'humanité mal lavée.

Avec un brusque sentiment de malaise, Ash reconnut parmi ces visages un petit homme maigre au nez crochu, dont le regard exprimait une sorte de fanatisme, et qui n'avait rien à faire là, n'étant ni militaire ni habitant de Bala Hissar. C'était un religieux, le fakir Buzurg Shah, que Ash savait être un agitateur nourrissant une haine dévorante à l'endroit de tous les *Kafirs* (infidèles) et travaillant inlassablement à fomenter une *Jehad*. Ash se demanda ce qui l'avait amené là ce matin, et s'il comptait semer la révolte parmi les soldats du régiment Ardal comme il l'avait fait chez les Hératis. Il espéra que le terrain se révélerait moins fertile.

Ash se demandait le temps qu'allaient durer les opérations de paiement et si le Munshi lui permettrait de disposer ensuite du reste de la journée, quand un important fonctionnaire du Trésor se leva et vint prendre place en haut des marches donnant accès à la galerie. Du geste il réclama le silence et, l'ayant aussitôt obtenu, il annonça que si les hommes voulaient bien se mettre en file pour avancer un à un vers le bas des marches, ils allaient être payés mais... Là, il s'interrompit et agita les deux mains pour faire taire le brouhaha approbateur... *mais* ils devraient se contenter d'un mois de solde au lieu des trois qui leur avaient été promis, car le Trésor ne disposait pas de la somme nécessaire au paiement total.

La nouvelle fut accueillie par un silence qui parut s'éterniser pendant plusieurs minutes, mais ne dura probablement pas plus d'une vingtaine de secondes. Puis, d'un seul coup, la place se transforma en un véritable pandémonium tandis que tous les hommes du régiment Ardal se bousculaient en criant vers le fonctionnaire et ses adjoints, lequel leur hurlait en retour qu'ils seraient bien avisés de prendre ce qu'on leur offrait tant qu'ils en avaient la possibilité, vu que, même pour ce seul mois de paye, il avait fallu racler les fonds de tiroirs afin de trouver l'argent nécessaire. S'ils ne le croyaient pas, ils n'avaient qu'à venir constater eux-mêmes la chose : il ne restait rien, pas même une *pice* (1).

L'explosion de rage qui salua cette dernière précision évoquait d'hallucinante façon le feulement d'un tigre gigantesque, affamé et furieux. En l'entendant, Ash sentit tous ses nerfs se tendre et il faillit s'élancer en courant vers la Résidence pour avertir ceux qui s'y trouvaient. Mais tant de gens se pressaient dans l'étroite galerie qu'il n'eût pu y réussir sans attirer l'attention sur lui. D'ailleurs, c'était là une affaire entre le gouvernement afghan et ses soldats, qui ne concernait donc pas la Mission britannique... laquelle avait probablement déjà été alertée par ce hourvari de

(1) Monnaie divisionnaire qui valait un quart d'anna. *(N.d.T.)*

371

clameurs qui devait s'entendre dans toute la ville.

Au premier rang, un homme hurla d'une voix de stentor : « *Dam-i-charya!* » – de l'argent et de quoi manger –, cri aussitôt repris par tous les autres. Ce mot d'ordre se répercuta si bruyamment sous la galerie que le bâtiment en parut ébranlé. « *Dam-i-charya! Dam-i-charya! Dam-i-charya!* »

Puis, soudain, des pierres se mirent à voler vers les fenêtres de l'étage, où les hommes savaient que se trouvait leur commandant en chef. Un des généraux et quelques officiers de l'armée Ardal qui étaient près des marches, descendirent parmi leurs hommes pour tenter de les calmer, les exhortant à se rappeler qu'ils étaient des militaires et non des enfants ou des voyous. Mais le vacarme était tel qu'ils ne purent se faire entendre et l'un d'eux rebroussa chemin en jouant des coudes pour aller supplier le commandant en chef de venir lui-même parler aux soldats vociférants.

Daud Shah n'hésita pas. Depuis quelque temps, il avait enduré bien des insultes de la part des soldats afghans; tout dernièrement encore, les Hératis étaient partis en le conspuant. Mais c'était un homme qui ignorait la peur. Il descendit immédiatement, alla se planter face au tumulte, et leva les bras pour réclamer le silence.

Les hommes du régiment Ardal se ruèrent vers lui et l'arrachèrent à la galerie, comme une meute de loups se jetant sur une proie.

Alors, toute la galerie entra en effervescence, les uns se haussant sur la pointe des pieds pour mieux voir, tandis que d'autres luttaient pour tenter de se réfugier à l'intérieur des pièces.

Ash balança un instant. Mais, vu la rage des troupes, tout civil qui voudrait fuir serait aussi sauvagement rossé que l'était Daud Shah; mieux valait donc rester sur place et attendre la suite des événements. Pour la première fois depuis plusieurs jours, Ash se félicita d'avoir sur lui un pistolet et un poignard, regrettant seulement de n'avoir pas aussi son revolver. Devant la détente qui s'amorçait, il avait estimé superflu de s'encombrer de cette arme volumineuse et préféré la laisser au bureau, dans un tiroir fermant à clef où il rangeait les dossiers du Munshi.

Il avait eu tort. Mais nul n'aurait pu prévoir ce qui venait de se produire... pas même Daud Shah qui semblait devoir payer de sa vie cette erreur de jugement. S'il en réchappa, ce fut une affaire de chance, car les soldats furieux le frappaient à coups de poing et de pied, l'un d'eux allant même jusqu'à enfoncer sa baïonnette dans le corps de l'homme à terre. Ce geste sauvage sembla dégriser les autres qui, soudain silencieux, s'écartèrent en considérant leur œuvre, et ne tentèrent pas de s'opposer à ce que l'entourage du général le transporte dans la maison.

Ash l'entr'aperçut au passage et n'aurait jamais cru que cette chose sanglante, sans turban, les vêtements en lambeaux, pût être encore vivante, s'il n'avait entendu le vigoureux chapelet d'injures s'échappant des lèvres tuméfiées. Ayant recouvré un peu de souffle, l'indomptable commandant en chef s'en servait pour exprimer ce qu'il pensait de ses agresseurs : « Bâtards! Chiens! Rebuts d'humanité! » hurlait-il entre deux spasmes de douleur, tandis qu'on l'emportait en laissant une traînée de sang sur la poussière blanche de la galerie.

Ne l'ayant plus pour assouvir leur rage, et se rendant compte qu'ils n'avaient rien à gagner en s'attaquant aux sous-ordres entassés dans la galerie, les hommes du régiment Ardal se souvinrent alors de l'Emir, et prirent la direction du palais en hurlant des obscénités. Mais les souverains d'Afghanistan avaient eu grand soin de fortifier leur royale résidence en prévision de telles éventualités, et les grilles du palais étaient bien trop solides, les murs d'enceinte bien trop hauts et garnis de créneaux, pour qu'on pût en venir aisément à bout. De plus, les régiments de garde se trouvaient être le régiment d'artillerie et celui des cavaliers kazilbashis, tous deux fidèles à l'Emir.

Se heurtant à cette défense, les mutins durent se contenter de lancer des pierres aux Kazilbashis et à ceux qui les regardaient du haut des murs, en continuant de clamer : « De l'argent et de quoi manger ! » Au bout de quelques minutes, le tumulte diminua et l'un des hommes sur le mur – on devait dire par la suite que c'était un général de l'armée afghane – en profita pour crier avec colère que, s'ils voulaient plus d'argent, ils n'avaient qu'à aller en demander à Cavagnari-Sahib.

Il se peut que l'auteur de cette suggestion ait simplement voulu se montrer sarcastique sans penser à mal. Mais le régiment Ardal l'accueillit avec enthousiasme. Oui, bien sûr, Cavagnari-Sahib ! Comment n'y avaient-ils pas pensé plus tôt ? Tout le monde savait que le Vice-Roi était fabuleusement riche... Et Cavagnari-Sahib n'était-il pas son représentant, son porte-parole ? Pourquoi serait-il venu à Kaboul, où sa présence était indésirable, si ce n'était pour aider l'Emir à sortir de ses difficultés en lui donnant de quoi payer ce qui était dû à ses troupes ? Cavagnari-Sahib allait tout arranger. Frères, à la Résidence !

La foule fit volte-face comme un seul homme et rebroussa chemin en courant. Ash, qui était demeuré dans la galerie, les voyant revenir au cri de « Cavagnari-Sahib ! », comprit aussitôt ce qui se passait. Du coup, il lui fallait absolument les devancer, ou arriver un des premiers à la Résidence, pour prévenir les membres de la Mission que cette foule, vociférante et apparemment menaçante, n'avait encore aucune hostilité à leur égard, que sa colère était tournée contre ses propres dirigeants, parce que Daud Shah et l'Emir, après leur avoir promis trois mois de solde, avaient essayé de les refaire en ne leur en payant qu'un. De plus, ces mutins étaient convaincus non seulement que le gouvernement *angrezi,* fabuleusement riche, avait de quoi les payer, mais que son Envoyé était en mesure de leur obtenir justice...

Courant avec la foule, Ash en percevait les sentiments aussi clairement que s'ils avaient été les siens. Mais il savait que le moindre incident pouvait les rendre fous furieux et priait le Ciel que Wally ne laisse pas les Guides ouvrir le feu. Ils ne devaient absolument pas tirer! S'ils gardaient leur calme et donnaient ainsi à Cavagnari le temps de parler aux meneurs, tout irait bien... Cavagnari comprenait ces hommes et parlait couramment leur langue. Il se rendrait compte que le moment n'était plus aux tergiversations. Sa seule chance de s'en tirer, c'était de leur assurer que, s'il y avait l'argent nécessaire, ils allaient être payés sur-le-champ ou, dans le cas contraire, leur donner sa parole d'honneur qu'ils le seraient dès que son gouvernement aurait eu le temps de lui envoyer cet argent...

– Oh! mon Dieu, faites qu'ils ne tirent pas! Permettez que j'arrive le premier... que je puisse au moins avertir les sentinelles que ce n'est pas une attaque... Et qu'il importe par-dessus tout de ne pas perdre son sang-froid, de se garder du moindre geste irréfléchi...

Comme certains des Guides le connaissaient, il aurait sûrement été obéi... Mais tout espoir en ce sens fut soudain balayé. Les militaires de service à l'Arsenal avaient entendu le tumulte. Voyant les hommes du régiment Ardal courir vers le compound de la Résidence, ils se précipitèrent pour les rejoindre; quand ces deux flots d'hommes surexcités se heurtèrent, nombre d'entre eux furent envoyés les quatre fers en l'air, dont Ash.

Le temps que, ayant réussi à rouler de côté, il se remette debout, meurtri, désorienté, suffoqué par la poussière, Ash se trouva en queue de la foule. Plus question d'arriver parmi les premiers pour avertir...

Mais il avait sous-estimé Wally. Le jeune commandant de l'escorte avait beau être un poète porté au romantisme, il possédait au plus haut point cette vertu militaire qui consiste à savoir garder son sang-froid face à l'imprévu.

Les hôtes de la Résidence s'étaient doutée que quelque chose allait mal dans le paiement de la solde quand, en dépit des maisons faisant écran, ils avaient entendu s'élever soudain une violente clameur. Aussitôt, ils s'étaient immobilisés dans leurs occupations pour prêter l'oreille...

Bien sûr, ils ignoraient tout de la suggestion faite d'aller demander à Cavagnari-Sahib de payer, mais le slogan « *Dam-i-charya!* » scandé à l'unisson par plusieurs centaines de voix, était parfaitement audible. En constatant que la clameur se rapprochait sans cesse davantage, ils comprirent où allait cette foule vociférante, avant même d'en voir arriver les premiers éléments.

A l'exception de Wally, les Guides n'avaient pas encore revêtu leurs uniformes : les fantassins et ceux qui n'étaient pas de garde s'étaient mis à l'aise dans les chambrées. Wally se trouvait près des piquets en train d'inspecter les chevaux en parlant aux cavaliers et aux *syces,* lorsqu'un cipaye de l'infanterie des Guides, Hassan Gul, arriva en courant. Sans voir Wally, l'homme se dirigea vers le havildar de la Compagnie B qui se tenait dans l'ouverture de la voûte, occupé à se curer les dents avec un bout de bois, tout en écoutant distraitement le vacarme que faisaient ces *shaitans* du régiment Ardal.

– Ils viennent ici! haleta Hassan Gul en le rejoignant. J'étais dehors et je les ai vus approcher. Vite, ferme la porte!

Il voulait parler de celle posée récemment à l'initiative de Wally et qui ne pouvait guère résister à un tel assaut. Le havildar la ferma néanmoins tandis que, poursuivant sa course, Hassan Gul ressortait à l'autre extrémité de la voûte, traversait la longue cour et allait barricader la porte qui se trouvait face à l'entrée de la Résidence.

Voyant fermer la porte d'accès aux chambrées, Wally comprit en un clin d'œil ce qui se passait et réagit instinctivement :

– Toi... Miru... cours dire au havildar de rouvrir cette porte... et de les laisser ouvertes toutes les trois. Quoi qu'il arrive, personne ne doit tirer sans que j'en aie donné l'ordre. *Personne!*

Tandis que le *sowar* Miru partait en courant, Wally répéta à l'adresse des autres : « Personne ne tire... C'est un ordre! », puis il s'élança vers la Résidence à travers la cour des chambrées dont les portes avaient été rouvertes, afin de faire son rapport à sir Louis.

– Vous avez entendu ce qu'a dit le Sahib : on ne tire pas, confirma le jemadar Jiwand Singh à ses hommes. De plus...

Mais il n'eut pas le loisir d'en dire davantage car, l'instant d'après, un torrent d'Afghans vociférants se déversa dans le paisible compound. Criant le nom de Cavagnari, réclamant de l'argent, mêlant menaces et plaisanteries, ils bousculaient les Guides en éclatant de rire, telle une bande de mauvais garçons pris de boisson.

Parmi eux, un humoriste s'écria soudain que, s'il n'y avait pas d'argent là non plus, ils pourraient toujours se dédommager un peu dans les écuries. A peine formulée, cette suggestion suscita l'enthousiasme et les

377

envahisseurs s'emparèrent à qui mieux mieux de selles, harnachements, sabres, lances, couvertures, seaux... tout ce qui leur tombait sous la main.

En l'espace de quelques minutes, les écuries se trouvèrent complètement pillées; les voleurs commencèrent alors à se battre entre eux pour la possession de choses hautement prisées, telles les selles anglaises. Les vêtements en lambeaux, le turban de travers, un *sowar* réussit à gagner la Résidence où il annonça d'une voix entrecoupée que les Afghans avaient tout pris dans les écuries, qu'ils allaient maintenant emmener les chevaux...

– *Mushki!* pensa Wally avec un serrement de cœur en imaginant son cheval bien-aimé entre les mains d'un soudard. Oh! non, non, pas Mushki...

En cet instant, il aurait tout donné pour courir aux écuries, mais il se rendait bien compte qu'il n'aurait pas supporté de laisser emmener Mushki... et qu'il aurait suffi d'un geste pour provoquer la catastrophe, car la vue d'un *feringhi* pouvait avoir sur cette horde le même effet que la cape rouge agitée devant un taureau. Il n'y avait rien d'autre à faire qu'envoyer le *sowar* haletant dire aux Guides d'abandonner les écuries et de se retirer dans les chambrées.

– Dis au jemadar-Sahib que nous n'avons pas à nous inquiéter pour nos chevaux, car l'Emir les reprendra demain à ces voleurs et nous les rendra. Mais il faut absolument que nos hommes se retirent dans les chambrées, avant que l'un d'eux ne soit pris dans une bagarre.

Le *sowar* salua et repartit vite vers l'effrayante mêlée au milieu de laquelle les chevaux se cabraient en hennissant, tandis que *sowars* et *syces* tentaient désespérément de les sauver. Mais le message fut délivré à temps et, parce que les Afghans étaient occupés à se disputer le butin, tous les Guides purent battre en retraite vers les chambrées, échevelés, furieux, débordant d'amertume, mais indemnes.

Les ayant rejoints, Wally ordonna à vingt-quatre *cipayes* de l'infanterie de prendre leurs fusils et de monter sur le toit, qui était entouré d'un haut parapet. Ils se garderaient bien de laisser voir leurs armes et ne feraient feu sous aucun prétexte, tant qu'ils n'en auraient pas reçu l'ordre.

– Pas même lorsque ces chiens rappliqueront vers nous, quand ils n'auront plus rien à voler du côté des écuries. Qu'il ne reste aucune arme ici. Les autres, prenez vos fusils et venez avec moi à la Résidence. Vite!

Il était temps. Le dernier des vingt-quatre cipayes venait de disparaître en haut des marches donnant accès au toit en terrasse et la porte de la cour de la Résidence se refermait derrière le reste de l'escorte, lorsque la situation changea d'aspect.

Ceux qui avaient eu la chance de s'emparer d'un cheval, d'une selle, d'un sabre ou quelque autre butin de choix, se hâtaient de partir avant que des camarades moins heureux ne cherchent à leur ravir ce bien mal acquis. Ceux qui étaient bredouilles, au nombre de plusieurs centaines, se rappelèrent soudain ce qui les avait amenés là et, par le bâtiment des chambrées ou en le contournant, ils vinrent se grouper devant la Résidence, réclamant à tue-tête de l'argent... et Cavagnari.

Plus d'un an auparavant, dans une lettre à Ash, Wally avait dit penser que son nouveau héros ignorait ce qu'était la peur, extravagante assertion qui a été faite à propos de bien des hommes et n'est ordinairement pas fondée. Mais, en l'occurrence, elle n'était pas exagérée. Apprenant que la séance de paie ne se passait pas bien, l'Emir lui avait dépêché un messager pour lui recommander de ne laisser pénétrer personne dans le compound. Mais cet émissaire n'avait précédé la foule que de quelques minutes, si bien qu'on n'aurait rien pu faire, à supposer même qu'on ait eu la possibilité de faire quelque chose, ce qui n'était pas le cas.

La première réaction de sir Louis, en entendant le tumulte, avait été toute de colère. Il estimait scandaleux que les autorités afghanes aient laissé envahir ainsi l'enceinte de la Mission par une horde déchaînée, et se promettait de le bien signifier tant à l'Emir qu'à Daud Shah. Quand, le pillage achevé, les mutins portèrent leur attention sur la Résidence, hurlant son nom, réclamant de l'argent et jetant des pierres dans ses fenêtres en les accompagnant de menaces à son adresse, la colère fit place au dégoût. Tandis que les *chupprassis* se hâtaient de fermer les volets, sir Louis se retira dans sa chambre où William, monté en hâte de son bureau situé à l'étage au-dessous, le trouva en train de revêtir sa tenue officielle, non pas la blanche des jours chauds, mais la tunique bleu-noir qui se portait d'ordinaire en hiver, avec boutons et torsades dorés, décorations, ainsi qu'un étroit ceinturon, doré lui aussi.

Sir Louis semblait n'avoir aucun souci du hourvari et, voyant son visage empreint d'un total détachement, Jenkins fut partagé entre l'admiration et un sentiment de panique. Bien qu'il ne fût pas particulièrement imaginatif, l'Envoyé extraordinaire du Vice-Roi lui apparaissait soudain comme devait être, sous le règne de Louis XVI, un noble – un « aristo » – lorsque la canaille se rassemblait en hurlant devant son château.

William se racla la gorge et, criant presque pour se faire entendre, il dit :

– Serait-ce que... Vous voulez leur parler, sir ?

– Certainement. Il ne faut pas compter qu'ils se retirent sans que je l'aie fait, et nous n'allons quand même pas endurer plus longtemps une aussi ridicule manifestation.

– Mais... Ils semblent être très nombreux, sir, et...

– Quel rapport? s'enquit sir Louis d'un ton glacial.

– C'est simplement que nous ne savons pas au juste combien ils veulent... Alors je me demande si nous avons assez, vu que nos hommes viennent justement d'être...

– De quoi diable voulez-vous parler? l'interrompit sir Louis, très occupé à arranger sa bellière, de façon que fût bien apparent le gland doré ornant la dragonne de son sabre de cérémonie.

– De l'argent, sir, c'est ce que je les entends réclamer, sans doute parce qu'il n'y a pas eu ce matin de quoi leur payer tout ce qui leur était dû...

– *De l'argent?* l'interrompit de nouveau sir Louis en redressant brusquement la tête et le foudroyant du regard. Mon cher Jenkins, si vous pensez un seul instant que je vais laisser exercer un chantage – oui, c'est le mot qui convient! – un *chantage* sur moi comme sur le Gouvernement que j'ai l'honneur de représenter, vous vous trompez lourdement. Tout comme ces jeteurs de pierres! Amal Din, mon casque...

Son ordonnance afridi lui présenta le casque colonial blanc surmonté d'une pointe dorée qu'un officier chargé de mission politique portait avec son uniforme. Il s'en coiffa, ajusta la jugulaire dorée sur son menton et se dirigea vers la porte. William lui dit désespérément :

– Sir... si vous descendez...

– Mon cher garçon, lui rétorqua sir Louis avec impatience en s'immobilisant un instant sur le seuil, je ne suis pas encore gâteux. Je me rends très bien compte que, si je descendais, je serais vu seulement de ceux qui se trouvent sur le devant, tandis que les autres continueraient à brailler, me mettant dans l'impossibilité de me faire entendre. C'est donc du toit que je vais leur parler. Non, William, je n'ai pas besoin que vous m'accompagniez, mon ordonnance suffit. En outre, je crois préférable que vous et les autres ne vous montriez pas.

Il fit signe à Amal Din de le suivre et les deux hommes quittèrent la pièce, sir Louis marchant d'un pas décidé, suivi de l'Afridi, la main sur la poignée de son sabre. William entendit les fourreaux cogner contre la paroi de l'étroit escalier et pensa, avec une admiration mêlée de désespoir : « Il est magnifique ! Mais ne se rend-il pas compte que nous ne sommes pas en position de leur opposer un refus, même si cela équivaut à céder au chantage ? Ce serait un véritable suicide ! »

A la différence de ceux des chambrées, le toit des deux bâtiments de la Résidence n'avait pas de parapet, mais un mur, haut de deux mètres environ, l'isolait des regards face aux maisons situées à l'extérieur de l'enceinte. Sur les trois autres côtés, il ne comportait qu'une bordure de brique, haute d'une quinzaine de centimètres. Sir Louis s'en approcha, afin d'être bien vu de tout le monde, puis eut un geste impérieux pour commander le silence.

Son apparition sur la terrasse avait été saluée par un concert de hurlements ayant de quoi faire reculer les plus braves, mais qui fut sans effet sur sir Louis. Immobile comme un roc, il attendit que le silence se fît et, en le voyant ainsi, l'un après l'autre, les mutins se turent. Alors, d'une voix de stentor, il leur demanda ce qu'ils venaient faire là et ce qu'ils lui voulaient.

Comme plusieurs centaines de voix lui répondaient, sir Louis éleva de nouveau la main et, quand il put se faire entendre, leur demanda de choisir un porte-parole.

– Tiens, toi... toi avec la balafre, dit-il en pointant le doigt vers l'un des meneurs. Avance, et parle au nom de tes camarades. Que signifie ce *gurrh-burrh,* et pourquoi venez-vous faire scandale sous les fenêtres d'un homme qui est l'hôte de votre Emir et sous la protection de Son Altesse?

– L'Emir...*ffft!*

Le balafré cracha par terre, puis raconta comment son régiment avait été floué lors du paiement de la solde. N'ayant pas obtenu satisfaction de leur propre gouvernement, ils avaient alors pensé à Cavagnari-Sahib et étaient venus lui demander justice. Tout ce qu'ils voulaient, c'est recevoir leur dû.

– Nous savons que ta Reine est riche et que ça ne représente donc pas grand-chose pour vous. Mais nous, y a trop longtemps qu'on se met la ceinture. Nous demandons ce qu'on nous doit. Pas plus, mais pas moins. Rends-nous justice, Sahib!

En dépit du pillage auquel ils s'étaient livrés et de leur attitude belliqueuse, le ton du porte-parole laissait clairement entendre leur conviction que l'Envoyé britannique allait leur donner ce que leur avaient refusé leurs propres dirigeants. Ils n'avaient rien contre lui, ils venaient seulement lui réclamer leur dû.

Le visage énergique, aux traits soulignés par une barbe noire, qui les regardait du haut de la terrasse, ne changea cependant pas d'expression, et la voix qui parlait admirablement leur propre langue, demeura inflexible :

– Je suis navré pour vous, mais, malheureusement, ce que vous demandez est impossible. Je ne peux m'entremettre entre votre souverain et vous, ni me mêler d'un différend ne regardant que l'Emir et son armée. Je n'ai aucun pouvoir de le faire et je dois donc m'abstenir. Je suis désolé.

Cette déclaration fut saluée par un concert de hurlements rageurs et de menaces. En dépit de quoi, lorsqu'il en eut la possibilité, sir Louis leur répéta qu'il appartenait uniquement à leur Emir ou à leur commandant en chef de régler cette affaire, qu'il en était sincèrement désolé mais ne pouvait rien pour eux.

Ce fut seulement lorsque Amal Din, debout derrière lui, l'avertit sans broncher que certains de ces *shaitans* ramassaient des pierres, que sir Louis fit demi-tour et quitta la terrasse. Mais il s'en allait uniquement pour que les mutins ne puissent penser que c'étaient leurs jets de pierres qui le faisaient battre en retraite.

– Une bande de sauvages, commenta sir Louis, en quittant son uniforme dans sa chambre pour endosser des vêtements convenant mieux à la saison. Je crois préférable, William, d'envoyer un message à l'Emir. Il est grand temps que quelqu'un vienne rappeler à l'ordre cette racaille. Je me demande ce que fabrique Daud Shah. Voilà à quoi mène l'absence de discipline!

Passant dans la pièce contiguë, il allait s'asseoir à son bureau pour écrire quand une voix se mit à crier – non pas d'en bas mais du toit des chambrées, qui se trouvait de l'autre côté de l'étroite ruelle et où étaient rassemblés vingt-quatre cipayes – que l'on se battait aux écuries, que les mutins avaient tué un *syce*... qu'ils attaquaient le *sowar* Mal Singh... que Mal Singh tombait... qu'il était blessé...

En entendant cela, la foule hurla son approbation, puis certains partirent en courant vers les écuries, tandis que d'autres frappaient à coups redoublés la porte donnant accès à la Résidence, derrière laquelle Wally était en attente et répétait à ses hommes de ne surtout pas tirer avant d'en avoir reçu l'ordre. Lorsque le bois de la porte se fendit et que ses gonds rouillés se mirent à craquer, ils se pressèrent tous contre elle afin de contrebalancer la poussée de ceux qui se trouvaient de l'autre côté. Mais la partie était par trop inégale. Le dernier gond sauta, la porte tomba sur eux et, tandis que les assaillants faisaient irruption dans la cour de la Résidence, quelque part au-dehors un coup de feu retentit...

## 65

Wally pensa automatiquement : « Jezail ! » car les armes modernes venues d'Europe ne faisaient pas le même bruit que les jezails, ces longs fusils indiens qui se chargeaient par le canon.

L'effet produit par cette détonation ne dura pas plus d'une vingtaine de secondes et les mutins continuèrent d'envahir la cour en hurlant : « A mort les *Kafirs !* A mort ! » Mais Wally ne donna toujours pas l'ordre de tirer.

D'ailleurs, s'il l'avait fait, sa voix eût été probablement noyée dans le tumulte. Mais soudain, au sein de la mêlée, une carabine tira... puis une deuxième... une autre encore... Alors, brusquement, les assaillants firent volte-face et s'enfuirent en piétinant ceux qui étaient tombés. Tout en courant, ils réclamaient à tue-tête des fusils et des mousquets pour tuer les Infidèles. « *Topak rawakhlah. Pah makhe ! Makhe !* » (Retournons chercher nos armes. Vite ! Vite !) criaient les mutins en retraversant le compound. Certains se dirigèrent vers l'Arsenal, tandis que les autres couraient vers leurs cantonnements, à la sortie de la ville.

Alors la splendide matinée redevint paisible et silencieuse. Dans cette tranquillité retrouvée, les hommes de la Mission se mirent à compter les morts. Neuf mutins et un de leurs propres *syces.* Le *sowar* Mal

Singh vivait encore quand ils le trouvèrent près des écuries, mais il mourut pendant qu'on le transportait à l'intérieur de la Résidence. Trois des assaillants avaient été tués par son sabre, car il s'était porté au secours du *syce* qui n'était pas armé, et avait soutenu courageusement un combat perdu d'avance. Parmi les membres de l'escorte, il y avait sept blessés. Les Guides s'entre-regardèrent, conscients que ça n'était qu'un début et que l'ennemi ne tarderait pas à revenir, mais avec cette fois autre chose que des armes blanches.

– Un quart d'heure, pensa Wally. Un quart d'heure, au grand maximum.

Alors, il commanda :

– Fermez les portes et distribuez les munitions. Bloquez les deux bouts de la ruelle... Non, pas avec des balles de paille, ça brûle trop facilement... Les râteliers des écuries, les seaux, tout ce que vous trouverez... Et percez aussi des meurtrières dans les parapets...

Officiers, serviteurs, *syces*, soldats et civils travaillèrent avec une ardeur désespérée, sachant qu'il y allait littéralement de leurs vies. Fourgons à bagages, caissons vides de munitions, barils de farine, bûches, tentes, toiles de sol, on utilisa tout ce qui pouvait être empilé ou pressé, pour renforcer la porte du compound et obstruer la ruelle. On entassa des balles de foin pour bloquer le passage derrière les écuries, à côté de l'entrepôt où furent jetés les cadavres des assaillants, tandis que ceux des Guides reposaient dans la chambre que Amal Din avait évacuée. On perça des meurtrières dans les murs de la Résidence et le parapet cernant le toit des chambrées.

Cavagnari envoya un message urgent à l'Emir, l'informant que ses troupes avaient attaqué sans raison la Résidence, et lui réclamant la protection due à ses hôtes. En attendant la réponse, sir Louis aida à édifier, sur le toit des deux maisons de la Résidence, un parapet de fortune fait de meubles et de tapis. Mais l'émissaire ne revint pas.

A son arrivée au palais, l'homme avait été conduit dans une pièce où on lui avait dit d'attendre. C'est un serviteur de Son Altesse qui avait porté la réponse : « Je m'emploie à faire le nécessaire, avec l'aide de Dieu », assurait l'Emir, mais sans envoyer de gardes, ni même une poignée de ses fidèles Kazilbashis.

Dans le bâtiment du Mess, aidé par son unique infirmier et un groupe disparate de porteurs, serveurs, cuisiniers, plongeurs, Kelly aménageait les pièces du bas pour qu'on pût y accueillir les blessés et, éventuellement, pratiquer une intervention chirurgicale. S'activant avec une demi-douzaine de cipayes, Jenkins vidait de son contenu la tente des munitions qui, par prudence, était plantée dans la cour de la Résidence, tout comme celle des bagages. Les munitions furent réparties entre une pièce située sous le bureau de Cavagnari et les chambrées, où elles seraient mieux à l'abri de tirs en provenance des maisons environnant l'enceinte. Les Guides ne se doutaient pas que, dans l'une de ces maisons, un de leurs anciens officiers les observait.

Ash avait compris l'inutilité pour lui de pénétrer dans le compound, puisqu'il n'était plus en mesure d'avertir les membres de la Mission. Lorsque aucun coup de feu ne salua l'irruption de cette horde vociférante, il devina aussitôt que Wally avait donné ordre de ne pas tirer et que, conservant tout son sang-froid, le jeune officier ne risquait pas de déclencher une bataille par un geste irréfléchi. Wally avait apparemment ses hommes bien en main et, avec un peu de chance, la situation ne risquait pas d'échapper à tout contrôle avant que Cavagnari ait pu parler aux soldats afghans. Pour les calmer, il lui suffirait de leur promettre de s'occuper personnellement de l'affaire et leur assurer que si l'Emir ne les payait pas, le Gouvernement britannique s'en chargerait. Ils le croiraient parce que son nom en imposait aux tribus. Ils se fieraient à la parole de Cavagnari-Sahib, ce qu'ils n'auraient fait avec aucun autre, et tout pouvait encore finir bien.

Ayant regagné son bureau dans la maison du Munshi, Ash avait été témoin depuis sa fenêtre du pillage des écuries, du vol des chevaux, et de la marche sur la Résidence. Lui aussi avait vu la haute silhouette en grand uniforme, casquée de blanc, s'avancer posément jusqu'au bord du toit pour faire face à la foule hurlante et, tout comme William, il avait pensé : « Il est vraiment extraordinaire ! »

Ash n'avait jamais éprouvé beaucoup de sympathie pour Louis Cavagnari, et il avait fini par détester sa politique. Mais, en cet instant, il se sentit plein d'admiration pour le courage de cet homme qui, sans autre compagnie que celle de son ordonnance, n'hésitait pas à faire face à ces Afghans mutinés.

– Je n'aurais jamais eu ce courage ! Wally a raison : c'est un homme remarquable et il va les sortir du pétrin. Tout ira bien... tout ira bien...

Dans cette partie de Bala Hissar, l'acoustique était très particulière (détail dont les occupants de la Résidence n'avaient pas pleinement conscience, bien que Ash en eût un jour averti Wally) parce que le compound et les bâtiments qui l'environnaient avaient la même disposition qu'un théâtre grec, où les gradins de pierre s'étageaient à partir de la scène située tout en bas.

Ash ne perdit donc pas une syllabe de ce que le porte-parole des mutins criait à sir Louis, ni de la réponse que lui fit ce dernier. Alors, l'espace d'une demi-minute, il douta de ses oreilles. Il avait dû mal entendre... ce n'était pas possible que sir Louis...

Mais on ne pouvait se méprendre sur la signification

du hurlement rageur qui s'éleva de la foule lorsque Cavagnari se tut, ni sur les cris de « A mort les *Kafirs!* A mort! A mort! » qui lui succédèrent. Non, ses oreilles ne l'avaient pas trompé. Cavagnari était devenu fou et, désormais, nul ne pouvait dire ce qu'allait faire cette foule surexcitée.

Ash vit sir Louis quitter la terrasse, mais le bâtiment du Mess, haut de trois étages – où logeaient Wally, Jenkins et Kelly – lui cachait la cour de la Résidence, à l'exception de la partie se trouvant du côté de la maison occupée par l'Envoyé extraordinaire. Comme ils n'avaient pas encore endossé leurs uniformes lorsque le compound avait été envahi, les têtes enturbannées des militaires de l'escorte ne se distinguaient pas, à cette distance, de celles des serviteurs. Mais Ash repéra assez facilement Wally, qui était nu-tête.

Le jeune officier circulait parmi les Guides et, à ses gestes, Ash comprit qu'il leur enjoignait de rester calmes, de ne tirer sous aucun prétexte...

Le vacarme extérieur était si grand que, normalement, le jeune homme n'aurait pas dû entendre s'ouvrir la porte du bureau où il se trouvait. Mais Ash avait été trop longtemps exposé chaque jour au danger, pour ne pas avoir l'oreille entraînée à percevoir les moindres bruits. Il fit volte-face et considéra avec stupeur Nakshband Khan qui se tenait sur le seuil de la pièce.

A sa connaissance, le Sirdar n'était encore jamais venu chez le Munshi, mais ce qui sidérait Ash n'était pas tant cette arrivée inattendue, que le fait de voir le Sirdar sans chaussures, les vêtements déchirés et couverts de poussière, haletant comme s'il avait couru.

– Que se passe-t-il? questionna-t-il vivement. Que fais-tu ici?

Le Sirdar referma la porte derrière lui et y demeura lourdement adossé.

– J'ai appris que le régiment Ardal s'était mutiné, dit-il d'une voix entrecoupée, que ses hommes s'en étaient pris au général Daud Shah, puis étaient allés assiéger le palais dans l'espoir d'être payés. Sachant que l'Emir n'avait rien à leur donner, j'ai voulu alors courir avertir Cavagnari-Sahib, et le jeune Sahib qui commande les Guides, de se méfier, de ne laisser personne pénétrer dans le compound... Mais je suis arrivé trop tard... Et, lorsque j'ai tenté de faire entendre raison à ces chiens furieux, ils se sont retournés contre moi, disant que j'étais un traître, un espion, un ami des *feringhis*. J'ai eu beaucoup de mal à leur échapper. Quand j'y suis parvenu, j'ai voulu avant tout te dire de ne pas quitter cette pièce tant que le *gurrh-burrh* ne sera pas fini. Tu comprends : beaucoup de gens savent que tu habites chez moi, tout comme la moitié de Kaboul sait que je suis un ancien des Guides. Pour cette raison, je n'ose retourner à la maison tant que l'agitation persistera et, dans les rues, je risquerais d'être mis en pièces; je vais me réfugier chez un ami qui habite près d'ici, à Bala Hissar même. Je ne rentrerai que lorsque je pourrai le faire sans danger... probablement pas avant la nuit tombée. Toi aussi reste ici jusqu'à ce moment-là, et ne t'aventure... *Allah! Qu'est-ce donc?*

La détonation d'une carabine venait de retentir. Ils coururent à la fenêtre.

Au-dessous d'eux, c'était un maelstrom humain. Dans la cour de la Résidence, écrasés par la supériorité numérique de l'adversaire, les Guides reculaient devant les cimeterres et les poignards des mutins, se défendant avec leurs sabres.

Mais, de toute évidence, la détonation faisait son effet. Outre que la balle ainsi tirée avait presque certainement tué ou blessé plusieurs assaillants, la détonation avait rappelé que les cimeterres ne protègent pas des balles. Et trois autres vinrent, coup sur coup, parachever la leçon. La cour se vida comme par magie; mais Ash et le Sirdar se rendirent bien compte que les mutins ne prenaient pas la fuite : ils couraient seulement chercher des mousquets et des fusils.

– Qu'Allah ait pitié d'eux! murmura le Sirdar. C'est la fin... Où vas-tu? s'enquit-il vivement.

– Au palais, répondit Ash. Il faut absolument faire savoir à l'Emir...

L'empoignant par le bras, Nakshband Khan le tira en arrière.

– Oui, mais tu ne peux t'en charger. Pas maintenant. Tu serais agressé comme je l'ai été... et toi, ils te tueraient. D'ailleurs, Cavagnari-Sahib va envoyer immédiatement un messager à l'Emir, si ça n'est déjà fait... Tu ne leur serais donc d'aucune utilité.

– Alors, je veux les rejoindre et me battre à leurs côtés. Ils suivront mes directives, car ils me connaissent. Comprends donc : ce sont mes hommes, mon régiment, et si l'Emir ne leur envoie pas du secours, ils n'ont pas la moindre chance de s'en sortir! Ils mourront comme des rats dans un piège...

– Et toi avec eux! lança Nakshband Khan en luttant pour le retenir.

– J'aime mieux cela que rester ici à les voir mourir! Lâche-moi, Sirdar-Sahib, laisse-moi partir!

– Et ta femme? As-tu songé à elle? A ce qu'elle deviendra si tu meurs?

– *Juli...* pensa Ash avec horreur.

Il l'avait oubliée. Pour aussi incroyable que cela pût paraître, dans le tumulte et la panique de la demi-heure qui venait de s'écouler, Juli ne lui était pas une seule fois revenue à la mémoire. Tout son esprit était accaparé par Wally, les Guides, le terrible danger qui les menaçait, et il n'avait pas eu le temps de penser à quoi que ce soit d'autre, pas même à Juli...

Ash se détourna de la porte tout en s'arrachant à la main qui le retenait :

– Non... Je pensais trop à mes amis et à mon régiment... Je l'avais oubliée... Mais je suis un soldat, Sirdar-Sahib... Juli est la femme d'un soldat... et la petite-fille d'un autre. Elle ne voudrait sûrement pas que mon amour pour elle l'emporte sur mon devoir à l'égard de mon régiment. De cela je suis certain, car son père était un Rajput. Si... Si je ne revenais pas, répète-lui ces paroles... Dis-lui aussi ma conviction que toi, Gul Baz, et les Guides saurez vous occuper d'elle, veiller à ce qu'il ne lui arrive aucun mal.

– Je le lui dirai.

Dans le même temps qu'il parlait, le Sirdar avait bondi vers la porte et, l'ouvrant vivement, il la fit claquer derrière lui. Quand Ash réagit, la grosse clef, qui se trouvait à l'extérieur, tournait déjà dans la serrure.

Ash se rendit compte que la porte était bien trop épaisse pour qu'il pût espérer l'enfoncer, et il n'arriverait pas davantage à écarter les gros barreaux de la fenêtre. Il se mit à secouer le vantail en appelant Nakshband Khan, mais il entendit celui-ci retirer la clef et lui dire doucement par le trou de la serrure :

– C'est mieux ainsi, Sahib. Maintenant, je vais chez Wali Mohammed, où je serai en sûreté. C'est tout près d'ici, et j'y arriverai donc bien avant que ces *shaitans* ne soient de retour. Quand tout sera de nouveau calme, je reviendrai te libérer.

– Et les Guides? lui demanda Ash avec rage. Combien penses-tu qu'il en restera alors de vivants?

– Ils sont entre les mains de Dieu, répondit le Sirdar d'une voix à peine audible, et à Dieu, rien n'est impossible.

Cessant de secouer la porte, Ash se mit à supplier son invisible interlocuteur mais, ne recevant pas de réponse, il comprit que Nakshband Khan était parti avec la clef.

La pièce formait un rectangle étroit, où la porte et la fenêtre se situaient aux deux extrémités opposées. La maison elle-même, comme celles qui la flanquaient de part et d'autre, était bien plus ancienne que les bâtiments de la Résidence. Elle avait été conçue pour faire partie des défenses intérieures de la citadelle, avec de solides murs extérieurs, de petites fenêtres carrées à encadrement de pierre et barreaux de fer. Ash examina la serrure, mais comprit qu'elle était à la fois trop simple et trop robuste pour qu'il pût la faire sauter en tirant dedans avec son pistolet. La balle ne réussirait qu'à l'endommager et, quand il reviendrait, Nakshband Khan ne pourrait plus l'ouvrir avec la clef...

Ya'kub Khan était un homme au caractère faible, ne possédant ni la flamme ni la force qui caractérisaient son aïeul, le grand Dosh Mohammad. A supposer qu'il en eût, bien rares étaient les qualités héritées par lui de son père, qui en avait pourtant beaucoup car Shir'Ali aurait été un souverain remarquable s'il avait pu agir à sa guise, au lieu d'être impitoyablement contré par un Vice-Roi ambitieux. Ya'kub Khan disposait d'une puissance militaire importante : son Arsenal était bourré de fusils, de munitions, et de tonneaux de poudre; de plus, en ne comptant pas les régiments mutinés, il avait à Bala Hissar près de deux mille hommes qui lui restaient fidèles : les Kazilbashis, toute l'artillerie, et la garde du Trésor. Ceux-là, s'il leur en avait donné l'ordre, n'auraient pas hésité à fermer la citadelle aux troupes des cantonnements, ni à se battre contre les hommes du régiment Ardal qui envahissaient l'Arsenal. Les rebelles s'armaient, puis passaient des fusils et munitions à toute la racaille accourue des bas-fonds.

Il eût suffi d'une centaine de Kazilbashis, ou de deux canons avec leurs servants envoyés en hâte barrer l'accès du compound, pour arrêter les mutins et presque certainement les dissuader d'attaquer. Mais Ya'kub Khan était beaucoup plus préoccupé de sa propre sécurité que des hôtes qu'il avait pourtant juré de protéger, et il se contentait de pleurer sur son sort en se tordant les mains.

L'émeute, avec Daud Shah mis à mal, l'avait terrifié au point qu'il n'osait pas donner l'ordre attendu par crainte de n'être pas obéi. Car si on ne lui obéissait plus... Non, non, c'eût été trop affreux! Inconscient des regards méprisants des *mollahs,* ministres, et nobles qui l'observaient, il déchira ses vêtements, s'arracha les cheveux et, d'un pas chancelant, alla s'enfermer dans ses appartements.

Mais il n'en était pas moins l'Emir, chef du Gouvernement et souverain-maître de tout l'Afghanistan. Aussi personne n'osa se substituer à lui pour donner des ordres et, en évitant de s'entre-regarder, tous le suivirent à l'intérieur du palais. Quand le messager de l'Envoyé britannique arriva avec une lettre demandant aide et protection, un ministre la lui porta aussitôt. Pour toute réponse, l'Emir écrivit : *Je m'emploie à faire le nécessaire, avec l'aide de Dieu,* ce qui n'était même pas vrai, à moins, bien sûr, qu'il voulût parler de préparatifs pour sauver sa propre peau.

Devant la puérilité d'une telle réponse, sir Louis n'en croyait pas ses yeux. Sa main se referma autour du papier, le froissa tandis qu'il se remémorait ce qu'il avait écrit, un jour ou deux auparavant, à propos de l'Emir : *Je pense pour ma part qu'il fera un bon allié.* En réalité, l'homme n'était qu'un lâche et un froussard, indigne de confiance. Sir Louis découvrait enfin la vanité de sa mission, et dans quel piège mortel il s'était si fièrement laissé pousser par son entourage. La

394

mission de « l'Envoyé extraordinaire de Sa Majesté britannique à la Cour de Kaboul » avait duré exactement six semaines... quarante-deux jours, pas un de plus...

Naguère pourtant, comme ils semblaient facilement réalisables tous ces plans pour établir une présence britannique en Afghanistan! Présence qui ne constituerait qu'un premier pas, et permettrait vite d'aller planter l'Union Jack de l'autre côté de l'Hindou Kouch... Maintenant, sir Louis n'était plus tellement sûr que cet étrange garçon, ce Pelham-Martyn qui avait été un ami du pauvre Wigram Battye, ait eu tort de s'élever avec tant de fougue contre la politique d'expansion, en clamant que les Afghans, fiers et courageux, n'accepteraient d'être gouvernés par une puissance étrangère que pour un temps très limité... un an ou deux, au grand maximum. Et il avait cité des précédents qui le prouvaient.

— Nous serons vengés! pensa sir Louis en serrant les dents. Lytton enverra une armée occuper Kaboul et déposera l'Emir. Mais combien de temps pourront-ils se maintenir ici...? Et combien de morts y aura-t-il encore avant... avant qu'ils soient de nouveau obligés de battre en retraite? Il faut que j'écrive à l'Emir pour lui souligner qu'il a intérêt à nous sauver, car si nous sommes anéantis, il le sera avec nous. Je vais lui écrire tout de suite...

Mais c'était déjà trop tard. Les mutins qui avaient envahi l'Arsenal, revenaient en courant, avec des fusils, des mousquets et des cartouchières pleines. Ils se dirigeaient pour la plupart vers le compound et tiraient tout en avançant, mais d'autres prenaient position sur le toit des maisons environnantes, d'où ils pourraient faire feu sur la garnison assiégée. Quand le premier coup de mousquet fut tiré, sir Louis dépouilla le politicien et le diplomate pour n'être plus de nouveau qu'un soldat. Jetant loin de lui la boule de papier qu'était devenue la réponse d'un lâche à son appel au secours, il s'empara d'un fusil et gagna le toit du Mess, où il avait aidé à édifier un parapet de fortune. A plat ventre par terre, il visa soigneusement un groupe d'hommes qui avaient commencé à tirer sur la Résidence.

Le toit du Mess était le point le plus élevé du compound. Si ce dernier avait été bâti plus haut, il aurait constitué une excellente position de défense, car il comprenait une série de cours, isolées les unes des autres par des murets de torchis dans lesquels il était facile de percer des meurtrières. Les assiégés auraient pu alors tenir tête à un adversaire, même très supérieur en nombre, aussi longtemps qu'ils auraient eu des munitions, et lui occasionner de lourdes pertes. Mais, ainsi que l'avait fait remarquer Wally le jour de son arrivée sur les lieux, le compound évoquait plutôt une arène : les murs qui auraient pu le protéger contre une attaque de front, ne lui assuraient aucune défense contre ceux qui, ayant investi les remparts de l'Arsenal, les fenêtres et les toits des maisons environnantes, le dominaient de haut.

A voir sir Louis prêter si peu d'attention à cette fusillade où se mêlaient des clameurs de joie chaque fois qu'une balle faisait mouche, on aurait pu croire qu'il se trouvait dans un stand de tir et ne se souciait que de faire un excellent carton. Calme, méthodique, il tirait et rechargeait aussitôt, visant les hommes qui déferlaient de l'Arsenal, choisissant ceux qui venaient les premiers afin que les autres trébuchent sur leurs corps.

Remarquable tireur, il avait fait feu neuf fois et abattu neuf hommes lorsque, ricochant sur le rebord du toit, à quelques centimètres de sa tête, une balle à bout de course vint le frapper en plein front. Son long corps eut un sursaut, puis retomba immobile tandis que, échappant à ses mains sans force, le fusil allait choir dans la ruelle.

Sur les toits les plus proches, les mutins hurlèrent de joie. « Oh! mon Dieu, ils l'ont eu! » pensa Ash qui avait tout vu de sa fenêtre.

— Non, il n'est pas mort! s'exclama-t-il malgré lui, car le blessé se soulevait lentement, se mettait à genoux puis, au prix d'un énorme effort, debout.

Du sang coulait de sa blessure au front, l'aveuglant à moitié et tachant de rouge son épaule. Comme il se tenait là, chancelant, il y eut un nouveau tir de mousquets, et des balles firent voler la poussière du toit autour de lui, mais on eût dit qu'il avait un talisman car aucune ne le toucha. Après un instant ou deux, il fit demi-tour et gagna d'un pas mal assuré l'entrée de l'escalier, où il disparut.

Le bâtiment du Mess regorgeait de serviteurs ayant fui les communs pour se réfugier à la Résidence, et des Guides qui tiraient par les meurtrières ménagées dans les murs, ou à travers les persiennes. Aucun d'eux ne tourna la tête quand sir Louis arriva en bas des marches. Il se traîna jusqu'à la chambre la plus proche, laquelle se trouvait être celle de Wally. A un *masalchi* tout tremblant qui s'y était réfugié, il dit d'aller chercher immédiatement le docteur-Sahib. Quelques minutes plus tard, Rosie arrivait au pas de course, s'attendant, d'après la description faite par le *masalchi,* à ce que Cavagnari fût mourant ou mort.

— Ce n'est qu'une égratignure, lui dit sir Louis d'un ton impatienté, mais ça me donne des vertiges. Alors, soignez-moi ça, et que quelqu'un aille me quérir William. Il nous faut absolument envoyer une nouvelle lettre à l'Emir. Il constitue notre unique espoir et... Oh! vous voici, William. Non, non, je n'ai rien. C'est superficiel. Prenez du papier et de quoi écrire pendant que Kelly va m'arranger ça... Vite!

Il se mit à dicter, tandis que Rosie nettoyait la plaie, faisait un pansement, puis retirait la chemise pleine de sang pour la remplacer par une autre, appartenant à Wally.

– Mais qui va porter ce message, sir? demanda William tout en scellant avec un pain à cacheter la feuille qu'il venait de plier. Ça ne va pas être facile maintenant que nous sommes assiégés...

– Ghulam Nabi s'en chargera, dit sir Louis. Envoyez-le moi, que je lui parle. Nous le ferons passer par la porte du fond de la cour, si Dieu veut que personne ne s'y trouve déjà...

Né à Kaboul, Ghulam Nabi avait appartenu naguère aux Guides, chez lesquels il avait actuellement un frère wordi-major de cavalerie à Mardan. Dès l'arrivée de la Mission, il était venu servir à la Résidence, et il accepta aussitôt de porter au palais la lettre de Cavagnari-Sahib. William l'accompagna dans la cour et, le revolver à la main, déverrouilla une petite porte, rarement utilisée, qui perçait le mur du fond près de la tente abritant les bagages.

Le mur lui-même n'était qu'en pisé; derrière lui, courait une des ruelles desservant les maisons aux terrasses déjà remplies de curieux, certains armés de vieux jezails et faisant feu sur les Infidèles. Pour cette raison, la ruelle était déserte; Ghulam Nabi la traversa vivement. Longeant ensuite les murs des maisons sur le toit desquelles étaient les tireurs, il courut vers la partie haute de Bala Hissar et le palais. Comme il tournait dans une ruelle transversale, des cris suivis de coups de feu lui apprirent que sa sortie n'était pas passée inaperçue. Et la porte venait à peine d'être barricadée de nouveau, qu'on y frappait à coups de poings.

En l'espace de quelques minutes, il y eut là tout un

rassemblement, et les coups de bâton ou de crosse succédèrent aux poings contre le vantail, qui n'était pas conçu pour résister longtemps à un pareil traitement.

Alors, à l'instigation de William, on se mit à entasser contre la porte, tables, *yakdans,* cantines pleines de vêtements d'hiver, un sofa, une desserte d'acajou, tandis que Ghulam Nabi, ayant réussi à semer ses poursuivants, arrivait au palais par le Shah Bagh, le Jardin du Roi.

On lui permit de remettre à l'Emir la lettre de sir Louis, mais, tout comme le précédent messager, il reçut ensuite l'ordre d'attendre dans une petite antichambre que le souverain ait rédigé sa réponse. Il y passa toute la journée.

Dans la plaine, à proximité de Ben-i-Hissar, les coupeurs d'herbe et leur escorte entendirent la fusillade. Le Kote-daffadar Fatteh Mohammed comprit d'où elle provenait et, sachant quels sentiments haineux suscitait dans la ville la présence d'étrangers à Bala Hissar, il ne douta pas que la Mission britannique fût en danger. Rassemblant vivement les coupeurs d'herbe dispersés, il les confia aux quatre Afghans, pour qu'ils les conduisent au commandant d'un régiment de cavalerie afghane, nommé Ibrahim Khan, ayant précédemment servi dans la cavalerie du Bengale et qui se trouvait cantonner près de Ben-i-Hissar. En plus des *sowars* Akbar Shah et Narain Singh, il n'en prit que deux avec lui pour retourner à la Citadelle.

Partis au grand galop, les cinq hommes ne mirent pas longtemps pour arriver en vue des remparts sud de la capitale et des toits de la Résidence. Alors, ils perdirent tout espoir de retrouver vivants les camarades qu'ils aimaient, car les toits où on leur avait bien recommandé de ne pas se montrer pour ne pas provoquer les voisins, grouillaient maintenant d'hommes. Donc, c'était le compound même qu'on attaquait. Ils éperonnèrent leurs montures en espérant pouvoir encore emprunter la Porte Shah Shahie. Mais c'était trop tard : la populace les y avait précédés.

La moitié de la ville avait entendu les coups de feu et vu les hommes du régiment Ardal courir vers leurs cantonnements pour y prendre des armes. Alors tous ceux qui, dans la capitale, étaient aux aguets d'une occasion de ce genre, ne perdirent pas un instant. S'armant de ce qui leur tombait sous la main, ils se précipitèrent pour grossir le flot des assaillants, menés par un fakir qui brandissait un drapeau vert en hurlant des exhortations à la guerre sainte contre l'étranger abhorré. Et sur leurs talons, accourut aussi toute la racaille, assoiffée de pillage et de sang.

Le kote-daffadar tira violemment sur les rênes de son cheval, comprenant que tenter d'atteindre la porte à travers cette horde déchaînée équivaudrait à un suicide, et que chercher refuge en ville leur serait tout aussi fatal. Leur meilleure chance – et pratiquement la seule qu'il leur restât – c'était de rallier le fort commandé par le beau-père de l'Emir, Yayhiha Khan. Il en donna aussitôt l'ordre et, faisant opérer une volte-face à son cheval, il entraîna ses compagnons en diagonale à travers la plaine.

A sa fenêtre, Ash avait repéré les cinq minuscules silhouettes qui, au loin, venaient de Ben-i-Hissar en soulevant un nuage de poussière. Il n'eut aucune peine à les identifier, mais il ne comprit pourquoi elles changeaient brusquement de direction qu'en voyant les premiers émeutiers surgir de derrière les écuries, car les barreaux de la fenêtre étaient trop rapprochés pour lui permettre de passer la tête. De ce fait, l'Arsenal lui demeurait caché, ainsi que le Kulla-Fi-Arrangi, ce terrain vague clôturé, où Wally avait espéré construire des bâtiments qui eussent empêché qu'on accédât par lui au compound ou, en cas d'hostilités, qu'il fût occupé par l'ennemi.

## 66

Wally parlait aux cipayes se trouvant sur le toit des chambrées lorsque les *budmarshes* avaient rejoint les insurgés. Il avait vu alors nombre des mutins, encouragés par ces renforts et protégés par leurs camarades tirant depuis l'Arsenal, s'élancer vers le Kulla-Fi-Arrangi d'où – s'ils arrivaient à l'occuper – ils ne tarderaient pas à rendre indéfendables les deux tiers du compound. Il fallait absolument les en déloger, et il n'y avait pour cela qu'un seul moyen.

Descendant en hâte l'escalier ménagé dans l'épaisseur du mur, le jeune homme traversa la ruelle, la cour de la Résidence, et monta dans le bureau de sir Louis, où il trouva celui-ci en compagnie de William. La tête bandée, Cavagnari tirait entre les lames d'une persienne; son ordonnance lui passait aussitôt une arme et rechargeait celle qui venait de servir. Sir Louis continuait ainsi de faire feu aussi méthodiquement que s'il avait été à la chasse au canard.

Agenouillé à une fenêtre, William tirait sur un groupe d'hommes occupant la terrasse d'une des maisons dominant les chambrées, et la pièce, jonchée de cartouches vides, empestait la poudre.

– Sir... haleta Wally. Ils essaient d'occuper le Kulla... ce terrain clos qui est sur la gauche en entrant dans le compound. S'ils y prennent pied, je crois que nous pourrions les déloger en effectuant une sortie, mais il faudrait le faire sans tarder. Si William...

Cavagnari avait posé son arme et gagné déjà le milieu de la pièce :

– Venez, William !

Il prit son sabre, son revolver, et descendit l'escalier en criant à Kelly occupé à panser un blessé :

– Venez, Rosie ! Vous finirez ça plus tard... Il nous faut d'abord chasser ces salopards... Non, pas un fusil : votre revolver. Et un sabre, Rosie, un sabre !

Courant en avant d'eux, Wally rassembla vingt-cinq hommes avec le jemadar Mehtab Singh, leur expliquant brièvement la situation. Les *sowars* prenaient leur sabre et leur carabine, tandis que les cipayes mettaient baïonnette au canon. Deux hommes coururent ouvrir la porte de la voûte, à l'extrémité de la cour.

– Et maintenant, dit joyeusement Wally, nous allons montrer à ces chiens comment se battent les Guides. *Argi, bhaian. Pah Makhe... Guides ki-jai !* (Frères, en avant ! Victoire aux Guides !)

Ash les vit traverser la venelle et s'engouffrer dans le bâtiment des chambrées, où les toiles tendues au-dessus de la cour les dissimulèrent à ses yeux jusqu'à ce qu'ils jaillissent de l'arche voûtée : les quatre Anglais, Wally en tête, couraient les premiers, suivis par les Guides, les cipayes chargeant à la baïonnette, les *sowars* au sabre et au pistolet. Leurs armes étincelèrent au soleil quand ils traversèrent en trombe le compound arrosé de balles. Deux des Guides tombèrent avant d'avoir atteint les écuries. L'un deux roula de côté pour ne pas être piétiné, puis se releva et gagna en boitant le refuge des écuries. Evitant le corps de l'autre qui ne bougeait plus, la charge disparut aux yeux de Ash. Les coups de feu cessèrent brusquement ; il comprit que les cipayes, tout comme leurs adversaires avaient dû s'arrêter de tirer, par crainte de tuer leurs propres hommes.

A la différence de Ash, le Sirdar vit la charge atteindre son objectif, car la maison où il avait trouvé refuge était juste en face du Kulla-Fi-Arrangi. Regardant d'une des fenêtres du haut, Nakshband Khan vit les hommes escalader le muret de pisé qui clôturait le terrain, gravir le talus en courant, tandis que, devait-il dire plus tard, « les Afghans s'enfuyaient comme un troupeau de moutons poursuivis par les loups ».

En revanche, Ash les vit revenir, transportant trois blessés, mais marchant néanmoins vite et d'un pas assuré, comme des soldats qui viennent de remporter une victoire, bien qu'ils dussent se rendre compte que celle-ci était toute momentanée.

Le tir, qui s'était interrompu durant l'attaque du Kulla-Fi-Arrangi, reprit de plus belle, tandis que Kelly s'affairait auprès des blessés et que, pénétrant dans le Mess, Cavagnari réclamait un verre d'eau. Lorsqu'on le lui apporta, il se rappela soudain que, guerre ou pas, les Musulmans observaient le jeûne; alors, il le reposa sans y avoir touché, ne voulant pas agir différemment des hommes qui venaient de combattre avec lui. Etant civil, Jenkins n'eut pas le même scrupule : il but avec avidité et, s'essuyant la bouche d'un revers de main, demanda d'une voix rauque :

– Quelles sont nos pertes, Wally?

– Un mort et quatre blessés, dont deux légers. Paras Ram a une jambe fracturée, mais il dit que, si le docteur-Sahib lui met une attelle et l'installe à une fenêtre, il pourra encore tirer.

– A la bonne heure! apprécia William. Nous nous en tirons à bon compte vu le dommage que nous leur avons causé : nous avons dû en tuer au moins une douzaine, et en blesser deux fois plus tandis qu'ils s'efforçaient de fuir par l'entrée ou en escaladant l'autre mur. Ça devrait les faire tenir tranquilles pendant un moment.

– Un quart d'heure, au maximum, estima Wally.

– Un...? Bon sang, ne pouvez-vous poster quelques-uns de vos cipayes pour défendre la position?

– Avec, sur trois côtés, quelque cinq cents fusils ou mousquets en mesure de les tirer comme des lapins? Pas question.

– Mais qu'allons-nous faire alors? Nous ne pouvons les laisser reprendre ce terrain...

– Dès qu'ils s'y essaieront, nous ferons une autre sortie en force pour les repousser. Et nous recommencerons quand ils reviendront. C'est notre seul espoir. Et, qui sait, si ça leur coûte trop cher en hommes, ils y renonceront peut-être! lança Wally avec un sourire, avant de repartir en courant.

– On croirait que ça l'amuse, constata William d'un ton amer. Croyez-vous qu'il ne se rende pas compte...

– Il se rend très bien compte, l'interrompit Cavagnari d'un air sombre. Et probablement même mieux que n'importe lequel d'entre nous. Un militaire de grande classe, ce garçon! Ecoutez-le : il plaisante avec ses hommes qui sont dehors. Amal Din m'a dit qu'il peut leur demander n'importe quoi, car ils savent qu'il n'exigera jamais rien d'eux qu'il ne ferait lui-même. Un excellent garçon et un chef-né. Quel dommage... Ah! mieux vaut que je retourne là-haut...

– Sir... s'inquiéta William. Etes-vous sûr que vous ne devriez pas vous étendre d'abord un peu...

Cavagnari éclata de rire :

– Mon cher garçon! En un moment pareil? Si un *jawan* qui a une jambe cassée est prêt à continuer de tirer pourvu qu'on l'installe à une fenêtre, je peux bien en faire autant avec juste une éraflure à la tête!

Les deux hommes montèrent reprendre leurs postes à l'étage où, en leur absence, ils avaient été remplacés par deux membres de l'escorte, lesquels allèrent aussitôt rejoindre leurs camarades qui, depuis le toit, tiraient sur les hommes investissant les maisons au nord du compound.

Un groupe plus important, sur le toit du Mess, s'occupait plus spécialement des bâtiments situés derrière la Résidence. Venu les voir pour faire le point de la situation, Wally se rendit compte qu'il avait été optimiste en s'accordant un quart d'heure de trêve. Les mutins s'infiltraient de nouveau dans le Kulla-Fi-Arrangi, et il allait encore falloir effectuer une sortie pour les en déloger.

De retour en bas, il fit appel à des Guides qui n'avaient pas participé à la charge précédente, relança Rosie au passage avant de courir dans l'autre bâtiment chercher William et Cavagnari.

En voyant sir Louis, Wally se ravisa. Il n'avait rien perdu de son admiration pour lui mais, soldat avant tout, il ne voulait pas risquer inutilement des vies. S'il avait besoin de William, il refusa en revanche de laisser Cavagnari les accompagner.

– Non, je suis désolé, sir, mais il saute aux yeux que vous n'êtes pas en état de le faire, déclara-t-il avec une brutale franchise. Si vous tombiez, nous ne vous abandonnerions évidemment pas, et cela pourrait coûter la vie à plusieurs de nos hommes. Sans compter que vous voir tomber serait mauvais pour leur moral. Venez, William, le temps presse...

Ash et Nakshband Khan, avec plusieurs centaines d'ennemis, furent témoins de cette seconde sortie. Ne voyant plus que trois des Anglais, chacun en tira ses conclusions. Les mutins se sentirent réconfortés à l'idée qu'un des Sahibs était hors de combat. Ash et le Sirdar, qui avaient remarqué le pansement à la tête, éprouvèrent au contraire un serrement de cœur, se rendant compte de l'effet que cela aurait sur la garnison assiégée si sir Louis venait à mourir.

Les choses se passèrent comme la précédente fois, mais au prix de deux morts et encore quatre blessés, dont deux grièvement.

– Nous ne pouvons continuer comme ça, Wally, balbutia Rosie tandis que, de retour à la Résidence et tout en s'épongeant le front, il indiquait où étendre les blessés. Vous rendez-vous compte que nous avons déjà plus d'une douzaine de morts et dieu sait combien de blessés?

– Oui, mais si cela peut vous réconforter, chacune de ces vies leur a coûté au moins dix de leurs hommes.

– Non, ça ne m'est d'aucun réconfort, car ils sont vingt contre un... et quand ils auront tous quitté leurs cantonnements pour rappliquer ici, ce ne sera plus vingt, mais cinquante, sinon cent contre un!

Le médecin s'en fut à ses blessés et, remettant son sabre à Pir Buksh, son porteur, Wally partit avec le havildar voir comment se comportaient les tireurs installés sur le toit des chambrées, et s'il était impossible de renforcer la défense de ce bâtiment contre l'attaque massive qui ne manquerait sûrement pas de se produire si l'Emir n'envoyait pas de secours. Ils n'avaient toujours aucune réponse à la lettre qu'avait emportée le *chupprassi* Ghulam Nabi. Sir Louis en écrivit une autre et la remit à un volontaire musulman, qui pensait pouvoir profiter que le Kulla-Fi-Arrangi était momentanément inoccupé pour gagner par là le Jardin du Roi.

– Reste du côté sud des chambrées, lui recommanda sir Louis, puis ensuite cours d'un abri à l'autre. Pour détourner l'attention de toi, les *jawans* tireront de façon continue jusqu'à ce que tu aies atteint le mur. Que Dieu t'accompagne!

Tout se passa comme l'avait dit sir Louis, et l'on vit le messager atteindre le muret séparant le Kulla-

Fi-Arrangi du compound, puis disparaître de l'autre côté.

Le Destin l'attendait-il quelque part entre ce mur et le palais? Ou bien, ayant des parents, des amis à Kaboul, préféra-t-il les rejoindre plutôt que de poursuivre une aussi hasardeuse mission? Ce qui est certain, c'est que le message n'arriva jamais au palais et que son porteur disparut aussi complètement qu'un grain de sable balayé par le vent d'automne.

Assistés d'une demi-douzaine de cipayes, plusieurs *syces,* et quelques serviteurs de la Résidence, Wally et le havildar Hassan s'étaient employés à obstruer les deux escaliers sans porte ménagés dans l'épaisseur du mur de chaque côté de la voûte. Ils ne disposaient plus ainsi que d'un seul escalier, celui proche de la Résidence. Mais, en retour, si une attaque massive se produisait, ils n'auraient pas à craindre de voir l'ennemi surgir d'en bas lorsque céderait la porte que Wally avait fait poser.

Contrairement à ce qu'avait pensé Rosie, Wally était très conscient de la situation. Aucune perte ne lui avait échappé et il s'efforçait de tirer le meilleur parti des hommes qu'il lui restait, sans leur faire courir de dangers superflus ni risquer de leur saper le moral. Lui continuait d'être confiant car, le vase bleu lui ayant appris que Ash était dans les parages, il était bien sûr que son ami ne resterait pas sans rien faire pour eux.

On pouvait compter sur Ash pour informer l'Emir que la Mission britannique se trouvait en fâcheuse posture, même si tous les ministres et hauts dignitaires s'employaient à le lui cacher. Alors, le secours finirait par venir. Le tout était de tenir suffisamment longtemps et de ne pas se laisser déborder par l'adversaire...

Wally fut arraché à ces considérations par une rumeur, qu'il percevait depuis quelques minutes déjà derrière le tumulte qui continuait de faire rage aux limites nord-ouest du compound, mais qui maintenant était nettement plus proche. Ce qu'on clamait, ça n'était plus « *Dam-i-charya* », mais « *Ya-charya* », le cri de guerre des musulmans sunnites. Bientôt, ce cri scandé parut battre les murs solides des chambrées...

– Ce sont les troupes des cantonnements, dit Wally. Barricadez les portes et repliez-vous tous à l'intérieur de la Résidence. Dites au jemadar Jiwand Singh de choisir des hommes et de se préparer à une autre sortie.

Il gravit rapidement l'escalier subsistant dans le bâtiment des chambrées et déboucha sur l'aile réservée aux musulmans. De là, regardant par-dessus les cipayes affairés à tirer aux meurtrières percées dans le parapet, il vit que le terrain surélevé entourant l'Arsenal était noir de monde, une foule qui se précipitait vers les fragiles barricades séparant le compound des ruelles et maisons avoisinantes. Les mutins qui étaient retournés à leurs cantonnements en revenaient avec des armes, mais aussi avec ce qui restait encore des régiments hératis. Cette foule atteignit les barricades, les renversa sans beaucoup de peine, puis se répandit vers les écuries.

A la tête de ces révoltés, marchait un homme maigre, ascétique, qui agitait un drapeau vert et hurlait à ceux qui le suivaient de tuer les Infidèles, de ne leur témoigner aucune pitié. A la différence de Wally, Ash le reconnut. C'était le fakir qu'il avait aperçu au début de la journée, sur la place où devait avoir lieu le paiement des soldes : Buzurg Shah, qu'il avait déjà eu plusieurs fois l'occasion de voir prêcher une *Jehad* dans les quartiers les plus houleux de la ville.

– Détruisez-les! Tuez les Infidèles! hurlait-il. Au nom du Prophète, abattez-les et n'en épargnez aucun!

– *Ya-charya! Ya-charya!* clamaient ses suiveurs qui, se déployant en éventail dans le compound, commençaient à tirer sur les têtes de cipayes émergeant du parapet des chambrées.

Wally vit un de ses hommes choir à la renverse, atteint d'une balle entre les yeux; un autre tomba de côté, blessé à l'épaule. Il ne s'agissait plus désormais de déloger du terrain vague les assaillants, mais de les repousser hors du compound. Trois minutes plus tard, Ash le vit mener une nouvelle charge, en surgissant de la voûte des chambrées, William à son côté. Mais, cette fois, ni Cavagnari ni Kelly n'étaient avec eux : le premier parce que Wally s'y était opposé, le second parce qu'il avait déjà plus de blessés qu'il n'en pouvait soigner.

De nouveau, la fusillade s'interrompit et le combat fut encore plus féroce que précédemment, car les Guides se battaient maintenant à un contre cinquante. Toutefois, cette disproportion se révéla un handicap pour les Afghans qui se gênaient mutuellement et n'étaient jamais sûrs de ne pas s'en prendre à l'un des leurs, vu que, à l'exception de Wally, leurs adversaires n'étaient pas en uniforme.

Les Guides se connaissaient trop bien entre eux pour pouvoir se tromper. D'ailleurs, leurs cipayes avaient baïonnette au canon, tandis que les officiers indiens étaient armés de leur revolver d'ordonnance en sus de leur sabre. Dans l'effroyable corps à corps qui se déroulait, ceux ayant un revolver, conscients de ne pouvoir le recharger, ne faisaient feu qu'à bon escient. Mais les assaillants, dans l'ivresse de l'assaut, avaient tiré en se précipitant vers les barricades, le plus souvent en l'air. Aussi n'avaient-ils plus que des armes blanches à opposer aux balles de leurs adversaires.

Les Guides surent profiter au maximum de cette erreur tactique; baïonnettes et sabres entrèrent si bien en action, que les Afghans cédèrent du terrain. Incapables de s'enfuir parce qu'ils se heurtaient à la masse compacte de ceux qui arrivaient derrière eux, trébuchant sur leurs morts et leurs blessés, ils finirent par s'en prendre à qui les empêchait de rebrousser chemin. Alors ce fut la panique, la déroute : en quelques secondes, le compound se vida; il n'y resta plus que les morts et les blessés.

Au cours de ce bref engagement, le petit groupe des Guides avait fait feu trente-sept fois. Quatre des balles de gros calibre, tirées par les Lee-Enfield à moins de six mètres, avaient traversé le premier assaillant de part en part pour en tuer un second derrière lui. Les autres avaient abattu chacune leur homme, tandis que les baïonnettes faisaient douze victimes et les sabres huit.

Carnage effroyable où, ici et là, un blessé rampait pour essayer de trouver refuge hors de l'aveuglant soleil.

Mais des vingt Guides ayant participé à cette sortie, il n'en revint que quatorze, parmi lesquels une demi-douzaine pouvaient à peine marcher.

Sur le toit des chambrées, les cipayes s'étaient remis à tirer pour protéger le retour de leurs camarades, dont le visage était loin cette fois d'exprimer la joie de la victoire. Ils n'avaient pas été absents bien longtemps mais, dans l'intervalle, cinq des hommes postés sur le toit des deux maisons de la Résidence avaient été tués et six autres blessés, car le parapet improvisé ne leur assurait guère de protection et les balles pleuvaient littéralement sur eux, puisque les terrasses des maisons environnantes étaient plus élevées. Au rez-de-chaussée, Kelly et son unique assistant, Rahman Baksh, s'affairaient, couverts de sang de la tête aux pieds, tant ils avaient à couper, coudre, panser, poser des garrots, administrer des anesthésiques et des somnifères, dans des pièces surpeuplées où les blessés étaient contraints de rester assis, voire debout, le dos contre le mur; leurs visages noircis par la poudre reflétaient la fatigue et la souffrance, mais pas un ne se plaignait.

Les morts avaient été traités plus cavalièrement : comme on n'avait pas de temps à perdre, on s'en était servi pour renforcer les parapets. Réalistes, les Guides ne voyaient aucune raison pour que, dans un moment pareil, leurs camarades ne continuent pas à servir le régiment jusqu'à la fin... une fin qui n'était plus très éloignée, car il restait maintenant moins de dix tireurs sur les deux toits, alors que l'ennemi ne manquait ni d'hommes ni de munitions.

— Avez-vous une réponse de l'Emir, sir? demanda William en entrant, pour retirer sa veste couverte de sang, dans le bureau où sir Louis, le visage gris de souffrance, continuait à tirer méthodiquement à travers le trou d'une persienne.

— Non. Il nous faut lui envoyer un autre message. Vous êtes blessé? ajouta Cavagnari en voyant boiter son secrétaire.

— Juste une entaille sur le devant de la jambe... trois fois rien.

William s'assit et se mit à déchirer son mouchoir en bandes qu'il nouait l'une à l'autre.

— Mais nous avons perdu six hommes et plusieurs autres sont sérieusement amochés.

— Le jeune Hamilton? s'enquit vivement sir Louis.

— A peine une égratignure ou deux... Ce garçon est formidable! Il se bat comme dix et chante tout le temps des hymnes... Vous vous rendez compte? Mais ça paraît plaire aux hommes... Ils ne doivent avoir aucune idée de ce qu'il chante, et penser que c'est quelque chose de guerrier... A la réflexion, c'est un peu ça, non? *En avant, soldats du Christ,* etc.

William remit sa veste et questionna :

– Vous désirez que j'écrive une autre lettre, sir?

– Oui. Très brève. Dites à ce salopard que s'il nous laisse mourir, il est foutu, car le Sirkar enverra une armée pour s'emparer de son pays et... Non, vaut mieux pas. Dites-lui simplement, au nom de l'honneur et de l'hospitalité, de se hâter de venir à notre secours avant que nous ne soyons tous massacrés. Dites-lui que nous sommes dans une situation désespérée.

Tandis que William s'asseyait pour écrire, Cavagnari faisait demander si quelqu'un, connaissant assez bien Bala Hissar, était prêt à courir le risque de porter une lettre au palais... Risque très grand car, avec la porte de derrière bloquée, tous les toits voisins occupés par des tireurs, et les abords du compound aux mains des insurgés, un messager n'avait vraiment qu'une très faible chance de s'en tirer. Pourtant, William avait à peine fini de rédiger le message, que se présentait un commis aux écritures, un Hindou d'un certain âge qui, ayant des parents à Kaboul, connaissait bien Bala Hissar et affichait en outre l'indifférence de sa race à l'égard de la mort.

William descendit avec lui dans la cour, tandis que Wally envoyait un homme aux chambrées, et deux de plus sur les toits de la Résidence, dire aux *jawans* de faire tout leur possible pour détourner le feu de l'ennemi pendant que le messager essaierait de quitter le compound.

On aida l'Hindou à escalader la barricade qui bloquait la venelle derrière les chambrées des musulmans, dont le bâtiment le protégea momentanément du tir des insurgés installés sur les maisons du côté nord. Mais après ça, il fut à découvert, et déjà un certain nombre d'assaillants s'étaient infiltrés jusqu'aux écuries qu'entourait un mur de pisé. Un groupe d'entre eux, mené par le fakir, se précipita pour l'empêcher d'atteindre le Kulla-Fi-Arrangi, tandis que d'autres

412

s'employaient à lui couper la retraite. Bien qu'il eût brandi la lettre en criant qu'il était sans arme et allait simplement porter un message à leur Emir, ils lui tombèrent dessus à coups de poignard et de cimeterre, le mettant littéralement en pièces sous les yeux de la garnison.

Ce meurtre sauvage d'un homme sans défense ne resta pas impuni. Se dressant d'un bond, les cipayes embusqués au-dessus des chambrées tirèrent rafale après rafale sur les assassins, et Wally, qui avait tout vu depuis le toit du Mess, envoya le jemadar Jiwand Singh et vingt Guides les chasser du compound. C'était la quatrième sortie des Guides ce matin-là et ils nettoyèrent de nouveau le compound en vengeant de terrible façon la pauvre chose mutilée, dont une main sectionnée tenait encore un papier plein de sang implorant le secours du poltron qui occupait le trône d'Afghanistan.

Wally avait vu nombre de choses horribles au cours de l'année écoulée, au point de se croire désormais immunisé. En dépit de quoi, la barbare mise en pièces d'un messager sans arme, lui souleva l'estomac et il quitta le toit en courant, avec l'intention de conduire lui-même la charge. Mais en arrivant dans la cour, il s'entendit annoncer que l'ennemi, n'ayant pu réussir à enfoncer la petite porte de derrière, s'attaquait maintenant au mur même où il avait déjà percé deux trous.

Alors, envoyant le jemadar mener la charge, Wally fit face à cette nouvelle menace. La position était déjà difficilement tenable quand on les attaquait de front et sur leur flanc droit, cependant que les tireurs des maisons avoisinantes n'arrêtaient pas de faire feu; mais, si l'ennemi pénétrait par-derrière, ils pouvaient être contraints d'abandonner la Résidence pour se réfugier avec leurs blessés dans le bâtiment des chambrées. Toutefois le sursis serait bref, car l'ennemi pourrait alors concentrer son tir sur cet unique point de résistance tandis que, parqués à l'intérieur de ce bâtiment aux murs aveugles, les défenseurs ne verraient plus le compound ni ce que faisaient les Afghans.

Le mur du fond était ridiculement mince et les hommes qui emplissaient l'étroite ruelle s'y attaquaient en toute tranquillité, car on ne pouvait les atteindre que depuis l'extrême bord du toit du Mess ou du mur-écran qui, de ce côté, bordait le toit de l'autre maison. Les trois premiers *jawans* qui s'y étaient risqués ayant été aussitôt abattus par des tireurs installés sur les terrasses des maisons environnantes, la tentative n'avait pas été renouvelée.

Quand on prit conscience du danger, les sapeurs du mur étaient à l'œuvre depuis déjà un certain temps car la fusillade et les hurlements contre les Infidèles couvraient le bruit des pics. Il fallut le début d'un trou dans le mur, pour que s'en avisent les domestiques tapis au rez-de-chaussée de la maison de l'Envoyé. L'un d'eux monta aussitôt donner l'alarme, suppliant sir Louis de quitter son bureau pour aller dans l'autre maison.

— *Huzoor,* si ces *shaitans* défoncent le mur, tu seras pris au piège. Et alors que deviendrons-nous? Tu es notre père et notre mère... Si nous ne t'avons plus, nous sommes perdus... perdus! brailla-t-il en frappant le sol de son front.

— *Be-wakufi!* lui lança Cavagnari avec colère. Lève-toi! Pleurer ne sert à rien, mais agir peut encore nous sauver. Venez, William... et vous autres aussi... On a besoin de nous en bas!

Il descendit l'escalier, suivi de William et des deux *jawans* qui tiraient à travers les persiennes, puis du serviteur en larmes. Mais tout en comprenant que,

cette fois, il ne pouvait refuser l'aide de sir Louis,
Wally parvint à le convaincre qu'un tireur d'élite
comme lui leur serait beaucoup plus utile tout en haut
du Mess à faire feu en direction de l'Arsenal, pour
dissuader ceux qui s'y trouvaient d'envahir à nouveau
le compound.

Cavagnari ne discuta pas. Il commençait à ressentir
les effets de la commotion, et il ne lui vint pas à l'idée
que le lieutenant Hamilton l'envoyait là-haut parce
qu'il y estimait le danger moindre que dans la cour.
Comme pour confirmer la chose, à peine Wally avait-
il fait entrer sir Louis dans le bâtiment du Mess,
qu'une balle de mousquet fut tirée par un trou du mur,
à hauteur de genou. Elle blessa deux hommes et sema
la confusion, parce qu'on crut tout d'abord qu'elle
provenait de la tente qui abritait précédemment les
munitions. Quand on comprit que les coups étaient
tirés à l'aveuglette depuis la ruelle, la cour se vida en
un clin d'œil. William chargea le naik Mehr Dil, aidé
par les cipayes Hassan Gul et Udin Singh, de colmater
le trou, ce qui ne pouvait être fait qu'en abattant la
tente. Lorsque celle-ci fut par terre, les trois hommes
enfoncèrent dans le trou la masse d'épaisse toile, en
s'aidant des piquets; après quoi, ils renforcèrent cette
barricade improvisée avec une grande cantine métalli-
que contenant les vêtements d'hiver de leur commandant, plus un lourd paravent de cuir et de bois sculpté
qui se trouvait dans la salle à manger. Durant cette
opération, le naik fut blessé au bras, et Hassan Gul
partit ensuite avec lui à la recherche du docteur-
Sahib.

Le rez-de-chaussée était plein de morts, de mourants
et de blessés, mais seul s'y trouvait l'unique infirmier,
Rahman Baksh, fort occupé à fixer, en guise de
pansement, une serviette pliée sur la blessure qu'un
cipaye avait à la cuisse. Il dit que le Sahib avait été

appelé en haut et que, de toute façon, Hassan Gul ferait mieux d'y conduire le naik, car il n'y avait vraiment plus place au rez-de-chaussée pour un blessé.

Les deux *jawans* gravirent l'escalier en quête du médecin et, regardant par l'entrebâillement d'une porte, ils le virent penché au-dessus de sir Louis, qui était étendu sur un lit, les genoux relevés, une main à la tête. Ils n'en furent pas autrement frappés, car tout le monde savait que le « Burra-Sahib » avait été blessé à la tête au début du siège. Ne voulant pas déranger le médecin alors qu'il s'occupait d'un tel patient, ils redescendirent attendre qu'il ait terminé.

Mais, en réalité, sir Louis venait d'être atteint à l'estomac, par une balle provenant d'un de ces fusils anglais qu'un précédent Vice-Roi, lord Mayo, avait offerts à Shir'Ali, le père de Ya'kub Khan, comme preuve des bonnes dispositions du gouvernement britannique à son égard.

Sir Louis avait réussi à atteindre le lit, et le *sowar* qui tirait à une autre fenêtre était vite descendu chercher Kelly. Mais il n'y avait rien que celui-ci pût faire, sinon donner de l'eau à boire au blessé – qui était extrêmement assoiffé – et quelque chose pour atténuer la douleur, en souhaitant que la fin ne tarde pas.

D'autres blessés, pouvant encore se battre, attendaient les soins du médecin, et il était inutile de faire savoir que Cavagnari-Sahib était mortellement blessé, car cela eût achevé de démoraliser les esprits, déjà suffisamment éprouvés par les clameurs en provenance de la ruelle, qui les exhortaient à tuer les quatre Sahibs et piller le trésor de la Résidence...

– Tuez les Infidèles et rejoignez-nous! criaient les hommes invisibles qui continuaient de saper le mur de pisé. Nous n'avons rien contre vous! Vous êtes nos frères et nous ne vous voulons aucun mal! Livrez-nous les *Angrezis* et venez nous rejoindre!

416

– Heureusement que nous avons le jeune Wally! pensait Kelly en entendant cela. S'il n'était pas là, certains de nos hommes pourraient être tentés de sauver ainsi leur peau.

Wally semblait savoir comment neutraliser ces appels tant auprès de ses propres *jawans*, que des nombreux non-combattants serviteurs ou commis aux écritures, qui avaient cherché refuge à la Résidence. Il semblait avoir aussi le don de se trouver à une demi-douzaine d'endroits en même temps : sur le toit de l'une ou l'autre maison, puis dans le bâtiment des chambrées ou la cour, et près des blessés ou des mourants, les félicitant, les encourageant, les réconfortant, redonnant du cœur par une plaisanterie.

Regardant sir Louis étendu sur le lit, Rosie pensa :
– Quand il sera mort, tout reposera sur les épaules du jeune Wally... C'est déjà fait d'ailleurs, et nul ne pouvait mieux remplacer celui qui nous quitte...

Il sortit de la pièce; en refermant la porte il dit à un serviteur de s'asseoir devant elle afin de ne laisser entrer personne, car le Burra-Sahib souffrait beaucoup de la tête et avait besoin de se reposer.

En jetant un dernier regard à la porte close, le médecin éleva à demi le bras, en un salut inconscient, puis plongea dans l'étouffante puanteur du rez-de-chaussée, où des mouches bourdonnantes ajoutaient aux tourments des blessés.

Bon nombre d'assaillants avaient de nouveau pénétré à l'intérieur du compound, pour s'embusquer dans les écuries d'où, ayant percé les murs de torchis, ils pouvaient faire feu vers les chambrées ou la Résidence. Mais Wally n'avait plus assez d'hommes pour tenter de les déloger en effectuant de nouveau une sortie. La garnison se trouvant pratiquement prise entre deux feux, le jeune officier se demandait comment elle réussissait encore à survivre. Le fait que l'adversaire eût subi de bien plus lourdes pertes ne lui était pas une consolation, car, de l'autre côté, il y avait toujours des hommes pour prendre la place de ceux qui tombaient. Alors que le nombre des défenseurs diminuait sans cesse... et que le palais n'envoyait toujours aucun secours...

Dévalant en courant les trois étages du Mess, un *sowar* hors d'haleine vint avertir Wally que les insurgés étaient allés chercher des échelles et s'en servaient maintenant comme d'autant de passerelles pour accéder à la Résidence par-dessus la ruelle. Que devaient faire les défenseurs du toit?

– Dis-leur de se replier dans l'escalier, répondit aussitôt Wally. Mais lentement, de façon à ce que les Afghans suivent.

L'homme repartit aussitôt et Wally fit dire la même chose aux Guides qui étaient sur le toit de l'autre maison. Puis, commandant au jemadar Mehtab Singh de l'accompagner avec tous les hommes disponibles, il gravit lui-même l'escalier deux marches à la fois.

Les Guides avaient réussi à repousser les deux premières échelles qui étaient allées choir sur la foule massée au-dessous. Mais il y en avait eu d'autres, au moins une demi-douzaine et, bien que les premiers Afghans ayant pris pied sur la terrasse eussent été abattus à bout portant, le petit groupe des Guides n'avait pu tenir longtemps. Ils s'étaient repliés vers l'escalier, ne descendant qu'une marche à la fois.

Ils furent rejoints sur le palier supérieur par Wally et ses renforts. Pistolet à la main, le jeune officier ne tira pas, mais fit signe aux Guides de continuer à descendre, tout en leur donnant de brèves instructions d'une voix qui avait peine à dominer les cris de joie des Afghans. Ceux-ci, brandissant leurs cimeterres, s'empêtraient les uns dans les autres tant ils avaient hâte de rejoindre leurs adversaires qui semblaient se replier dans un apparent désordre, en regardant derrière eux à mesure qu'ils descendaient.

— Allons-y! hurla soudain Wally qui, avec les hommes venus en renfort, s'était embusqué dans le couloir de l'étage. *Maro!*

Tandis que ses hommes assaillaient les Afghans qui s'étaient engagés dans la deuxième volée de marches, il tira par-dessus leurs têtes vers les autres qui arrivaient de la terrasse et ne purent faire demi-tour à cause de ceux qui se pressaient sur leurs talons.

Dans de telles conditions, même un mauvais tireur eût fait des victimes, et Wally était un excellent tireur. En six secondes, une demi-douzaine d'Afghans s'effondrèrent, une balle en plein front, et ceux qui basculèrent la tête la première par-dessus eux, furent tués par les Guides à coups de sabre et de baïonnette.

Comprenant à ce vacarme que l'ennemi avait dû pénétrer dans le bâtiment, Ambrose Kelly abandonna son scalpel pour se saisir d'un revolver.

Les Afghans rescapés se bousculaient maintenant vers la terrasse et, voyant que le médecin était armé d'un revolver, Wally lui cria :

— Allez-y, Rosie! Ils fuient! C'est l'occasion où jamais de nettoyer le toit de leur présence!

Se tournant vers Hassan Gul qui, appuyé contre le mur, avait peine à recouvrer son souffle, il lui commanda de rassembler ses hommes et de charger sur la terrasse. Mais le cipaye secoua la tête et dit d'une voix rauque :

— Nous ne pouvons pas, Sahib... Nous sommes trop peu... Mehtab Singh et Karak Singh sont morts en se battant dans l'escalier... de ceux qui étaient sur le toit, il ne reste que deux hommes... nous ne sommes plus que sept...

Sept. Sept seulement pour défendre ce piège à rats aux murs criblés de balles et plein de blessés...

– Alors, il nous faut bloquer l'escalier, décida Wally.

– Avec quoi? objecta Rosie d'une voix lasse. Nous avons déjà utilisé tout ce qui nous tombait sous la main pour édifier les barricades... même les portes!

– Il y a encore celle-ci... dit Wally en se détournant, mais le médecin le retint aussitôt par le bras.

– Non, Wally, non. Laissez-le en paix.

– Qui donc? Qui est là? Oh! le Chef? Mais ça lui est égal, il ne... (Il s'interrompit brusquement en voyant l'expression du médecin.) Vous voulez dire... c'est grave? Mais cette blessure à la tête...

– Il a reçu une autre balle dans l'estomac. Je ne peux plus rien pour lui, sinon lui donner autant d'opium que j'en peux disposer pour qu'il meure en paix.

– *En paix!* répéta Wally avec rage. Quelle paix peut-il connaître avant de mourir, si...

Il n'acheva pas et, changeant de visage, libéra son bras. Tournant la poignée de la porte, il entra dans la pénombre de la chambre, éclairée seulement par la clarté provenant des trous qui crevaient les murs et les persiennes.

Si l'homme sur le lit n'avait pas changé de position, il n'était cependant pas mort. Il ne bougea pas la tête mais, entré derrière Wally et ayant refermé la porte, Kelly le vit tourner lentement les yeux de leur côté.

– Il ne nous reconnaît pas..., pensa le médecin. Il est près de la fin... et, avec tout cet opium...

De fait, le regard était totalement inexpressif et les yeux ne semblaient avoir bougé que par une sorte de réflexe. Mais soudain, par un gigantesque effort de volonté, Louis Cavagnari réussit à s'arracher aux ténèbres où il s'engloutissait.

– Hello, Walter... Est-ce que nous...?

Le souffle lui manqua, mais Wally répondit à la question qu'il n'avait pu formuler :

– Tout va bien, sir. Je suis venu vous dire que l'Emir nous a envoyé deux régiments de Kazilbashis, et les insurgés battent en retraite. Il n'y en a plus pour longtemps avant que nous soyons de nouveau totalement maîtres de la situation. Aussi n'ayez aucun souci, sir. Maintenant, vous pouvez vous reposer, car nous les avons battus.

– Brave garçon, dit sir Louis d'une voix soudain claire.

Un peu de couleur revint à son visage cendreux et il voulut sourire mais, survenant au même instant, un spasme douloureux transforma en grimace l'amorce de sourire. De nouveau, sir Louis fut à court de souffle et Wally se pencha pour saisir ce qu'il s'efforçait de lui dire :

– L'Emir... content de savoir... pas trompé sur lui. Maintenant tout... ira... bien. Dites à William... envoyer des remerciements... télégraphier au Vice-Roi... Dites... dites à ma... ma femme...

Le corps recroquevillé eut une convulsion, puis ne bougea plus.

Après un moment, Wally se redressa lentement.

– C'était un grand homme, dit Rosie d'une voix calme.

– Un homme extraordinaire. C'est pourquoi je... Nous ne pouvions pas le laisser mourir en pensant que...

– Non, approuva Rosie. N'ayez crainte, Wally, le Seigneur vous pardonnera ce mensonge.

– Oui... Mais *lui* va savoir maintenant que c'était un mensonge.

– Où il est, ça n'a plus d'importance.

– Non, c'est juste. Je voudrais...

Une balle de mousquet fracassa une lamelle de persienne et fit pleuvoir des éclats de bois. Alors Wally quitta vivement la pièce sans voir où il allait, parce que ses yeux étaient pleins de larmes.

Rosie s'attarda un instant pour couvrir le visage paisible du mort. Quand il sortit de la chambre, il trouva Wally déjà occupé à obstruer l'escalier avec les moyens du bord : les corps et les armes brisées – cimeterres, mousquets et jezails – des Afghans tués sur les marches.

– Je ne pense pas que cela les arrête bien longtemps, dit Wally en faisant avec les corps entassés par lui, des sortes de chevaux de frise grâce aux lames acérées des cimeterres et des poignards. Mais ce sera toujours ça. Maintenant, il me faut trouver William, pour savoir combien il reste d'hommes dans l'autre maison.

Puis s'adressant à l'un des *sowars* :

– *Suno* (écoute), Khairulla... Avec un de tes camarades, tu vas empêcher l'ennemi de déplacer ces corps. Mais ne gaspille pas les munitions. Une balle ou deux devraient suffire.

Il dévala aussitôt l'escalier et se précipita dans la cour annoncer à William que sir Louis était mort.

– Il a toujours eu de la chance, dit posément Jenkins.

Comme le visage de Wally, comme tous leurs visages, celui du secrétaire était un masque de sang, de poussière et de poudre noire où ruisselait la sueur. Mais ses yeux étaient aussi tranquilles que sa voix et, bien qu'il n'eût cessé depuis des heures de se battre ou de faire feu, il continuait d'avoir l'air de ce qu'il était : un paisible civil.

– Combien de temps pensez-vous que nous puissions encore tenir, Wally? Ils creusent des trous comme des taupes, vous savez. A peine en avons-nous colmaté un, qu'ils en font un autre. Ce n'est pas bien compliqué en ce qui nous concerne car, sachant maintenant ce qu'ils ont entrepris, dès que nous voyons tomber un morceau de plâtre nous nous écartons et, lorsque le trou est assez gros, nous tirons dedans. Malheureusement il faut beaucoup d'hommes pour surveiller toute la longueur de la clôture, ainsi que les murs à l'intérieur des deux maisons. J'ignore combien vous en avez... Ici, ils sont moins d'une douzaine et je ne crois pas qu'il y en ait beaucoup plus dans la cour.

— Quatorze, je viens de vérifier, confirma brièvement Wally. Abdulla, mon clairon dit qu'ils doivent être entre quinze et vingt dans le bâtiment des chambrées, avec sept de plus dans celui du Mess.

— Sept! s'exclama William. Mais je m'imaginais... Qu'est-il donc arrivé?

— Vous n'avez pas vu le coup des échelles? Ces salauds avaient réussi à gagner le toit en utilisant des échelles à la façon de passerelles. Ils ont pénétré à l'intérieur de la maison et nous ont valu quelques minutes assez pénibles, mais nous les avons repoussés. Du moins, pour le moment.

— Je ne me doutais pas... dit William d'une voix sourde. Mais alors, s'ils sont sur le toit, cela signifie que nous sommes encerclés?

— J'en ai bien peur, oui. Pour l'instant, ce qu'il nous faut, c'est avoir deux hommes avec des fusils aux fenêtres du bureau de sir Louis donnant sur la cour, afin de tirer sur ces chiens dès qu'ils montrent le bout du museau. Ils nous ont chassés du toit, mais ça ne les avancera guère s'ils sont obligés d'y demeurer à plat ventre pour ne pas se faire descendre. Vous, restez ici à vous occuper de ceux qui essayent de percer des trous, pendant que moi...

Wally s'interrompit et, renversant légèrement la tête, huma l'air:

– Est-ce que ça ne sent pas la fumée?

– Si... Ça vient de la rue, là derrière. Nous avions déjà flairé ça par les trous... J'imagine qu'une de leurs maisons doit être en train de brûler... ce qui n'a rien de tellement étonnant si l'on réfléchit au nombre de vieux fusils qui tirent dans toutes les directions.

– Tant que ça reste de l'autre côté du mur... fit Wally avec un geste expressif en se détournant pour partir.

Mais William Jenkins le retint par le bras.

– Wally... Je crois que nous devrions voir si nous n'avons pas la possibilité de faire porter encore un message à l'Emir. Il n'a dû recevoir aucun des autres. Je ne puis croire que, s'il connaissait la gravité de notre situation, il ne ferait pas quelque chose pour nous venir en aide. Il nous faut trouver un homme qui se charge de lui porter une lettre...

Ils en trouvèrent un et qui, cette fois, réussit à s'acquitter de sa mission en se faisant passer pour un des assaillants. Les vêtements tachés de sang, un bandage du plus bel effet autour de la tête, il parvint jusqu'au palais, qu'il trouva dans une confusion encore bien plus grande que lorsque y était arrivé Ghulam Nabi – lequel se morfondait toujours dans une antichambre – plusieurs heures auparavant. Ce nouveau messager s'entendit également dire d'attendre la réponse; mais aucune réponse ne lui fut donnée, car l'Emir était à présent convaincu que, lorsque les insurgés en auraient fini avec la Mission britannique, ils s'en prendraient à lui et le massacreraient, avec toute sa famille, pour avoir permis que des Infidèles viennent à Kaboul.

– Ils vont me tuer, dit-il en gémissant aux *mollahs* qui, à force d'insistance, avaient obtenu une nouvelle audience. Ils vont nous tuer tous!

De nouveau, le doyen des *mollahs* s'employa à le

convaincre qu'il devait sauver ses hôtes, en commandant à l'artillerie de tirer sur les insurgés. Et, de nouveau, l'Emir s'y refusa de façon hystérique, clamant que, s'il faisait ça, les insurgés attaqueraient aussitôt le palais pour le massacrer.

A la longue, cédant quand même à leurs reproches, il fit appeler son fils Yahya Khan, âgé de huit ans. Ayant assis l'enfant sur un cheval, il le fit sortir du palais, en compagnie de quelques sirdars et de son précepteur – ce dernier tenant un exemplaire du Coran à deux mains au-dessus de sa tête – pour supplier les mutins, au nom d'Allah et de son Prophète, de regagner leurs maisons en rangeant leurs armes.

Mais la foule qui avait réclamé avec tant de ferveur le sang des Infidèles, n'allait pas se laisser détourner du massacre par la seule vue du Livre sacré ou du visage effrayé d'un enfant, fût-il l'héritier du trône. On fit tomber de cheval le précepteur et on lui arracha le Coran pour le fouler aux pieds, tandis qu'insultes et menaces pleuvaient sur les membres de la délégation qui, craignant pour leurs vies, regagnèrent le palais en courant.

Mais il restait encore un Afghan à qui cette populace ne faisait pas peur.

Blessé comme il l'était, l'indomptable commandant en chef Daud Shah quitta son lit, rassembla quelques soldats fidèles, et sortit à cheval pour faire face à la lie de la capitale avec autant de courage que lorsqu'il s'était trouvé, ce même jour, opposé aux mutins du régiment Ardal. Mais la racaille n'avait pas plus de considération pour l'armée que pour le Livre sacré, qui concrétisait pourtant la foi dont elle se réclamait avec tant de férocité. Elle ne rêvait que pillage et meurtre. La ruée vers le général évoqua celle de chiens errants fonçant sur un chat et c'est comme un chat qu'il se défendit, à coups de griffes et de dents.

L'espace d'un instant, Daud Shah et ses hommes réussirent à contenir l'assaut, mais la supériorité numérique des autres était trop écrasante. Le courageux officier fut jeté à bas de sa monture, puis on le roua de coups. Alors, une poignée de soldats, qui l'avaient vu sortir, volèrent à son secours avec une telle rage qu'ils réussirent à faire reculer la foule, lui arrachant Daud Shah et son escorte. Mais il leur fallut se replier vivement avec eux à l'intérieur du palais.

– Nous ne pouvons plus rien, durent reconnaître les *mollahs* qui, devant l'inutilité de toute intervention humaine, regagnèrent leurs mosquées pour y prier Allah.

## 67

Ash se disait qu'il lui fallait trouver un moyen de s'échapper... qu'il en existait sûrement un...

Il avait commencé par envisager de crever le plafond entre les poutres mais, très vite, il entendit des pas grouiller au-dessus de sa tête, mêlés à des clameurs et des tirs de mousquets. Il comprit alors que le toit en terrasse, comme tous ceux qu'il apercevait depuis sa prison improvisée, devait être occupé par les insurgés.

Son attention s'était ensuite portée vers le plancher, qui n'aurait pas dû lui opposer plus de résistance que le plafond. Mais on tirait par la fenêtre située au-dessous de la sienne, ce qui, à supposer qu'il ait pu écarter les barreaux, excluait aussi qu'il se laissât descendre dans le vide, après qu'il aurait tordu et noué bout à bout les tapis de coton recouvrant les tables des commis aux écritures.

A la différence de celui où était encastrée la porte,

les murs intérieurs n'étaient que des cloisons, mais Ash n'eût pas été plus avancé en y creusant un trou pour passer de l'autre côté car, à droite, c'était une pièce sans fenêtre où s'empilaient des dossiers, et à gauche, la bibliothèque du Munshi, dont les portes restaient toujours fermées à clef.

Bien que sachant cela, Ash avait finalement décidé d'accéder à la bibliothèque, dans l'espoir que la serrure ou les barreaux de la fenêtre seraient moins solides que ceux de la pièce où il se trouvait. Mais la serrure était identique à l'autre et la fenêtre, solidement barrée elle aussi, était encore plus petite que celle du bureau. Ash retourna donc dans ce dernier et y demeura aux aguets, espérant contre tout espoir qu'un miracle se produirait.

Il assista ainsi aux quatre sorties. Contrairement au Sirdar, il ne put voir les deux premières charges contraindre les insurgés à évacuer le Kulla-Fi-Arrangi. Mais, au cours du troisième affrontement, il se rappela soudain qu'il avait un pistolet sur lui, tandis que se trouvaient cachés un revolver d'ordonnance et cinquante cartouches dans la pièce où il était enfermé.

Les vingt-trois balles qu'il expédia ainsi durant la matinée ne furent pas perdues; et ce, sans qu'il courût le moindre risque de se faire repérer, tant les tirs s'entrecroisaient dans tous les sens. Koda Dad Khan aurait été fier de son élève. Mais un revolver n'ayant qu'une faible portée, le tir de Ash était restreint et il se rendait bien compte que, vu la masse énorme qui assiégeait la Résidence, l'aide ainsi apportée à ses amis était dérisoire.

Le compound s'étendait au-dessous de lui, comme une scène brillamment éclairée face à la loge royale d'un théâtre, et s'il avait eu un fusil au lieu d'un revolver... Mais il ne pouvait que regarder, impuissant, l'ennemi percer dans le mur du compound des trous permettant sans risque aucun de tirer sur la garnison assiégée, tandis que par deux ou trois d'abord, puis par dizaines, par centaines, les assaillants qu'avait chassés la dernière sortie des Guides, reprenaient possession des écuries et des communs.

A mesure que la journée avançait, les gorges desséchées criaient moins; dans ce calme relatif, les coups de feu prenaient de l'ampleur, tout comme les exhortations suraiguës du fakir Buzurg Shah, qui continuait infatigablement à appeler au massacre des Infidèles, assurant que le Paradis attendait les Croyants qui mourraient au combat.

Ash eût volontiers aidé le fakir à atteindre lui-même ce but suprême mais, outre qu'il ne venait jamais à sa portée, le fanatique demeurait derrière les écuries, hors de vue des Guides embusqués sur le toit des chambrées ou aux fenêtres de la Résidence. Malheureusement l'homme n'était pas hors de portée de voix en ce qui concernait Ash, dont les nerfs étaient mis à vif par les incessants « Tuez-les! Tuez-les! » qui parvenaient à ses oreilles.

Soudain, il perçut un autre bruit, lequel prit rapidement de l'ampleur... La foule acclamait quelque chose ou quelqu'un... L'espace d'un instant, contre toute raison, Ash pensa que l'Emir envoyait les régiments de Kazilbashis au secours de la Mission. Mais il vit le fakir et ceux qui l'entouraient sauter de joie en levant les bras. Son champ de vision limité l'empêcha de comprendre ce qui se passait jusqu'à ce que les canons arrivent à hauteur des écuries. Comme il était impossible de les faire rouler au milieu de cette foule compacte, ils avaient été littéralement portés par les insurgés depuis l'Arsenal. Sur le toit des chambrées, les Guides avaient vite repéré la manœuvre et, tandis qu'un cipaye courait avertir Hamilton-Sahib de ce nouveau danger, les autres concentraient leur tir sur

428

les Afghans qui halaient et poussaient les canons vers le bâtiment des chambrées.

La nouvelle apportée par le cipaye se répandit dans toute la Résidence à la vitesse de l'éclair. Mais un des avantages de la vie militaire est que, dans les moments graves, le choix est presque toujours simple : se battre ou mourir. Nul n'avait donc besoin d'attendre les ordres et quand Wally, qui était avec ses hommes au dernier étage du Mess, descendit dans la cour, il y trouva William en compagnie de tous les cipayes et *sowars* disponibles.

Il n'eut qu'à dire au *jawan* ayant apporté la nouvelle de recommander à ses camarades de tirer pour distraire l'ennemi, et d'envoyer deux d'entre eux ouvrir les verrous de la porte qui fermait la voûte. Mais au moment où cet ordre était exécuté, les canons tirèrent presque simultanément. Assourdis par le vacarme de l'explosion, les deux cipayes faillirent tomber par terre en sentant le sol bouger sous leurs pieds et se mirent à tousser, les yeux pleins de larmes.

Le bruit de la canonnade se répercuta à tous les échos de Bala Hissar, faisant s'envoler des nuées de corbeaux, tandis que les insurgés hurlaient de joie en voyant les obus exploser contre un angle du bâtiment des chambrées. Mais, contrairement aux maisons de la Résidence, celui-ci avait des murs extérieurs de deux mètres d'épaisseur, et les angles de l'extrémité ouest se trouvaient encore renforcés par le fait qu'ils contenaient chacun un escalier en pierre montant jusqu'au toit.

La double explosion n'eut donc guère pour effet que d'assourdir et aveugler momentanément les hommes embusqués derrière le parapet; mais ils se ressaisirent vite et tirèrent selon les ordres donnés, tandis que Wally et William, avec vingt et un Guides, jaillissaient soudain de l'arche voûtée pour courir sus aux canons.

Le combat fut bref car, ayant mis en position et actionné les canons, les mutins étaient épuisés par leur effort, tandis que la populace accourue des bas-fonds de la ville n'avait aucune envie de se mesurer d'aussi près à des soldats de métier. Les vauriens furent les premiers à tourner les talons; les insurgés continuèrent à se battre pendant encore une dizaine de minutes puis les imitèrent, en abandonnant les canons et laissant derrière eux de nombreux morts ou blessés.

Les Guides ne comptaient que deux morts et quatre blessés, mais c'était pour eux un prix exorbitant. Amère était leur victoire car, bien qu'ils se fussent emparés des canons, ceux-ci étaient trop lourds pour être halés jusqu'au bâtiment des chambrées, d'autant que mousquets et fusils s'étaient remis à tirer.

Faute de mieux, Les Guides emportèrent les obus, tout en sachant bien que d'autres ne tarderaient pas à arriver de l'Arsenal. Et ils ne purent même pas rendre les canons inopérants car, dans la précipitation du moment, Wally avait oublié un détail, infime mais essentiel. Lorsque les insurgés avaient envahi le compound, il était le seul de la garnison à se trouver en uniforme, mais il lui restait encore à mettre sa bandoulière et il n'avait pas eu depuis lors le loisir de le faire. Or, une bandoulière comporte deux petits accessoires beaucoup plus utiles que décoratifs : les « taquets », qui peuvent notamment servir à enclouer les canons.

« C'est ma faute! se reprocha amèrement Wally. J'aurais dû y penser! Si seulement nous avions un clou, quelque chose... J'avais complètement oublié que nous n'étions pas en tenue... Dans ces conditions, tout ce que nous pouvons faire, c'est concentrer notre tir sur ces satanés canons, pour empêcher qu'on les recharge. »

Les portes de la voûte étaient de nouveau barrica-

430

dées, et les survivants étanchaient leur soif grâce à des *chattis* d'eau froide apportés du hammam; en effet, il avait été dit que ce combat équivalait à une guerre et que, en temps de guerre, on peut interrompre le jeûne du Ramadan.

Quand, après avoir bu, les défenseurs regagnèrent la Résidence, qu'ils avaient quittée un quart d'heure auparavant, ils la trouvèrent pleine de fumée car, de l'autre côté du mur, l'ennemi n'était pas resté inactif en leur absence. Tandis que, toujours à l'aide d'échelles formant de précaires passerelles, des Afghans étaient venus renforcer les rescapés du combat dans l'escalier, leurs camarades de la ruelle avaient jeté des charbons ardents et des chiffons imbibés de pétrole par des trous creusés dans le soubassement.

Déjà cernés de trois côtés, la Résidence et le compound se trouvaient maintenant assaillis par le haut et par le bas, puisque l'ennemi occupait non seulement les écuries mais aussi le toit du Mess et s'attaquait à présent au sous-sol.

Pour la première fois de la journée, prenant pleinement conscience de la situation, Wally perdit tout espoir. Mais, ayant toujours été un apôtre des négociations et des compromis, William Jenkins n'en était pas encore à ce stade.

En revenant de l'attaque contre les canons, William se débarrassa du sabre et du revolver d'ordonnance, au profit de son fusil. Ayant rempli ses poches de cartouches, il gagna en hâte la terrasse de la maison de l'Envoyé, afin de tirer sur les Afghans qui occupaient celle de l'autre maison, plus élevée d'un étage. C'est alors seulement qu'il se rendit compte de la densité de la fumée s'échappant des pièces du Mess situées au rez-de-chaussée.

Le feu avait pris trop rapidement pour qu'on pût sauver les blessés. Ceux qui étaient encore en état de le faire avaient fui. Suffoquant, aveuglés à demi, ils avaient traversé tant bien que mal la cour pleine de fumée pour chercher refuge dans la maison de l'Envoyé.

Sur le toit du Mess en feu, les Afghans avaient utilisé de nouveau les échelles pour fuir ces flammes qui auraient vite raison des murs de torchis. Mais, des terrasses d'en face, ils étaient aussitôt repartis à l'assaut de la deuxième maison et, grâce toujours aux échelles, ils avaient fini par escalader le mur qui, de ce côté, protégeait la terrasse des regards indiscrets. Les défenseurs qui se trouvaient sur le toit avaient reculé devant le nombre; n'ayant plus le loisir de recharger leurs armes, ils les utilisaient maintenant comme massues pour se défendre pied à pied dans l'escalier. Quand le dernier de ces Guides eut atteint le rez-de-chaussée, on verrouilla la porte qui se trouvait au bas des marches. Mais, comme tout ce qui constituait cette maison, le vantail n'était guère solide; il ne résisterait pas à un violent assaut, et on n'avait ni le temps ni quoi que ce fût pour le renforcer.

Le bâtiment lui-même ne tarderait pas à être en flammes car, s'il n'était pas incendié par les Afghans qui sapaient ses fondements, les flammèches en provenance de l'autre maison finiraient par y mettre le feu.

En une vision de cauchemar, Wally vit au même moment que, mettant à profit la panique et l'épaisse fumée, les assaillants venaient de réussir à percer le mur au fond de la cour. Alors, se précipitant vers la plus proche fenêtre donnant sur le compound, il repoussa les volets, escalada l'appui et cria à ses compagnons d'infortune :

– Venez tous!

L'instant d'après, il sautait par-dessus l'étroite venelle et se retrouvait sur le toit des chambrées.

Jenkins, Kelly, les *jawans* rescapés du toit, et une demi-douzaine de non-combattants l'imitèrent aussitôt. Comme le dernier d'entre eux atterrissait de l'autre côté de la venelle, le toit du Mess s'effondra dans un immense jaillissement d'étincelles et de flammèches... Ce fut le bûcher funéraire de Louis Cavagnari, ainsi que d'un grand nombre de soldats et de serviteurs qui l'avaient accompagné à Kaboul.

« Comme un chef viking allant au Walhalla entouré de ses guerriers et de ses serviteurs », pensa Wally.

Il tourna le dos au bâtiment en feu pour guider sa petite troupe vers l'intérieur des chambrées car, maintenant que l'ennemi était maître de la Résidence, on pouvait tirer sur eux depuis les fenêtres de la maison de l'Envoyé, et le parapet de la terrasse ne leur assurait donc plus aucune protection. Mais en bas, les portes étaient aussi robustes que les murs extérieurs et les toiles de tentes étendues au-dessus de la cour empêchaient les insurgés de voir ce qui s'y passait.

– Nous devrions pouvoir tenir un certain temps ici, estima William en promenant son regard sur les solides piliers et les arches de pierre qui donnaient accès aux chambrées où il n'y avait aucune ouverture sur l'extérieur du bâtiment. Il n'y a pas grand-chose à quoi l'on puisse mettre le feu... sauf les portes, bien sûr.

A cet instant précis, les canons tirèrent de nouveau et tout trembla quand les obus, manquant la porte de la voûte, ensevelirent sous les gravats l'escalier situé à l'est.

Il n'était pas besoin d'un artilleur pour se rendre compte que cette seconde salve arrivait de beaucoup moins loin que la précédente. Profitant qu'il n'y avait plus de cipayes sur le toit pour leur tirer dessus, les insurgés s'étaient empressés de recharger les canons après les avoir poussés en avant. Dans ces conditions, la prochaine salve serait probablement tirée juste en face de la voûte, dont la porte volerait en éclats.

William, qui s'était instinctivement cramponné à l'un des piliers, vit Walter Hamilton et le daffadar Hira Singh courir vers la porte intérieure de la voûte, qu'ils ouvrirent toute grande. Alors, il pensa que, traumatisés par l'explosion, ils avaient perdu la tête et se proposaient de sortir pour tenter de s'emparer des canons avant qu'on les eût rechargés. Mais ils ne touchèrent pas à la porte extérieure, maintenant criblée de trous, et rejoignirent le havildar Hassan ainsi que le naik Janki. Après avoir brièvement conféré avec eux, Wally s'en retourna vers William et Kelly en disant :

– Il nous faut ces canons... Il nous les faut absolument! Si nous les avions, nous pourrions tirer sur l'Arsenal, et il exploserait en tuant une bonne partie de cette foule. Si nous placions un seul obus en plein dedans, avec les munitions et la poudre qu'il contient, ça nettoierait tout sur plusieurs centaines de mètres à la ronde...

– Y compris nous, souligna William.

– Et quand bien même? s'exclama Wally avec impatience. Mais je n'en crois rien, car nous sommes ici en contrebas et ces murs sont très épais. Si nous réussissons à nous emparer des canons, il nous restera une chance... Dans le cas contraire, nous n'aurons plus qu'à dire nos prières.

– Vous êtes complètement fou! lui objecta Kelly. A supposer que nous ayons un canon, avec quoi le chargerions-nous? Des cartouches?

– Avec les obus que nous avons rapportés lors de notre dernière sortie. Nous en avons douze... Pensez un peu à ce que nous pourrions faire avec six obus pour chaque canon!

William n'était toujours pas convaincu.

– Je ne vois aucune objection à tenter une nouvelle sortie, mais si nous réussissons à nous emparer des canons, mieux vaudra les enclouer que...

– *Non!* s'obstina Wally avec passion. Si nous nous contentons de les enclouer, nous sommes foutus, car ils trouveront d'autres canons. Ils ont déjà toutes les munitions qu'ils veulent, alors que nous allons bientôt arriver au bout des nôtres. Quand ils s'apercevront que nous ne tirons plus, ils fonceront en masse pour donner l'assaut à ce bâtiment et, cinq minutes plus tard, tout sera terminé en ce qui nous concerne. Non, notre seule chance, c'est de les couper de leurs approvisionnements, et nous n'y parviendrons qu'en faisant sauter l'Arsenal avec le plus grand nombre possible de ces salopards! Je vous le répète : *il nous faut ces canons...* Un, à tout le moins, et nous enclouerons le second. Thakur Singh s'en chargera, tandis que nous unirons nos forces pour amener l'autre jusqu'ici. Nous devrions pouvoir y arriver. Je me rends bien compte que cela paraît insensé, mais c'est ça ou rester ici à épuiser le peu de munitions qu'il nous reste, avant d'être tous massacrés... Est-ce ainsi que vous souhaitez mourir?

Le médecin-major Kelly eut un rire dur :

– D'accord, mon garçon... Plutôt mourir autrement. Alors, dites-nous ce que nous devons faire.

Wally avait vu juste. Pendant cette discussion, les insurgés avaient rapproché les canons, qui se trouvaient maintenant à une soixantaine de mètres seulement et braqués sur le mur à gauche de la voûte...

De sa prison, Ash ne vit pas s'ouvrir la porte de la voûte, mais Wally lui apparut soudain, suivi de William, Kelly, et une douzaine de Guides, chargeant vers les canons.

Pour la seconde fois de la journée, l'effet de surprise

joua, et les assaillants reculèrent en désordre sous le tir du petit groupe d'hommes. Alors huit de ceux-ci firent pivoter un des canons pour le braquer sur les fuyards, six autres l'entourèrent de cordes afin de le haler à reculons, tandis que deux encore poussaient aux roues et que le reste s'employait à tenir l'ennemi en respect. Un *jawan* se dirigea vers le second canon dans l'intention de l'enclouer, mais il fut aussitôt abattu, et le taquet alla se perdre dans la poussière gorgée de sang. Parmi ceux qui s'étaient attelés au premier canon, il y eut deux morts et quatre blessés. Criant alors aux survivants d'abandonner le canon, Wally rechargea en hâte son revolver. William et Rosie l'imitèrent. Tandis que, emmenant leurs blessés, les hommes se repliaient vivement vers le bâtiment des chambrées, les trois Anglais tirèrent en marchant à reculons, afin de les protéger. Et ce feu était si meurtrier, qu'il leur assura le temps de regagner la voûte.

Comme il allait refermer la porte extérieure, Wally regarda la fenêtre de Ash et leva le bras. Mais ce geste d'adieu fut perdu pour son destinataire, car il n'était plus là.

Le désespoir qui s'était emparé de Ash à la vue des canons, avait comme aiguillonné son cerveau, toujours à chercher un moyen de fuir. Soudain, il s'était avisé de quelque chose... quelque chose qui ne lui était pas encore venu à l'esprit...

Lorsqu'il s'était représenté la pièce située au-dessous du bureau où il se tenait, Ash n'avait accordé aucune pensée à celles qui la flanquaient de part et d'autre... Or, il se souvenait maintenant que, sous la bibliothèque du Munshi, se trouvait une petite pièce inutilisée, ayant eu autrefois une fenêtre avec un balcon. Le balcon s'étant effondré, on avait cloué des planches en travers de la fenêtre. A présent, ces planches devaient être pourries, et il n'aurait aucun mal à les arracher.

Pour atteindre le sol quelque six mètres plus bas, il lui suffisait de confectionner une corde avec les tapis de table.

Le voyant ainsi descendre d'une fenêtre, n'importe quel Afghan le prendrait pour un allié brûlant de participer à l'assaut... L'instant d'après, il était de retour dans la bibliothèque du Munshi et s'attaquait fébrilement au plancher.

Ayant surpris le geste d'adieu, William s'était mépris et avait demandé d'une voix haletante :

– A qui faisiez-vous signe? Est-ce que l'Emir... Serait-ce...?

– Non, répondit Wally en donnant de tout son poids contre la porte pour la fermer plus vite. Ce n'était que... Ash...

William le regarda d'un air ahuri. Le nom ne signifiait rien pour lui; la brusque flambée d'espoir qui l'avait saisi en voyant le geste de Wally, s'éteignit aussitôt. Mais, tandis que William se laissait choir par terre, Ambrose Kelly, occupé à soigner le cipaye blessé, releva la tête :

– *Ash?* Vous ne voulez pas dire... Pelham-Martyn?

– Si... Il est là-haut... dans une... des maisons, expliqua Wally d'une voix entrecoupée par les efforts qu'il faisait pour barricader la porte.

– Dans une...? Dieu du Ciel! Mais alors pourquoi ne fait-il pas quelque chose pour nous venir en aide?

– Si quelque chose pouvait être fait, il l'a sûrement fait. Ou à tout le moins essayé de le faire. Dieu sait qu'il nous avait assez souvent mis en garde... Mais personne ne l'écoutait... pas même le Chef. Emmenez ce garçon dans une des chambrées, Rosie... Ici, nous sommes trop près de la porte et ils vont sûrement tirer de nouveau... Reculez tous, vite!

437

Dès qu'ils avaient vu la porte se refermer, les insurgés s'étaient rués vers les canons et, les faisant pivoter de nouveau, ils les avaient poussés face à la voûte tandis que, de toutes les maisons environnantes, on continuait à tirer sur les murs aveugles du bâtiment.

Entre-temps, le soleil avait disparu derrière la Shere Dawaza. Maintenant tout le compound était plongé dans l'ombre, mais la clarté de l'incendie permettait d'y voir suffisamment.

Cette fois, le tir des canons ne fut pas simultané. Le premier obus visait à défoncer les deux portes de la voûte, et il y parvint d'autant plus facilement que la seconde avait été laissée ouverte. Les artilleurs improvisés virent la porte extérieure se désintégrer en une volée de menu bois et, lorsque la fumée se dissipa, leur regard plongea jusqu'au mur de la Résidence, à travers toute la longueur de la cour.

Poussant des clameurs de joie, les mutins déclenchèrent le tir du second canon et l'obus traversa le bâtiment des chambrées, allant creuser une brèche dans le mur derrière lequel leurs frères victorieux étaient prêts à prendre les Infidèles à revers. Mais, bien qu'astucieux, ce plan comportait deux failles, dont l'une apparut aussitôt : beaucoup plus solide que celle de l'extérieur, la porte se trouvant à l'extrémité intérieure de la voûte était demeurée ouverte; n'ayant donc pas été détruite, elle fut immédiatement fermée.

L'autre faille, plus importante et dont les canonniers n'avaient pas encore conscience, était que, en mettant le feu à la Résidence, leurs alliés l'avaient rendue intenable pour eux-mêmes. De ce fait, au lieu de rester massés dans la cour entre les deux maisons, les incendiaires avaient dû se réfugier à l'abri des flammes, en emportant tout ce qu'il pouvait y avoir encore à piller. En conséquence, le risque d'être pris à revers était minime pour les assiégés, et Wally pouvait donc s'en désintéresser. N'ayant même plus à craindre de coups de feu en provenance de la Résidence, et la fumée faisant écran pour les tireurs en position sur les toits des maisons situées au delà des bâtiments en flammes, Wally avait pu concentrer toute son attention sur les autres attaquants.

Aussi, dès qu'avait été refermée la fragile première porte de la voûte après la sortie manquée contre les canons, le jeune officier avait commandé à quatre de ses hommes d'emprunter l'escalier situé à l'autre extrémité de la cour, de rester cachés jusqu'à ce que les canons aient tiré puis, sous le couvert de la fumée, de gagner le parapet au-dessus de la voûte afin d'ouvrir le feu sur ceux qui s'occupaient alors de recharger les canons.

Le reste de sa petite troupe se dispersa à droite et à gauche. L'attente ne fut pas longue : la porte extérieure de la voûte vola en éclats et l'obus endommagea un des piliers de pierre, mais sans blesser personne. Dès que le second obus eut fait son œuvre, on se précipita pour barricader la lourde porte intérieure tandis que, sur le toit, les quatre *jawans* se mettaient à tirer.

Charger et actionner un canon n'est pas une petite affaire pour des hommes inexpérimentés comme l'étaient les insurgés. Non seulement l'âme du canon doit être écouvillonnée après chaque tir, mais il faut ensuite charger le nouvel obus par la bouche, l'enfoncer jusqu'au fond de l'âme, puis la chambre ayant été garnie de poudre, y mettre le feu par le trou de lumière à l'aide d'une mèche ou, au besoin, d'une allumette. Tout cela prend du temps, et se révèle aussi difficile que dangereux quand les servants du canon se trouvent sous le feu de tireurs embusqués à proximité.

Si les murs des chambrées avaient comporté des meurtrières normales, qui assurent la protection des hommes tout en leur offrant de bonnes possibilités de tir, la garnison n'aurait pas eu grand mal à empêcher qu'on utilise de nouveau les canons. Mais comme les *jawans* ne pouvaient tirer que d'un toit, lequel était exposé au feu de quiconque se trouvait sur la terrasse d'une des maisons le dominant, les canons constituaient des atouts majeurs. Cela, Wally ne l'ignorait pas. Il savait aussi que, avant longtemps, les quatre tireurs du toit seraient à bout de munitions, dont il ne restait plus guère par ailleurs. Alors, le moment ne tarderait pas où plus rien ne s'opposerait à ce que les obus aient raison de la dernière porte.

Eh bien, s'il leur fallait mourir, que ce soit du moins en faisant honneur à leur régiment et aux grandes traditions dont on les avait nourris! Qu'ils deviennent personnages de légende et un magnifique exemple pour les futures générations de Guides! C'était tout ce qu'il leur restait à faire.

Par la pensée, Wally revit Inistioge, ses parents et ses frères... Sa mère l'embrassant lorsqu'il était parti... Ash et Wigram... tous ses valeureux camarades des Guides... toutes les jolies filles dont il était tombé amoureux et dont à présent les visages se fondaient en un seul, celui d'Anjuli... Il lui dédia un sourire. Quelle chance c'était que de l'avoir connue!

A présent, il ne se marierait sûrement pas... Mais il ne verrait jamais non plus se flétrir la beauté, la jeunesse, la force... Il ignorerait également que l'amour peut ne pas durer toujours et que le temps arrive parfois à corroder les plus nobles choses. Toute désillusion lui serait épargnée et il ne vivrait pas pour découvrir que ses idoles avaient des pieds d'argile...

Pour lui, c'était le bout de la route, et cependant il n'éprouvait aucun regret... Pas même celui de ne point voir le rêve devenir réalité en la personne du maréchal lord Hamilton of Inistioge, car n'avait-il pas reçu la

Victoria Cross, récompense enviée entre toutes? Cela suffisait à la gloire de n'importe qui et à compenser n'importe quoi. Et puis les Guides se souviendraient de lui... Peut-être un jour, s'il laissait un nom sans tache, son sabre serait accroché dans la salle du Mess à Mardan, et des Guides qui n'étaient pas encore nés, viendraient alors le toucher en écoutant raconter une vieille histoire, devenue quasi légendaire : l'histoire de soixante-dix-sept Guides, placés sous le commandement d'un certain Walter Hamilton, V.C. (1) qui, voici bien longtemps, assiégés dans la Résidence de Kaboul, avaient résisté pendant presque toute une journée à un ennemi très supérieur en nombre, avant de mourir jusqu'au dernier...

Aujourd'hui, il avait contribué à la gloire des Guides et Ash ne l'ignorerait pas. C'était bon de savoir Ash à proximité, témoin de ce qui se passait; Ash qui comprendrait que Wally avait fait de son mieux et serait avec lui par la pensée. On ne pouvait souhaiter meilleur ami que Ash, et ça n'était pas sa faute si aucun secours n'était arrivé. Si Ash avait pu faire quelque chose...

Le lieutenant Walter Hamilton, V.C., redressa le torse, respira bien à fond, puis s'adressa à ses hommes en hindoustani, car c'était la « lingua franca » permettant d'être compris de tous dans un régiment qui comptait des Sikhs, des Hindous, des Pendjabis aussi bien que des Pathans parlant le pachto.

Ils s'étaient, leur dit-il, battus comme des héros et avaient fait splendidement honneur aux Guides. Aucun homme n'eût pu davantage. A présent, il ne leur restait plus qu'à mourir aussi superbement, en attaquant l'ennemi. C'était ça, ou mourir comme des rats dans un trou. Il ne doutait pas de leur choix. Aussi

(1) Victoria Cross.*(N.d.T.)*

leur suggérait-il une ultime tentative pour s'emparer d'un canon. Mais, cette fois, ils s'attelleraient tous au canon, tandis que lui seul couvrirait leur retraite en tirant sur l'ennemi.

– C'est sur celui de gauche que nous allons foncer. Quand nous l'atteindrons, ne regardez pas ailleurs, fût-ce un instant, mais encordez-vous à lui, poussez de l'épaule contre les roues, et amenez-le ici. Ne vous arrêtez pas, ne vous retournez pas, moi je ferai tout mon possible pour vous protéger. Si vous l'amenez jusqu'ici, où vous avez des obus, tirez sur l'Arsenal. Dans le cas contraire, quel que soit le nombre de ceux qui tomberont et même si je suis parmi les morts, n'oubliez pas que l'honneur des Guides sera entre les mains de qui aura survécu à cette sortie. Alors ne faites pas bon marché de cet honneur. Un grand guerrier, qui avait conquis ce pays et la moitié du monde voici des centaines d'années, Sikandar Dul-khan (Alexandre le Grand) – dont tous les hommes ont entendu parler – a dit : « C'est une belle chose que de vivre avec courage, et de mourir en laissant un souvenir impérissable. » Vous avez tous vécu avec courage et le monde se souviendra de ce que vous avez fait aujourd'hui, car les Guides ne l'oublieront jamais. Les enfants de vos enfants le raconteront à leurs petits-enfants, en se récriant d'admiration. Ne vous rendez pas, frères, ne vous rendez jamais! Guides, *ki-jai!*

Son cri déclencha une ovation qui retentit si longuement dans tout le bâtiment, qu'on eût cru les Guides morts ce jour-là faire chorus avec ceux qui étaient encore vivants. Quand le silence s'établit de nouveau, les hommes reprirent les sabres et les cordes dont ils s'étaient débarrassés après la précédente sortie.

Ambrose Kelly se mit péniblement debout, s'étirant avec lassitude. De loin le plus âgé du groupe, il s'était, tout comme Gobind, voué à sauver les gens, non à les tuer. Mais il n'en chargea pas moins son revolver, boucla son ceinturon avec le sabre dont il n'avait jamais appris à se servir.

– Ma foi, dit-il, ce sera un soulagement que d'en finir, car la journée a été longue : je me sens claqué.

Les Guides rirent, et leur rire emplit Wally de fierté, tandis qu'il se sentait comme une boule dans la gorge. Il leur sourit en retour, avec plus d'admiration et d'affection qu'il n'aurait pu en exprimer par des paroles. Oui, ne fût-ce que pour avoir servi et s'être battu avec des hommes comme ceux-là, il ne regrettait pas d'avoir vécu. Ç'avait été un privilège de les commander, un immense privilège, et c'en serait un encore bien plus grand que de mourir avec eux. Ils étaient le sel de la terre. Ils étaient les Guides.

Les regardant, il sentait toujours cette boule dans sa gorge, mais il déglutit et ce fut presque gaiement qu'il dit, en prenant son sabre :

– Nous sommes prêts ? Parfait. Alors, ouvrez la porte...

Un cipaye se précipita pour lever la barre de fer et, quand elle retomba, deux autres tirèrent vivement le vantail. En hurlant « Guides, *ki-jai !* », la petite troupe jaillit de la voûte et courut vers le canon de gauche, Wally le premier, précédant les autres de six bons pas.

Leur apparition eut un curieux effet sur la foule des insurgés : après l'échec de la dernière attaque, chacun d'eux était convaincu que les « étrangers », ne tente-raient plus aucune contre-offensive. Or, voilà qu'ils surgissaient de nouveau, avec une ardeur indomptée. Ce n'était pas possible... c'était à douter de ses yeux...

Ils demeurèrent un instant figés, considérant avec une sorte de crainte superstitieuse ces épouvantails vociférants et, la seconde d'après, ils se dispersèrent comme autant de feuilles mortes devant l'assaut impétueux de Wally, dont le sabre jetait des éclairs et le revolver crachait la mort.

Alors un Afghan solitaire, sans turban, les cheveux et les vêtements couverts de plâtre accourut de côté pour se joindre à lui. Deux *sowars* le reconnurent aussitôt : « Pelham-Dulkhan! Pelham-Sahib-Bahadur! »

Wally les entendit à travers le bruit des armes et jeta vivement un regard à droite. Il vit Ash près de lui, tenant d'une main un poignard et de l'autre un cimeterre pris à un Hérati mort.

– Ash! s'exclama-t-il avec une intonation de triomphe. Je savais bien que vous viendriez! Maintenant, nous allons leur montrer...!

Ash rit en retour, en proie à la folle ivresse du combat, au soulagement de pouvoir agir enfin après avoir passé tant d'heures à voir ses camarades mourir l'un après l'autre sans qu'il pût rien pour eux. Son exaltation sauvage se communiqua à Wally, qui se battit comme un lion.

Les Afghans ne sont pas de petite taille, mais le jeune homme semblait les dominer tous, maniant le sabre tel un paladin de Charlemagne.

– Attention, Wally! cria Ash et, écartant d'un revers le cimeterre d'un adversaire, il recula d'un bond pour s'attaquer à un Afghan qui, armé d'un long couteau, survenait derrière eux.

Que Wally l'ait entendu ou non, l'avertissement arrivait trop tard. Le couteau s'enfonça jusqu'à la garde entre les omoplates du jeune officier, dans le même temps que le cimeterre de Ash tranchait le cou de l'agresseur. Wally tira la dernière balle de son revolver et lança l'arme dans un visage barbu. L'homme recula d'un pas, vacilla et tomba. Wally fit passer son sabre d'une main à l'autre, mais son bras n'eut soudain plus la force de le lever. La lame piqua vers le sol, et se brisa quand le jeune homme s'effondra sur elle.

Au même instant, la crosse d'un jezail s'abattit avec violence sur le crâne de Ash, qui vit des éclairs jaillir en tous sens avant qu'il ne sombre dans des ténèbres sans fond.

A quelques pas derrière eux, William était déjà tombé, le bras droit sectionné et la moitié du cimeterre enfoncée dans le dos. Kelly était mort lui aussi, à moins d'un mètre de la voûte, fauché par une balle de mousquet alors qu'il s'élançait sur les traces de Wally.

Des hommes, deux étaient morts avant d'atteindre le canon et trois autres avaient été blessés. Mais les survivants avaient suivi à la lettre les ordres de leur commandant : sans s'occuper de quoi que ce soit d'autre, ils s'étaient attelés au canon, bandant désespérément tous leurs muscles pour le tirer. Ce fut seulement quand plusieurs d'entre eux tombèrent, atteints par des balles, que les autres comprirent l'inutilité de vouloir insister et, haletants, se replièrent à l'intérieur du bâtiment.

Ils refermèrent la lourde porte, mirent la barre de fer en place, cependant que, sous la conduite du fakir sortant enfin de derrière les écuries, des centaines d'insurgés se précipitaient en avant. Alors, sur les terrasses des maisons environnantes, on cessa de tirer pour se mettre à danser et pousser des clameurs de joie en brandissant les mousquets. Mais sur le toit des chambrées, trois des quatre *jawans* continuèrent à faire feu avec une froide détermination, sachant qu'il ne leur restait presque plus de cartouches.

Ces quatre-là, la foule des insurgés les avait oubliés. Ils se rappelèrent soudain à son souvenir en abattant trois des assaillants, avec des balles qui blessèrent encore deux hommes se trouvant juste derrière ceux qu'elles venaient de tuer. Du coup, les Afghans marquèrent un arrêt, et il y en eut trois autres qui s'effondrèrent, car les Guides tiraient à moins de cinquante mètres dans une masse si compacte qu'il était impossible qu'une balle n'y fît pas de victime. L'une d'elles atteignit le fakir en plein front et, levant les bras, il chut à la renverse, immédiatement piétiné par ceux qui, accourant derrière lui, ne purent s'arrêter à temps.

## 68

Plusieurs facteurs contribuèrent à ce que Ash en réchappât. D'abord, il portait un vêtement afghan et tenait un cimeterre à la main; ensuite, seuls les assaillants se trouvant en tête de la horde, avaient eu conscience que quelqu'un, qui semblait être un habitant de Kaboul, s'était battu un moment à côté de l'officier *angrezi*. Quand ils se ruèrent pour achever le Sahib blessé à mort, Ash inconscient fut si violemment bousculé que, lorsque le nuage de poussière se dissipa, il se trouvait à une certaine distance de l'endroit où il était tombé, non plus parmi les Guides morts mais au milieu d'une demi-douzaine de cadavres ennemis, le visage méconnaissable sous le masque que lui faisaient le sang et la poussière, ses vêtements teints en écarlate par le Hérati à la veine jugulaire sectionnée qui s'était abattu en travers de son corps.

Le coup de crosse l'avait assommé, sans être toutefois assez violent pour le plonger longtemps dans l'inconscience. Lorsque Ash recouvra un peu ses esprits, il se rendit compte qu'un deuxième cadavre pesait sur lui, celui d'un colosse afghan qui, atteint en pleine tête par une balle tirée du toit des chambrées, immobilisait ses jambes.

D'abominables élancements lui labouraient le crâne, et Ash avait le sentiment de n'être plus qu'une immense plaie, d'où toute force s'était enfuie. Mais, à mesure que la conscience lui revenait, il eut la nette impression de n'avoir, à l'exception de multiples meurtrissures, d'autre blessure que celle causée par le coup de crosse. Dans ces conditions, rien ne l'empêchait de se libérer du double poids qui le clouait au sol et il retournerait se battre dès qu'il aurait récupéré suffisamment de forces, car se mettre debout pour vaciller comme un homme ivre n'eût servi à rien, sinon sans doute à provoquer sa mort d'une façon ou d'une autre.

Les hurlements des combattants, le bruit des mousquets et des carabines, lui disaient que la bataille se poursuivait. Dans son visage tuméfié, les paupières étaient collées par un mélange pâteux de poussière et de sang. Il était encore trop faible pour libérer ses bras mais, par un énorme effort de volonté, il parvint quand même à ouvrir ses yeux.

D'abord, il fut incapable d'accommoder son regard sur quoi que ce fût; après une minute ou deux, il y vit mieux et se rendit alors compte qu'il se trouvait à deux ou trois mètres de la masse des insurgés, tenue en échec par le tir des trois cipayes postés au-dessus de la voûte des chambrées. Mais, les détonations étant de plus en plus espacées, Ash devina qu'ils arrivaient au bout de leurs munitions. Quand son regard dériva un peu, il vit qu'un groupe de mutins tenaient conciliabule derrière les canons abandonnés.

Comme il les observait, l'un d'eux – qui, d'après son uniforme, devait appartenir au régiment Ardal – se hissa sur l'un des canons et se mit à agiter son mousquet au bout duquel était attaché un chiffon blanc, criant : « *Sulh. Sulh... Kafi. Bus!* » (Assez, assez... De grâce, arrêtez!)

447

Le bruit des mousquets se tut et les cipayes agenouillés derrière le parapet cessèrent aussi de tirer. L'homme redescendit alors du canon et s'avança dans l'espace découvert qui précédait le bâtiment des chambrées, en criant aux assiégés qu'il voulait parler à leurs chefs.

Une courte pause suivit, durant laquelle les cipayes se concertèrent, puis l'un d'eux posa son fusil et, se dressant, alla vers l'autre extrémité du toit appeler les survivants qui se trouvaient en bas. Quelques minutes plus tard, trois autres Guides rejoignirent les tireurs et tous s'avancèrent, sans armes, jusqu'au-dessus de la voûte.

– Nous voici, dit alors le *jawan* qui avait été choisi comme porte-parole parce que c'était un Pathan pouvant parler aux Afghans dans leur propre langue. Que désirez-vous nous dire? Parlez.

Ash entendit un homme près de lui chuchoter:

– Ne sont-ils pas plus que ça? Six seulement, ce n'est pas possible... Il doit y en avoir d'autres à l'intérieur.

« Six... », pensa Ash, sans que cela signifiât quelque chose de précis pour lui.

– Vos Sahibs sont tous morts, cria le mutin au drapeau blanc, et nous n'avons rien contre vous. Alors, à quoi bon continuer de se battre? Si vous jetez vos armes, nous vous laisserons retourner librement chez vous. Vous avez combattu loyalement. Jetez vos armez, et partez.

Un des Guides se mit à rire, et son hilarité gagna les visages noircis de ses compagnons. Le rire se fit si sonore et méprisant que, en bas, on commença à serrer les dents en étreignant les mousquets.

Le porte-parole des assiégés n'avait pas bu depuis bien des heures et sa bouche était sèche. Il trouva néanmoins assez de salive pour cracher par-dessus le parapet, avant de clamer:

448

— Quels hommes êtes-vous donc pour nous demander de manquer à l'honneur et faire honte à nos morts? Sommes-nous des chiens, pour trahir ceux avec qui nous avons partagé le sel? Notre Sahib nous a dit de nous battre jusqu'au dernier, et c'est ce que nous ferons. Voilà ma réponse!

Il cracha de nouveau dans le vide et tourna les talons, suivi par ses camarades. Tandis que la foule des insurgés hurlait sa colère, ils regagnèrent la cour intérieure du bâtiment par l'escalier se trouvant à l'autre extrémité du toit. Là, ils ne perdirent pas de temps, ne s'arrêtant que pour s'aligner épaule contre épaule : des musulmans, des sikhs et un hindou, *sowars* et cipayes du Régiment royal des Guides. Ils ôtèrent la barre, ouvrirent la porte et, sortant leurs sabres, marchèrent à la mort aussi posément qu'ils fussent allés à la parade.

L'Afghan au drapeau blanc en resta bouche bée, puis s'exclama comme malgré lui : « *Wah-illah!* Ça, ce sont des Hommes! »

« Ce sont des Guides, » pensa Ash dans un brûlant sursaut de fierté qui le poussa à se lever pour les rejoindre. Mais, avant même qu'il ait pu se libérer des corps qui l'immobilisaient, ce fut la ruée et une forêt de pieds chaussés de *chupplis* le piétina, bouscula, fit rouler de côté dans un suffocant nuage de poussière. Il n'eut plus que vaguement conscience de cliquetis d'acier, d'appels rauques, et d'une voix sonore comme un clairon, criant : « Guide *ki-jai!* » Après quoi, un coup de pied à la tempe lui fit perdre connaissance.

Cette fois, il mit plus longtemps à recouvrer ses esprits et lorsqu'il émergea lentement des ténèbres où il avait sombré, Ash se rendit compte que s'il entendait encore des clameurs en provenance de la Résidence, la fusillade avait cessé, et la partie du compound où il gisait, était maintenant déserte, à l'exception des morts qui la jonchaient.

Durant le massacre final, les cadavres qui l'écrasaient avaient été déplacés, et Ash, après quelques prudents essais, s'aperçut qu'il pouvait s'en dégager. Se mettre debout était au-dessus de ses forces, mais il entreprit une douloureuse reptation sur les genoux et les mains, en louvoyant entre les cadavres, afin de gagner le plus proche abri, qui se trouvait être les écuries.

D'autres que lui avaient eu la même idée, car les écuries étaient pleines de morts et de blessés afghans; hommes de la ville et de Bala Hissar, soldats hératis ou du régiment Ardal, se tassaient les uns contre les autres sur les litières nauséabondes. Souffrant tout à la fois d'une légère commotion, de nombreuses meurtrissures, ainsi que d'un total épuisement physique aussi bien que moral, Ash s'effondra au milieu d'eux et dormit près d'une heure, jusqu'à ce qu'on le réveillât sans ménagement en l'empoignant par les épaules.

La douleur qui s'irradia en lui, eut le même effet qu'un seau d'eau glacée en plein visage, et il entendit quelqu'un s'exclamer :

– Par Allah, en voici un autre de vivant! Courage, ami, tu n'es pas encore mort, et tu vas bientôt pouvoir rompre ton jeûne.

Ouvrant les yeux, Ash se trouva face à un robuste Afghan dont le visage lui parut vaguement familier sans que, sur l'instant, il parvînt à l'identifier.

– Je suis attaché à la maison du premier secrétaire du Ministre, lui dit alors l'homme, et toi, tu dois être Syed Akbar, qui travaille chez le Munshi Naim Shah : je t'ai vu dans son bureau. A présent, lève-toi, car il commence à se faire tard... Prends mon bras...

Le bon Samaritain aida Ash à se mettre debout et, sans cesser de lui parler, lui fit ensuite traverser le compound, prendre la direction de la Porte Shah Shahie.

Au-dessus d'eux, le soir envahissait le ciel et les

neiges lointaines étaient déjà rosies par le soleil couchant. Mais, même dans ces ruelles enfumées qui zigzaguaient entre les maisons, on continuait de percevoir distinctement la rumeur montant de la foule des insurgés. Alors Ash s'immobilisa en balbutiant :

– Il faut que je m'en retourne... Merci pour ton aide, mais... mais il faut que je retourne là-bas. Je ne peux pas abandonner...

– Trop tard, lui dit l'homme doucement, tes amis sont tous morts. Mais comme les insurgés sont trop occupés à piller, voler et détruire, pour se soucier d'autre chose, si nous faisons vite, nous avons une bonne chance de nous en sortir.

– Qui es-tu ? demanda Ash d'une voix sourde en retenant le bras qui voulait le pousser en avant. Qu'est-ce que tu es ?

– Ici, on m'appelle Sobhat Khan, bien que ce ne soit pas mon nom. Je suis comme toi au service du Sirkar, et je renseigne le *Sahib-log*.

Ash ouvrit la bouche pour réfuter l'accusation, mais la referma sans rien dire. Voyant cela, l'homme sourit :

– Inutile : je ne t'aurais pas cru car, voici une heure, j'ai eu un entretien avec le Sirdar-Bahadur Nakshband Khan, dans la maison de Wali Mohammed. C'est lui qui m'a remis une certaine clef, en me demandant d'aller ouvrir ta porte dès que le combat serait terminé. C'est ce que j'ai fait... mais j'ai trouvé la pièce vide, avec un trou dans le mur assez grand pour qu'un homme y passe. J'y suis donc passé et, de l'autre côté, voyant les lattes de plancher déclouées, j'ai compris comment tu t'étais enfui. Alors, je suis allé sur le compound te chercher parmi les morts... et la chance a voulu que je te retrouve vivant. Maintenant, éloignons-nous d'ici le plus vite possible car le coucher du soleil va rappeler aux pillards qu'ils ont un estomac, et ils se hâteront alors de rentrer chez eux pour rompre le jeûne. Ecoute-les!

Penchant la tête de côté, il prêta un instant l'oreille aux cris et aux rires qui, dans le lointain, accompagnaient l'œuvre de destruction. Poussant Ash en avant, il dit avec mépris:

— Parce qu'ils ont massacré quatre *Angrezis*, ces fous s'imaginent en avoir fini avec tous les étrangers. Mais quand on apprendra aux Indes ce qui s'est passé aujourd'hui, les Anglais marcheront sur Kaboul, ce qui sera terrible pour eux comme pour leur Emir... et aussi pour les Anglais.

— Comment ça? s'enquit machinalement Ash, qui s'apercevait avec soulagement que les forces lui revenaient et que les brumes de son cerveau se dissipaient un peu plus à chaque pas.

— Parce qu'ils vont déposer l'Emir, répondit Sobhat, et je ne pense pas que ce soit son fils qu'ils mettront sur le *gadi* à sa place, l'Afghanistan n'étant pas un pays que puisse gouverner un enfant. Il reste les frères de l'Emir; mais si les Anglais essayaient de mettre l'un d'eux sur le trône, ça ne durerait pas longtemps, car ils n'ont aucun soutien dans le peuple... Il y a aussi son cousin Abdul Rahman, lequel est un homme hardi et un courageux guerrier, mais dont les Anglais se méfient parce qu'il est allé chercher refuge chez les Russes. Alors, je vais te faire une prophétie: dans cinq ans d'ici ou peut-être moins, Abdul Rahman deviendra Emir d'Afghanistan et ce pays où les Anglais ont par deux fois déchaîné la guerre – par crainte, selon eux, de le voir tomber aux mains des Russes et constituer un danger pour les Indes où ils se sont implantés – sera gouverné par un homme qui doit tout à ces mêmes Russes... Ah! c'est bien ce que je pensais: les sentinelles sont allées participer au pillage, et il n'y a personne pour nous arrêter.

Les deux hommes se hâtèrent de franchir la Porte Shah Shahie et prirent la route poussiéreuse qui, longeant la citadelle, s'en allait vers la maison de Nakshband Khan.

– En conséquence de quoi, reprit l'espion, cette guerre n'aura servi à rien, car mes compatriotes ont bonne mémoire et ni Abdul Rahman, ni ses descendants, ni son peuple, qui a dû soutenir deux guerres contre les Anglais en sus d'innombrables combats à la frontière, n'oublieront ces choses. Dans les années à venir, ils se souviendront toujours des Anglais comme étant l'ennemi, et un ennemi qu'ils ont vaincu. Les Russes, en revanche, contre lesquels ils n'ont pas eu à se battre, seront considérés par eux comme des amis et des alliés. Tout cela, je l'avais dit à Cavagnari-Sahib quand je l'avais averti que le moment n'était pas favorable pour envoyer une mission à Kaboul, mais il n'a pas voulu me croire.

– Ni moi non plus, dit lentement Ash.

– Ah! tu étais donc aussi un agent de Cavagnari-Sahib? Je m'en doutais. C'était un grand Sirdar, et qui savait parler toutes les langues de ce pays. Mais, en dépit de son intelligence et de son savoir, il ne connaissait pas vraiment les Afghans, sans quoi il n'eût pas persisté dans son idée de venir ici. A présent, il est mort... comme tous ceux qu'il avait amenés avec lui. Une grande tuerie... et ça n'est pas fini, loin de là. Aussi ne t'attarde pas trop longtemps ici, mon ami. Ce n'est pas sain pour des gens comme toi et moi. Peux-tu marcher seul maintenant? Bon... Alors je vais te laisser, car j'ai beaucoup à faire. Non, non, ne me remercie pas. *Par makhe da Kha.*

Il s'éloigna en direction de la rivière et, poursuivant son chemin, Ash atteignit sans incident la maison de Nakshband Khan.

Le Sirdar était rentré chez lui une demi-heure auparavant, son ami Wali Mohammed l'ayant fait sortir de Bala Hissar sous un déguisement dès que la fusillade s'était arrêtée. Mais Ash ne désirait pas le voir.

En cet instant, il ne voulait parler qu'à une seule personne... encore que, même à elle, il doutât de pouvoir relater ce dont il avait été témoin ce jour-là. Il n'alla d'ailleurs pas la trouver directement car, à l'expression horrifiée du serviteur qui lui ouvrit la porte, il comprit qu'il devait avoir l'air d'un homme mortellement blessé. Il demanda au domestique d'aller chercher Gul Baz.

Gul Baz avait passé la majeure partie de la journée à monter la garde au dernier étage, pour empêcher Anjuli-Begum de courir à Bala Hissar, ce qu'elle avait tenté de faire en apprenant que la Résidence était assiégée. A la fin, la raison avait prévalu, mais Gul Baz avait préféré ne pas courir de risques et était demeuré à son poste jusqu'au retour du Sirdar, lequel avait déclaré avoir fait le nécessaire pour assurer la sécurité du Sahib... ce que ne semblait pas confirmer l'aspect de ce dernier.

Mais Gul Baz ne posa pas de question et s'activa aussitôt à rendre Ash présentable. En dépit de quoi, Anjuli, qui avait bondi de joie en reconnaissant le pas de son mari dans l'escalier, marqua un recul et porta les deux mains à sa gorge en le voyant, tant il lui parut avoir vieilli de trente ans depuis qu'il l'avait quittée à l'aube de cette journée. Vieilli et changé au point de la faire hésiter à le reconnaître.

Elle étendit les bras vers lui en poussant un léger cri. Alors, marchant comme un homme ivre, Ash tomba à genoux devant elle et enfouissant son visage dans les plis de sa robe, il se mit à pleurer.

La pièce s'enténébra autour d'eux tandis que,

dehors, les lumières commençaient à éclore aux fenêtres de la ville quand, ayant achevé leurs prières du
soir, hommes, femmes et enfants de Kaboul s'as-
seyaient enfin pour manger. Car, bien que la Résidence brûlât encore et que des centaines d'hommes
fussent morts ce jour-là, le repas du soir du Ramadan
n'en avait pas moins été préparé. Aussi, comme l'avait
prédit l'espion Sobhat, les insurgés s'étaient-ils hâtés
de rentrer chez eux pour manger et boire avec leurs
familles, en racontant les hauts faits de la journée.

A cette même heure, de l'autre côté du monde, un
télégramme arrivait au Foreign Office à Londres : *Tout
va bien à Kaboul.*

Quand, après un long soupir, Ash releva la tête,
Anjuli la prit entre ses mains et l'embrassa en silence.
Ce fut seulement lorsqu'ils furent assis côte à côte sur
le tapis, près de la fenêtre, qu'elle demanda :
— Veux-tu me raconter?
Elle sentit un frisson le parcourir.
— Non, pas maintenant. Un jour, peut-être. Mais
pas maintenant...
Il y eut une petite toux sur le palier et Gul Baz
toqua à la porte en se nommant. Lorsque Anjuli se fut
retirée dans l'autre pièce, Gul Baz entra avec des
lampes, précédant deux domestiques. Ceux-ci portaient tous les éléments d'un repas sur des plateaux
car, dit l'un d'eux, leur maître avait pensé que, ce
soir-là, ses hôtes préféreraient sans doute dîner seuls.

Ash lui sut gré de cette attention, l'usage étant,
durant le Ramadan, que les hommes prennent le repas
du soir ensemble, tandis que les femmes faisaient de
même dans le Zenana. Or, Ash n'avait aucune envie
de discuter des événements de la journée, ni même
d'en écouter parler. Plus tard, lorsqu'ils eurent fini de
manger et que Gul Baz revint chercher les plateaux,

un serviteur monta dire à Syed Akbar que le Sirdar-Sahib désirait vivement le voir. Ash se serait volontiers excusé, mais Gul Baz prévint sa réponse en disant que son maître descendrait dans un moment.

Quand le serviteur fut reparti, Ash s'enquit avec humeur :

– Qui t'a autorisé à parler en mon nom? Il ne te reste plus qu'à descendre toi-même présenter mes excuses au Sirdar-Sahib, et lui dire que je ne suis pas en état de voir qui que ce soit pour le moment. *Qui que ce soit,*, tu entends?

– J'entends, répondit posément Gul Baz. Mais tu vas quand même voir le Sirdar-Sahib, car ce qu'il veut te dire est extrêmement important...

– Il me le dira demain, coupa Ash avec brusquerie. Assez parlé. Tu peux partir.

– Nous devons tous partir : toi, la Memsahib, moi... et partir cette nuit.

– Nous...? Comment ça! Je ne comprends pas. Qui a dit cela?

– Toute la maisonnée, et les femmes plus haut que les autres. Alors, comme ils font pression sur lui, le Sirdar-Bahadur a estimé qu'il lui fallait absolument te mettre au courant dès que tu rentrerais. Moi, ça ne m'a pas surpris étant donné les choses que j'avais entendu raconter, notamment par des serviteurs de Wali Mohammed Khan, l'ami chez qui le Sirdar était allé chercher refuge. Tu veux que je te les dise?

Ash hocha la tête et s'assit, invitant du geste Gul Baz à en faire autant. D'après celui-ci, Wali Mohammed Khan avait hâte de voir partir son ami.

– Il avait peur que, le pillage terminé, bon nombre de ceux qui y avaient participé, se mettent à la recherche des fugitifs. On sait en effet déjà que deux cipayes ont dû trouver refuge en ville ou à Bala Hissar, grâce à des amis qu'ils avaient parmi les assaillants.

On parle aussi d'un autre cipaye qui, avant le début des combats, était allé au Bazar acheter de la farine, ainsi que des trois qui sont partis avec les coupeurs d'herbe. Les serviteurs de Mohammed Khan nous ont raconté ça lorsqu'ils ont raccompagné le Sirdar, lequel avait dû revêtir un déguisement. Alors, ceux qui habitent ici se sont mis à craindre que, demain, les insurgés à la recherche de ces fugitifs s'en prennent aux gens qu'ils penseront pouvoir les héberger, ou soupçonneront d'avoir été pour Cavagnari. Le Sirdar-Bahadur risque donc d'être en danger, car l'on sait qu'il a servi autrefois chez les Guides. Aussi lui a-t-on dit qu'il ferait bien de partir pour la maison qu'il possède près d'Aoshar, et d'y rester jusqu'à ce que l'agitation se soit calmée. Il a été le premier à en convenir car, ayant été reconnu ce matin, il a déjà été drôlement malmené.

– Je le sais, oui, je l'ai vu, opina Ash, et je pense qu'il a raison de quitter Kaboul. Mais nous, pourquoi?

– Parce que tout le monde ici se dit que, si l'on venait demander à fouiller la maison, ça éveillerait immédiatement les soupçons d'y trouver un homme qui n'est pas de Kaboul, et une femme qui se prétend turque. Des étrangers...

– Mon Dieu, même les gens qui me connaissent! murmura Ash.

Gul Baz haussa les épaules en écartant les mains :

– Sahib, la plupart des hommes et des femmes peuvent devenir cruels à leur tour pour sauver leur maison et leur famille. Et partout les gens se montrent soupçonneux à l'endroit des étrangers ou de ceux qui ne sont pas comme eux.

– Ça, j'ai déjà eu l'occasion de l'apprendre à mes dépens, rétorqua Ash d'un ton amer. Mais je n'aurais jamais pensé que le Sirdar-Sahib agirait ainsi envers moi.

– Il s'y est refusé! dit vivement Gul Baz. Il a déclaré

que les lois de l'hospitalité étaient sacrées, qu'il n'y faillirait pas, et il n'a plus rien voulu écouter des arguments que lui opposaient aussi bien sa famille que les domestiques.

– Mais alors pourquoi... commença Ash. (Puis il s'interrompit.) Oui, oui, je comprends. Tu as bien fait de me dire tout ça... Le Sirdar-Sahib s'est montré un trop bon ami pour que je sois ingrat. Et les siens ont raison : notre présence dans la maison leur fait courir un grand risque. Je vais descendre dire au Sirdar que, pour notre bien, je crois préférable de partir sans délai. Je n'ai pas besoin de lui faire savoir que tu m'as mis au courant.

– C'est bien ce que j'avais pensé, approuva Gul Baz en se mettant debout. Pendant ce temps, je vais aller préparer nos affaires.

Gul Baz ne devait pas avoir encore atteint l'escalier, quand Ash entendit s'ouvrir la porte de communication avec l'autre pièce. Se retournant, il vit Anjuli immobile sur le seuil :

– Tu as entendu, Larla? Tu n'as pas peur? demanda-t-il.

– De quitter Kaboul? C'est de Kaboul et de sa citadelle que j'avais peur! Et puis, je serai avec toi car, après ce qui s'est passé aujourd'hui, plus rien ne te retient ici.

– Oui, c'est juste... Je n'y avais pas réfléchi... A présent, je suis libre d'aller où je veux. Mais ce qu'a dit Gul Baz est exact : partout les gens se méfient des étrangers et sont hostiles à ceux qui diffèrent d'eux. Chez les miens, tu seras rejetée car tu es non seulement hindoue, mais aussi métisse. Les tiens ne m'accepteront pas, parce que je ne suis pas hindou et qu'ils me considéreront comme un paria. Pour les musulmans, nous sommes tous deux des « infidèles »... des *kafirs*...

– Je le sais, mon amour. Pourtant bien des gens, dont nous ne partagions pas les croyances, se sont montrés bons envers nous.

– Bons, oui... Mais ils ne nous ont pas acceptés comme si nous étions des leurs. Oh! mon Dieu, que tout cela m'écœure... l'intolérance... les préjugés... S'il pouvait seulement exister un endroit où l'on nous laisserait vivre en paix et être heureux, sans nous opposer des lois, des usages, des principes... Un endroit où peu importerait que nous vénérions tels dieux ou non, du moment que nous ne ferions de mal à personne, ne causerions aucun tort... Où aller, Larla?

– Mais dans la vallée, répondit Anjuli.

– La *vallée?*

– La vallée de ta mère. Celle dont tu me parlais tout le temps, ou nous devions construire une maison, faire pousser des arbres fruitiers, avoir une chèvre et un âne... Tu ne l'as quand même pas oubliée?

– Mais, mon cœur, ça n'était qu'un conte... Du moins, je l'imagine. Alors, oui, je croyais vraiment que cette vallée existait et que ma mère savait où elle se trouvait. Mais par la suite, je n'en ai plus été aussi convaincu... Et à présent, je pense qu'il s'agissait simplement d'une belle histoire...

– Quelle importance? Nous pouvons faire que le conte devienne réalité. Il doit exister des centaines, des milliers de vallées perdues dans les montagnes. Des vallées avec des ruisseaux, où nous pourrions cultiver de quoi nous nourrir, élever des chèvres, bâtir une maison. Il nous suffit de chercher, c'est tout!

Et, pour la première fois depuis bien des semaines, Anjuli eut ce rire exquis, que Ash n'avait plus entendu depuis l'arrivée de la Mission britannique à Kaboul.

– C'est vrai, dit-il lentement, mais ce serait une rude existence. L'hiver, il y a la neige et la glace, des...

– ... des pommes de pin et le bois des déodars pour faire du feu comme dans tous les villages de montagne. Et puis les gens qui habitent l'Himalaya sont paisibles, doux et enjoués, toujours très serviables pour les voyageurs. Ils ne connaissent pas les rivalités de clans et ne se font jamais la guerre. Aucun d'eux sûrement ne s'opposerait à ce que nous nous installions dans une vallée vierge, trop éloignée d'où ils habitent pour que leurs troupeaux puissent y aller paître ou leurs femmes y chercher du fourrage. Nos collines ne sont pas arides et dures comme celles d'Afghanistan ou de Bhitor, mais couvertes de forêts, pleines de ruisseaux...

— ... et de bêtes sauvages. Des tigres, des léopards et des ours... N'oublie pas cela non plus.

— Du moins, ces bêtes sauvages, comme on les appelle, ne tuent-elles que pour se nourrir. Et non par haine ou vengeance... ou parce que l'un se prosterne en direction de la Mecque alors que l'autre brûle de l'encens devant ses dieux. Veux-tu me dire quand toi et moi nous sommes sentis en sécurité parmi les hommes? Ta mère adoptive a dû se réfugier à Gulkote, sinon toi, un enfant, tu aurais été massacré parce que tu étais un *Angrezi*. Et plus tard vous avez dû fuir Gulkote tous les deux sans quoi Janoo-Rani t'aurait assassiné... puis toi et moi nous sommes enfuis de Bhitor pour ne pas être tués par les hommes du Diwan. Maintenant, nous nous croyions en sécurité dans cette maison, mais il nous faut la quitter en toute hâte pour ne pas être massacrés en faisant partager notre funeste sort à ceux qui nous ont hébergés. Non, Cœur de mon cœur, j'aime encore mieux les bêtes sauvages! Nous ne manquerons jamais d'argent, car nous avons les bijoux de mon *istri-dhan*. Nous pourrons vendre une pierre de temps à autre, quand le besoin s'en fera sentir. Alors, partons à la recherche de cette vallée pour y édifier un petit monde à nous!

Ash demeura un moment silencieux, avant de dire doucement :

460

– Notre royaume, où les étrangers recevront toujours bon accueil... Pourquoi pas ? Nous allons partir vers le nord, en direction de Chitral... ce qui sera plus sûr en ce moment qu'essayer de passer la Frontière pour rejoindre les Britanniques. Et de là-bas, par le Cachemire et le Jammu, nous gagnerons le Dur Khaima...

Le poids écrasant du désespoir, qui s'était appesanti sur lui depuis que Wally était mort et n'avait cessé de s'alourdir durant tout le temps que Gul Baz lui avait parlé, parut soudain s'alléger... Ash retrouva un peu de jeunesse et d'espoir. Anjuli le vit reprendre des couleurs, sentit ses bras se refermer autour d'elle tandis que son regard s'avivait. Il l'embrassa avec frénésie et, la soulevant de terre, l'emporta dans l'autre pièce où, assis avec elle sur le lit bas, il se mit à lui parler, les lèvres enfouies dans sa chevelure :

– Voici bien des années, le *Mir Akor* de ton père, Koda Dad Khan, m'a dit quelque chose que je n'ai jamais oublié. Etant lié à ce pays par l'affection et à *Belait* par le sang, je me plaignais de devoir être toujours comme deux hommes dans la même peau. Il m'a répondu que, un jour, j'en découvrirais peut-être en moi un troisième, qui ne serait ni Ashok ni Pelham-Sahib, mais quelqu'un d'unique et complet : moi-même. Si Koda Dad disait vrai, alors il serait temps que je découvre ce troisième homme. Car Pelham-Sahib est mort, mort aujourd'hui avec ses amis et les hommes de son régiment, sans avoir pu leur être d'aucun secours. Quant à Ashok et l'espion Syed Akbar, tous deux sont morts voici bien des semaines... un matin, très tôt, sur la rivière de Kaboul, près de Michni... Oublions-les tous trois, et puissent-ils être remplacés par un homme au cœur sans partage, ton mari, Larla.

– Les noms ne comptent pas pour moi, murmura Anjuli, les bras noués autour de son cou. J'irai où tu iras, vivrai où tu vivras, en priant les dieux de permettre que je meure avant toi, parce que sans toi je ne pourrais continuer à vivre. Mais es-tu certain que, si tu tournes le dos à ta vie d'autrefois, tu n'auras jamais de regrets?

– Je crois qu'il n'est personne au monde capable de n'éprouver jamais de regrets, dit lentement Ash. Peut-être y a-t-il des moments où Dieu lui-même regrette d'avoir créé l'Homme. Mais on peut les chasser en ne s'y abandonnant pas, et je t'aurai, Larla, ce qui suffirait au bonheur de n'importe quel homme.

Il l'embrassa longuement, amoureusement, puis avec une passion croissante. Après ça, ils demeurèrent un long moment sans rien dire; quand enfin Ash parla de nouveau, ce fut pour annoncer qu'il descendait voir le Sirdar.

Apprendre que ses hôtes ne s'estimaient plus en sûreté à Kaboul et voulaient partir sans délai, fut un grand soulagement pour Nakshband Khan. Mais il était bien trop courtois pour le laisser paraître.

– Moi, aussi, dit-il, je vais partir cette nuit. Car, tant que les insurgés ne se seront pas calmés, Kaboul n'est pas de tout repos pour quelqu'un qu'on sait avoir servi chez les Guides. Mais je ne partirai pas avant le milieu de la nuit, car il faut bien attendre jusque-là pour que tout le monde soit endormi... y compris les voleurs et les coupe-jarrets, qui se sont aujourd'hui dépensés plus que n'importe qui. Je te conseille d'en faire autant. Où vas-tu aller?

– Nous partons à la recherche de notre royaume, Sirdar-Sahib. Notre Dur Khaima... les Pavillons lointains.

– Votre...?

Le Sirdar paraissait tellement ahuri, qu'un sourire effleura la bouche de Ash quand il précisa :

– Nous partons à la recherche d'un endroit où nous puissions vivre et travailler en paix, où les hommes ne se persécutent ni ne s'entre-tuent parce que leurs gouvernements le leur commandent, ou parce qu'ils ne peuvent endurer que d'autres pensent, parlent, prient d'une autre façon qu'eux, ou bien encore parce qu'ils n'ont pas la même couleur de peau. J'ignore si un tel endroit existe ou si, l'ayant trouvé, nous aurons la possibilité d'y vivre, en y bâtissant notre maison, cultivant de quoi manger, élevant nos enfants.

Un Européen se fût récrié, mais Nakshband Khan ne manifesta ni surprise ni désapprobation, se contentant de hocher la tête. Puis, apprenant que Ash s'était fixé pour but une vallée de l'Himalaya, il tomba d'accord que le mieux était de suivre la route des caravanes jusqu'à Chitral, puis d'emprunter les passes qui mènent au Cachemire.

— Mais tu ne peux emmener tes chevaux. Ils ne sont pas entraînés à la marche en montagne. Et puis aussi, ils attireraient trop l'attention. A leur place, je vais te donner mes quatre poneys de Mongolie... car il est plus sage d'en avoir en réserve. Comparés à tes chevaux, ils sont petits et n'ont pas fière allure, mais ils sont robustes comme des yacks et ont le pied très sûr. Il te faut aussi des manteaux en peau de mouton et des bottes fourrées car, vers le nord, les nuits vont être froides.

Il ne voulut accepter aucun argent pour son hospitalité, disant que la différence de valeur entre les trois chevaux de Ash et ses poneys le paierait largement de tout.

— Et maintenant va dormir, dit-il, car il te faudra ensuite bien chevaucher afin que, le soleil levé, tu sois suffisamment loin de Kaboul pour te sentir en sécurité. J'enverrai un serviteur te réveiller dans la demi-heure qui suivra minuit.

Le conseil était bon et, en la rejoignant, Ash dit à Juli de tâcher de se reposer pour être en forme quand l'heure serait venue de partir. Il avait aussi fait part de

463

ses projets à Gul Baz, lui demandant d'en informer Zarin quand il retournerait à Mardan.

– C'est ici que nos chemins se séparent, Gul Baz. J'ai pris des dispositions, tu le sais, pour qu'une pension te soit versée jusqu'à ta mort. Mais il n'est pas d'argent qui puisse te rendre tout ce que tu as fait pour ma femme et moi. Je te remercie de tout mon cœur, avec une profonde gratitude. Jamais je ne t'oublierai.

– Ni moi non plus, Sahib. Et si ce n'était que j'ai femme et enfants à Hoti Mardan, je partirais avec toi à la recherche de ton royaume, pour y demeurer peut-être aussi. Mais, de toute façon, ça n'est pas cette nuit que nous allons nous quitter. En ce moment, il ne serait pas prudent que la Memsahib voyage à travers l'Afghanistan avec un seul sabre pour la protéger. J'irai donc avec toi jusqu'au Cachemire et, de là-bas, je regagnerai Mardan par Rawalpindi.

Ash ne chercha pas à discuter, non seulement parce qu'il savait que c'eût été en vain, mais aussi parce que Gul Baz lui serait d'une aide très précieuse, surtout pendant la première partie du voyage. Quand il rejoignit sa femme dans leur chambre, tous deux s'endormirent vite : lui, d'épuisement après tout ce qu'il avait enduré au cours de cette interminable journée; elle, de soulagement à l'idée de quitter Kaboul la sanglante pour retrouver les paysages de son enfance... Les vastes forêts de sapins, de déodars et de rhododendrons, où l'air était embaumé par la senteur des aiguilles de pins, des fougères et des roses sauvages, où l'on entendait le vent caresser les cimes des arbres et les torrents cascader joyeusement, face à la blanche splendeur du Dur Khaima.

Anjuli s'endormit en pensant à toutes ces choses, heureuse comme elle ne l'avait plus été depuis longtemps.

Ash se réveilla parfaitement reposé. Il quitta la maison une demi-heure avant sa femme et Gul Baz,

464

car il avait quelque chose à faire hors de toute présence, même celle de Juli. Il partit à pied, armé seulement du revolver bien caché sous ses vêtements.

Les rues étaient désertes; à l'exception des rats et de quelques chats efflanqués, Ash n'y rencontra personne. Kaboul semblait dormir derrière les persiennes soigneusement closes car, bien qu'il fît chaud, tout le monde s'était enfermé chez soi, et chaque maison avait l'air d'une forteresse. Les portes de la citadelle étaient toujours ouvertes et non gardées, les sentinelles n'ayant pas jugé utile de regagner leur poste après le pillage.

Au-dessus de Bala Hissar, le ciel avait un rougeoiement sinistre mais, comme celles de la ville, toutes les maisons étaient barricadées et plongées dans les ténèbres... sauf le palais où quelques lampes éclairaient l'Emir, qui avait passé la nuit en consultation avec ses ministres, et la Résidence où le Mess brûlait encore, avec des sursauts intermittents de flammes qui communiquaient un semblant de vie aux visages des morts abandonnés sur place.

La veille, les Afghans victorieux étaient tellement occupés à piller ou à mutiler les corps de leurs ennemis, qu'ils s'étaient laissé surprendre par le coucher du soleil et n'avaient pas eu le temps d'emporter tous leurs morts. Il en restait encore beaucoup autour des écuries ou près de l'entrée du compound, et ce n'était pas facile de les distinguer des *jawans* qui, étant musulmans et souvent aussi des Pathans, portaient des vêtements semblables aux leurs. Mais Wally, lui, était en uniforme et, même à la lueur sinistrement vacillante de l'incendie expirant, Ash le retrouva sans grande difficulté.

Il gisait à plat ventre près du canon dont il espérait s'emparer, une main crispée sur la poignée de son sabre brisé, la tête un peu tournée de côté comme s'il dormait. Un grand beau garçon, qui avait fêté son vingt-troisième anniversaire quinze jours auparavant...

Il avait une terrible blessure mais, à la différence de William dont le corps mutilé et à peine identifiable se trouvait à quelques mètres de lui, on avait épargné à son cadavre les traditionnelles humiliations. Peut-être, pensa Ash, parce que même ses ennemis avaient admiré le courage de Wally.

S'agenouillant près du corps, Ash le retourna sur le dos avec une extrême douceur.

Wally avait les yeux fermés, et la rigidité cadavérique n'avait pas encore durci son corps. Sur le masque noir posé par la fumée et la poudre, la sueur avait tracé des sillons mais, à l'exception d'une profonde entaille au front d'où le sang avait coulé, le visage ne présentait aucune blessure. Et il était souriant...

Ash passa affectueusement la main dans les cheveux dépeignés et couverts de poussière puis, se remettant debout, il gagna le bâtiment des chambrées en louvoyant entre les corps sans vie.

La cour intérieure du bâtiment comportait une citerne. Retirant sa large ceinture d'étoffe, Ash la plongea dans l'eau, la tordit, la trempa de nouveau, puis s'en retourna laver le visage de Wally, avec autant de délicatesse que s'il avait craint de lui faire mal. Quand fut de nouveau propre ce jeune et souriant visage, Ash brossa la tunique froissée, remit bien en place le baudrier, ferma le col dégrafé. Il ne pouvait dissimuler les déchirures béantes dues aux coups de cimeterre, ni les taches sombres qui les auréolaient, mais c'étaient là d'honorables blessures.

Quand il eut tout remis en ordre, Ash prit entre les siennes la main glacée de Wally et, près de son ami, lui parla comme s'il était encore vivant : aussi longtemps qu'il y aurait des Guides, on se souviendrait de ce qu'il avait fait... Qu'il dorme en paix, car il avait bien mérité ce grand repos, vers lequel il était allé en menant ses hommes au combat, comme il l'avait souhaité... Lui, Ash, ne l'oublierait jamais. S'il avait un fils, il l'appellerait Walter... « Et, même s'il n'arrive jamais à t'égaler, je suis sûr qu'il nous comblera de fierté. »

Ash lui parla aussi de Juli et du royaume qu'ils allaient se donner... Un paradis où nul étranger ne se verrait regarder d'un œil soupçonneux ou refuser l'hospitalité... Wally ne partagerait pas cet avenir radieux, mais son souvenir y serait toujours présent, débordant de jeunesse, de gaieté, de vaillance et de courage...

– Nous avons vécu de bien bons moments ensemble, n'est-ce pas, Wally ?

Il n'avait pas eu conscience de l'écoulement du temps. Venu à la Résidence dans l'intention de brûler ou d'enterrer le corps de son ami afin qu'il ne restât pas à pourrir au soleil ou servir de pâture aux charognards, Ash s'apercevait soudain que ça n'était pas possible. Le sol était trop dur pour que, tout seul, il pût arriver à y creuser une tombe, et l'incendie avait encore trop de force pour qu'il y portât le corps sans risquer d'être grièvement brûlé ou de succomber à la chaleur et à la fumée.

Et puis, si l'on ne trouvait pas son corps, le bruit ne tarderait pas à courir que le lieutenant-Sahib n'était pas mort, qu'il avait eu la force de s'enfuir du compound durant la nuit pour aller se terrer quelque part, ce qui provoquerait des recherches et, peut-être, le massacre de personnes innocentes. De toute façon, Wally ne se souciait certainement pas de ce que deviendrait son corps maintenant qu'il s'en était dépouillé.

Lâchant la main sans vie, Ash se remit debout et, se baissant, prit Wally dans ses bras. Il le porta ainsi jusqu'au canon, sur lequel il l'étendit, en prenant grand soin qu'il ne risque pas de glisser. Wally avait mené trois charges pour tenter de s'emparer de ce canon, et c'était donc justice que celui-ci devînt son catafalque d'apparat. En le découvrant là, dans quelques heures, les insurgés supposeraient que c'était le fait de certains d'entre eux qui, tout comme les mutilations lui avaient été épargnées, avaient voulu ainsi rendre hommage à sa bravoure.

– Au revoir, mon vieux, dit Ash doucement, tandis que sa main esquissait un adieu.

En se détournant du canon, il constata que les étoiles avaient pâli et que la lune se levait. Il n'avait pas eu conscience d'être demeuré si longtemps près de Wally. Juli et Gul Baz devaient s'inquiéter...

Anjuli et Gul Baz l'attendaient à l'abri d'un bouquet d'arbres, sur le bord de la route. Cela faisait plus d'une heure qu'ils étaient là, en proie à une angoisse grandissante, mais ils ne lui posèrent aucune question, ce dont Ash leur sut gré. Ne pouvant embrasser Juli parce qu'elle avait revêtu une *bourka*, il la prit dans ses bras et la serra un moment contre lui, avant de se changer rapidement en mettant les habits que Gul Baz lui avait apportés. Quelques minutes plus tard, quand il enfourcha un des poneys, il avait tout à fait l'air d'un Afridi, auquel ne manquaient pas plus le fusil et le cimeterre que le long poignard, aussi tranchant qu'un rasoir.

– Maintenant, allons-nous-en, dit Ash. Il faut que nous ayons couvert beaucoup de chemin avant l'aube.

Laissant derrière eux Bala Hissar où la Résidence continuait de brûler ils partirent tous trois vers les montagnes...

Et il se peut qu'ils aient trouvé leur paradis.

# Notes pour les curieux

Ces notes sont destinées aux lecteurs qui – à l'instar de l'auteur – aiment à savoir ce qui, dans un roman historique, relève de la fiction ou de la réalité.

Ash est un personnage inventé, mais pas ses camarades officiers, non plus que le régiment des Guides. A quelques rares exceptions près, les histoires prêtées à cette unité sont vraiment arrivées, telle l'anecdote de la sentinelle qui avait tiré sur un cavalier que l'on croyait monter un cheval volé : elle fut racontée à mon père, qui entendit de ses propres oreilles le verdict rendu. Ce fut mon père lui-même qui expliqua, à un groupe de *jawans*, le mystère de la Sainte-Trinité en utilisant un couvercle de boîte et trois gouttes d'eau. Tout comme Ash, il avait échoué à l'écrit de son examen de langues et pour la raison indiquée. Mais à la différence de Ash, il se présenta de nouveau à cet examen, commit délibérément deux fautes, et fut brillamment reçu.

Walter Hamilton est vraiment arrivé à Rawalpindi durant l'automne de 1874 et entré chez les Guides en 1876.

Un officier britannique – n'appartenant pas aux Guides – a bien escorté seul un petit prince radjpoute et ses deux sœurs jusqu'au lieu de leurs mariages, mais avec un cortège nuptial beaucoup plus important que celui décrit par moi, car il ne comptait pas moins de deux mille éléphants et près de trois mille chameaux. Quand ils arrivèrent dans la principauté où le garçon devait se marier, le souverain de cet État, un oncle de la fiancée, se conduisit exactement comme le Rana de Bhitor sorti de mon imagination, et cet officier réagit comme le fit Ash. L'histoire de la *satî* est inventée, mais repose sur un fait réel, car on connaît un Anglais qui épousa une veuve sauvée ainsi par lui du bûcher de son mari.

Tout ce qui concerne la Seconde Guerre afghane est authentique, sauf le rôle que Ash est censé y avoir joué. La plupart des renseignements fournis à Cavagnari par « Akbar » furent dus en réalité à un ou plusieurs espions inconnus. Rudyard Kipling écrivit un poème (mis plus tard en musique) sur le désastre qui frappa le 10e Hussards à la veille de la bataille de Fatehabad; il est intitulé « le gué de la rivière de Kaboul » et la musique en est obsédante. Les *sowars* de Wigram Battye ne voulurent pas laisser son corps aux porteurs de civières et le chargèrent eux-mêmes sur leurs épaules, où le supportèrent des lances de cavalerie, ceci jusqu'à Djalalabad. Lorsque l'armée britannique se retira d'Afghanistan, après la signature du traité de Gandamak, son cercueil fut exhumé et envoyé aux Indes sur un radeau, à travers des régions inconnues où des tireurs embusqués tuèrent plusieurs de ceux qui l'accompagnaient dans ce dernier voyage. Il repose à Mardan, au Vieux Cimetière; près de sa tombe, se trouve celle de son frère Fred, tué seize ans plus tard alors que, durant l'expédition au Chitral, il conduisait à la bataille l'infanterie des Guides.

On ne sait que très peu de choses concernant la défense de la Résidence de Kaboul, et ce peu repose essentiellement sur des ouï-dire, rapportés par des personnes ayant eu l'occasion d'approcher les messa-

470

gers qu'on avait envoyés implorer l'aide de l'Emir, le cipaye qui se trouvait acheter de la farine en ville lorsque l'attaque fut déclenchée, et les trois *sowars* qui avaient accompagné les coupeurs d'herbe. Ce sont les seuls qui aient survécu, car les défenseurs de la Résidence sont morts jusqu'au dernier, comme il est dit dans le poème de Henry Newbolt, « les Guides à Kaboul » (1). Tous les autres détails du siège furent recueillis, un mois plus tard, de la bouche d'Afghans; bien peu avouèrent en avoir été témoins, les autres affirmant les tenir d'amis ou connaissances. Pour cette raison, j'ai dû imaginer ce qui avait pu se passer réellement et mener le combat à mon idée, en m'arrangeant pour que cela corresponde à peu près avec ce que l'on sait, notamment quant à l'ordre dans lequel se déroulèrent ces différents faits.

Il a été dit par certains que le corps de Walter avait été découvert, le lendemain matin, étendu sur l'un des canons dont il avait tenté de s'emparer. On a raconté aussi des histoires beaucoup moins plaisantes, mais comme aucun des cadavres ne fut retrouvé, nul ne sait au juste quel traitement ils subirent. On pense toutefois que celui de Cavagnari a dû brûler dans l'incendie de la Résidence.

Le Sirdar qui hébergea Ash à Kaboul a réellement existé, et l'on a les minutes des conversations qu'il eut avec l'Envoyé extraordinaire. Mais comme Zarin et Awal Shah ne relèvent que de mon imagination, je n'ai pu les inclure dans l'escorte, car on connaît les noms de tous les Guides ayant accompagné la Mission à Kaboul, et les noms de ceux qui y trouvèrent la mort sont gravés sur l'Arc Cavagnari à Mardan, où l'on peut encore les voir aujourd'hui.

---

(1). Sir Henry Newbolt, poète et critique anglais, mort à Salisbury en 1938. La Première Guerre mondiale lui inspira aussi plusieurs œuvres, dont une *Histoire navale de la Grande Guerre. (N.d.T.)*

Avant de conclure, je voudrais ajouter que, lors de la Révolte des Cipayes, beaucoup de femmes et d'enfants britanniques furent sauvés du massacre, et trouvèrent refuge chez des Hindous. Très longtemps des histoires coururent, selon lesquelles un enfant, ainsi sauvé, avait été élevé de telle façon qu'il se croyait vraiment indigène. La plus connue de ces histoires est peut-être celle de la fille cadette du général Wheeler of Cawnpore, qui aurait été retrouvée dans le Zenana d'un homme l'ayant sauvée ou enlevée, et qui ne manifesta aucun désir de retourner parmi les siens! Il existe plusieurs versions de cette histoire, dont probablement aucune n'est exacte; mais on peut très bien supposer qu'un ou deux enfants, devenus orphelins au cours de la Révolte alors qu'ils étaient encore dans la prime enfance, ont fini leurs jours en se croyant de sang indien. Quant à l'histoire du cipaye à qui une petite bergère donna à boire, elle est authentique et bien connue de nombreux anciens officiers de l'Armée des Indes, à qui elle fut donnée par leurs *munshis* à traduire dans l'un ou l'autre des nombreux dialectes lors des examens de langues.

# GLOSSAIRE

*Achkan* : vêtement trois-quarts très ajusté.
*Afsos!* : navrant! Quel dommage!
*Angrezi* : Anglais.
*Angrezi-log* : les Anglais.
*Ayah* : nourrice, bonne d'enfant.

*Baba* : bébé, très jeune enfant.
*Baba-log* : les enfants.
*Badshahi* : royal.
*Bai* : frère.
*Barat* : amis du marié.
*Begum* : dame musulmane.
*Belait* : l'Angleterre.
*Beshak* : sans aucun doute, certainement.
*Beta* : fils.
*Be-wakufi!* : quelle sottise! Ça ne tient pas debout!
*Bheesti* : porteur d'eau.
*Bhoosa* : paille.
*Bibi-gurh* : maison de femmes.
*Bourka* : vêtement comparable à un domino de carnaval, qui dissimule de la tête aux talons la femme qui le porte, avec juste une bande de filet à hauteur des yeux.
*Boxwallah* : négociant ou trafiquant européen.
*Budmarsh* : vaurien, mauvais homme.

*Burra khana :* grand dîner.
*Burra-Sahib :* grand homme, grand chef.


*Cha-cha :* oncle.
*Charpoy :* lit de sangles.
*Chatti :* grande jarre de terre cuite.
*Chik :* store de bois ou de bambous fendus.
*Chirag :* petite lampe à huile en poterie, utilisée lors
    des fêtes.
*Chokra :* garçon.
*Chota hazri :* sorte d'avant-petit déjeuner, composé
    d'un fruit accompagné de thé.
*Chowkidar :* veilleur de nuit.
*Chuddah :* drap; châle.
*Chunam :* plâtre; chaux.
*Chuppatti :* gâteau plat fait de pain sans levain.
*Chuppli :* épaisse sandale de cuir à semelle cloutée.
*Chutti :* feuille.


*Dacoïts :* brigands qui sévissaient en Inde au XIXᵉ siècle
    et y ont laissé un horrible souvenir.
*Daffadar :* maréchal des logis (cavalerie).
*Dai :* infirmière; sage-femme.
*Dâk :* courrier; poste.
*Dâk-bungalow :* relais de poste.
*Dâk-ghari :* voiture à cheval transportant le courrier.
*Dal :* lentilles.
*Dawaza :* porte; porche.
*Dekho! :* regarde!
*Dhobi :* blanchisseur, laveur de linge.
*Dhooli :* palanquin.
*Durbar :* audience publique; réception royale, tenue
    l'après-midi et pour hommes seulement.


*Ekka :* voiture à deux roues; sorte de charrette an-
    glaise.

*Fakir* : religieux mendiant.
*Feringhi* : étranger.
*Fu-fu band* : équivalent indien d'une fanfare villageoise.

*Gadi* : trône.
*Ghari* : n'importe quelle voiture à cheval.
*Ghari-wallah* : le conducteur d'une telle voiture.
*Ghazi* : religieux fanatique.
*Ghee* : beurre fermier.
*Godown* : entrepôt, remise, hangar.
*Gur* : cassonade.
*Gurral* : chamois.
*Gurrh-burrh* : tumulte, vacarme.

*Hakim* : médecin.
*Halwa* : bonbons, confiserie.
*Havildar* : sergent d'infanterie.
*Hazrat* : Altesse.
*Hookah* : narguilé.
*Howdah* : palanquin où l'on prend place lors d'un transport à dos d'éléphant.
*Hukum* : ordre.
*Huzoor* : Votre Honneur.

*Istri-dhan* : héritage.
*Itr* : senteur.
*Izzat* : honneur.

*Jawan* : littéralement *jeune homme,* mot couramment employé pour *soldat.*
*Jehad* : guerre sainte.
*Jehanum* : enfer.
*Jellabies* : friandise faite de pâte à frire et de miel.

*Jemadar :* officier indien subalterne sorti du rang (cavalerie ou infanterie).

*Jezail :* mousquet à long canon.

*Jheel :* lac marécageux peu profond.

*Jung-i-lat Sahib :* commandant en chef.


*Kala :* noir.

*Khansamah :* cuisinier.

*Khidmatgar :* serveur à table.

*Kila :* fort.

*Kismet :* destin.

*Koss :* deux milles.

*Kus-kus tatties :* rideaux épais faits d'herbes tissées.


*Larla :* chérie.

*Lathi :* canne longue et lourde.

*Lotah :* petit pot à eau en cuivre.


*Machan :* plate-forme construite dans un arbre pour la chasse au tigre.

*Mahal :* palais.

*Mahout :* cornac.

*Mali :* jardinier.

*Malik :* chef de tribu.

*Maro! :* Frappe! Tue!

*Mubarik! :* Bravo! Félicitations!

*Mollah* ou *mullah :* prêtre musulman.

*Munshi :* professeur; commis aux écritures.


*Narwar :* tissage grossier.

*Nauker :* serviteur.

*Nauker-log :* la domesticité.

*Nautch-girl :* danseuse.

*Nullah :* ravine ou lit de torrent desséché.


*Ooloo :* hibou.

476

*Padishah :* impératrice.

*Pan :* masticatoire fait d'un mélange de feuilles de bétel, de chaux vive et de noix d'arec.

*Panchayat :* conseil de cinq doyens ou anciens.

*Patarkar :* petit feu d'artifice.

*Piara (-i) :* cher (chéri).

*Pice :* petite pièce de monnaie.

*Pujah :* culte.

*Pukka :* vrai, authentique, parfait.

*Pulton :* régiment d'infanterie.

*Punkah :* panka, écran suspendu au plafond et qu'on actionne à l'aide d'une corde pour produire un courant d'air.

*Purdah :* littéralement : rideau; réclusion des femmes.

*Pachto :* idiome parlé par les Pathans.

*Rajah :* roi.

*Rajkumar :* prince.

*Rajkumari :* princesse.

*Rakhri :* pendentif porté sur le front.

*Rang :* couleur.

*Rani :* reine.

*Resai :* couverture ouatinée ou édredon piqué.

*Resaidar :* officier indien subalterne sorti du rang (cavalerie).

*Risaldar :* officier indien supérieur sorti du rang (cavalerie).

*Risaldar-Major :* le plus ancien des risaldars.

*Rissala :* régiment de cavalerie.

*Sadhu :* saint homme.

*Sahiba :* dame.

*Sahib-log :* « les blancs ».

*Saht-bai :* « sept frères », petits oiseaux bruns qui se déplacent généralement par groupe de sept.

*Serai :* caravansérail.

*Shabash!* : Bravo! Bien joué!
*Shadi* : mariage.
*Shaitan* : diable, démon.
*Shamianah* : vaste tente.
*Shikar* : chasse, tir.
*Shikari* : chasseur, rabatteur de gibier.
*Shulwa* : tunique à manches longues.
*Sirdar* : officier indien de haut rang.
*Sirkar* : le Gouvernement indien.
*Sowar* : soldat de cavalerie.
*Syce* : palefrenier.


*Talash* : enquête.
*Tamarsha* : fête, spectacle.
*Tar* : télégramme (littéralement : fil).
*Tehsildar* : chef de village.
*Tiffin* : déjeuner.
*Tonga* : voiture à deux roues tirée par un cheval.


*Yakdan* : malle de cuir, faite pour être portée à dos de mulet.
*Yuveraj* : héritier du trône.


*Zenana* : appartement des femmes.
*Zid* : ressentiment.
*Zulum* : agression.

# Editions J'ai Lu, 31, rue de Tournon, 75006 Paris

*diffusion*
*France et étranger : Flammarion, Paris*
*Suisse : Office du Livre, Fribourg*
*diffusion exclusive*
*Canada : Éditions Flammarion Ltée, Montréal*

Achevé d'imprimer sur les presses de l'imprimerie Brodard et Taupin
7, Bd Romain-Rolland, Montrouge. Usine de La Flèche,
le 15 avril 1982
6767-5 Dépôt Légal avril 1982. ISBN : 2 - 277 - 21308 - X
Imprimé en France